IAN RANKIN

Die Seelen der Toten

Buch

Immer wieder plagen Detective Inspector John Rebus die Geister der Vergangenheit. Des Nachts sucht ihn sein kürzlich verstorbener Freund Jack Morton heim, tagsüber leidet Rebus unter seiner Hilflosigkeit angesichts seiner Tochter, die, durch einen Autounfall gelähmt, nun versucht, wieder in ihr altes Leben zurückzufinden. Doch auch die Probleme der Gegenwart lassen Rebus nicht zur Ruhe kommen. Im Edinburgher Zoo vergiftet ein Unbekannter die wehrlosen Tiere, und die Polizei setzt alles daran, diesen Verrückten auf frischer Tat zu ertappen. Doch statt den Täter mit dem angeblichen Hass auf Tiere zu stellen, überrascht Rebus einen Mann mit einer offensichtlichen Vorliebe für kleine Kinder. Als Rebus in dem anschließenden Prozess als Zeuge aussagt, verrät er der Presse vorab den Wohnsitz des überführten Mannes. In dem stadtbekannten sozialen Brennpunkt kommt es daraufhin zu wütenden Protesten, und die angeheizte Atmosphäre droht, in Gewalt umzuschlagen. Währenddessen taucht ein weiterer Verurteilter in Edinburgh auf: der Serienkiller Cary Oakes, der soeben aus einem U.S.-Gefängnis entlassen worden ist. Als sich die Presse auf den Fall Oakes stürzt, erhält Rebus den Auftrag, den Mann zu überwachen. Die Polizei kann es sich nicht leisten, dass noch ein Mensch Opfer der Öffentlichkeit wird, auch wenn es sich um einen verurteilten Mörder handelt. Oakes erkennt hingegen sofort seine Chance, mit Rebus ein gefährliches Versteckspiel zu beginnen – zu seinem eigenen sadistischen Vergnügen …

Autor

Ian Rankin, 1960 im schottischen Fife geboren, gilt als der »führende Krimiautor Großbritanniens« (*Times Literary Supplement*). Der internationale Durchbruch gelang Ian Rankin mit seinem melancholischen Serienhelden John Rebus, der aus den britischen Bestsellerlisten nicht mehr wegzudenken ist. Rankin wurde bereits mit vielen renommierten Literaturpreisen ausgezeichnet, zuletzt mit dem *Deutschen Krimipreis 2004* für »Die Kinder des Todes«. Der Autor lebt mit seiner Familie in Edinburgh.

Die Inspector-Rebus-Romane in chronologischer Reihenfolge:

Verborgene Muster (44607) · Das zweite Zeichen (44608) · Wolfsmale (44609) · Ehrensache (45014) · Verschlüsselte Wahrheit (45015) · Blutschuld (45016) · Ein eisiger Tod (45428) · Das Souvenir des Mörders (44604) · Die Sünden der Väter (45429) · Die Seelen der Toten (44610) · Der kalte Hauch der Nacht (45387) · Puppenspiel (45636) · Die Tore der Finsternis (45883) · Die Kinder des Todes (Manhattan, gebundene Ausgabe 54550) · So soll er sterben (Manhattan, gebundene Ausgabe 54605)

Ian Rankin

Die Seelen der Toten

Ein Inspector-Rebus-Roman

Deutsch von
Giovanni und Ditte Bandini

GOLDMANN

Die Originalausgabe erschien 1999
unter dem Titel »Dead Souls«
bei Orion Books Ltd., London

Produktgruppe aus vorbildlich
bewirtschafteten Wäldern und
anderen kontrollierten Herkünften

Zert.-Nr. SGS-COC-1940
www.fsc.org
© 1996 Forest Stewardship Council

Verlagsgruppe Random House FSC-DEU-0100
Das FSC-zertifizierte Papier *München Super* für Taschenbücher
aus dem Goldmann Verlag liefert Mochenwangen Papier.

1. Auflage
Deutsche Erstveröffentlichung Mai 2006

Umschlaggestaltung: Design Team München
Umschlagfoto: buchcover.com/doublepointpictures
Redaktion: Irmgard Perkounigg
KvD · Herstellung: Str.
Satz: Uhl+Massopust, Aalen
Druck und Bindung: GGP Media GmbH, Pößneck
Printed in Germany
ISBN-10: 3-442-44610-4
ISBN-13: 978-3-442-44610-0

www.goldmann-verlag.de

Für meine leidgeprüfte Lektorin
Caroline Oakley

Die Welt ist voll von Vermissten, und ihre Zahl nimmt stetig zu. Der Raum, den sie einnehmen, bewegt sich irgendwo zwischen dem, was wir übers Am-Leben-Sein wissen, und dem, was wir über das Totsein gehört haben. Dort schweifen sie umher, unbegleitet und unfassbar, wie Schatten von Menschen.

Andrew O'Hagan, *The Missing*

Einmal stieg ich versehentlich in einen Zug nach Cardenden ... Als wir Cardenden erreichten, stiegen wir aus und warteten auf den nächsten Zug zurück nach Edinburgh. Ich war sehr müde, und ich glaube, wenn Cardenden auch nur eine Spur einladender ausgesehen hätte, wäre ich einfach dageblieben. Und wer jemals in Cardenden gewesen ist, wird wissen, wie schlimm es um mich gestanden haben muss.

Kate Atkinson, *Behind the Scenes at the Museum*

Prolog

Aus dieser Höhe wirkt die schlafende Stadt wie die Bauklötzchenkonstruktion eines Kindes, ein Modell, das sich geweigert hat, in den engen Grenzen der Vorstellungskraft zu bleiben. Der vulkanische Kegelstumpf könnte aus schwarzem Knetgummi bestehen, die fest darauf thronende Burg eine Nachbildung aus Legosteinen sein. Die orangefarbenen Straßenlaternen sind zusammengeknüllte Stanniolpapierchen, die man an Lollistöckchen festgeklebt hat.

Draußen auf dem Forth beleuchten schwache Taschenlampenglühbirnchen Spielzeugboote, die auf schwarzem Krepppapier liegen. In diesem Universum wären die zackigen Turmhauben der Altstadt schräg aneinander gelegte Streichhölzer. Princes Street Gardens eine Bahn Kletttuch mit darauf haftenden Filzknubbeln. Schuhkartons für die mehrstöckigen Mietshäuser, Türen und Fenster sorgfältig mit Farbstiften aufgemalt. Trinkhalme gäben Regenrinnen und Fallrohre ab, und mit einer scharfen Klinge – vielleicht einem Skalpell – ließen sich diese Türen auch öffnen. Aber hineinspähen … hineinzuspähen würde den ganzen Effekt zerstören.

Hineinzuspähen würde *alles* ändern.

Er steckt die Hände in die Taschen. Der Wind reibt seine Ohren blank. Er kann sich einreden, das sei der Atem eines Kindes, aber die Wirklichkeit widerspricht ihm.

Ich bin der letzte kalte Wind, den du je spüren wirst.

Er macht einen Schritt nach vorn, späht über die Kante

und hinab ins Dunkel. Arthur's Seat kauert hinter ihm, geduckt und stumm, wie beleidigt durch seine Anwesenheit, zum Sprung bereit. Bloß Pappmaché, sagt er sich. Er glättet Streifen von eingeweichtem Zeitungspapier, ohne die Meldungen und Schlagzeilen zu lesen, bis ihm bewusst wird, dass er nichts als Luft streichelt, und er mit einem verschämten Lachen die Hände zurückzieht. Er hört eine Stimme irgendwo hinter sich.

Früher war er bei Tageslicht hier hinaufgestiegen. Vor Jahren wäre er vielleicht in Begleitung einer Freundin gewesen, Hand in Hand den Berg hinan, unter sich die Stadt, wie eine Verheißung ausgebreitet. Später dann mit Frau und Kind: auf dem Gipfel halten, um Fotos zu machen, darauf achten, dass niemand zu nah an den Abgrund kam. Vater und Ehemann, steckte er dann das Kinn in den Kragen und sah Edinburgh in lauter Grautönen, aber in der richtigen Perspektive, da er es jetzt gemeinsam mit seiner Familie unter sich gelassen hatte. Während er die ganze Stadt mit einem langsamen Schwenk des Kopfes in sich aufnahm, hatte er das Gefühl, dass er alle Probleme in den Griff bekommen konnte.

Doch jetzt, in der Dunkelheit, sieht er klarer.

Er weiß, dass das Leben eine Falle ist, dass seine stählernen Kiefer früher oder später um jeden zuschnappen, der sich einbildet, er könnte sich zum Sieg mogeln. Ein Polizeiauto heult in der Ferne, aber es meint nicht ihn. Eine schwarze Kutsche wartet auf ihn am Fuß der Salisbury Crags. Der kopflose Kutscher wird allmählich ungeduldig. Die Pferde beben und wiehern. Während der Heimfahrt werden ihre Flanken schweißnass sein.

»Salisbury Crag« hat sich in der Stadt als *rhyming-slang*-Ausdruck etabliert. Es bedeutet *skag*, Heroin. »Morningside Speed« wiederum ist Kokain. Eine Nase Koks würde ihm momentan richtig gut tun, aber genug wäre sie nicht.

Ganz Arthur's Seat könnte aus dem Zeug bestehen: Wie die Sache liegt, würde es rein gar nichts ändern.

Im Dunkel hinter ihm ist eine Gestalt, die näher kommt. Er dreht sich halb um, um ihr die Stirn zu bieten, sieht dann rasch weg, hat plötzlich Angst, dem Gesicht ins Gesicht zu sehen. Er fängt an zu sprechen.

»Ich weiß, es wird dir unglaublich erscheinen, aber ich habe ...«

Der Satz bleibt unvollendet. Denn jetzt segelt er über die Stadt hinaus, das Jackett über den Kopf gebläht, ein Segel, unter dem ein letzter, aus tiefster Seele kommender Schrei erstickt. Während sein Magen sich umdreht und entleert, fragt er sich, ob wirklich ein Kutscher auf ihn wartet.

Und spürt, wie sein Herz aufplatzt in der Gewissheit, dass er seine Tochter nie wieder sehen wird, weder in dieser noch in einer anderen Welt.

Erster Teil

VERSCHOLLEN

Auf Schritt und Tritt tun wir ohne die geringste
böse Absicht auf vielfältigste Weise Unrecht.
In jedem Augenblick sind wir Ursache
von jemandes Unglück…

1

John Rebus tat gerade so, als betrachtete er die Erdmännchen, als er den Mann sah und wusste, dass es nicht der richtige war.

Seit fast einer Stunde versuchte Rebus, durch angestrengtes Blinzeln einen Kater zu verscheuchen, was so ziemlich der größte Kraftakt war, zu dem er sich momentan aufraffen konnte. Er hatte sich auf Bänke gesetzt und an Wände gelehnt und sich immer wieder die Stirn abgewischt, obwohl Edinburghs Vorfrühling ein sehr naher Verwandter des Mittwinters war. Sein Hemd klebte ihm feucht am Rücken und spannte jedes Mal unangenehm, wenn er aufstand. Das Wasserschwein hatte ihn fast mitleidig angesehen, und im lang bewimperten Auge des geduckten weißen Nashorns, das so regungslos dastand, dass es in einer Einkaufspassage nicht weiter aufgefallen wäre, aber dennoch in seiner Isoliertheit eine gewisse Würde ausstrahlte, schien etwas wie Wiedererkennen und Mitgefühl aufgeblitzt zu sein.

Rebus fühlte sich isoliert und in etwa so würdevoll wie ein Schimpanse. Er hatte seit Jahren nicht mehr den Zoo besucht; er meinte, das letzte Mal sei gewesen, als er mit seiner Tochter hergekommen war, um ihr Palango, den Gorilla, zu zeigen. Sammy war so klein gewesen, dass er sie auf den Schultern getragen und dabei ihr Gewicht kaum gespürt hatte.

Heute trug er lediglich ein verstecktes Funkgerät und ein Paar Handschellen bei sich. Er fragte sich, wie sehr er wohl auffallen mochte dadurch, dass er sich die ganze Zeit in einem so kleinen Bereich aufhielt und die Attraktionen weiter den Hang hinauf und hinunter mied und immer wieder mal zum Kiosk ging, um sich eine Dose Irn-Bru zu besorgen. Die Pinguinparade war gekommen und gegangen, ohne dass er sich von der Stelle gerührt hätte. Seltsamerweise mussten die Zoobesucher erst sensationslüstern weiterziehen, ehe das erste Erdmännchen erschien, sich auf die Hinterbeine stellte und sich mit schlankem schwankendem Rumpf sichernd umsah. Inzwischen waren zwei weitere aus ihrem Bau aufgetaucht und zogen, die Nasen am Boden, ihre Kreise. Dem schweigsamen Mann, der auf der niedrigen Umfassungsmauer ihres Geheges saß, schenkten sie nur wenig Beachtung; zogen in Abständen an ihm vorbei, während sie immer wieder dieselbe Ellipse von harter, festgestampfter Erde erkundeten, und machten lediglich dann einen Satz zurück, wenn er sich mit dem Taschentuch über das Gesicht wischte. Er spürte, wie das Gift in seinen Adern brodelte: nicht der Alkohol, sondern ein frühmorgendlicher doppelter Espresso aus einem der umfunktionierten Polizeikioske in der Nähe der Meadows. Er war auf dem Weg zur Wache gewesen, wo ihn die Mitteilung erwartete, dass heute Tierparkstreife auf dem Dienstplan stand. Der Spiegel auf der Toilette hatte nicht das geringste Taktgefühl bewiesen.

Greenslade: »Sunkissed You're Not.« Überleitung zu Jefferson Airplane: »If You Feel Like China Breaking«.

Aber es hätte schlimmer kommen können, hatte sich Rebus gesagt und stattdessen seine Gedanken auf die zentrale Frage des Tages gerichtet: Wer vergiftete die Tiere des Edinburgher Zoos? Tatsache war, dass irgendjemand es tat. Irgendein grausamer und berechnender Mensch, der bis dato der Aufmerksamkeit der Überwachungskameras wie der Wärter entgangen war. Die Polizei hatte eine ungefähre Personenbeschreibung, und Trage- und Manteltaschen der Besucher wurden stichprobenartig durchsucht. Aber was sich jeder – vielleicht mit Ausnahme der Medien – wirklich wünschte, war eine Festnahme, vorzugsweise bei gleichzeitiger Sicherstellung toxischen Beweismaterials.

Vorerst hatte man, wie die Tierparkleitung erklärte, die paradoxe Situation, dass der Giftmörder sich positiv auf die Besucherzahlen auswirkte. Bislang waren keine Trittbrettfahrer zu verzeichnen gewesen, aber Rebus fragte sich, wie lange die noch auf sich warten ließen …

Als Nächstes wurde die Fütterung der Seelöwen angekündigt. Rebus, der einige Zeit vorher an ihrem Becken vorbeigeschlendert war, fand es für eine dreiköpfige Familie nicht gerade groß. Das Erdmännchengehege war mittlerweile von Kindern umringt, während die Erdmännchen selbst wieder verschwunden waren, was bei Rebus eine seltsame Befriedigung darüber hinterließ, ihrer Gesellschaft für würdig befunden worden zu sein.

Er entfernte sich, aber nicht allzu weit, und ging in die Hocke, um sich einen Schnürsenkel aufzuziehen und wieder zuzubinden – eine Prozedur, mit der er die Viertelstunden zelebrierte. Zoos und dergleichen hatten nie auch nur den geringsten Reiz auf ihn ausgeübt. Als Kind hatte er überdurchschnittlich viele Tiere verschlissen: Seine Schildkröte war trotz des auf dem Panzer aufgemalten Namens ihres Eigentümers auf Nimmerwiedersehen verschwunden; mehreren Wellensittichen war es nicht vergönnt gewesen, dem juvenilen Stadium zu entwachsen; und sein einziger Goldfisch (er hatte ihn auf dem Jahrmarkt in Kirkcaldy gewonnen) hatte zeit seines Lebens gekränkelt. Da er in einer Etagenwohnung lebte, war er als Erwachsener nie in die Versuchung geraten, sich eine Katze oder einen Hund zuzulegen. Zu reiten hatte er exakt einmal versucht, worauf er mit Rücksicht auf seine wund gescheuerten Schenkel gelobt hatte, mit diesem edlen Sport und der dazugehörigen Tierart künftig höchstens auf dem Weg eines Wettscheins Umgang zu pflegen.

Die Erdmännchen waren ihm aber aus einer Reihe von Gründen sympathisch gewesen: wegen ihres menschlich klingenden Namens; der Komik ihrer Rituale; ihres Selbsterhaltungstriebs. Jetzt hingen irgendwelche Kids bäuchlings über die Mauer und strampelten mit den Beinen in der Luft. Rebus stellte sich eine Umkehrung der Rollen vor: Gehege voller Kinder, die von vorüberschlendernden Tieren beäugt wurden und dabei herumtollten und kreischten und die ihnen zuteil werdende Aufmerksamkeit genossen. Nur dass den Tieren jede menschliche Neugier fehlen würde. Sie würden sich von keiner Zurschaustellung von Behändigkeit oder Zärtlichkeit rühren lassen, nicht begreifen, dass da ein Spiel stattfand oder dass jemand sich ein Knie aufgeschürft hatte. Tiere würden keine Zoos bauen, würden kein Bedürfnis danach verspüren. Rebus fragte sich, warum Menschen das taten.

Mit einem Mal erschien ihm die ganze Anlage absurd: ein Stück Land in bester Wohnlage, ausschließlich für die Vorführung des Ungewohnten bestimmt... Und dann sah er die Kamera.

Sah sie, weil sie sich an der Stelle des Gesichts befand, das hätte da sein sollen. Der Mann stand auf einem grasigen Hang, vielleicht zwanzig Meter von ihm entfernt, und drehte am Einstellungsring eines ziemlich langen Teleobjektivs. Der Mund unter dem Fotoapparat war ein schmaler konzentrierter Strich, der sich leicht kräuselte, während Daumen und Zeigefinger die Tiefenschärfe regulierten. Der Mann trug eine schwarze Jeansjacke, eine zerknitterte Baumwollhose und Laufschuhe. Eine verblichene blaue Baseballkappe saß ihm nicht auf dem Kopf, sondern hing, während er fotografierte, an einem freien Finger. Er hatte schütteres braunes Haar und eine runzlige Stirn. Das Aha-erlebnis kam, sobald er die Kamera senkte. Rebus drehte sich sofort weg und sah auf das Motiv des Fotografen: Kinder. Kinder, die sich in das Erdmännchengehege reckten. Von denen man lediglich Schuhsohlen und Beine sah, Röcke und von hochgerutschten T-Shirts und Pullovern halb entblößte Rückenpartien.

Rebus kannte den Mann. Der Kontext erleichterte das Wiedererkennen. Er hatte ihn wahrscheinlich seit vier Jahren nicht mehr gesehen, aber solche Augen konnte man nicht vergessen, und diesen Hunger, der die Wangen rötete und dabei alte Aknenarben deutlicher hervortreten ließ. Vor vier Jahren waren die Haare länger gewesen, hatten sich über missgestalteten Ohren gekräuselt. Rebus suchte nach einem Namen, während er in seine Tasche nach dem Funkgerät griff. Der Fotograf nahm die Bewegung wahr, seine Augen begegneten Rebus' Blick, der sich schon abwandte. Das Wiedererkennen war beidseitig. Das Objektiv wurde abgeschraubt und in eine Umhängetasche gesteckt. Ein Objektivdeckel rastete in der Gehäuseöffnung ein. Und dann setzte sich der Mann in Bewegung, ging flotten Schritts hangabwärts. Rebus riss das Funkgerät heraus.

»Er geht von mir aus talwärts, Westseite des Klubhauses. Schwarze Jeansjacke, helle Hose…« Rebus beschrieb ihn weiter, während er ihm folgte. Der Fotograf drehte sich um, sah ihn und trabte los, durch die schwere Fototasche behindert.

Das Funkgerät erwachte zum Leben, Beamte machten sich auf den Weg zum angegebenen Bereich. Vorbei an einem Restaurant und einer Cafeteria, vorbei an Händchen haltenden Paaren und Eiscreme vertilgenden Kindern. An Pekaris, Ottern, Pelikanen vorbei. Es ging dauernd bergab, wofür Rebus dankbar war, und der ungewöhnliche Gang des Mannes – ein Bein war etwas kürzer als das andere – erleichterte es ihm, den Abstand zu verringern. Der Weg verengte sich genau an der Stelle, an der der Menschenstrom dichter wurde. Rebus konnte nicht genau erkennen, was den Stau verursachte, dann hörte er ein Aufplantschen, gefolgt von Beifallsrufen und Applaus.

»Seelöwenbecken!«, schrie er ins Funkgerät.

Der Mann drehte sich halb um, sah das Funkgerät an Rebus' Mund, wandte sich wieder nach vorn und sah Köpfe und Körper, hinter denen sich jede Menge weitere Beamte verbergen konnten. Anstelle der bisherigen berechnenden Ruhe lag jetzt Angst in seinen Augen. Er hatte die Situation nicht mehr unter Kontrolle. Rebus war schon fast bei ihm, als der Mann zwei Zuschauer beiseite stieß und über die niedrige Steinmauer kletterte. Auf der anderen Seite des Beckens erhob sich eine Felsnase, auf deren Gipfel, über zwei schwarze Plastikeimer gebeugt, die Tierpflegerin stand. Rebus sah, dass sich hinter der Pflegerin kaum Zuschauer befanden, da der Felsen den Blick auf die Seelöwen versperrte. Indem er so das Gedränge umging, konnte der Mann über die jenseitige Mauer steigen und wäre dann praktisch schon am Ausgang gewesen. Rebus stieß einen leisen Fluch aus, setzte einen Fuß auf die Mauer und schwang sich hinüber.

Die Zuschauer pfiffen, johlten zum Teil sogar Beifall, und Videokameras wurden in Anschlag gebracht, um die Faxen der zwei Männer aufs Magnetband zu bannen, die sich vorsichtig die steil abfallende Beckenwand entlangtasteten. Rebus sah aus dem Augenwinkel eine pfeilschnelle Bewegung im Wasser und hörte die Warnschreie der Tierpflegerin, als ein Seelöwe auf die Felsen zu ihren Füßen hinaufglitt. Das glatte schwarze Tier blieb nur lang genug da, um einen Fisch aufzufangen, der ihm genau ins Maul fallen gelassen wurde, dann wandte es sich um und rutschte wieder ins Becken. Es sah weder allzu groß noch allzu gefährlich aus, aber sein Auftauchen hatte Rebus' Jagdwild verschreckt. Der Mann drehte sich für einen Moment um, und die Kamera rutschte ihm den Arm hinunter. Er streifte sich den Tragriemen über den Kopf. Er schien den Rückzug antreten zu wollen, aber als er seinen Verfolger sah, änderte er erneut seine Pläne. Die Tierpflegerin hatte mittlerweile selbst ein Funkgerät gezückt und alarmierte den Sicherheitsdienst. Das Wasser neben Rebus schien zu wabern und zu wallen. Eine Welle schäumte ihm ins Gesicht, und etwas Riesiges und Tintenschwarzes schoss wie eine Sonnenfinsternis aus der Tiefe empor und klatschte auf dem Felsen auf. Unter dem Geschrei der Menge richtete sich der Seelöwenbulle, der gut und gern vier- bis fünfmal so groß wie sein Sprössling war, auf und sah sich, lautstark durch die Nase schnaubend, nach Futter um. Als das Tier das Maul aufriss und ein beängstigendes Heulen ausstieß, japste der Fotograf, verlor das Gleichgewicht und plumpste mitsamt seiner Ausrüstung ins Becken.

Zwei Körper – Mutter und Junges – schwammen unter Wasser auf ihn zu. Die Tierpflegerin blies wie verrückt in ihre Trillerpfeife, das Ebenbild eines Schiedsrichters bei einem Sonntagsspiel, der sich plötzlich mit einer Massenkeilerei konfrontiert sieht. Der Seelöwenbulle schaute Rebus ein letztes Mal an und sprang dann wieder in das Becken, um seiner Lebensgefährtin beizustehen, die gerade den Neuankömmling mit der Nase anstupste.

»Herrgott«, schrie Rebus, »schmeißen Sie ein paar Fische rein!«

Die Tierpflegerin verstand die Botschaft und kickte einen Futtereimer ins Becken, worauf alle drei Seelöwen schnurstracks darauf zu schwammen. Rebus ergriff die Gelegenheit beim Schopf und watete ins Wasser, kniff die

Augen zu und tauchte unter, packte den Mann und schleppte ihn zurück zu den Felsen. Ein paar Zuschauer eilten zu Hilfe, gefolgt von zwei Zivilbeamten. Rebus brannten die Augen. Die Luft war geschwängert vom Geruch nach rohem Fisch.

»Kommen Sie da raus«, sagte jemand und streckte ihm die Hand entgegen. Rebus ließ sich an Land ziehen. Er riss dem durchweichten Mann die Kamera vom Hals.

»Erwischt«, sagte er. Dann kniete er sich auf die Felsen, fing an zu zittern und übergab sich in das Becken.

2

Am nächsten Morgen war Rebus umgeben von Erinnerungen.

Nicht seinen eigenen, sondern von denen seines Chief Super: gerahmten Fotos, die das enge Büro voll müllten. Rebus kam sich fast wie in einem Museum vor. Kinder, jede Menge Kinder. Die Kids des Chief Super, mit zunehmend älteren Gesichtern, und dann seine Enkel. Rebus vermutete, dass sein Chef die Bilder nicht selbst geschossen, sondern geschenkt bekommen und sich verpflichtet gefühlt hatte, sie hier aufzustellen.

Ihre Positionierung verriet alles: Die Fotos auf dem Schreibtisch waren nach vorn gewandt, so dass jeder im Büro sie sehen konnte, nur nicht der Mann, der tagein, tagaus an dem Schreibtisch saß. Andere standen auf dem Fenstersims hinter dem Schreibtisch – gleiches Resultat –, und wieder andere auf einem Aktenschrank in der Ecke. Rebus setzte sich in Chief Superintendent Watsons Schreibtischsessel, um seine Theorie zu verifizieren. Die Schnappschüsse standen nicht für Watson da, sie waren für seine Besucher bestimmt. Und seinen Besuchern gaben sie kund

und zu wissen, dass Watson ein Familienmensch war, ein rechtschaffener Mann, ein Mann, der es im Leben zu etwas gebracht hatte. Anstatt dem Büro eine menschliche Note zu verleihen, wirkten sie wie Exponate.

Der Kollektion war kürzlich ein neues Foto hinzugefügt worden: ein altes, leicht unscharf, wie durch ein minimales Zucken der Kamera verwischt. Ausgezackte Kanten, weißer Rand und in einer Ecke die unleserliche Unterschrift des Fotografen. Ein Familienbild: Vater stehend, eine besitzergreifende Hand auf der Schulter seiner Gattin, die ihrerseits ein Kleinkind auf dem Schoß hielt. Die andere Hand des Vaters umklammerte die blazerbekleidete Schulter eines kleinen Jungen mit kurz geschorenem Haar und stechenden Augen. Deutlich zu erkennen war das Nachwirken gewisser vorausgegangener Spannungen: Der Junge versuchte sichtlich, seine Schulter vom väterlichen Griff zu befreien. Rebus ging mit dem Foto ans Fenster, bestaunte die steife Feierlichkeit der Szene. Er fühlte sich selbst wie steif gestärkt in seinem dunklen Wollanzug, weißen Hemd und schwarzen Schlips. Dazu schwarze Socken und Schuhe, Letztere noch an dem Morgen ordentlich blank geputzt. Draußen verhieß ein bedeckter Himmel Regen. Prima Wetter für ein Begräbnis.

Chief Superintendent Watson trat mit einer Gemächlichkeit ins Zimmer, die sein Temperament verriet. Hinter seinem Rücken nannten sie ihn »den Farmer«, weil er aus dem Norden kam und etwas von einem Angusrind an sich hatte. Er trug seine beste Uniform, in einer Hand die Mütze, in der anderen einen weißen DIN-A4-Umschlag. Er legte beides auf den Schreibtisch, während Rebus das Foto wieder an seinen Platz stellte und es so ausrichtete, dass es zum Sessel des Farmers sah.

»Sind Sie das, Sir?«, fragte er und tippte auf das mürrisch dreinschauende Kind.

»Das bin ich.«

»Mutig von Ihnen, sich uns in Shorts zu präsentieren.«

Aber der Farmer ließ sich nicht ablenken. Rebus konnte sich drei mögliche Erklärungen für die roten Äderchen denken, die sich über Watsons Wangen schlängelten: körperliche Anstrengung, Alkohol oder Wut. Keinerlei Anzeichen von Kurzatmigkeit, also schied Ersteres aus. Und wenn der Farmer Whisky trank, spiegelte sich das nicht lediglich auf seinen Wangen wider: Sein ganzes Gesicht nahm dann einen rosigen Glanz an und schien sich zusammenzuziehen, bis es koboldhafte Züge annahm.

Womit Wut übrig blieb.

»Kommen wir zur Sache«, sagte Watson mit einem Blick auf seine Uhr. Sie hatten beide nicht viel Zeit. Der Farmer öffnete den Umschlag und schüttelte ein Päckchen mit Fotos auf seinen Schreibtisch, öffnete dann das Päckchen und schob die Aufnahmen Rebus zu.

»Sehen Sie selbst.«

Rebus sah. Das waren Abzüge des Films aus Darren Roughs Fotoapparat. Der Farmer zog seine Schublade auf und holte eine Akte hervor. Rebus sah sich die Bilder an. Zootiere, in Käfigen und hinter Mauern. Und auf einigen Aufnahmen – nicht allen, aber einem ansehnlichen Teil davon – Kinder. Das Objektiv hatte eindeutig diese Kinder anvisiert, wie sie miteinander redeten oder Süßigkeiten kauten oder vor den Tieren Grimassen zogen. Rebus atmete auf und blickte den Farmer an in Erwartung einer Bestätigung, die allerdings ausblieb.

»Nach Aussage Mr. Roughs«, erklärte der Farmer, den Blick auf ein Blatt der Akte gerichtet, »sind die Fotos Teil einer Kollektion.«

»Das kann ich mir denken.«

»Zum Thema ›Ein Tag im Leben des Edinburgher Tierparks‹.«

»Sicher doch.«

Der Farmer räusperte sich. »Er nimmt an einem Abendkurs in Fotografie teil. Ich habe es überprüft, und es stimmt. Es stimmt ebenfalls, dass das Thema seines Projekts der Zoo ist.«

»Und auf fast jedem Bild sind Kinder zu sehen.«

»Genau genommen auf weniger als der Hälfte.«

Rebus warf die Fotos auf den Schreibtisch. »Nun kommen Sie schon, Sir.«

»John, Darren Rough ist seit fast einem Jahr aus der Haft entlassen und hat bis dato keinerlei Anzeichen von Rückfälligkeit an den Tag gelegt.«

»Ich habe gehört, er wäre nach Süden gezogen.«

»Und ist wieder zurück.«

»Sobald er mich gesehen hat, ist er losgerannt.«

Der Farmer hatte für die Bemerkung lediglich einen strengen Blick übrig. »Da ist nichts, John«, sagte er.

»Ein Typ wie Rough geht nicht wegen der Bienchen und der Blumen in den Zoo, glauben Sie mir.«

»Er hatte sich das Projekt nicht einmal selbst ausgesucht. Das hat ihm der Kursleiter zugeteilt.«

»Klar. Rough wäre ein Kinderspielplatz viel lieber gewesen.« Rebus seufzte. »Was sagt sein Anwalt? Rough war von jeher ein Meister darin, Anwälte ins Spiel zu bringen.«

»Mr. Rough möchte lediglich in Ruhe gelassen werden.«

»So, wie er damals die Kinder in Ruhe gelassen hat?«

Der Farmer lehnte sich zurück. »Schon mal das Wort ›Sühne‹ gehört, John?«

Rebus schüttelte den Kopf. »Hier nicht anwendbar.«

»Woher wollen Sie das wissen?«

»Schon mal eine Katze gesehen, die das Mausen gelassen hätte?«

Der Farmer sah auf seine Uhr. »Ich weiß, dass Sie beide schon mal miteinander Probleme hatten.«

»*Ich* war nicht derjenige, gegen den er Beschwerde eingelegt hat.«

»Nein«, sagte der Farmer, »das war Jim Margolies.«

Sie ließen das einen Augenblick lang im Raum stehen, während jeder seinen eigenen Gedanken nachhing.

»Wir unternehmen also nichts?«, fragte Rebus schließlich. Das Wort »Sühne« schwirrte ihm im Kopf herum. Der katholische Priester, mit dem er befreundet war, hatte es immer wieder gern benutzt: die Aussöhnung Gottes mit dem Menschen durch Christi Leben und Tod. Traf nicht ganz auf Darren Rough zu. Rebus fragte sich, wofür Jim Margolies hatte sühnen wollen, als er von den Salisbury Crags gesprungen war.

»Es liegt nichts gegen ihn vor.« Der Farmer griff in die unterste Schublade seines Schreibtischs und holte eine Flasche und zwei Gläser hervor. Malt-Whisky. »Ich weiß nicht, wie es mit Ihnen steht«, sagte er, »aber ich brauche vor Beerdigungen immer einen davon.«

Rebus nickte und sah zu, wie der Farmer einschenkte. Das silbrige Gemurmel von Bergbächen. Auf Gälisch *usquebaugh*. *Uisge*: Wasser; *beatha*: Leben. Wasser des Lebens. Wobei *beatha* wie *birth* klang, »Geburt«. Jedes Glas bedeutete für Rebus eine Geburt. Aber wie sein Arzt ihm ständig erklärte, war gleichzeitig jeder Tropfen ein kleiner Tod. Er führte das Glas an die Nase, nickte anerkennend.

»Wieder ein guter Mann weniger«, sagte der Farmer.

Und mit einem Mal wirbelten, am äußersten Rand von Rebus' Gesichtsfeld, Gespenster im Raum umher, am deutlichsten unter ihnen Jack Morton: Jack, sein alter Kollege, seit nunmehr drei Monaten tot. The Byrds: »He Was a Friend of Mine«. Ein Freund, der sich weigerte, unter der Erde zu bleiben. Der Farmer folgte Rebus' Blick, sah aber nichts, leerte sein Glas und packte die Flasche wieder weg.

»Mäßig, aber regelmäßig«, sagte er. Und dann, als ob der

Whisky eine Verhandlungsbasis zwischen ihnen hergestellt hätte: »Es gibt Mittel und Wege, John.«

»Wozu, Sir?« Jack war in den Fensterscheiben zerflossen.

»Zurechtzukommen.« Schon zeitigte der Whisky seine Wirkung im Gesicht des Farmers, machte es zunehmend dreieckiger. »Seitdem, was mit Jim Margolies passiert ist... na ja, da mussten einige von uns verstärkt über die Belastungen nachdenken, die die Arbeit mit sich bringt.« Er schwieg kurz. »Zu viele Schnitzer, John.«

»Ich hab gerade eine schlechte Phase, das ist alles.«

»Eine schlechte Phase hat ihre Gründe.«

»Als da wären?«

Der Farmer ließ die Frage unbeantwortet, vielleicht weil er wusste, dass Rebus sie sich gerade selbst beantwortete: Jack Mortons Tod; Sammy im Rollstuhl.

Und Whisky als ein Therapeut, den er sich leisten konnte – zumindest in finanzieller Hinsicht.

»Ich komm schon klar«, sagte er und schaffte es nicht einmal, sich das selbst einzureden.

»Ganz allein?«

»So gehört sich's doch, oder?«

Der Farmer zuckte die Achseln. »Und bis es so weit ist, müssen wir alle mit Ihren Schnitzern leben?«

Schnitzer: wie zum Beispiel Beamte auf Darren Rough zu hetzen, der gar nicht der Mann war, hinter dem sie eigentlich her waren. Und dadurch dem Giftmörder freien Zugang zu den Erdmännchen zu ermöglichen – und ihm zu gestatten, einen Apfel in ihr Gehege zu werfen. Zum Glück war gerade in dem Moment ein Tierwärter vorbeigekommen und hatte ihn aufgehoben, bevor die Tiere die Gelegenheit dazu hatten. Er hatte von der Sache gewusst und den Apfel zur Untersuchung weitergegeben.

Rattengift.

Rebus' Schuld.

»Kommen Sie«, sagte der Farmer nach einem letzten Blick auf seine Uhr, »wir müssen.«

So dass Rebus' Rede wieder einmal unausgesprochen geblieben war: seine Erklärung, dass er jegliches Gefühl von Berufung verloren hatte, jeglichen Optimismus bezüglich seiner Rolle – ja seiner Identität – als Polizist. Das Bekenntnis, dass diese Gedanken ihn ängstigten, ihm entweder den Schlaf raubten oder ihn mit Albträumen quälten. Dass ihn Gespenster neuerdings sogar tagsüber heimsuchten.

Dass er kein Bulle mehr sein wollte.

Jim Margolies hatte alles gehabt.

Zehn Jahre jünger als Rebus, war er für eine vorzeitige Beförderung vorgemerkt worden. Man hatte nur noch darauf gewartet, dass er die letzten paar Bewährungsproben bestand, woraufhin er den Rang eines Detective Inspector wie eine letzte Haut abgestreift hätte. Intelligent, sympathisch, ein umsichtiger Stratege, der auch die Innenpolitik nie aus dem Auge verlor. Dazu noch gut aussehend und durchtrainiert; hatte Rugby für seine alte Schule, Boroughmuir, gespielt. Er stammte aus einer guten Familie und hatte Beziehungen zur Edinburgher Gesellschaft; seine Frau bezaubernd und elegant, seine kleine Tochter eine wahre Schönheit. Bei den Kollegen beliebt und mit einem beneidenswerten Prozentsatz von Verurteilungen. Die Familie führte ein ruhiges Leben im Grange, besuchte eine der örtlichen Kirchen, wirkte in jeglicher Hinsicht wie eine vollkommene kleine Gemeinschaft.

Der Farmer setzte seinen Kommentar mit kaum hörbarer Stimme fort. Er hatte auf der Auffahrt zur Kirche angefangen, während des Gottesdienstes weitergeredet und schloss jetzt mit einer Zusammenfassung am Grab.

»Er hatte alles, John. Und dann geht er los und macht so

was. Was bringt einen Mann dazu... Ich meine, was geht in seinem Kopf vor? Das war jemand, zu dem sogar ältere Beamte aufblickten – ich meine die zynischen alten Arschlöcher, die zwei Schritte vor der Pensionierung stehen. Sie haben schon alles im Leben gesehen, aber jemanden wie Jim Margolies hatten sie noch nie erlebt.«

Rebus und der Farmer – die Repräsentanten ihres Reviers – standen ziemlich am äußeren Rand der Trauergemeinde. Und es war eine ansehnliche Menge. Haufenweise hohe Tiere neben Rugbyspielern, einfachen Gemeindemitgliedern und Nachbarn. Dazu Angehörige und Verwandte. Und am offenen Grab die schwarz gekleidete Witwe, die es trotz allem fertig brachte, gefasst zu wirken. Sie hatte ihre Tochter auf den Arm genommen. Die Tochter in einem weißen Spitzenkleid, das Haar dicht und lang und blondlockig, das Gesicht leuchtend, als sie dem Holzsarg zum Abschied winkte. Mit den blonden Haaren und dem weißen Kleid sah sie wie ein Engel aus. Was vielleicht beabsichtigt gewesen war. Auf jeden Fall stach sie aus der Menge hervor.

Margolies' Eltern waren ebenfalls da. Der Vater sah aus wie ein Offizier a. D., stocksteif wie eine Standuhr, umklammerte aber mit zitternden Händen den Silberknauf eines Spazierstocks. Die Mutter mit tränennassen Augen, zerbrechlich, mit einem Schleier bis zum Mund. Sie hatte ihre beiden Kinder verloren. Nach Aussage des Farmers hatte sich Jims Schwester ebenfalls, schon vor Jahren, das Leben genommen. Von jeher psychisch labil, hatte sie sich irgendwann die Pulsadern aufgeschnitten. Rebus schaute wieder die Eltern an. Er musste an seine eigene Tochter denken, fragte sich, wie viele Wunden *sie* davongetragen haben mochte – an Stellen, die man nicht sah.

Weitere Familienmitglieder drängten sich um die Eltern – ob Trost suchend oder Trost spendend, konnte Rebus nicht erkennen.

»Schöne Familie«, flüsterte der Farmer. Rebus witterte fast einen Anflug von Neid. »Hannah hat bei mehreren Wettbewerben gewonnen.«

Hannah, die Tochter, war acht, wie Rebus erfuhr. Sie besaß die blauen Augen ihres Vaters und eine makellose Haut. Die Witwe hieß Katherine.

»Lieber Gott, diese Vergeudung.«

Rebus dachte an die Fotografien des Farmers, daran, wie Individuen sich begegneten und miteinander Verbindungen eingingen, ein Muster bildeten, das nach und nach andere mit einbezog, wobei Farben ineinander flossen oder sich scharf voneinander abhoben. Man freundete sich an, heiratete in eine neue Familie ein, bekam Kinder, die dann mit den Kindern anderer Eltern spielten. Man ging arbeiten, lernte Kollegen kennen, die mit der Zeit zu Freunden wurden. Stück für Stück wurde die eigene Identität aufgehoben, bis man kein Individuum mehr war – und dennoch gerade dadurch irgendwie stärker wurde.

Bloß, dass es nicht immer so lief. Es konnten Konflikte entstehen; vielleicht durch die Arbeit oder die allmähliche Erkenntnis, dass man irgendwann in der Vergangenheit eine falsche Wahl getroffen hatte. Rebus hatte das selbst erlebt, hatte sich zugunsten des Berufs gegen die Ehe entschieden und seine Frau weggeekelt. Sie hatte ihre gemeinsame Tochter mitgenommen. Jetzt hatte er das Gefühl, dass er aus den falschen Gründen die richtige Entscheidung getroffen hatte, dass er von Anfang an zu seinen Fehlern hätte stehen sollen. Seine Arbeit hatte ihm lediglich eine brauchbare Ausflucht geliefert.

Er dachte an Jim Margolies, der sich im Dunkeln in den Tod gestürzt hatte. Er fragte sich, was ihn zu dieser letzten, unwiderruflichen Entscheidung getrieben haben mochte. Niemand schien die leiseste Ahnung zu haben. Rebus hatte im Lauf der Jahre mit einer ganzen Menge Selbstmorden zu tun gehabt: von missglückten bis hin zu ärztlich oder sonstwie unterstützten Suiziden – und sämtlichen Abstufungen dazwischen. Aber immer hatte es irgendeine Erklärung gegeben, einen entscheidenden Punkt, ein tief sitzendes Gefühl von Scheitern oder Verhängnis. Leaf Hound: »Drowned My Life in Fear«.

Aber im Fall von Jim Margolies passte nichts zusammen. Es ergab keinen Sinn. Seine Witwe, seine Eltern, seine Arbeitskollegen, keiner war imstande gewesen, auch nur die Spur einer Erklärung zu liefern. Er war kerngesund gewesen. In der Arbeit wie zu Hause alles in bester Ordnung. Er liebte seine Frau, seine Tochter. Geldprobleme gab es keine.

Aber irgendein Problem *hatte* er gehabt.

Lieber Gott, diese Vergeudung.

Und die Grausamkeit des Ganzen: sie alle nicht nur zur Trauer zu verurteilen, sondern auch dazu, im Dunkeln zu tappen, zu rätseln, sich zu fragen, ob irgendjemand Schuld daran hatte.

Sein Leben auszulöschen, wenn doch das Leben so kostbar war...

Als er auf die Bäume starrte, sah Rebus Jack Morton da stehen, so jung, wie er bei ihrer ersten Begegnung gewesen war.

Erdschollen wurden auf den Deckel des Sargs geworfen – ein letzter, vergeblicher Weckruf. Der Farmer wandte sich ab, entfernte sich langsam, die Hände hinter dem Rücken verschränkt.

»So lang ich lebe«, sagte er, »werde ich es nicht begreifen.«

»Seien Sie froh«, sagte Rebus.

3

Er stand auf den Salisbury Crags. Es wehte ein tückischer Wind, und er schlug den Mantelkragen hoch. Er war nach Haus gefahren, um seine Begräbniskleidung auszuziehen, und hätte jetzt eigentlich wieder auf die Wache gemusst – er konnte St. Leonard's von da oben aus sehen –, aber irgendetwas hatte ihn zu diesem Abstecher veranlasst.

Hinter und über ihm hatten ein paar Unerschrockene den Gipfel von Arthur's Peak erklommen. Ihr Lohn: eine herrliche Aussicht, dazu Ohren, die ihnen noch stundenlang schmerzen würden. Bei seiner Höhenangst hütete sich Rebus davor, zu nah an den Abgrund zu treten. Die Landschaft war unglaublich. Es sah so aus, als habe Gott mit der flachen Hand auf Holyrood Park geschlagen und einen Teil davon platt gemacht, dabei aber diese nackte Felswand stehen lassen, als Erinnerung an den Ursprung der Stadt.

Hier war Jim Margolies gesprungen. Oder von einer plötzlichen Bö erfasst worden: Das war die weniger plausible, aber leichter zu ertragende Alternative. Seine Witwe war überzeugt gewesen, er sei »spazieren gegangen, bloß spazieren gegangen«, und habe im Dunkeln einen Fehltritt gemacht. Aber das warf mehrere nicht zu beantwortende Fragen auf. Was hätte ihn dazu veranlasst, mitten in der Nacht aufzustehen? Wenn er Sorgen gehabt hatte, warum hatte er unbedingt auf den Salisbury Crags darüber nachgrübeln müssen – mehrere Kilometer von zu Hause entfernt? Er wohnte im Grange, im ehemaligen Haus seiner Schwiegereltern. Es hatte in dieser Nacht geregnet, trotzdem ließ er das Auto stehen. Würde ein Verzweifelter nicht merken, dass er bis auf die Haut durchnässt wurde?

Als er den Blick nach unten richtete, sah Rebus das

Gelände der alten Brauerei, auf dem das neue schottische Parlament entstehen sollte. Das erste seit dreihundert Jahren, und direkt neben einem Themenpark... Nicht weit davon entfernt erhob sich die Greenfield-Siedlung, ein kompaktes Labyrinth aus Hochhäusern und Wohnanlagen für Behinderte und Senioren. Er fragte sich, warum die Crags wohl um so viel beeindruckender wirkten als von Menschen geschaffene Hochhäuser, dann zog er ein zusammengefaltetes Blatt Papier aus der Tasche. Er überprüfte eine Adresse, sah dann wieder hinunter nach Greenfield und wusste, dass er noch einen weiteren Umweg machen musste.

Die Wohntürme von Greenfield waren Mitte der Sechziger gebaut worden und konnten ihr Alter nicht verleugnen. Auf dem verfärbten Rauputz breiteten sich dunkle Flecken aus. Aus Überlaufrohren tropfte Wasser auf gesprungenes Pflaster. Von den modrigen Fensterrahmen rieselte Holzmehl herab. An der Außenwand einer Erdgeschosswohnung, deren Fenster mit Brettern vernagelt waren, informierte ein aufgemalter Schriftzug den Passanten, die einstigen Bewohner seien »Dreckiger Abschaum« gewesen.

Kein Baudezernent hatte hier jemals gewohnt. Kein Stadtplaner oder städtischer Architekt. Die Stadtverwaltung hatte sich damit begnügt, Problemmieter hier einzuquartieren und jedem zu erklären, die Zentralheizung würde bald nachkommen. Die Wohnsiedlung war auf dem ebenen Grund eines Talkessels errichtet worden, so dass die Salisbury Crags das Ganze schreckenerregend überragten. Rebus überprüfte ein weiteres Mal die Adresse auf dem Zettel. Er hatte schon früher in Greenfield zu tun gehabt. Die Siedlung gehörte keineswegs zu den schlimmsten in der Stadt, aber sie hatte durchaus ihre Schwierigkeiten. Jetzt, am frühen Nachmittag, waren die Straßen menschenleer. Jemand hatte ein Fahrrad, dem das Vorderrad fehlte, mitten auf der Fahrbahn liegen lassen. Ein Stück weiter standen zwei Einkaufswagen Nase an Nase, als tauschten sie die neusten Klatschgeschichten aus. Mitten zwischen den sechs elfstöckigen Wohnblocks standen vier adrette Zeilen von Reihenhäuschen, komplett mit taschentuchgroßem Vorgärtchen und niedrigem Holzzaun. An den meisten Fenstern hingen Tüllgardinen, und über jeder Tür war die Warnleuchte einer Alarmanlage montiert.

Ein Teil der Asphaltfläche zwischen den Hochhäusern war als Spielplatz abgetrennt. Ein Junge zog einen zweiten auf einem Rodelschlitten hinter sich her und stellte sich vor, es sei Schnee, was da unter den Kufen knirschte. Rebus rief die Worte »Cragside Court«, und der Junge auf dem Schlitten deutete auf eines der Hochhäuser. Als Rebus näher kam, sah er, dass ein Schild an der Wand des Gebäudes teilweise übermalt worden war, so dass der Name statt »Cragside« jetzt *Crap-site,* »Kackstätte«, lautete. Im zweiten Stock flog ein Fenster auf.

»Sparen Sie sich die Mühe«, dröhnte eine Frauenstimme. »Er ist nicht da.«

Rebus trat einen Schritt zurück und sah nach oben.

»Wen suche ich denn Ihrer Meinung nach?«

»Soll das'n Witz sein?«

»Nein, ich wusste bloß nicht, dass hier eine Hellseherin wohnt. Ist es Ihr Mann oder Ihr Freund, hinter dem ich her bin?«

Die Frau starrte zu ihm hinunter und gelangte zu dem Schluss, dass sie sich verplappert hatte. »Schon gut«, sagte sie und schloss das Fenster.

Es gab eine Gegensprechanlage, aber ohne Namen, lediglich mit den Nummern der Wohnungen. Er zog an der Tür; sie war ohnehin nicht abgeschlossen. Er wartete ein paar Minuten auf den Fahrstuhl, der ihn dann, langsam und rumpelnd, in den fünften Stock hinaufbeförderte. Ein nach außen hin offener Gang führte ihn an den Türen eines halben Dutzends Wohnungen vorbei, bis er vor Cragside Court 5/14 stand. Es gab ein Fenster, aber es war verhängt – so weit erkennbar, mit einem verwaschenen blauen Bettlaken. Die Tür zeigte Spuren von Misshandlung: vielleicht fehlgeschlagene Einbruchsversuche, vielleicht hatten aber auch nur Leute dagegen getreten, weil es weder eine Klingel noch einen Türklopfer gab. Auch kein Namensschild, aber das war egal. Rebus wusste, wer da wohnte.

Darren Rough.

Die Adresse war ihm neu. Als Rebus vier Jahre zuvor an den Ermittlungen gegen Rough mitgearbeitet hatte, hatte der in einer Wohnung auf der Buccleuch Street gewohnt. Jetzt befand er sich wieder in Edinburgh, und Rebus brannte darauf, ihm zu zeigen, wie willkommen er war. Außerdem wollte er Darren Rough ein paar Fragen stellen, Fragen über Jim Margolies …

Das einzige Problem war, dass niemand da zu sein schien. Er klopfte halbherzig je einmal an Tür und Fenster. Als keine Reaktion erfolgte, bückte er sich, um durch den Briefschlitz zu spähen, musste aber feststellen, dass er von innen verschlossen worden war. Entweder wollte Rough nicht, dass jemand bei ihm hineinsah, oder er hatte zu viele unerwünschte Sendungen erhalten. Rebus richtete sich wieder auf, drehte sich um und stützte sich mit den Armen auf das Geländer. Ihm wurde bewusst, dass er genau auf den Kinderspielplatz hinuntersah. Kinder: Eine Siedlung wie Greenfield musste von Kindern nur so wimmeln. Er drehte sich wieder um und musterte Roughs Behausung. Keinerlei Graffiti auf Tür oder Wand, nichts, was den Mieter als »perverse Sau« identifiziert hätte. Unten hatte der Rodelschlitten eine Kurve zu schnell genommen und den Fahrgast abgeworfen. Unter Rebus öffnete sich geräuschvoll ein Fenster.

»Ich hab dich gesehen, Billy Horman! Das hast du mit Absicht gemacht!« Die Frau von vorhin; ihre Worte an den Jungen gerichtet, der den Schlitten gezogen hatte.

»Hab ich nich!«, schrie er zurück.

»Kacke, und ob du's hast! Ich schlag dich tot!« Dann, in einem ganz anderen Ton: »Alles in Ordnung, Jamie? Ich hatte dir doch gesagt, du solltest nicht mit diesem kleinen Mistkerl spielen. Jetzt komm rein!«

Der lädierte Junge wischte sich die Nase mit dem Handrücken – die trotzigste Reaktion, die er sich offenbar herauszunehmen wagte –, ging dann auf das Hochhaus zu und schaute noch einmal zurück zu seinem Freund. Ihre Blicke begegneten sich nur ein, zwei Sekunden lang, aber das genügte, um die Gewissheit zum Ausdruck zu bringen, dass sie weiterhin Freunde waren, dass die Welt der Erwachsenen dieses Band niemals zerreißen konnte.

Rebus sah dem Schlittenzieher, Billy Horman, nach, wie er davonschlurfte, und stieg dann drei Stockwerke hinunter. Die Wohnung der Frau war leicht zu finden. Er hörte ihr Gezeter schon aus dreißig Metern Entfernung und fragte sich, ob sie zu den »Problemmietern« gehörte; gelangte zu dem Schluss, dass nur wenige sich getraut haben dürften, sich offen über sie zu beschweren...

Die Tür war stabil, offenbar vor nicht langer Zeit dunkelblau gestrichen worden, und hatte einen Spion. Am Fenster Tüllgardinen. Sie zuckten, als die Frau nachsah, wer ihr Besucher war. Als sie die Tür öffnete, flitzte ihr Sohn wieder hinaus und die Galerie entlang.

»Ich lauf nur grad zum Laden, Mama!«

»Kommst du wohl wieder her!«

Aber er tat so, als habe er sie nicht gehört, und verschwand hinter der nächsten Ecke.

»Gott, gib mir die Kraft, ihm den Hals umzudrehen«, sagte sie.

»Sie haben ihn offensichtlich von Herzen lieb.«

Sie starrte ihn feindselig an. »Haben wir was zu bereden?«

»Sie haben meine Frage noch nicht beantwortet: Ehemann oder Freund?«

Sie verschränkte die Arme. »Ältester Sohn, wenn Sie's unbedingt wissen müssen.«

»Und Sie dachten, ich wäre seinetwegen hier?«

»Sie sind doch von der Polente, oder?« Als er nichts erwiderte, schnaubte sie.

»Sollte ich ihn also kennen?«

»Calumn Brady«, sagte sie.

»*Sie* sind Cals Mum?« Rebus nickte langsam. Er hatte von Cal Brady schon gehört: ein Gauner, wie er im Buche stand. Cals Mutter war ihm ebenfalls ein Begriff.

Sie war um die einssiebzig groß, Lammfellpantoffeln mitgerechnet. Kräftig gebaut, mit dicken Armen und Handgelenken und einem Gesicht, das schon vor langer Zeit zu dem Schluss gelangt war, dass Make-up auch nichts mehr nützen würde. Ihr dichtes platinblondes, am Ansatz braunes Haar war in der Mitte gescheitelt. Sie trug den obligatorischen satinglänzenden Jogginganzug, blau mit einem Silberstreifen an Ärmeln und Hosenbeinen.

»Sie sind also nicht wegen Cal hier?«, fragte sie.

Rebus schüttelte den Kopf. »Es sei denn, Sie meinen, er hätte was angestellt.«

»Also, was wollen Sie *dann?*«

»Haben Sie je was mit einem Ihrer Nachbarn zu tun gehabt, einem jüngeren Typen namens Darren Rough?«

»Welche Wohnung?« Rebus gab keine Antwort. »Hier ist ein ständiges Kommen und Gehen. Das Sozialamt steckt die hier immer für ein paar Wochen rein. Weiß der Geier, was aus denen dann wird, sie verschwinden einfach oder werden woanders hingeschafft.« Sie schniefte. »Wie sieht der aus?«

»Schon gut«, sagte Rebus. Jamie war wieder unten auf dem Spielplatz; von seinem Freund weit und breit nichts zu sehen. Er rannte im Kreis, zog dabei den Schlitten hinter sich her. Rebus hatte plötzlich den Eindruck, dass er den ganzen Tag so hätte rennen können.

»Hat Jamie heute keine Schule?«, fragte er, sich wieder der Frau zuwendend.

»Geht Sie'n Scheißdreck an«, erwiderte Mrs. Brady und knallte ihm die Tür vor der Nase zu.

4

Wieder auf der St.-Leonard's-Wache. Rebus rief auf dem Computer Calumn Brady ab. Mit siebzehn hatte Cal bereits ein eindrucksvolles Vorstrafenregister: tätliche Angriffe, Ladendiebstähle, Trunkenheit und Erregung öffentlichen Ärgernisses. Vorerst keine Anzeichen dafür, dass Jamie in seine Fußstapfen zu treten gedachte, aber die Mutter, Vanessa Brady, bekannt als »Van«, war schon mehrfach auffällig geworden. Auseinandersetzungen mit Nachbarn waren in Prügeleien ausgeartet, und einmal hatte sie Cal mit einem falschen Alibi aus einer Anklage wegen Körperverletzung herauszuhelfen versucht. Von einem Ehemann war nirgendwo die Rede. »We Are Family« vor sich hinpfeifend ging Rebus zum diensthabenden Sergeant und fragte ihn, ob er wüsste, wer der für Greenfield zuständige Streifenbeamte sei.

»Tom Jackson«, antwortete der Sergeant. »Und ich weiß auch, wo er ist, weil ich ihn erst vor zwei Minuten gesehen habe.«

Tom Jackson war auf dem Parkplatz hinter der Wache und rauchte gerade eine Zigarette zu Ende. Rebus stellte sich dazu, steckte sich selbst eine an und hielt Jackson das Päckchen hin. Der schüttelte den Kopf.

»Muss mich auf die Socken machen, Sir«, sagte er.

Jackson war ein Mittvierziger mit breiter Brust, silbergrauem Haar und dazu passendem Schnurrbart. Er hatte dunkle Augen, so dass er immer skeptisch aussah. Er empfand das als einen echten Vorteil, da er nur zu schweigen brauchte, und schon verrieten ihm Verdächtige mehr, als sie eigentlich wollten, bloß damit er aufhörte, so zu gucken.

»Wie ich höre, ist Greenfield noch immer Ihr Revier, Tom.«

»Lohn meiner Sünden.« Jackson schnippte Asche von der Zigarette, klopfte dann ein paar Stäubchen von seiner Uniform. »Ich hätte eigentlich im Januar versetzt werden sollen.«

»Was ist dann passiert?«

»Die Anwohner brauchten einen Santa Claus für ihre Weihnachtsparty. Sie veranstalten jedes Jahr eine in der Kirche. Für Kinder aus armen Familien. Haben mich Blödmann gefragt.«

»Und?«

»Und ich hab's gemacht. Ein paar dieser Kinder ... arme kleine Dreckskerle. Hab fast heulen müssen.« Er verstummte kurz, in Erinnerungen versunken. »Anschließend sind ein paar Greenfielder gekommen und haben angefangen zu flüstern.« Er lächelte. »Ich kam mir vor wie im Beichtstuhl. Verstehen Sie, die einzige Art, sich zu bedanken, die ihnen einfiel, war, mir ein paar Tipps zu geben.«

Rebus lächelte. »Ihre Nachbarn zu verpfeifen.«

»Mit dem Resultat, dass meine Aufklärungsrate plötzlich nach oben geschossen ist. Die Kacke ist, jetzt haben die hohen Bosse beschlossen, mich da zu lassen, wo ich doch auf einmal so clever geworden bin.«

»Ein Opfer des eigenen Erfolgs, Tom.« Rebus inhalierte, behielt den Rauch in der Lunge, während er die Glut der Zigarette betrachtete. Als er ausatmete, schüttelte er den Kopf. »Mann, ich rauche unheimlich gern.«

»Ich nicht. Da rede ich auf so einen Jungen ein, warne ihn vor Drogen und kann's selbst nicht erwarten, mir die nächste Kippe reinzuziehen.« Er schüttelte den Kopf. »Ich wollte, ich könnte damit aufhören.«

»Schon mal mit Pflastern versucht?«

»Hat keinen Sinn, sobald ich die Schnauze aufmache, fliegen die Dinger ab.«

Sie lachten beide.

»Ich geh davon aus, dass Sie es früher oder später schon schaffen werden«, sagte Jackson.

»Was, es mit einem Nikotinpflaster zu versuchen?«

»Nein, mir zu sagen, worauf Sie eigentlich hinauswollen.«

»Bin ich so leicht zu durchschauen?«

»Vielleicht liegt es auch nur an meinem überragenden Spürsinn.«

Rebus schnippte Asche in die Brise. »Ich war vorhin in Greenfield. Kennen Sie einen gewissen Darren Rough?«

»Kann ich nicht behaupten.«

»Ich hatte einen Zusammenstoß mit ihm im Zoo.«

Jackson nickte, drückte seine Zigarette aus. »Ich hab davon gehört. Pädophiler, stimmt's?«

»Und wohnhaft in Cragside Court.«

Jackson starrte Rebus an. »Das wusste ich nicht.«

»Die Nachbarn scheinen es ebenso wenig zu wissen.«

»Andernfalls hätten sie ihn schon kalt gemacht.«

»Vielleicht könnte jemand einen zarten Hinweis fallen lassen …«

Jackson runzelte die Stirn. »Herrgott, ich weiß nicht... Die würden ihn aufknüpfen.«

»Nun übertreiben Sie nicht, Tom. Vielleicht aus der Stadt jagen.«

Jackson richtete sich auf. »Und das ist es, was Sie möchten?«

»Wollen Sie wirklich einen Pädophilen in Ihrem Revier haben?«

Jackson ließ sich das durch den Kopf gehen. Er holte seine Zigaretten heraus und wollte sich gerade eine nehmen, als sein Blick auf seine Uhr fiel: Zigarettenpause zu Ende.

»Ich denk drüber nach.«

»Ihr gutes Recht, Tom.« Rebus schnippte seine Zigarette auf den Asphalt. »Ich hab eine von Roughs Nachbarinnen kennen gelernt. Van Brady.«

Jackson zuckte zusammen. »Passen Sie bloß auf, dass Sie *der* nicht dumm kommen.«

»Man kann ihr also auch klug kommen?«

»Das Klügste wäre ein ganz weiter Bogen.«

Wieder an seinem Schreibtisch, rief Rebus bei der Stadtverwaltung an und wurde zu guter Letzt zu Darren Roughs Sozialhelfer durchgestellt, einem gewissen Andy Davies.

»Halten Sie das für einen geschickten Schachzug?«, fragte Rebus.

»Geht's vielleicht auch ein bisschen konkreter?«

»Verurteilter Pädophiler, Sozialwohnung in Greenfield mit Panoramablick auf den Kinderspielplatz.«

»Was hat er angestellt?« Plötzlich hörbar müde.

»Nichts, wofür ich ihn festnageln könnte.« Kurze Pause. »*Noch* nichts. Ich ruf an, solang's noch nicht zu spät ist.«

»Zu spät wofür?«

»Ihn umzuquartieren.«

»Wohin genau?«

»Wie wär's mit einer netten kleinen einsamen Vogelinsel?«

»Warum nicht gleich in einen netten kleinen stabilen Käfig im städtischen Tierpark?«

Rebus lehnte sich zurück. »Er hat's Ihnen also erzählt.«

»Natürlich hat er's mir erzählt. Ich bin sein Sozialhelfer.«

»Er hat Kinder fotografiert.«

»Das ist alles Chief Superintendent Watson ausgiebig erklärt worden.«

Rebus sah sich im Büro um. »Aber nicht zu meiner Zufriedenheit, Mr. Davies.«

»Dann würde ich vorschlagen, Sie machen das mit Ihrem Vorgesetzten aus, Inspector«, entgegnete er, ohne sich zu bemühen, seine Gereiztheit zu unterdrücken.

»Sie werden also nichts unternehmen?«

»Es war doch überhaupt *Ihr* Verein, der ihn hier haben wollte!«

Schweigen in der Leitung, dann Rebus: »*Was* haben Sie gerade gesagt?«

»Hören Sie, ich hab dem nichts hinzuzufügen. Machen Sie das mit Ihrem Chief Superintendent ab, okay?«

Die Verbindung wurde unterbrochen. Rebus wählte die Nummer von Watsons Büro, aber seine Sekretärin sagte ihm, er sei nicht im Haus. Er kaute an seinem Stift und wünschte sich, Plastik wäre nikotinhaltig.

Es war Ihr *Verein, der ihn hier haben wollte.*

DC Siobhan Clarke saß an ihrem Schreibtisch und telefonierte. Ihm fiel auf, dass an der Wand hinter ihr eine Postkarte mit dem Bild eines Seelöwen festgepinnt war. Als er näher kam, sah er, dass jemand eine Sprechblase hinzugezeichnet hatte, die das Tier sagen ließ: »Für mich ein Rebus-Dinner, bitte.«

»Ha, ha«, sagte er und pflückte die Karte von der Wand. Clarke war mit ihrem Telefonat fertig.

»*Ich* war's nicht«, sagte sie.

Er ließ den Blick durch den Raum schweifen. DC Grant las eine Boulevardzeitung. DS George Silvers starrte stirnrunzelnd seinen Bildschirm an. Dann kam DI Bill Pryde ins Büro hereinspaziert, und Rebus wusste, dass er den Täter hatte. Lockiges blondes Haar, kupferroter Schnurrbart: das Gesicht eines geborenen Unfugstifters. Rebus wedelte mit der Karte, worauf Prydes Gesicht die Miene der gekränkten Unschuld annahm. Als Rebus auf ihn zuging, begann ein Telefon zu klingeln.

»Ist Ihrs«, sagte Pryde, schon im Rückzug begriffen. Auf dem Weg zum Telefon warf Rebus die Karte in einen Papierkorb.

»DI Rebus«, sagte er.

»Ah, hallo. Du wirst dich wahrscheinlich nicht an *mich* erinnern.« Ein kurzes Lachen. »Damit habe ich auf der Schule immer ziemlich viel Erfolg gehabt.«

Gegen Spinner jeder Art immun, lehnte sich Rebus mit der Hüfte an den Schreibtisch. »Wie das?«, fragte er, neugierig, wie die Pointe lauten mochte.

»Na, weil ich so heiße: Mich.« Der Anrufer buchstabierte es ihm. »Brian Mich.«

In Rebus' Kopf begann ein undeutliches Bild, Gestalt anzunehmen: ein ganzer Mund voll vorstehender Zähne; sommersprossige Nase und Wangen; Topfschnitt.

»Barney Mich?«, fragte er.

Weiteres Lachen. »Ich hab nie kapiert, warum mich immer alle so nannten.«

Rebus hätte es ihm verraten können: nach Barney Geröllheimer, aus der *Familie Feuerstein*. Er hätte hinzufügen können: Weil du den Grips eines nicht allzu hellen Höhlenmenschen hattest. Stattdessen fragte er Mich, was er für ihn tun könne.

»Tja, Janice und ich, wir dachten ... na ja, eigentlich war's die Idee von meiner Mum. Sie kannte... deinen Dad. Meine beiden Eltern kannten ihn, bloß dass mein Dad gestorben ist. Sie waren alle Stammgäste im Crown.«

»Wohnst du noch immer in Bowhill?«

»Bin nie da weggekommen. Aber arbeiten tu ich in Glenrothes.«

Das Bild war mittlerweile klarer geworden: brauchbarer Fußballer, Terrierähnlichkeit, rötlichbraunes Haar. Schleifte seinen Ranzen auf dem Boden hinter sich her, bis die Nähte ganz durchgescheuert waren und aufplatzten. Ständig mit einem großen Stück Kandis im Mund, an dem er krachend herumkaute; ständig laufende Nase.

»Also, was kann ich für dich tun, Brian?«

»Die Idee kam von meiner Mum. Sie hat sich erinnert, dass du bei der Polizei in Edinburgh bist, und da dachte sie, du könntest uns vielleicht helfen.«

»Bei was?«

»Es geht um unseren Sohn. Von mir und Janice. Er heißt Damon.«

»Was hat er angestellt?«

»Er ist verschwunden.«

»Abgehauen?«

»Eher in Luft aufgelöst. Er war in so 'nem Klub mit seinen Kumpels, weißt du –«

»Hast du die Polizei benachrichtigt?« Rebus unterbrach sich. »Ich meine, die für dich zuständige, von Fife.«

»Das Problem ist bloß, dass der Klub in Edinburgh ist. Die Beamten meinten, sie hätten sich da umgesehen, ein paar Fragen gestellt. Die Sache ist die, Damon ist neunzehn. Die meinen, niemand könnte ihm verbieten, sich zu verdünnisieren, wenn er möchte.«

»Womit sie nicht Unrecht haben, Brian. Es laufen ständig Leute von zu Hause weg. Vielleicht Probleme mit einem Mädchen.«

»Er war verlobt.«

»Vielleicht hat er's mit der Angst zu tun bekommen.«

»Helen ist ein liebes Mädchen. Gab nie ein böses Wort zwischen den beiden.«

»Hat er einen Brief hinterlassen?«

»Die Polizei hat mich das auch schon gefragt. Kein Brief, und er hat auch keine Klamotten oder sonst was mitgenommen.«

»Ihr glaubt, es ist ihm was zugestoßen?«

»Wir möchten bloß sicher sein, dass es ihm gut geht...« Die Stimme verebbte. »Meine Mum spricht immer gut von deinem Dad. Er ist den Leuten hier noch immer in Erinnerung.«

Und dort begraben ist er auch, dachte Rebus. Er nahm den Stift in die Hand. »Gib mir ein paar Details, Brian, und ich seh, was ich tun kann.«

Kurz darauf stattete Rebus Grant Hoods Schreibtisch einen Besuch ab und fischte die inzwischen ausgelesene Zeitung aus dem Papierkorb. Er blätterte sie durch, bis er den Redaktionsteil fand. Ganz unten stand in Halbfett zu lesen: »Haben Sie eine Story für uns? Die Nachrichtenredaktion ist Tag und Nacht für Sie da.« Und darunter eine Telefonnummer. Rebus trug sie in seinen Notizblock ein.

5

Der lautlose Tanz ging wieder los. Paare schlurften und verrenkten sich, warfen die Köpfe in den Nacken oder fuhren sich mit den Händen durch die Haare, während Augen nach potenziellen Partnern oder verflossenen Lovern zum Eifersüchtigmachen Ausschau hielten. Der Monitor verlieh allem ein irgendwie schmuddeliges Aussehen.

Kein Ton, nur Bilder, die ständig von Dancefloor zu Haupttresen zu zweiter Bar zu Toilettenvorraum wechselten. Dann weiter zum Eingangsbereich, Außenansicht vorn und hinten. Die hintere Außenansicht zeigte eine pfützenübersäte Gasse, die durch mehrere Mülleimer und den Benz des Klubbesitzers verschönt wurde. Der Klub hieß Gaitano's, kein Mensch wusste, warum. Ein paar Gäste hatten den Namen zu »Guiser's« verballhornt, und das war der Name, unter dem Rebus den Laden kannte.

Er lag in der Rose Street, begann sich abends gegen halb elf zu bevölkern. Vergangenen Sommer war jemand auf der Gasse erstochen worden, worauf sich der Besitzer über die Blutspritzer an seinem Benz beklagt hatte.

Rebus saß in einem kleinen unbequemen Sessel in einem kleinen trüb beleuchteten Zimmer. Im anderen Sessel saß, die Videofernsteuerung in der Hand, DC Phyllida Hawes.

»Und noch mal von vorn«, sagte sie. Rebus beugte sich etwas vor. Das Bild sprang von der rückwärtigen Gasse zur Tanzfläche. »Muss jeden Augenblick kommen.« Ein weiterer Schnitt: Haupttresen, davor anstehendes Gästegedränge, drei Mann tief gestaffelt. Sie hielt das Bild an. Es war nicht so sehr schwarzweiß als sepia, die Farbe toter Fotos. Liegt an der Beleuchtung, hatte sie beim ersten Mal erklärt. Sie ließ das Band einzelbildweise weiterstottern, während Rebus dicht an den Monitor trat und sich so weit vorbeugte, dass er mit einem Knie den Boden berührte. Sein Finger tippte auf ein Gesicht.

»Das ist er«, pflichtete sie ihm bei.

Auf dem Schreibtisch lag eine dünne Akte. Rebus hatte daraus ein Foto entnommen, das er jetzt an den Bildschirm hielt.

»In Ordnung«, sagte er. »Jetzt in Zeitlupe vorwärts.«

Die Überwachungskamera blieb noch weitere zehn Sekunden auf den Haupttresen gerichtet, wechselte dann zum zweiten Tresen und schwenkte einmal im Kreis herum. Als sie zum Haupttresen zurückkehrte, schien sich das Gedränge davor nicht weiterbewegt zu haben.

»Er ist nicht mehr da«, stellte Rebus fest.

»Er kann unmöglich bedient worden sein. Die zwei vor ihm warten immer noch.«

Rebus nickte. »Er müsste da sein.« Er tippte wieder auf den Bildschirm.

»Neben der Blondine«, sagte Hawes.

Ja, die Blondine: Haare wie gesponnenes Silber, dunkle Augen und Lippen. Während alle Umstehenden versuchten, einen Barmann auf sich aufmerksam zu machen, sah sie zur Seite. Sie trug ein ärmelloses Kleid.

Zwanzig Sekunden Bandmaterial aus dem Foyer zeigten einen stetigen Strom von Eintretenden, aber niemanden, der den Klub verlassen hätte.

»Ich hab mir das ganze Band angesehen«, sagte Hawes. »Glauben Sie mir, er ist nicht drauf.«

»Was ist also mit ihm passiert?«

»Ganz einfach, er ist rausspaziert, aber die Kameras haben ihn nicht ins Bild bekommen.«

»Und lässt seine Kumpels auf dem Trockenen sitzen?«

Rebus nahm sich die Akte noch einmal vor. Damon Mich war mit zwei Freunden unterwegs gewesen: eine wilde Nacht in der Großstadt. Es war Damons Runde gewesen – zwei Lager und ein Coke, Letzteres für den designierten Fahrer. Sie hatten auf ihn gewartet, sich dann auf die Suche nach ihm gemacht. Erste Vermutung: Er hatte was aufgerissen und sich davongeschlichen, ohne ihnen was zu sagen. Vielleicht war's irgend 'ne alte Schachtel gewesen, nichts zum Vorzeigen. Aber dann war er nicht nach Haus gekommen, und seine Eltern hatten angefangen, Fragen zu stellen, Fragen, die keiner beantworten konnte.

Die schlichte Wahrheit: Damon Mich war, wie die Digitalanzeige auf der Bandaufnahme bewies, am vergangenen Freitagabend zwischen 11.44 und 11.45 Uhr spurlos verschwunden.

Hawes schaltete das Gerät aus. Sie war groß und dünn und beherrschte ihren Job; es hatte ihr gar nicht gepasst, dass Rebus einfach so in der Gayfield-Wache aufgekreuzt war; die Implikationen hatten ihr nicht gepasst.

»Es gibt keinerlei Hinweise auf eine Straftat«, sagte sie abwehrbereit. »Jedes Jahr eine Viertelmillion Vermisste, die meisten davon tauchen früher oder später von selbst wieder auf.«

»Hören Sie«, beschwichtigte Rebus sie. »Ich mach das hier für einen alten Freund, das ist alles. Er will bloß sicher sein, dass wir alles in unserer Macht Stehende getan haben.«

»Und was können wir tun?«

Eine gute Frage, und dazu eine, die Rebus gerade in dem Moment nicht beantworten konnte. Stattdessen wischte er sich Staub von den Knien seiner Hose und fragte, ob er sich das Video ein letztes Mal ansehen könne.

»Und noch was«, sagte er. »Wär's wohl möglich, einen Ausdruck zu kriegen?«

»Einen Ausdruck?«

»Ein Foto vom Gedränge am Tresen.«

»Ich weiß nicht. Aber es würde doch sowieso nicht viel nützen, oder? Und wir haben schon so ganz brauchbare Fotos von Damon.«

»Es geht mir nicht um ihn«, sagte Rebus, während das Band wieder anlief. »Es geht mir um die Blondine, die ihm hinterhersieht.«

An dem Abend verließ er die Stadt in Richtung Norden, zahlte die Maut an der Forth Road Bridge und fuhr hinüber nach Fife. Die Region bezeichnete sich selbst gern als »das Königreich«, und es gab durchaus Leute, die bestätigt hätten, dass es wirklich ein anderes Land war, eine Region mit einer eigenen sprachlichen und kulturellen Identität. Für so ein kleines Gebiet wirkte es fast unvorstellbar komplex, und genau so war es Rebus schon vorgekommen, als er dort aufgewachsen war. Für Auswärtige bedeutete Fife Küstenlandschaft und St. Andrews, die Geburtsstadt des Golf, oder einfach nur ein Stück Schnellstraße zwischen Edinburgh und Dundee, aber das westlich zentrale Fife von Rebus' Kindheit war ganz anders gewesen: Kohlenbergbau und Linoleum, Werften und Chemiewerke, eine Industrielandschaft, die von elementaren Bedürfnissen geprägt gewesen war und misstrauische und introvertierte Menschen hervorbrachte, mit dem schwärzesten Humor, den man sich nur vorstellen konnte.

Seit Rebus' letztem Besuch waren ein paar neue Straßen gebaut und ein paar weitere alte Gebäude abgerissen worden, aber die Atmosphäre hatte sich in den letzten dreißig Jahren insgesamt nicht allzu sehr verändert. Eine *so* lange Zeit war das schließlich auch wieder nicht. Als er in Cardenden hineinfuhr – Bowhill kam auf Straßenschildern seit den Sechzigerjahren nicht mehr vor, auch wenn die Einheimischen es noch immer als eigenständiges Dorf kannten –, ging Rebus vom Gas, um festzustellen, ob sich die Erinnerungen als süß oder sauer erweisen würden. Dann sah er einen Take-away-Chinesen und dachte: sowohl als auch, natürlich.

Brian und Janice Michs Haus war leicht zu finden. Sie erwarteten ihn beide am Gartentörchen. Rebus war in einem damals modernen Fertighaus zur Welt gekommen, dann aber in einem Reihenhaus aufgewachsen, das sich nicht nennenswert von diesem hier unterschied. Brian Mich öffnete ihm praktisch die Wagentür und versuchte, ihm die Hand zu schütteln, während er noch dabei war, den Sicherheitsgurt zu öffnen.

»Lass doch den Mann erst mal aussteigen!«, meinte seine Frau. Sie stand noch immer am Tor, die Arme vor der Brust verschränkt. »Wie ist es dir so ergangen, Johnny?«

Und da begriff Rebus, dass Brian Janice Playfair geheiratet hatte, das einzige Mädchen in seinem langen und an Ärger nicht eben armen Leben, das es fertig gebracht hatte, John Rebus k.o. zu schlagen.

Das schmale, niedrige Zimmer platzte schier aus den Nähten – es waren nicht lediglich Rebus, Brian und Janice da, sondern auch noch Brians Mutter und Mr. und Mrs. Playfair sowie eine ausladende dreiteilige Sitzgruppe und verschiedenerlei Tische und Schrankwände. Erst musste die Vorstellung erledigt, dann Rebus zum »Platz am Kamin« geleitet werden. Das Zimmer war überheizt. Eine Kanne Tee wurde gebracht, und auf dem Tischchen neben Rebus' Sessel lag genügend aufgeschnittener Kuchen, um eine ganze Fußballmannschaft zu verköstigen.

»Der Junge hat was auf dem Kasten«, sagte Janice' Mutter und reichte Rebus ein gerahmtes Foto von Damon Mich. »Jede Menge Scheine von der Schule. Arbeitet hart. Spart, um zu heiraten.«

Das Foto zeigte einen lächelnden Racker, der noch nicht lang aus der Schule raus war.

»Die neuesten Fotos haben wir der Polizei gegeben«, erklärte Janice. Rebus nickte, er hatte sie in der Akte gesehen. Trotzdem, als man ihm einen Stoß Urlaubsfotos in die Hand drückte, sah er sie langsam durch; das enthob ihn immerhin der Notwendigkeit, ihre hoffnungsvoll gespannten Gesichter anzusehen. Er fühlte sich wie ein Arzt, von dem erwartet wurde, dass er eine sofortige Diagnose *und* Therapie aus dem Ärmel schüttelte. Die Fotos zeigten ein sorgenvolleres Gesicht als der gerahmte Abzug. Das koboldhafte Lächeln war weiterhin da, aber deutlich gealtert; es wirkte inzwischen etwas bemüht. Irgendetwas lag in den Augen – vielleicht Ernüchterung. Auf ein paar Bildern waren auch Damons Eltern abgelichtet.

»Wir sind alle zusammen gefahren«, erklärte Brian. »Die ganze Familie.«

Strände, ein großes weißes Hotel, Gesellschaftsspiele am Pool. »Wo ist das?«

»Lanzarote«, antwortete Janice, während sie ihm seinen Tee reichte. »Nimmst du immer noch Zucker?«

»Schon seit Jahren nicht mehr«, sagte Rebus. Auf ein paar Bildern war sie im Bikini zu sehen: gute Figur für ihr Alter – oder eigentlich für jedes Alter. Er bemühte sich, nicht zu lange hinzusehen. »Kann ich ein paar von den Nahaufnahmen mitnehmen?«, fragte er. Janice schaute ihn an. »Von Damon.« Sie nickte, und er steckte die anderen Bilder in den Fotoumschlag zurück.

»Wir sind wirklich dankbar«, sagte jemand. Janice' Mutter? Brians? Rebus wusste es nicht.

»Du hast gesagt, seine Freundin heißt Helen?«

Brian nickte. Er hatte etwas weniger Haare und dafür umso mehr Pfunde, leicht hängende Backen. Über dem Kaminsims eine Reihe billiger Trophäen – Darts und Pool: Kneipensportarten. Vermutlich trainierte Brian fast jeden Abend. Janice ... Janice sah so aus wie immer. Nein, das stimmte nicht ganz. Sie hatte hier und da graue Strähnen. Aber trotzdem, mit ihr zu reden war wie eine Rückkehr in ein ganz anderes Zeitalter.

»Wohnt Helen hier im Ort?«, fragte er.

»Praktisch um die Ecke.«

»Ich würde mich gern mit ihr unterhalten.«

»Ich klingel eben bei ihr durch.« Brian stand auf, ging aus dem Zimmer.

»Wo arbeitet Damon?«, fragte Rebus in Ermangelung einer besseren Frage.

»Im selben Betrieb wie sein Dad«, sagte Janice und steckte sich eine Zigarette an. Rebus hob eine Augenbraue: Auf der Schule war sie Nikotingegnerin gewesen. Sie sah seinen Blick und lächelte.

»Er hat einen Job in der Verpackung bekommen«, sagte ihr Vater. Er wirkte gebrechlich, sein Kinn zitterte. Rebus fragte sich, ob er einen Schlaganfall erlitten hatte. Die eine Seite seines Gesichts hing schlaff herunter. »Er lernt den Betrieb kennen. Bald wird er in die Verwaltung aufrücken.«

Der Nepotismus der Arbeiterklasse, Posten, die vom Vater zum Sohn weitergereicht wurden. Rebus war überrascht festzustellen, dass es noch immer so funktionierte.

»Er hatte Glück, dass er überhaupt hier Arbeit gefunden hat«, fügte Mrs. Playfair hinzu.

»Sieht's nicht gut aus?«

Sie machte nur ein missbilligendes Geräusch.

»Erinnerst du dich an die alte Zeche, John?«, fragte Janice.

Natürlich erinnerte er sich an sie und an die Abraumhalde und die Wildnis drumherum. Lange Spaziergänge an Sommerabenden, häufige Pausen für Küsse, die Stunden zu dauern schienen. Schleier von Kohlenrauch, die aus der innen noch immer schwelenden Halde aufstiegen.

»Das haben die jetzt alles eingeebnet und einen Park daraus gemacht. Sie reden davon, ein Bergbaumuseum zu errichten.«

Mrs. Playfair zischte wieder missbilligend. »Das würde uns ja doch bloß daran erinnern, was wir früher mal hatten.«

»Schafft Arbeitsplätze«, sagte ihre Tochter.

»Cowdenhead hieß früher das Chicago von Fife«, fügte Brian Michs Mutter hinzu.

»Das Brasilien für Arme«, warf Mr. Playfair ein und stieß ein krächzendes Lachen aus. Er meinte den Fußballverein von Cowdenhead, der sich diesen Spitznamen selbstironisch-bitter selbst zugelegt hatte. Sie nannten sich das Brasilien für Arme, weil sie als Kicker einen Dreck wert waren.

»Helen ist in einer Minute hier«, sagte Brian, als er wieder hereinkam.

»Essen Sie denn keinen Kuchen, Inspector?«, fügte Mrs. Playfair hinzu.

Während der Rückfahrt nach Edinburgh dachte Rebus noch einmal über sein Gespräch mit Helen Cousins nach. Sie hatte Rebus' Bild von Damon nicht viel hinzufügen können und war in der Nacht seines Verschwindens mit Freundinnen ausgegangen. Es war ein Freitagabendritual: Damon ging mit den »Jungs« aus, sie mit den »Mädels«. Er hatte mit einem von Damons Kumpels gesprochen – der andere war nicht da gewesen –, aber nichts Sachdienliches erfahren.

Während er die Forth Road Bridge überquerte, dachte er über das Symbol nach, das Fife sich für sein »Willkommen in Fife«-Schild ausgesucht hatte: die Forth-Eisenbahnbrücke. Sie repräsentierte nicht so sehr die Identität der Region, sondern eher ein Eingeständnis des Scheiterns, die Einsicht, dass Fife für viele Leute lediglich eine Transitstrecke nach – oder ein Anhängsel von – Edinburgh darstellte.

Helen Cousins hatte schwarzen Eyeliner und purpurroten Lippenstift getragen und würde niemals hübsch sein. Akne hatte grausame Spuren in ihr fahles Gesicht gegraben. Ihr Haar war schwarz gefärbt und mit viel Gel zu Stirnfransen gestylt. Gefragt, was mit Damon ihrer Meinung nach passiert sein könnte, hatte sie lediglich die Achseln gezuckt und die Beine übereinander geschlagen und damit jeden etwaigen Versuch seinerseits, ihr eine Mitverantwortung an der Sache zuzuschieben, von sich gewiesen.

Joey, der in der fraglichen Nacht mit im Guiser's gewesen war, hatte sich ähnlich verschlossen gezeigt.

»Bloß eine Nacht in der Stadt«, hatte er gesagt. »Alles wie immer.«

»Und bei Damon war auch nichts anders als sonst?«

»Was denn zum Beispiel?«

»Ich weiß nicht. War er vielleicht in Gedanken woanders? Wirkte er nervös?«

Ein Achselzucken: So viel zu Joeys Anteilnahme am Schicksal seines Freundes.

Rebus war auf dem Weg nach Hause, das heißt, zu Patience' Wohnung. Aber während er auf der Queensferry Road vor der Ampel stand, überlegte er sich, dass er vielleicht zur Oxford Bar fahren sollte. Nicht auf einen Drink, nur auf eine Cola oder einen Kaffee – und ein bisschen Gesellschaft. Er würde irgendwas Alkoholfreies trinken und den Gesprächen am Tresen zuhören.

Also fuhr er an der Oxford Terrace vorbei, hielt am unteren Ende der Castle Street, lief den Hang hinauf zum Ox. Die Burg ragte direkt hinter dem Buckel empor. Die beste Aussicht darauf hatte man von einem Hamburgerlokal auf der Princes Street. Er öffnete die Tür des Pubs und spürte Wärme, roch Rauch. Im Ox brauchte er keine Zigaretten. Da drin bloß zu atmen war so gut wie eine halbe Schachtel Kippen. Coke oder Kaffee, er konnte sich einfach nicht entscheiden. An dem Abend hatte Harry Dienst. Er hob ein leeres Pint-Glas und schwenkte es in Rebus' Richtung.

»Na gut, okay«, sagte Rebus, als sei es die einfachste Entscheidung, die er je getroffen hatte.

Als er aufschloss, was es Viertel vor zwölf. Patience saß vor dem Fernseher. In letzter Zeit sagte sie nicht viel zu seiner Trinkerei, aber ihr Schweigen war ebenso beredt, wie es früher ihre Predigten gewesen waren. Zum Zigarettengeruch, der in seinen Sachen hing, rümpfte sie allerdings die Nase. Also steckte er alles in den Wäschekorb und ging unter die Dusche. Als er wieder herauskam, lag sie schon im Bett. Auf seinem Nachttisch stand ein frisches Glas Wasser.

»Danke«, sagte er und spülte damit zwei Paracetamoltabletten runter.

»Wie war dein Tag?«, fragte sie. Automatische Frage, automatische Antwort.

»Nicht schlecht. Und deiner?«

Ein schläfriger Grunzlaut. Sie hatte die Augen geschlossen. Es gab verschiedene Dinge, die Rebus sagen, Fragen, die er stellen wollte. Was tun wir hier eigentlich? Möchtest du, dass ich ausziehe? Er konnte sich denken, dass Patience unter Umständen die gleichen oder ähnliche Fragen bewegten. Irgendwie wurden sie nie ausgesprochen; vielleicht aus Angst vor den möglichen Antworten und dem, was diese bedeutet hätten. Wer hatte schon Spaß am Scheitern?

»Ich war auf einer Beerdigung«, sagte er. »Jemand, den ich kannte.«

»Tut mir Leid.«

»So gut kannte ich ihn auch wieder nicht.«

»Woran ist er gestorben?« Kopf noch immer auf dem Kissen, Augen geschlossen.

»Ist gestürzt.«

»Unfall?«

Sie entfernte sich allmählich von ihm. Er sprach trotzdem weiter. »Seine Witwe hatte ihre Tochter so angezogen, dass sie wie ein Engel aussah. Auch eine Möglichkeit, mit der

Sache fertig zu werden, nehm ich an.« Er verstummte, hörte zu, wie Patience' Atmung ruhig und gleichmäßig wurde. »Heute Abend bin ich nach Fife, in die ›alte Heimat‹. Freunde, die ich seit Jahren nicht mehr gesehen hatte.« Er sah sie an. »Eine alte Flamme, die ohne weiteres meine Frau hätte werden können.« Berührte ihr Haar. »Kein Edinburgh, keine Dr. Patience Aiken.« Seine Augen wandten sich zum Fenster. Keine Sammy… vielleicht auch kein Job bei der Polizei.

Keine Gespenster.

Als sie eingeschlafen war, ging er wieder ins Wohnzimmer und stöpselte Kopfhörer in die Hi-Fi-Anlage. In einer Plastiktüte unter dem Bücherregal befanden sich seine jüngsten Errungenschaften aus dem Backbeat Records: Light of Darkness und Writing on the Wall, zwei schottische Bands, an die er sich aus früheren Zeiten vage erinnerte. Als er sich setzte und die Musik begann, fragte er sich, woran es wohl lag, dass er immer nur im Rückblick glücklich war. Woran lag das? Er lehnte sich mit geschlossenen Augen zurück. Incredible String Band: »The Half-Remarkable Question«. Überleitung zu Brian Eno: »Everything Merges with the Night«. Er sah Janice Playfair, wie sie an dem Abend gewesen war, als sie ihn k.o. geschlagen hatte, an dem Abend, der alles geändert hatte. Und er sah Alec Chisholm, der eines Tages von der Schule weggegangen und nie wieder gesehen worden war. Alecs Gesicht war ihm nicht präsent, nur eine ungefähre Silhouette und eine Haltung, eine Art zu stehen. Alec, der was auf dem Kasten hatte, der es zu was bringen würde.

Bloß dass keiner erwartet hatte, dass er *den* Weg einschlagen würde.

Ohne die Augen zu öffnen, wusste Rebus, dass Jack Morton im Sessel ihm gegenüber saß. Konnte Jack die Musik hören? Er sprach nie, deswegen war es schwer zu sagen, ob Akustisches ihm etwas bedeutete. Er wartete auf den Song »Bogeyman« – das Schreckgespenst; hörte zu und wartete.

Es wurde schon fast wieder hell, als Patience ihm auf dem Weg zurück von der Toilette die Kopfhörer abnahm und eine Decke über seine schlafende Gestalt ausbreitete.

6

Es waren drei Männer im Zimmer, alle in Uniform, alle scharf darauf, Cary Oakes zusammenzuschlagen. Er sah es in ihren Augen, in ihrer halb angespannten Haltung, ihren Kaugummi malmenden Kiefern. Er machte eine plötzliche Bewegung, streckte aber dabei lediglich die Beine aus, rutschte auf dem Stuhl ein Stückchen tiefer und legte den Kopf in den Nacken, so dass die Sonne, die durch das hohe Fenster schien, ihm voll ins Gesicht leuchtete. In Wärme und Licht getaucht, spürte er, wie das Lächeln ihm das Gesicht in die Breite zog. Seine Mutter hatte ihm immer gesagt: »Wenn du lächelst, *strahlt* dein Gesicht, Cary.« Verrücktes altes Weib, selbst damals schon. Sie hatte in der Küche so eine Doppelspüle gehabt und eine Mangel, die man dazwischen befestigen konnte. Die Wäsche in dem einen Becken waschen, dann durch die Mangel ins andere kurbeln. Einmal hatte er die Fingerspitzen gegen die Walzen gedrückt und dann an der Kurbel gedreht, bis es angefangen hatte, weh zu tun.

Drei Gefängniswärter: So viel war ihnen Cary Oakes wert. Drei Wärter und Ketten an Beinen und Armen.

»Hey, Jungs«, sagte er und deutete mit dem Kinn auf die drei. »Zeigt, was ihr draufhabt.«

»Schnauze, Oakes.«

Cary Oakes grinste wieder. Er hatte eine Reaktion erzwungen; derlei kleine Siege brachten ihn tagtäglich über die Runden. Der Wärter, der gesprochen hatte, derjenige, auf dessen Namensschildchen SAUNDERS stand, tendierte *schon* zu einer gewissen Reizbarkeit. Oakes verengte die Augen und stellte sich vor, wie das schnauzbärtige Gesicht gegen eine Mangel gepresst wurde, stellte sich die Kraft vor, die erforderlich gewesen wäre, um dieses Gesicht vollständig durch die Walzen zu kurbeln. Oakes rieb sich über den Magen: nicht ein Gramm Fett, trotz des Schweinefraßes, den sie ihm aufzutischen versuchten. Er hielt sich an Gemüse und Obst, Wasser und Säfte. Musste klar im Kopf bleiben. Viele der anderen Häftlinge hatten in den Leerlauf geschaltet: Der Motor heulte wie verrückt, brachte sie aber keinen Schritt weiter. Eine längere Haftstrafe konnte schon eine solche Wirkung haben, konnte einen dazu bringen, dass man anfing, an Dinge zu glauben, die gar nicht stimmten. Oakes blieb auf dem Laufenden, hatte Illustrierte und Zeitungen abonniert, sah sich im Fernsehen Nachrichtensendungen an und sonst gar nichts – ausgenommen vielleicht ein bisschen Sport. Aber selbst Sport war eine Art Novocain. Statt auf die Glotze zu starren, beobachtete er lieber die Gesichter der anderen, sah ihre schweren Lider, ihre Abgestumpftheit; nicht besser als Babys, denen man löffelweise behagliche Zufriedenheit einlöffelte, Bäuche und Hirne, die bis zum Rand mit aufgewärmter Jauche abgefüllt wurden.

Er fing an, einen Beatles-Song zu pfeifen: »Good Day, Sunshine«, und fragte sich, ob auch nur einer der Wärter den kannte. Möglichkeit zu einer weiteren Reaktion. Dann aber ging die Tür auf, und sein Rechtsanwalt kam herein. Sein fünfter Anwalt in sechzehn Jahren, kein schlechter Schnitt. Dieser Anwalt war jung – Mitte zwanzig – und trug immer blaue Blazer und cremefarbene Hosen, eine Kombination, in der er wie ein Bubi aussah, der Papis Sachen anprobierte. Die Blazer hatten messingglänzende Knöpfe und komplizierte Wappen auf der Brusttasche.

»Ahoi, Schiffskamerad!«, rief Oakes, ohne sich auf seinem Stuhl zu rühren.

Der Anwalt setzte sich ihm gegenüber an den Tisch. Oakes verschränkte die Hände kettenrasselnd hinter dem Kopf.

»Wär's wohl möglich, meinem Mandanten die Dinger abzunehmen?«, fragte der Anwalt.

»Sind nur zu Ihrer eigenen Sicherheit, Sir.« Die Standardantwort.

Oakes kratzte sich mit beiden Händen den rasierten Schädel. »Wissen Sie, die Taucher und Astronauten. Tragen Bleischuhe, geht in ihrem Job nicht anders. Ich schätze, wenn ich diese Ketten mal loswerde, steig ich wie ein Luftballon an die Decke. Dann kann ich mir meine Brötchen im Zirkus verdienen: die menschliche Fliege! Sehen und staunen Sie, wie er die Wände hochspaziert! Mann, stellen Sie sich bloß die Möglichkeiten vor. Ich kann vor Fenstern im zweiten Stock levitieren und zugucken, wie die ganzen Ladys sich bettfertig machen.« Er wandte sich den Wärtern zu. »Jemand von euch verheiratet?«

Der Rechtsanwalt ignorierte das alles geflissentlich. Er hatte einen Job zu erledigen, klappte seinen Aktenkoffer auf und holte den Papierkram heraus. Wo immer Anwälte hingingen, begleitete sie Papier. Ganze Fuder von Papier. Oakes bemühte sich, nicht interessiert auszusehen.

»Mr. Oakes«, sagte der Anwalt, »jetzt geht es nur noch um Details.«

»Ich hab schon immer eine Schwäche für Details gehabt.«

»Ein paar Formulare, die von verschiedenen Amtspersonen unterschrieben werden müssen.«

»Gehört, Jungs?«, rief Oakes den Wärtern zu. »Ich hab's

euch ja gesagt, dass kein Gefängnis Cary Oakes festhalten kann! Okay, ich hab fünfzehn Jahre gebraucht, aber hey, kein Mensch ist vollkommen.« Er lachte und wandte sich seinem Anwalt zu. »Und wie viel Zeit dürften diese … Details noch so in Anspruch nehmen?«

»Eher Tage als Wochen.«

Oakes' Herz pumpte wie verrückt. Seine Ohren rauschten vor Aufregung, vor Angst und Vorfreude. *Tage …*

»Aber ich hab meine Zelle noch gar nicht fertig gestrichen. Ich will sie dem nächsten Gast möglichst hübsch hinterlassen.«

Endlich lächelte der Anwalt, und Oakes wusste in dem Augenblick Bescheid: arbeitete sich in Papis Kanzlei nach oben; von den älteren Kollegen geschmäht, von den gleichaltrigen mit Argwohn betrachtet. Spionierte er sie aus, petzte er beim Alten? Wie konnte er sich bewähren? Wenn er freitagabends mit ihnen einen trinken ging, seinen Schlips lockerte und seine Haare zerwühlte, fühlten sie sich unbehaglich. Wenn er Abstand hielt, war er ein kalter Fisch. Und der Vater? Der Alte wollte nicht riskieren, dass ihn jemand der Vetternwirtschaft bezichtigte, der Junge musste also die harte Lehre durchmachen. Soll er die beschissenen Fälle übernehmen, die hoffnungslosen, diejenigen, nach denen man das Bedürfnis verspürte, unter die Dusche zu gehen und frische Sachen anzuziehen. Soll er sich bewähren. Lange Stunden undankbarer Plackerei, ein strahlendes Vorbild für alle anderen Mitarbeiter.

All das an einem einzigen Lächeln erkannt, dem Lächeln einer etwas schüchternen, gehemmten Drohne, die davon träumte, Bienenkönig zu sein, vielleicht sogar kleinen Phantasien von Vatermord und Usurpation nachhing.

»Sie werden natürlich ausgewiesen«, sagte der Prinz jetzt.

»Was?«

»Sie hielten sich widerrechtlich in diesem Land auf, Mr. Oakes.«

»Ich hab hier fast mein halbes Leben verbracht.«

»Trotzdem ...«

Trotzdem... die Worte seiner Mutter. Jedes Mal, wenn er sich eine Ausrede zurechtgelegt hatte, irgendeine Geschichte, die die Situation erklären sollte, hörte sie schweigend zu, atmete danach tief ein, und dann war es so, als könnte er das Wort, das aus ihrem Mund kam, in der Luft Gestalt annehmen sehen. Während seiner Verhandlung hatte er im Geist kleine Dialoge mit ihr durchgespielt.

»Mutter, ich bin doch immer ein guter Sohn gewesen, oder?«

»Trotzdem ...«

»Trotzdem habe ich zwei Menschen getötet.«

»Wirklich, Cary? Bist du dir auch sicher, dass es nur zwei waren ...?«

Er richtete sich auf. »Dann sollen sie mich eben ausweisen, ich bin im Handumdrehen wieder da.«

»Das wird nicht so einfach sein. Ich kann mir nicht vorstellen, dass Sie wieder ein Touristenvisum bekommen, Mr. Oakes.«

»Ich brauch keins. Sie sind nicht auf dem Laufenden.«

»Ihr Name wird dann aktenkundig sein ...«

»Ich spazier einfach von Kanada oder Mexiko über die grüne Grenze.«

Der Anwalt rutschte unruhig auf seinem Stuhl herum. Das hörte er gar nicht gern.

»Ich muss doch zurückkommen und meine Kumpels besuchen« – mit einem Nicken in Richtung der Wärter. »Wenn ich weg bin, werden sie mich vermissen. Und ebenso ihre Frauen.«

»Leck mich, Wichser.« Wieder Saunders.

Oakes strahlte den Rechtsanwalt an. »Ist das nicht nett? Wir haben lauter Spitznamen füreinander.«

»Ich halte das alles nicht für sonderlich konstruktiv, Mr. Oakes.«

»Hey, ich bin ein vorbildlicher Häftling. So läuft's doch, oder? Eins hab ich schnell gelernt: Man muss dieselbe Methode benutzen, mit der die einen da hingebracht haben, wo man jetzt ist. Sich mit den Gesetzen vertraut machen, alles noch einmal gründlich durchgehen, die Fragen wissen, die man stellen muss, die Einwände, die während der Verhandlung hätten erhoben werden müssen. Der Verteidiger, den die mir damals gestellt hatten, glauben Sie mir, der wär schon angesichts einer Hand voll Erstklässler überfordert gewesen, ganz zu schweigen von zwölf erwachsenen Geschworenen.« Er lächelte wieder. »Sie sind besser als er. Sie werden schon Ihren Weg machen. Denken Sie daran, wenn Ihr Daddy Sie das nächste Mal runterputzt. Oder sagen Sie sich einfach: Ich bin besser, ich werde meinen Weg machen.« Er zwinkerte. »Gratistipp meinerseits, Jungchen.«

Jungchen – als wäre er fünfzig statt achtunddreißig. Als stünde ihm die Weisheit der Jahrhunderte zu Gebote.

»Dann krieg ich also einen Freiflug nach London?«

»Ich weiß nicht.« Der Anwalt sah seine Notizen durch. »Sie stammen ursprünglich aus Lothian?« Sprach's wie *loathing* aus, »Abscheu«.

»›Lothian‹ wie Edinburgh, Schottland.«

»Tja, Sie könnten wieder da landen.«

Cary Oakes rieb sich das Kinn. Edinburgh würd's eine Zeit lang schon tun. Er hatte da noch ein paar Dinge zu erledigen. Würde zwar die Finger davon lassen, bis die Wogen sich geglättet hatten, aber trotzdem … Er beugte sich über den Tisch.

»Wie viele Morde haben die mir angehängt?«

Der Anwalt blinzelte, saß reglos da, die Hände flach auf dem Tisch. »Zwei«, sagte er schließlich.

»Mit wie vielen hatten sie angefangen?«

»Ich glaube, es waren fünf.«

»Sechs.« Oakes nickte langsam. »Aber wer zählt schon mit, hm?« Ein Schmunzeln. »Haben die für die übrigen je einen gefasst?«

Der Anwalt schüttelte den Kopf. Er hatte Schweißtropfen an den Schläfen. Auf dem Rückweg würde er zu Haus vorbeifahren, um unter die Dusche zu springen und sich frische Sachen anzuziehen.

Cary Oakes lehnte sich wieder zurück und hielt das Gesicht in die Sonne, drehte den Kopf so, dass er überall die Wärme spürte. »Zwei ist doch gar nicht so viel, oder, wenn man's genau nimmt? Wenn Sie Ihren Alten umlegen, sind Sie bloß um einen im Rückstand.«

Er schmunzelte noch immer vor sich hin, als der Anwalt aus dem Zimmer geführt wurde.

7

Junge Ausreißer hielten sich in der Regel immer an dieselben paar Routen: per Bus, Zug oder Anhalter nach London, Glasgow oder Edinburgh. Es gab Organisationen, die ein Auge auf Ausreißer hatten, und auch wenn sie den besorgten Familien nicht immer verrieten, wo sich die Betreffenden aufhielten, konnten sie ihnen wenigstens bestätigen, dass sie am Leben und wohlauf waren.

Aber ein Neunzehnjähriger, jemand mit einem eigenen Einkommen, der konnte überall sein. Kein Ziel war zu weit – sein Pass war nicht aufgefunden worden. Er nahm ihn als Altersnachweis mit, wenn er in einen Klub wollte. Damon hatte ein Girokonto bei der örtlichen Bank, komplett mit Bankcard, und noch ein Sparkonto bei einer Bausparkasse in Kirkcaldy. Die Bank konnte einen Versuch wert sein. Rebus nahm den Hörer ab.

Der Filialleiter behauptete erst, er bräuchte unbedingt etwas Schriftliches, ließ sich aber erweichen, als Rebus versprach, ihm später etwas zuzufaxen. Rebus wartete, während der Mann sich kundig machte, und bis der sich wieder meldete, hatte er schon ein halbes Dorf hingekritzelt, komplett mit Flüsschen, Grünland und Tagebau.

»Die letzte Abhebung erfolgte an einem Automaten im Edinburgher West End. Hundert Pfund am Fünfzehnten.«

Der Abend, an dem Damon ins Gaitano's gegangen war. Hundert Pfund kamen Rebus ziemlich viel vor, selbst für eine lustige Nacht in der Großstadt.

»Seitdem nichts mehr?«

»Nein.«

»Wie aktuell ist das?«

»Das ist der Stand von gestern Abend bei Geschäftsschluss.«

»Könnte ich Sie um einen Gefallen bitten, Sir? Ich möchte, dass dieses Konto im Auge behalten wird. Wenn wieder etwas abgehoben wird, möchte ich sofort informiert werden.«

»Das brauche ich schriftlich, Inspector. Und wahrscheinlich werde ich auch die Genehmigung meiner Zentrale benötigen.«

»Ich wäre Ihnen sehr dankbar, Mr. Brayne.«

»*Baine*«, sagte der Bankmensch kalt und legte auf.

Rebus rief die Bausparkasse an und musste das gleiche Palaver über sich ergehen lassen, ehe man ihm sagte, Damon habe sein Konto seit über zwei Wochen nicht angerührt. Schließlich wählte er noch die Nummer der Gayfield-Wache und verlangte nach DC Hawes. Sie klang nicht allzu begeistert, wieder von ihm zu hören.

»Was gibt's über Gaitano's zu berichten?«, fragte er.

»Wird allgemein Guiser's genannt. Ziemlich feiner Laden. Allein letztes Jahr zwei Messerstechereien, eine im Klub selbst, eine auf der Gasse nach hinten raus. Dieses Jahr ging's ruhiger zu, was wahrscheinlich an einer strikteren Einlasspolitik liegt.«

»Sie meinen breiter gebaute Rausschmeißer.«

»*Front of house manager,* bitte schön. Die Anwohner beschweren sich noch immer über den Lärm bei Ladenschluss.«

»Wem gehört das Ganze?«

»Charles Mackenzie, bekannt als ›Charmer‹.«

Ein paar Uniformierte hatten sich mit Mackenzie wegen Damon Mich unterhalten, und er hatte ihnen freiwillig das Überwachungsband angeboten, das seitdem in Gayfield vor sich hin vegetierte.

»Wissen Sie, wie viele Vermisste wir pro Jahr haben?«, fragte Hawes seufzend.

»Sie haben's mir gesagt.«

»Dann dürfte Ihnen klar sein, dass die, solang keine konkreten Hinweise auf eine Straftat vorliegen, nicht direkt zu unseren vordringlichsten Anliegen gehören. Es hat weiß Gott schon Gelegenheiten gegeben, wo ich am liebsten selbst die Flatter gemacht hätte.«

Rebus dachte an seine nächtlichen Autofahrten, lange, ziellose Stunden, die keinen anderen Zweck hatten, als die Leerstellen in seinem Leben auszufüllen. »Geht's uns nicht allen so?«, sagte er.

»Hören Sie, ich weiß, dass das für Sie ein Freundschaftsdienst ist…«

»Ja?«

»Aber wir haben doch alles getan, was wir tun konnten, oder?«

»So ziemlich.«

»Also, was soll das alles noch?«

»Ich weiß auch nicht genau.« Rebus hätte ihr sagen können, dass es um die Vergangenheit ging, um etwas, das er Janice Playfair und Brian Mich schuldete – und um das Andenken an einen Freund, den er früher mal Mitch genannt hatte. Aber irgendwie hatte er nicht das Gefühl, dass es was genützt hätte, das einer unbeteiligten Person zu erklären. »Noch eine letzte Sache«, sagte er also stattdessen. »Haben Sie mir ein Standfoto von dieser Frau besorgt?«

Das Gaitano's war kaum mehr als eine massive schwarze Tür mit einem Neonschriftzug darüber, mit Pubs auf beiden Seiten und einem Hi-Fi-Geschäft gegenüber. Im Schaufenster des Ladens standen ein Röhrenverstärker und ein überformatiger Plattenspieler mit einem entsprechend überformatigen Preisschild. Eines der Pubs hieß »The Headless Coachman«, »Der kopflose Kutscher«, eine Gestalt aus einer bekannten Edinburgher Gespenstergeschichte. Den schaurigen Namen führte er erst seit ein paar Jahren, zweifellos den Touristen zuliebe.

Rebus klingelte bei Gaitano's, und eine Frau machte ihm auf. Es war die Putzfrau, und Rebus beneidete sie nicht um ihren Job. Die Gläser waren zwar von den Tischen entfernt worden, aber die Räumlichkeiten sahen weiterhin katastrophal aus. Auf dem Teppich, der die Tanzfläche umgab, stand ein Industriestaubsauger. Der Fußboden war mit Zigarettenstummeln, Fetzen von Zellophantüten und vereinzelten leeren Flaschen übersät. Mit dem Foyer war die Frau fertig, aber mit dem Tanzraum war sie erst zur Hälfte durch. An sämtlichen Wänden hingen Spiegel, und bei richtiger Beleuchtung hätte das Lokal wahrscheinlich um ein Vielfaches größer gewirkt, als es tatsächlich war. Im nackten weißen Licht und ohne Musik, ohne Gäste, sah es einfach nur trostlos aus. In der Luft hing ein Mief von abgestandenem Schweiß und Bier. Rebus sah in einer Ecke eine Überwachungskamera und winkte ihr zu.

»Inspector Rebus.«

Der Mann, der ihm entgegenkam, war um die einssechzig groß und so dünn wie ein Sektquirl. Rebus schätzte ihn auf Mitte fünfzig. Er trug einen taubenblauen Anzug und ein weißes Hemd, dessen offener Kragen einen prächtigen Ausblick auf seine Sonnenbräune und Goldketten gewährte. Sein Haar war silbergrau und nicht mehr ganz dicht, aber ebenso gut geschnitten wie der Anzug. Sie gaben sich die Hand.

»Möchten Sie etwas trinken?«

Er führte Rebus zur Bar. Rebus betrachtete die Reihe von Flaschen hinter dem Tresen.

»Nein, danke, Sir.«

Charmer Mackenzie ging hinter den Tresen und schenkte sich eine Cola ein.

»Sicher?«, fragte er.

»Das Gleiche wie Sie«, sagte Rebus. Er musterte einen der Barhocker, um sich zu vergewissern, dass keine Zigarettenasche darauf lag, und stemmte sich dann hinauf. Sie sahen sich über den Tresen hinweg an.

»Nicht Ihr gewohnter Stoff?«, tippte Mackenzie. »In meinem Metier hat man einen Riecher für so was.« Und legte sich zur Veranschaulichung einen Finger an die Nase. »Der Junge ist also nicht wieder aufgetaucht?«

»Nein, Sir.«

»Manchmal kriegen die so Einfälle ...« Er zuckte die Achseln. Kein Verständnis für die Schrullen der jüngeren Generation.

»Ich habe ein Foto.« Rebus zog es aus seiner Tasche und reichte es ihm. »Der Vermisste ist in der zweiten Reihe.«

Mackenzie nickte, nicht sonderlich interessiert.

»Sehen Sie die Frau direkt hinter ihm?«

»Ist das seine Puppe?«

»Kennen Sie sie?«

Mackenzie schnaubte. »Schön wär's.«

»Sie haben sie noch nie gesehen?«

»Das Bild ist nicht das beste, aber ich glaube nicht.«

»Um wie viel Uhr kommt das Personal?«

»Erst heute Abend.«

Rebus nahm das Foto wieder an sich, steckte es ein.

»Besteht wohl die Möglichkeit, dass ich mein Video zurückbekomme?«, fragte Mackenzie.

»Warum?«

»Die Dinger sind nicht billig. Derlei Nebenkosten können ein Unternehmen wie dieses in die Pleite treiben, Inspector.«

Rebus fragte sich, womit er sich den Spitznamen »Charmer« verdient haben mochte. Er hatte so viel Charme wie ein Blatt Sandpapier. »Und das wollen wir doch alle nicht, stimmt's, Mr. Mackenzie?«, sagte er und stand auf.

Wieder im Büro, spielte er das Band ein weiteres Mal ab und sah sich die Blondine genau an: wie sie den Kopf schräg hielt, die kräftige Kinnpartie, den leicht geöffneten Mund. Konnte es sein, dass sie gerade etwas zu Damon sagte? Eine Minute später war er weg. Hatte sie gesagt, dass sie sich irgendwo mit ihm treffen würde? Nachdem er gegangen war, war sie noch an der Bar geblieben und hatte sich einen Drink bestellt. Ziemlich genau um Mitternacht, eine Viertelstunde, nachdem Damon verschwunden war, hatte sie das Lokal verlassen. Die letzte Einstellung stammte von einer Kamera, die an der Außenwand des Klubs montiert war. Man sah die Blondine an der Tür nach links abbiegen und die Rose Street entlanggehen, verfolgt von den Blicken einiger Betrunkener, die ins Gaitano's reinzukommen versuchten.

Jemand streckte den Kopf durch die Tür und sagte ihm, da wäre ein Anruf für ihn. Es war Mairie Henderson.

»Danke für den Rückruf«, sagte er.

»Ich nehme an, Sie wollen mich um eine Gefälligkeit bitten?«

»Ganz im Gegenteil.«

»In dem Fall geht das Mittagessen auf mich. Ich bin im Engine Shed.«

»Wie praktisch.« Rebus lächelte. Das Engine Shed lag direkt hinter St. Leonard's. »Ich bin in fünf Minuten da.«

»Sagen wir lieber zwei, sonst sind die Fleischklöpse alle.«

Was als Witz gemeint war, da die Fleischklöpse keinerlei Fleisch enthielten. Es waren pikante Klöße aus gehackten Pilzen und Kichererbsenmehl in Tomatensauce. Obwohl das Engine Shed nur eine Gehminute von seinem Büro entfernt lag, hatte Rebus da noch nie gegessen. Es strahlte einfach zu viel Gesundheit und Nährwert aus. Das Getränk des Tages war Bioapfelsaft, und Rauchen war streng verboten. Er wusste, dass das Lokal irgendeiner gemeinnützigen Organisation gehörte und das Personal aus Leuten bestand, die noch dringender Arbeit brauchten als die meisten. Typisch Mairie, sich mit ihm gerade dort zu verabreden. Sie saß an einem Fenster, und Rebus nahm mit seinem Tablett neben ihr Platz.

»Sie sehen gut aus«, sagte er.

»Das liegt an dem ganzen Salat.« Sie deutete mit einer Kopfbewegung auf ihren Teller.

»Ihr neues Leben sagt Ihnen weiterhin zu?«

Er meinte ihren Entschluss, bei der Edinburgher Tageszeitung zu kündigen und ihr Glück als Freie zu versuchen. Sie hatten sich zu verschiedenen Gelegenheiten gegenseitig geholfen, aber Rebus war sich durchaus bewusst, dass er ihr mehr schuldete als sie ihm. Ihr Gesicht war aus sauberen, klaren Linien gefügt, ihre dunklen Augen sahen hellwach in die Welt. Sie hatte eine neue Frisur: frühe Cilla Black. Neben ihrem Teller lagen Notizblock und Handy.

»Gelegentlich übernehmen die Londoner Blätter einen Artikel von mir. Dann muss meine alte Zeitung am nächsten Tag ihre eigene Version der Sache bringen.«

»Das nervt die wohl ziemlich.«

Sie strahlte. »Ist doch nicht schlecht, wenn sie merken, was ihnen an mir entgangen ist.«

»Tja«, sagte Rebus, »durch die Lappen ist denen auch eine Story gegangen, die sich direkt vor ihrer Nase abgespielt hat.« Er steckte sich eine weitere Gabel voll Essen in den Mund und musste zugeben, dass es wirklich nicht übel war. Als er sich umsah, fiel ihm auf, dass sich ausschließlich weibliche Gäste im Restaurant befanden. Manche von ihnen fütterten ihre Sprösslinge in Kinderhochstühlen, manche plauderten leise miteinander. Das Restaurant war nicht groß, und Rebus sprach mit gedämpfter Stimme.

»Was ist es für eine Story?«

Rebus' Stimme wurde noch leiser. »Ein Pädophiler, der in Greenfield wohnt.«

»Ein verurteilter?«

Rebus nickte. »Hat seine Strafe abgesessen, jetzt haben die ihn in eine Wohnung gesteckt, von der aus er einen Eins-a-Ausblick auf einen Kinderspielplatz hat.«

»Was hat er angestellt?«

»Bislang nichts, nichts, was ich ihm nachweisen könnte. Die Sache ist bloß, die Nachbarn haben keine Ahnung, was da Tür an Tür mit ihnen wohnt.«

Sie starrte ihn die ganze Zeit an.

»Was gibt's?«, fragte er.

»Nichts.« Sie stopfte sich eine weitere Gabel voll Salat in den Mund, kaute langsam. »Und wo ist nun die Story?«

»Kommen Sie schon, Mairie …«

»Ich weiß, warum ich die Sache machen soll.« Sie richtete die Gabel auf ihn. »Ich weiß, warum Sie das wollen.«

»Und?«

»Und was hat er getan?«

»Herrgott, Mairie, haben Sie eine Ahnung, wie die Rückfallquote bei solchen Leuten ist? Da gibts nichts, was man dadurch kurieren könnte, dass man sie für ein paar Jahre in den Knast steckt.«

»Wir müssen das Risiko eingehen.«

»*Wir?* Er ist nicht auf *uns* aus.«

»Wir alle, wir müssen ihm alle eine Chance geben.«

»Hören Sie, Mairie, das ist eine gute Story.«

»Nein, das ist Ihre Methode, ihn dranzukriegen. Kommt das alles von Shiellion?«

»Mit Shiellion hat das einen Scheißdreck zu tun!«

»Wie ich gehört habe, sollen Sie in der Sache aussagen.« Sie starrte ihn wieder an, aber er zuckte lediglich mit den Achseln. »Nur«, fuhr sie fort, »werden die Messer bereits gewetzt. Wenn ich einen Artikel über einen Pädophilen schreibe, der ausgerechnet in Greenfield wohnt … das wäre Anstiftung zum Mord.«

»Ach kommen Sie schon, Mairie …«

»Wissen Sie, was ich glaube, John?« Sie legte Messer und Gabel hin. »Ich glaube, bei Ihnen drin ist irgendwas schief gelaufen.«

»Mairie, ich will doch lediglich …«

Aber sie war schon aufgestanden, zog ihren Mantel von der Stuhllehne, nahm Handy, Notizblock und Handtasche an sich.

»Mir ist irgendwie der Appetit vergangen«, sagte sie.

»Es gab mal eine Zeit, da hätten Sie eine solche Story bis zum Knochen abgenagt.«

Sie sah ihn einen Augenblick lang nachdenklich an.

»Vielleicht haben Sie Recht«, erwiderte sie. »Ich hoffe inständig, dass dem nicht so ist, aber vielleicht haben Sie Recht.«

Sie klackte auf lauten Absätzen durch das dielenbelegte Lokal zum Ausgang. Rebus sah hinunter auf seinen Teller, sein unberührtes Glas Saft. Es gab einen Pub keine drei Minuten von da. Er schob den Teller zurück. Er sagte sich, dass Mairie sich irrte; es hatte rein gar nichts mit Shiellion zu tun. Es ging um Jim Margolies, um die Tatsache, dass Darren Rough früher mal eine Beschwerde gegen ihn eingereicht hatte. Jetzt war Jim tot, und Rebus wollte etwas wieder gutmachen. Konnte er Jims Geist zur Ruhe bringen, indem er Jims Quälgeist seinerseits quälte? Er griff in die Tasche, fand das Fetzchen Papier; die Telefonnummer darauf war noch einwandfrei zu entziffern.

Ich glaube, bei Ihnen drin ist irgendwas schief gelaufen.

Wie hätte er ihr da widersprechen können?

8

Vier Jahre zuvor hatte Jim Margolies ein Gastspiel in St. Leonard's gegeben, wo zeitweilig Personalknappheit herrschte. Drei CID-Beamte lagen mit Grippe im Bett und ein weiterer war wegen einer kleineren Operation im Krankenhaus. Margolies, eigentlich in Leith stationiert, kam mit den glänzendsten Empfehlungen, was seine neuen Kollegen argwöhnisch gemacht hatte. Gelegentlich dienten Empfehlungen lediglich dazu, Luschen bei anderen Wachen abzuladen. Aber Margolies hatte mit einer Ermittlung gegen einen Pädophilen, die er effektiv und taktvoll erledigt hatte, schnell sein Können bewiesen. Zwei Jungen waren – ausgerechnet während eines Kinderfestes – auf den Meadows belästigt worden. Darren Rough war bereits polizeibekannt.

Mit zwölf hatte er den damals sechsjährigen Sohn eines Nachbarn belästigt. Er war in Therapie gekommen und hatte eine gewisse Zeit in einem Heim verbracht. Mit fünfzehn war er dabei erwischt worden, wie er durch die Fenster von Studentenwohnungen in Pollock Halls linste. Weitere Therapiesitzungen, neuer Eintrag in der Polizeiakte.

Die Täterbeschreibung der zwei Schuljungen hatte die Polizei zu dem Haus geführt, in dem Rough zusammen mit seinem Vater wohnte. Um neun Uhr morgens saß der Vater betrunken am Küchentisch. Die Mutter war im vergangenen Sommer gestorben, und seitdem schien das Haus nicht mehr geputzt worden zu sein. Überall lag dreckige Kleidung und schimmelverkrustetes Geschirr herum. Es sah so aus, als würde da niemals etwas weggeworfen werden. Neben der Küchentür standen aufgeplatzte, vor sich hinstinkende Mülltüten; in einer Ecke der Diele stapelte sich Post, die die Feuchtigkeit in eine einzige matschige Masse verwandelt hatte. In Darren Roughs Schlafzimmer fand Jim Margolies Versandhauskataloge, wo auf den Kinderbekleidungsseiten den Modellen pornographische Details hinzugefügt worden waren. Unter dem Bett lagen Stapel von Teenie-Magazinen, zum Teil illustrierte Geschichten über halbwüchsige Jungen und Mädchen. Und – vom polizeilichen Standpunkt aus betrachtet – das Beste: Unter der Ecke eines vermodernden Teppichs lag Darrens »Traumheft« mit ausführlichen Schilderungen seiner sexuellen Neigungen und Wunschvorstellungen und der datierten und unterzeichneten Beschreibung seiner Heldentat auf den Meadows.

Wofür der Staatsanwalt natürlich gebührend dankbar gewesen war. Der mittlerweile zwanzigjährige Darren Rough wurde für schuldig befunden und ins Gefängnis gesteckt. In St. Leonard's machte man einen Kasten Bier auf, und Jim Margolies saß am Kopfende des Tisches.

Auch Rebus feierte mit. Er war Teil des Teams gewesen, das Rough vernommen hatte. Er hatte genügend Zeit mit dem Festgenommenen verbracht, um zu wissen, dass es das einzig Richtige war, ihn wegzusperren.

»Nicht dass es bei den Dreckskerlen irgendwas bringen würde«, hatte DI Alistair Flower gesagt. »Kaum sind sie draußen, machen die in demselben Takt weiter.«

»Wollen Sie damit sagen, dass Therapie besser als Haftstrafe wäre?«, hatte Margolies gefragt.

»Ich will damit sagen, dass wir den verdammten Schlüssel wegschmeißen sollten!« Was Flower lautstarke Beifallskundgebungen eingebracht hatte. Siobhan Clarke war so klug gewesen, ihre persönliche Meinung für sich zu behalten, aber Rebus hatte gewusst, was sie dachte. Über die Beschwerde, die Rough eingereicht hatte, fiel nicht ein Wort. Blutergüsse an Gesicht und Körper: Er hatte seinem Anwalt gesagt, Jim Margolies habe ihn zusammengeschlagen. Keine Zeugen. Nach einhelliger Meinung selbst zugefügt. Rebus wusste, dass er Rough selbst gern ein paar reingehauen hätte, aber von Margolies war nicht bekannt, dass er sich je an Verdächtigen vergriffen hätte.

Es hatte eine interne Ermittlung gegeben, in der Margolies die Anschuldigung bestritt. Eine ärztliche Untersuchung hatte die Frage, ob Rough sich die Verletzungen selbst beigebracht hatte, nicht klären können. Und damit hatte die Angelegenheit geendet: mit einem kaum wahrnehmbaren Fleck auf Margolies' blütenweißer Personalakte, dem Hauch eines Zweifels, der über dem Rest seiner Laufbahn schwebte.

Rebus schloss die Akte und trug sie zurück ins Archiv.

Mairie: *Ich glaube, bei Ihnen drin ist irgendwas schief gelaufen.*

Roughs Sozialhelfer: *Es war* Ihr *Verein, der ihn hier haben wollte.*

Rebus ging zum Büro des Farmers, klopfte an, trat ein, als er dazu aufgefordert wurde.

»Was kann ich für Sie tun, John?«

»Ich habe mich ein bisschen mit Darren Roughs Sozialhelfer unterhalten, Sir.«

Der Farmer sah von seinem Papierkram auf. »Gab's einen bestimmten Grund?«

»War bloß neugierig, warum Rough eine Wohnung mit Aussicht auf einen Kinderspielplatz bekommen hatte.«

»Mit der Frage haben Sie sich bestimmt beliebt gemacht.« Ohne jeden missbilligenden Ton. Sozialarbeiter rangierten auf der Werteskala des Farmers nur ein, zwei Stufen über Pädophilen.

»Der Mann hat mir gesagt, *wir* wären es überhaupt gewesen, die ihn hier haben wollten.«

Das Gesicht des Farmers legte sich in Falten. »Was soll das heißen?«

»Er meinte, ich sollte *Sie* fragen.«

»Ich habe nicht die leiseste Ahnung.« Der Farmer lehnte sich in seinem Sessel zurück. »*Wir* wollten ihn hier haben?«

»Das hat er jedenfalls gesagt.«

»Das heißt, in Edinburgh?«

Rebus nickte. »Ich habe gerade Roughs Akte durchgesehen. Er hat eine Zeit lang in einem Heim gelebt.«

»Aber nicht Shiellion, oder?« Der Farmer wirkte interessiert.

Rebus schüttelte den Kopf. »Callstone House, anderes Ende der Stadt. Nur für kurze Zeit. Beide Eltern waren Alkoholiker, vernachlässigten ihn. Er hätte nirgendwo sonst hingekonnt.«

»Was ist dann passiert?«

»Die Mutter machte einen Entzug, Rough kam wieder nach Haus. Später wurde bei ihr ein Leberschaden diagnostiziert, bloß da dachte keiner mehr daran, Rough wieder einzuweisen.«

»Warum nicht?«

»Weil er sich mittlerweile um seinen Vater kümmerte.«

Der Farmer warf einen Blick auf seine Kollektion von Familienfotos. »Das Leben, das manche Leute führen …«

»Ja, Sir«, pflichtete ihm Rebus bei.

»Also der langen Rede kurzer Sinn?«

»Nur das: Rough kommt nach Edinburgh zurück, angeblich, weil wir ihn hier haben wollen. Das Nächste, was passiert: Der Beamte, der ihn eingebuchtet hatte, spaziert auf den Salisbury Crags über die Kante.«

»Sie unterstellen doch nicht etwa einen Zusammenhang?«

Rebus zuckte die Achseln. »Jim isst mit Frau und Tochter bei irgendwelchen Freunden zu Abend. Fährt anschließend nach Hause. Legt sich ins Bett. Am nächsten Morgen ist er tot. Ich suche nach möglichen Gründen, warum sich Jim Margolies das Leben nehmen sollte. Das Problem ist: Ich finde keine. Und ich frage mich außerdem, wer wollen könnte, dass Darren Rough wieder herkommt, und warum.«

Der Farmer sah nachdenklich aus. »Möchten Sie, dass ich mit der Sozialbehörde rede?«

»Mit mir würden die Typen jedenfalls nicht reden.«

Der Farmer griff nach Papier und Stift. »Geben Sie mir einen Namen.«

»Roughs Sozialhelfer heißt Andy Davies.«

Der Farmer unterstrich den Namen. »Überlassen Sie das mir, John.«

»Ja, Sir. In der Zwischenzeit würde ich mir gern Jims Selbstmord näher ansehen.«

»Dürfte ich fragen, warum?«

»Um festzustellen, ob nicht *doch* ein Zusammenhang mit

Rough besteht.« *Und vielleicht,* hätte er hinzufügen können, *um meine Neugier zu befriedigen.*

Der Farmer nickte. »Zur Shiellion-Sache … wann sagen Sie da aus?«

»Morgen, Sir.«

»Denken Sie an das Geheimnis eines guten Auftritts bei Gericht, John.«

»Gepflegte Erscheinung, Sir?«

Der Farmer schüttelte den Kopf. »Sehen Sie zu, dass Sie genügend zu lesen dabeihaben.«

An dem Abend fuhr er auf dem Nachhauseweg bei seiner Tochter vorbei. Sammy war von ihrer »Kolonie«-Wohnung im ersten Stock in eine ziemlich neue ebenerdige Wohnung in einem Backsteinblock in der Nähe der Newhaven Road umgezogen.

»Bis zum Meer durchgehend bergab«, hatte sie zu ihrem Vater gesagt. »Und du solltest mal dieses Ding ungebremst sehen.«

Womit sie ihren Rollstuhl meinte. Rebus hatte ihr einen motorisierten spendieren wollen, aber sie hatte abgewinkt.

»Das ist gut für die Muskeln«, hatte sie gemeint. »Und außerdem werde ich ja nicht lange in dem Ding sitzen.«

Vielleicht nicht, aber der Weg zurück zur vollständigen Gehfähigkeit erwies sich als steinig. Sie ging nur zweimal die Woche in die Physiotherapie; den Rest der Zeit übte sie allein zu Haus. Der Unfall schien sowohl ihr Rückgrat als auch ihre Beine in Mitleidenschaft gezogen zu haben.

»Mein Gehirn sagt ihnen, was sie tun sollen, aber manchmal wollen sie einfach nicht hören.«

Zur Haustür ihres Wohnblocks führte eine kleine Holzrampe hinauf. Ein Freund eines Freundes hatte sie für sie gebaut. Eines der Schlafzimmer in der Wohnung war zu einer behelfsmäßigen Turnhalle umfunktioniert worden; an einer Wand lehnte ein großer Spiegel, und den größten Teil des Raums nahm ein Barren ein. Die Türen waren eng, aber Sammy hatte bewiesen, dass sie es ausgezeichnet schaffte, von einem Zimmer ins andere zu fahren, ohne sich Fingerknöchel oder Ellbogen aufzuschürfen.

Ned Farlowe öffnete Rebus die Tür. Ned hatte inzwischen einen Job in der Redaktion einer der örtlichen Gratiswochenzeitungen bekommen. Die Bürozeiten hielten sich in Grenzen, wodurch ihm genügend Zeit blieb, Sammy bei ihren Rehaübungen zu helfen. Die zwei Männer trauten einander immer noch nicht so recht über den Weg – schafften es Väter jemals wirklich, den Männern zu vertrauen, die mit ihren Töchtern schliefen? –, aber Ned schien sich für Sammy ein Bein auszureißen.

»Hallo«, sagte er. »Sie trainiert grad. Lust auf einen Tee?«

»Nein, danke.«

»Ich koch gerade was zum Abendessen.« Ned verschwand schon wieder in der langen, schmalen Küche. Rebus wusste, dass er bloß gestört hätte.

»Ich schau nur kurz bei ihr rein …«

»Okay.«

Aus der Küche roch es wie im Engine Shed: würzig und vegetarisch. Rebus ging den Korridor entlang und bemerkte die Schrammen, wo der Rollstuhl nicht ganz herumgekommen war. Aus dem Turnschlafzimmer drang Musik, ein Discobeat. Sammy lag in ihrem schwarzen Gymnastikanzug auf dem Boden und versuchte, ihre Beine dazu zu bringen, irgendwelche Bewegungen zu machen. Ihr Gesicht war ganz rot vor Anstrengung, Haarsträhnen klebten ihr an der Stirn. Als sie ihren Vater sah, legte sie den Kopf auf den Boden.

»Stellst du bitte das Ding ab?«, sagte sie.

»Ich könnte dir einfach zuschauen.«

Aber sie schüttelte den Kopf. Sie mochte es nicht, wenn

er sie beim Training beobachtete. Es war *ihr* Kampf, ein privates Duell mit ihrem Körper. Rebus schaltete den Kassettenrekorder aus.

»Kennst du's?«

»Chic, ›Le Freak‹. Ich bin in den Siebzigern durch genügend miese Discos gezogen.«

»Ich kann dich mir in Schlaghosen gar nicht vorstellen.«

»Herzschlaghosen.«

Sie hatte sich in eine sitzende Position hochgestemmt. Er tat nur den einen symbolischen Schritt nach vorn, um ihr zu helfen, da er wusste, dass sie ihn, wenn er näher gekommen wäre, ja doch nur weggescheucht hätte.

»Was macht dein Antrag auf Behindertenrente?«

Sie verdrehte die Augen, griff nach einem Handtuch, wischte sich das Gesicht trocken. »Ich dachte, in Sachen Bürokratie könnte mich nichts mehr erschüttern. Das Problem ist, dass ich nicht behindert *bleiben* werde.«

»Natürlich nicht.«

»Und so gibt's alle möglichen Komplikationen. Dazu kommt noch der Job bei SWEEP, der mir weiterhin offen steht.«

»Aber das Büro ist doch im dritten Stock.« Er setzte sich neben sie auf den Boden.

»Ich könnte zu Haus arbeiten.«

»Wirklich?«

»Aber ich will nicht. Ich will mich nicht in diesen vier Wänden verkriechen.«

Rebus nickte. »Wenn du irgendwas brauchst …«

»Hast du irgendwelche Discokassetten?«

Er lächelte. »Ich stand damals mehr auf Rory Gallagher und John Martyn.«

»Kein Mensch ist vollkommen«, sagte sie und legte sich das Handtuch um den Nacken. »Wozu mir einfällt: Wie geht's Patience?«

»Prima.«

»Ich telefonier oft mit ihr.«

»Ach ja?«

»Sie meint, sie redet mehr mit mir als mit dir.«

»Ich glaub nicht, dass das stimmt.«

»Nein?«

Rebus sah seine Tochter an. War sie schon immer so inquisitorisch gewesen? Hing das mit ihrem Unfall zusammen?

»Wir kommen prima miteinander aus.«

»Meint wer von euch beiden?«

Er stand auf. »Ich glaub, euer Abendessen ist fast fertig. Soll ich dir in den Stuhl helfen?«

»Das macht immer Ned.«

Er nickte langsam.

»Du hast meine Frage noch nicht beantwortet.«

»Ich bin Polizist. Normalerweise stellen *wir* die Fragen.«

Sie zog sich das Handtuch über den Kopf. »Ist es meinetwegen?«

»Was?«

»Seit ...« Sie sah hinunter auf ihre Beine. »Es wirkt so, als würdest du *dir* die Schuld daran geben.«

»Es war ein Unfall.« Er sah sie nicht an.

»Ich hab euch beide wieder zusammengebracht. Verstehst du, was ich meine?«

»Du meinst, ich mach mir Vorwürfe wegen deines Unfalls, während du dir Vorwürfe wegen Patience und mir machst.« Er warf ihr einen Blick zu. »Trifft's die Sache in etwa?«

Sie lächelte. »Bleib und iss einen Happen mit.«

»Meinst du nicht, ich sollte nach Haus zu Patience?«

Sie nahm das Handtuch von ihren Augen. »*Da* willst du also hin?«

»Wohin sonst?« Er winkte ihr zu und verließ das Zimmer.

9

Da er schon mal auf der Newhaven Road war, hielt er an ein paar Bars am Wasser, ein Pint in der einen, ein Schlückchen Whisky in der anderen. Zum Whisky viel Wasser. Es war dunkel, aber er konnte jenseits des Forth, in Fife, Straßenlaternen sehen. Er dachte an Janice und Brian Mich, die nie ihre Geburtsstadt verlassen hatten. Er fragte sich, was aus ihm geworden wäre, wenn er ebenfalls da geblieben wäre. Ihm fiel wieder Alec Chisholm ein, der Junge, der nie aufgefunden worden war. Sie hatten die ganze Umgebung abgesucht, Männer in stillgelegte Kohleschächte hinuntergeschickt, den Fluss ausgebaggert. Ein langer heißer Sommer, im Café Beatles und Stones aus der Jukebox, eiskalte Flaschen Coke aus dem Automaten. Gläserne Kaffeetassen mit einer Haube aus aufgeschäumter Milch. Und Fragen über Alec, Fragen, die zeigten, dass keiner von ihnen ihn je wirklich gekannt hatte, nicht *wirklich, tief*, nicht so, wie sie gedacht hatten, dass sie einander kannten. Und Alecs Eltern und Großeltern, die spätabends die Straßen abgegangen waren und wildfremde Leute angehalten und immer wieder das Gleiche gefragt hatten: Haben Sie unseren Jungen gesehen? Bis aus den Fremden Bekannte geworden waren und sie niemanden mehr zum Anhalten und Fragen gehabt hatten.

Jetzt war Damon Mich aus der Welt ausgestiegen – oder von irgendeiner unwiderstehlichen Kraft aus ihr gerissen worden. Rebus ging wieder zu seinem Wagen und fuhr die Küste entlang, bis er die Forth Bridge erreichte, und setzte dann hinüber nach Fife. Er versuchte sich einzureden, dass er nicht auf der Flucht war vor Sammys Worten und Patience und Edinburgh, vor all den Gespenstern. Vor Gedanken an Pädophilen und Sprünge in den Abgrund.

Als er in Cardenden ankam, verlangsamte er seine Fahrt und hielt schließlich auf der Hauptstraße an. In jedem Schaufenster schienen Flugblätter zu hängen: Damons Foto und das Wort VERMISST. Weitere klebten an Laternenmasten und am Buswartehäuschen. Rebus ließ den Motor wieder an und fuhr zu Janice' Haus. Aber es war niemand da. Eine Nachbarin lieferte die Information, die Rebus benötigte, woraufhin er schnurstracks wieder nach Edinburgh und in die Rose Street fuhr, wo er Janice und Brian dabei vorfand, wie sie weitere Zettel an Laternenmasten und Wände klebten und in Briefschlitze steckten. Fotokopierte Blätter im DIN-A4-Format. Urlaubsfoto von Damon und ein handgeschriebener Text: DAMON MICH WIRD VERMISST: HABEN SIE IHN GESEHEN? Dazu eine Personenbeschreibung einschließlich der Kleidung, die er getragen hatte, und die Telefonnummer der Michs.

»Die Pubs haben wir alle abgeklappert«, sagte Brian Mich. Er sah müde aus: die Augen dunkel, die Wangen unrasiert. Die Rolle Tesafilm, die er in der Hand hielt, war fast aufgebraucht. Janice lehnte sich an eine Wand. Der Anblick der beiden war alles andere als eine Reise in die Vergangenheit – gegenwärtiger Kummer hatte sie gezeichnet.

»Das einzige Lokal, wo sie nichts davon wissen wollen«, sagte Janice, »ist dieser Klub.«

»Gaitano's?«

Sie nickte. »Die Rausschmeißer haben uns nicht reingelassen. Wollten nicht mal Flugblätter von uns annehmen. Ich hab eins an die Tür geklebt, aber sie haben es wieder runtergenommen.« Sie war den Tränen nah. Rebus drehte sich um und sah die Straße entlang zur pulsierenden Neonschrift über der Tür des Gaitano's.

»Kommt«, sagte er. »Probieren wir es diesmal mit dem Zauberwort.«

Und als er vor der Tür stand, zückte er seine Dienstmarke und sagte: »Polizei.« Die drei wurden eingelassen, während jemand nach Charmer Mackenzie telefonierte. Rebus warf Janice einen Blick zu und zwinkerte.

»Sesam öffne dich«, sagte er. Sie sah ihn so an, als habe er ein Wunder vollbracht.

»Mr. Mackenzie ist nicht da«, erklärte einer der Rausschmeißer.

»Wer dann?«

»Archie Frost. Er ist stellvertretender Geschäftsführer.«

»Führen Sie mich zu ihm.«

Der Rausschmeißer sah wenig begeistert aus. »Er trinkt grad was an der Bar.«

»Kein Problem«, meinte Rebus. »Wir kennen den Weg.«

Bässe wummerten, der Raum war dunkel und heiß. Paare tummelten sich auf der Tanzfläche, andere rauchten, als kriegten sie's bezahlt, und wippten mit den Knien im Takt der Musik, während sie den schummrigen Raum nach potenziellen Eroberungen abcheckten. Rebus lehnte sich zu Janice hinüber, so dass sein Mund keine zwei Finger breit von ihrem Ohr entfernt war.

»Geht die Tische ab, stellt eure Fragen.«

Sie nickte, gab die Aufforderung an Brian weiter, dem der Lärm nicht zu behagen schien.

Auf dem Weg zur Bar durchquerte Rebus Balken von indigofarbenem Licht. Etliche Leute warteten auf ihre Drinks, aber direkt am Tresen stehen und trinken taten nur zwei Männer. Gut, einer davon trank, der andere – er sah durstig aus – hörte sich an, was der andere zu sagen hatte.

»Tut mir Leid, Sie zu unterbrechen«, sagte Rebus.

Der Sprecher drehte sich zu ihm um. »Gleich wird's Ihnen *richtig* Leid tun.«

Vielleicht zwanzig, einundzwanzig, schwarzes Haar, zu

einem Pferdeschwanz zusammengebunden. Stämmig, in einem Anzug ohne Revers und einem blendend weißen T-Shirt. Rebus hielt ihm die Dienstmarke vor die Nase, stellte sich vor.

»Haben Sie von Ihrem Boss Nachhilfestunden in Charme bekommen?«, fragte er. Archie Frost sagte nichts, leerte lediglich sein Glas. »Ich möchte mit Ihnen reden, Mr. Frost.«

»Die da sehen nicht nach Polente aus«, sagte Frost mit einem Nicken in Richtung Janice und Brian, die gerade die Tische abgingen.

»Das liegt daran, dass sie keine sind. Ihr Sohn ist verschwunden. Und zwar genau hier.«

»Ich weiß.«

»Na, dann werden Sie wohl auch wissen, warum ich hier bin.« Rebus holte das Foto der geheimnisvollen Blondine heraus. »Die schon mal gesehen?«

Frost schüttelte mechanisch den Kopf.

»Sehen Sie genauer hin.«

Frost nahm das Foto widerwillig in die Hand und hielt es ins Licht. Dann schüttelte er den Kopf und versuchte, das Bild Rebus zurückzugeben.

»Was ist mit Ihrem Kumpel?«

»Was ist mit ihm?«

Besagter »Kumpel«, der junge Mann ohne Drink, hatte sich halb von ihnen abgewandt und verfolgte das Geschehen auf der Tanzfläche.

»Er ist nicht oft hier«, sagte Frost.

»Trotzdem«, beharrte Rebus. Also hielt Frost seinem Freund das Foto vor die Nase. Ein sofortiges Kopfschütteln.

»Dann werde ich jetzt mein Glück bei Ihren Gästen versuchen«, sagte Rebus, während er Frost das Foto aus der Hand nahm. »Mal sehen, ob die ein besseres Gedächtnis haben.« Er sah dabei nicht Frost an, sondern dessen Begleiter. »Kenn ich dich von irgendwoher, Jungchen? Dein Gesicht kommt mir bekannt vor.«

Der junge Mann schnaubte, ohne die Augen von den Tanzenden abzuwenden.

»Dann werde ich Sie jetzt wieder Ihren Geschäften überlassen«, erklärte Rebus. Er machte die Runde durch den Raum, immer hinter Janice und Brian her. Sie hatten auf den meisten Tischen Flugblätter liegen lassen. Ein paar davon waren schon zerknüllt. Rebus starrte die entsprechenden Übeltäter finster an. Mit seinem Foto hatte er bislang auch nicht mehr Glück gehabt, dann bemerkte er aber, dass Janice und Brian sich an einen Tisch gesetzt hatten und sich eifrig mit zwei Mädchen unterhielten. Schließlich holte er sie ein. Janice sah zu ihm auf.

»Sie sagen, sie hätten Damon gesehen«, schrie sie gegen die Musik an.

»Er stieg gerade in ein Taxi«, wiederholte eines der Mädchen für den Neuankömmling.

»Wo?«, fragte Rebus.

»Draußen vor dem Dome.«

»*Gegenüber* vom Dome«, korrigierte ihre Freundin sie. Sie waren beide sehr stark geschminkt, wahrscheinlich in der Absicht, »cool« auszusehen, älter, als sie tatsächlich waren. Schon bald würden sie es andersrum versuchen. Sie trugen unglaublich kurze Röcke. Rebus sah, dass Brian sich bemühte, nicht hinzustarren.

»Um wie viel Uhr war das?«

»Gegen Viertel nach zwölf. Wir wollten auf eine Party und waren spät dran.«

»Mit dem Datum sind Sie sich sicher?«, fragte Rebus, was ihm einen vorwurfsvollen Blick vonseiten Janice' einbrachte. Sie wollte nicht, dass ihre zarte Seifenblase zerplatzte.

Eines der Mädchen holte einen Terminkalender aus ihrer

Handtasche, klopfte mit dem Finger auf eine Seite. »Das ist die Party.«

Rebus sah hin: Es war derselbe Tag, an dem Damon verschwunden war. »Wie kommt's, dass er Ihnen aufgefallen ist?«

»Wir hatten ihn schon vorher gesehen.«

»Stand einfach nur an der Theke«, fügte ihre Freundin hinzu. »Hat nicht getanzt oder sonst was.«

Zwei junge Männer, noch immer in ihren Tagesanzügen, hatten sich von einer Bürogesellschaft losgeeist und pirschten sich in der Absicht heran, um einen Tanz zu bitten. Die Mädchen versuchten, uninteressiert zu wirken, aber ein böser Blick von Rebus genügte, um die Verehrer zum sofortigen Rückzug zu bewegen.

»Wir suchten selbst ein Taxi«, erklärte eines der Mädchen. »Da haben wir gesehen, wie die auf der anderen Straßenseite warteten. Sie hatten Glück, wir mussten am Ende laufen.«

»›Sie‹?«

»Er und sein Mädchen.«

Rebus schaute Janice an, dann reichte er den beiden das Foto.

»Ja, so sah die aus.«

»Fabrikblond«, pflichtete ihr die andere bei.

»Wer ist das, John?«

Rebus schüttelte den Kopf, er wusste es nicht. Als er einen Blick zur Bar warf, stellte er zweierlei fest: erstens, dass Archie Frost ihn über den Rand eines frisch gefüllten Glases hinweg aufmerksam betrachtete, zweitens, dass sein nicht trinkender Freund gegangen war.

»Vielleicht sind sie zusammen durchgebrannt«, meinte eines der Mädchen, offensichtlich bemüht, etwas Konstruktives beizusteuern. »Das wär doch romantisch, oder?«

Janice und Brian hatten noch nichts gegessen, also lud Rebus sie zu einem Inder auf der Hanover Street ein, wo er ihnen das wenige erzählte, das er über die Frau auf dem Foto wusste. Janice behielt während des Essens das Foto in der Hand.

»Das ist doch immerhin ein Anfang, nicht?«, sagte Brian und riss sich ein Stück von einem Nan-Fladen ab.

Rebus nickte beipflichtend.

»Ich meine«, fuhr Brian fort, »wir wissen jetzt, dass er mit jemand weggegangen ist. Wahrscheinlich steckt er immer noch mit ihr zusammen.«

»Bloß *ist* er gar nicht mit ihr zusammen weg«, widersprach Janice. »John hat's uns doch schon gesagt. Er ist allein gegangen.«

Tatsächlich hatte Rebus nicht einmal so viel behauptet. Dafür, dass Damon überhaupt den Klub verlassen hatte, gab's nur die Aussage der Mädchen …

»Also«, redete Brian stockend weiter, »die Sache ist doch die, dass er bestimmt nicht gewollt hätte, dass seine Freunde sie zusammen sehen, wo doch allgemein bekannt war, dass er verlobt ist.«

»Das kann ich von Damon einfach nicht glauben.« Janice' Augen waren auf Rebus gerichtet. »Er *liebt* Helen.«

Rebus nickte. »Kommt aber trotzdem vor, stimmt's?«

Sie lächelte ihn betreten an. Brian bemerkte den Blick, den die beiden tauschten, ignorierte ihn aber.

»Möchte jemand noch Reis?«, fragte er stattdessen und hob die Platte vom Rechaud.

»Wir sollten jetzt heim«, sagte seine Frau. »Damon könnte in der Zwischenzeit versucht haben, uns anzurufen.« Sie stand schon auf. Rebus deutete auf das Foto, und sie gab es ihm zurück. Es war verschmiert und an den Ecken zerknittert. Brian starrte auf das Essen, das noch immer auf seinem Teller lag.

»Brian…«, sagte Janice. Er schniefte und stand auf. »Lass dir die Rechnung geben, okay?«

»Die geht auf mich«, erwiderte Rebus. »Die tun sie einfach zu den anderen.«

»Danke noch mal, John.« Sie streckte die Hand aus, und er umfasste sie. Sie war lang und schmal. Rebus erinnerte sich, wie er sie früher beim Tanzen festgehalten hatte, erinnerte sich daran, wie warm und trocken sie gewesen war, ganz anders als die Hände anderer Mädchen. Warm und trocken, dazu das Hämmern seines Herzens. Sie hatte eine so schlanke Taille gehabt, dass er meinte, sie mit den Händen umfassen zu können.

»Ja, danke, Johnny.« Brian Mich lachte. »Du hast doch nichts dagegen, wenn ich dich Johnny nenne?«

»Warum sollte ich was dagegen haben?«, fragte Rebus, ohne den Blick von Janice' Augen zu wenden. »So heiße ich schließlich, oder?«

10

Als Allererstes sah Rebus die Zeitungen durch, aber er fand nichts, was für ihn von Interesse gewesen wäre.

Er fuhr zur Leith-Wache, wo Margolies stationiert gewesen war. Er hatte dem Farmer gesagt, er suche nach einem Zusammenhang zwischen Roughs Rückkehr und Jims Tod, aber er war nicht sonderlich zuversichtlich, dass er auch einen finden würde. Trotzdem wollte er wirklich, *ehrlich* wissen, warum Jim es getan hatte – etwas, was Rebus selbst schon mehr als einmal in Gedanken durchgespielt hatte: den Sprung zu wagen. In Leith empfing ihn ein misstrauischer Detective Inspector Bobby Hogan.

»Ich weiß, dass ich Ihnen ein, zwei Gefallen schuldig bin, John«, begann Hogan. »Aber hätten Sie was dagegen, mir zu verraten, worum's hier eigentlich geht? Margolies war ein guter Mann, wir vermissen ihn wirklich.«

Sie gingen durch die Wache zum CID-Büro. Hogan war ein paar Jahre jünger als Rebus, aber schon länger als er bei der Polizei. Er hätte bereits jetzt in den Ruhestand gehen können, aber Rebus bezweifelte, dass er das jemals freiwillig tun würde.

»Ich kannte ihn auch«, sagte Rebus. »Wahrscheinlich stelle ich mir einfach nur die gleiche Frage wie Sie alle hier.«

»Sie meinen, ›warum‹?«

Rebus nickte. »Er war auf dem direkten Weg nach ganz oben, Bobby. Alle wussten das.«

»Vielleicht ist ihm schwindlig geworden.« Hogan schüttelte den Kopf. »Die Notizen werden Ihnen absolut gar nichts verraten, John.«

Sie waren vor einem Vernehmungsraum stehen geblieben.

»Ich muss sie einfach sehen, Bobby.«

Hogan starrte ihn an, nickte dann langsam. »Damit sind wir aber quitt, Kumpel.«

Rebus legte ihm eine Hand auf die Schulter, betrat das Zimmer. Der braune Aktendeckel lag auf dem ansonsten leeren Tisch. Sonst standen nur noch zwei Stühle herum.

»Ich dachte, Sie hätten's vielleicht gern ein bisschen ruhig«, sagte Hogan. »Hören Sie, sollte sich irgendjemand wundern …«

»Meine Lippen sind versiegelt, Bobby.« Rebus hatte sich schon hingesetzt. Er blätterte die Akte durch. »Das wird nicht lange dauern.«

Hogan holte ihm eine Tasse Kaffee, dann ließ er ihn allein. Rebus brauchte exakt zwanzig Minuten, um das gesamte Material zu sichten: vorläufigen und endgültigen Bericht, dazu Jim Margolies' Geschichte. Zwanzig Minuten waren nicht viel für eine Vita. Natürlich gab es über sein Privatleben nur wenig. Man konnte an After-Work-Drinks, Zigarettenpausen und Gespräche am Kaffeeautomaten irgendwelche Vermutungen knüpfen. Die nackten Tatsachen aber, so, wie sie schwarz auf weiß standen, gaben überhaupt nichts her. Margolies' Vater war Arzt, mittlerweile im Ruhestand. Aufgewachsen in einem angenehmen Milieu. Die Schwester, die als Teenager Selbstmord begangen hatte. Rebus fragte sich, ob der Gedanke an den Tod der Schwester Jim Margolies all die Jahre lang verfolgt hatte. Darren Rough wurde mit keinem Wort erwähnt, ebenso wenig Margolies' kurzes Gastspiel in St. Leonard's. Seine letzte Nacht auf der Welt. Jim war bei Freunden zum Essen eingeladen gewesen. Nichts Ungewöhnliches. Anschließend aber war er mitten in der Nacht aufgestanden, hatte sich wieder angezogen und einen Spaziergang durch den Regen gemacht. Bis zum Holyrood Park…

»Was gefunden?«, fragte Bobby Hogan.

»Nicht die Bohne«, gestand Rebus und klappte den Aktendeckel zu.

Ein Spaziergang durch den Regen… Ein langer Spaziergang, vom Grange bis zu den Salisbury Crags. Zeugen, die ihn unterwegs gesehen hatten, gab es keine. Man hatte Erkundigungen eingezogen, Taxifahrer befragt. Mehr oder weniger der Form halber: Bei Selbstmorden buddelte man lieber nicht *zu* gründlich. Manchmal stieß man auf Dinge, die besser unentdeckt geblieben wären.

Rebus fuhr zurück in die Stadt, stellte den Wagen auf dem Parkplatz hinter St. Leonard's ab und ging hinein. Er klopfte an Farmer Watsons Tür, trat, dazu aufgefordert, ein. Watson wirkte, als habe der Tag für ihn schlecht begonnen.

»Wo sind Sie gewesen?«

»Ich hatte was in der Abteilung D zu tun, wollte mir die

Margolies-Akte ansehen.« Rebus sah dem Farmer eine Weile dabei zu, wie er, einen Becher Kaffee in beiden Händen, hinter seinem Schreibtisch auf und ab ging. »Haben Sie mit Andy Davies gesprochen, Sir?«

»Mit wem?«

»Andy Davies. Darren Roughs Sozialhelfer.«

Der Farmer nickte.

»Und, Sir?«

»Er meinte, ich sollte mich mit *seinem* Chef unterhalten.«

»Und was hat sein Chef gesagt?«

Der Farmer fuhr herum. »Herrgott, John, lassen Sie mir ein bisschen Zeit, okay? Ich muss mich mit mehr herumschlagen als mit Ihren kleinen …« Er atmete aus, ließ die Schultern hängen. Dann brummelte er eine Entschuldigung in sich hinein.

»Kein Problem, Sir. Dann will ich mal …« Rebus ging in Richtung Tür.

»Setzen Sie sich!«, befahl der Farmer. »Wo Sie schon hier sind, wollen wir doch mal sehen, ob Ihnen ein paar geniale Ideen einfallen.«

Rebus nahm Platz. »Zu was für einen Themenkreis, Sir?«

Der Farmer setzte sich ebenfalls, bemerkte, dass sein Becher leer war. Er stand wieder auf, um sich nachzuschenken, und goss auch für Rebus einen Becher voll. Rebus beäugte die dunkle Flüssigkeit mit Argwohn. Im Lauf der Jahre hatte der Kaffee des Farmers deutliche Fortschritte gemacht, aber es gab immer noch Tage …

»Zum Thema Cary Dennis Oakes.«

Rebus runzelte die Stirn. »Sollte ich ihn kennen, Sir?«

»Falls Sie ihn nicht kennen, werden Sie ihn bald kennen *lernen*.« Der Farmer warf eine Zeitung in Rebus' Richtung. Sie fiel auf den Boden. Rebus hob sie auf, sah, dass sie bei einem bestimmten Artikel aufgeschlagen und zusammengefaltet war, einem Artikel, den Rebus an dem Morgen überlesen hatte, weil es nicht derjenige war, nach dem er suchte.

MÖRDER WIRD »HEIM«GESCHICKT.

»Cary Oakes«, las Rebus, »im Staat Washington, USA, wegen zweifachen Mordes verurteilt, wird heute nach Verbüßung einer fünfzehnjährigen Freiheitsstrafe in einem Hochsicherheitsgefängnis in Walla Walla, Washington, in das Vereinigte Königreich zurückfliegen. Man geht davon aus, dass Oakes nach Edinburgh zurückkehren wird, wo er vor seiner Abreise in die Vereinigten Staaten mehrere Jahre lang gelebt hatte.«

Es kam noch einiges mehr. Oakes war seinerzeit mit einem Rucksack und einem Touristenvisum in die Staaten geflogen und dann einfach geblieben, hatte eine Zeit lang hier und da gejobbt, bevor er eine Serie von Raubüberfällen verübte, die in zwei Morden gipfelten: Die Opfer waren mit einem Knüppel niedergeschlagen und anschließend erdrosselt worden.

Rebus legte die Zeitung hin. »Wussten Sie davon?«

Der Farmer knallte mit beiden Fäusten auf den Tisch. »Natürlich wusste ich nichts davon!«

»Hätte man uns nicht informieren müssen?«

»Denken Sie doch mal nach, John. Sie sind ein Bulle in Ballaballa, oder wie immer das Kaff heißt. Sie schicken diesen Mörder nach *Schottland* zurück. *Wem* geben Sie da Bescheid?«

Rebus nickte. »Scotland Yard.«

»Ohne auch nur für einen Augenblick auf die Idee zu kommen, dass Scotland Yard sich tatsächlich in einem völlig anderen Land befinden könnte.«

»Und die Schlaumeier in London haben es nicht für nötig gehalten, die Nachricht weiterzugeben?«

»Sie behaupten, sie hätten irgendwas missverstanden und

geglaubt, Oakes würde nur bis in *ihr* Revier fliegen. Tatsächlich hat er auch nur ein Ticket bis London.«

»Na, dann ist er ja *deren* Problem.« Aber der Farmer schüttelte bereits den Kopf. »Sagen Sie bloß nicht«, sagte Rebus, »dass die Londoner Kollegen mit dem Hut herumgegangen sind und ihm den Weiterflug nach Edinburgh spendiert haben.«

»Bingo.«

»Wann kommt er also hier an?«

»Heute im Lauf des Tages.«

»Und was machen wir?«

Der Farmer starrte Rebus an. Dieses *wir* gefiel ihm. Ein – wenn auch mit jemandem wie Rebus – geteiltes Problem war ein grundsätzlich lösbares Problem. »Was würden Sie vorschlagen?«

»Möglichst auffällige Observierung, so dass er merkt, dass wir ihn im Auge behalten. Mit ein bisschen Glück hat er früher oder später genug davon und verzieht sich.«

Der Farmer rieb sich die Augen. »Sehen Sie sich das an«, sagte er und schob ihm einen Aktendeckel über den Schreibtisch zu. Rebus öffnete ihn: Faxe, rund zwanzig Blatt. »Die Londoner haben zu guter Letzt Mitleid mit uns gehabt und uns geschickt, was sie von den Amerikanern bekommen hatten.«

Rebus fing an zu lesen. »Wie kommt's überhaupt, dass er entlassen wurde? Ich dachte, in Amerika bedeutete ›lebenslänglich‹ bis zum Tod.«

»Offenbar irgendein Formfehler während des Prozesses. So kompliziert, dass selbst die zuständigen amerikanischen Behörden sich nicht ganz sicher sind.«

»Und da lassen sie ihn trotzdem laufen?«

»Eine erneute Verhandlung würde ein Vermögen kosten, hinzu käme das Problem, sämtliche Zeugen wieder ausfindig zu machen. Also haben sie ihm einen Deal vorgeschlagen. Wenn er alles aufgab, schriftlich auf sein Recht auf ein Wiederaufnahmeverfahren und eine Entschädigung verzichtete, würden sie ihn heimschicken.«

»Im Zeitungsartikel stand ›heim‹ in Anführungsstrichen.«

»Er hat nicht lang in Edinburgh gelebt.«

»Warum kommt er dann her?«

»Er selbst wollte es offenbar so.«

»Aber warum?«

»Vielleicht verrät's Ihnen dieses Fax.«

Der Inhalt des Faxes war unmissverständlich: Cary Oakes würde wieder töten.

Der Psychologe hatte die amerikanischen Behörden vor einer Entlassung gewarnt. Er erklärte, Cary Oakes habe einen sehr unterentwickelten Begriff von Recht und Unrecht. Dieser Sachverhalt wurde mit einem Haufen psychologischer Fachtermini umschrieben. Das Wort »Psychopath« kam im Vokabular der Experten in letzter Zeit kaum noch vor, aber als er zwischen den Zeilen und dem Wust von Fremdwörtern las, begriff Rebus, dass sie es genau mit so jemandem zu tun hatten. Asoziale Tendenzen ... abnorme Persönlichkeit ... tief verwurzelte rational nicht begründbare Ressentiments ...

Oakes war achtunddreißig Jahre alt. Die Akte enthielt auch ein grobkörniges Foto des Mannes. Ein kahl rasierter Schädel. Die Stirn breit und gewölbt, das Gesicht mager und kantig. Er hatte kleine Augen, wie schwarze Perlchen, und einen schmallippigen Mund. Laut beigefügtem Charakterbild überdurchschnittlich intelligent (hatte sich im Gefängnis autodidaktisch weitergebildet) und an Gesundheit und Fitness interessiert. Während der Haft hatte er sich mit niemandem angefreundet, sich keinerlei Bilder an die Wand gehängt und lediglich mit seinen Anwälten korrespondiert (insgesamt fünf verschiedene Kanzleien).

Der Farmer telefonierte, erkundigte sich nach Oakes' Flugplan, besprach sich mit dem Assistant Chief Constable in Fettes. Als er aufgelegt hatte, fragte ihn Rebus, was der Vizepolizeichef meinte.

»Er rät zur Vorsicht.«

Rebus lächelte: Das war eine typische Reaktion.

»Er hat ja in gewisser Weise Recht«, fuhr der Farmer fort. »Die Medien werden sich wie die Geier auf die Sache stürzen. Wir können nicht riskieren, so dazustehen, als würden wir den Mann schikanieren.«

»Vielleicht haben wir Glück, und die Reporter reichen aus, um ihn zu verscheuchen.«

»Vielleicht.«

»Hier steht, dass anfangs auch wegen vier weiterer Morde gegen ihn ermittelt worden war.«

Der Farmer nickte, wirkte aber abwesend. »Ich kann das alles nicht gebrauchen«, sagte er zuletzt, die Augen starr auf seinen Schreibtisch gerichtet. Der Schreibtisch war ein Abbild des Mannes: stets penibel aufgeräumt, wie überhaupt das ganze Zimmer. Keine Aktenstapel, keinerlei Unordnung oder Chaos, nie auch nur eine einsame Büroklammer auf dem Teppich.

»Ich mach diesen Job schon zu lang, John.« Der Farmer lehnte sich in seinem Sessel zurück. »Wissen Sie, was die schlimmsten Beamten sind?«

»Sie meinen, solche wie ich, Sir?«

Der Farmer lächelte. »Das genaue Gegenteil. Ich meine die, die lediglich ihre Zeit bis zur Pensionierung absitzen. Die dauernd nur auf die Uhr gucken. In letzter Zeit entwickle ich mich zu so einem. Noch sechs Monate, so viel hatte ich mir gegeben. Noch sechs Monate bis zur Pensionierung.« Er lächelte wieder. »Und ich hatte mir gewünscht, dass es ruhige Monate werden. Hatte darum *gebetet*, dass es sechs ruhige Monate werden.«

»Wir wissen nicht mit Sicherheit, dass dieser Typ Ärger machen wird. So was haben wir alles schon gehabt, Sir.«

Der Farmer nickte. Das stimmte wohl. Männer, die in Australien und Kanada gesessen hatten, und schwere Jungs aus dem Glasgower Knast »Bar-L«, die sich in Edinburgh niederließen oder auch nur auf der Durchreise ein paar Tage da verbrachten. Allesamt mit einer tief in ihre Gesichter gegrabenen Vergangenheit. Selbst wenn sie keinen Ärger machten, stellten sie doch immer ein Problem dar. Vielleicht wurden sie häuslich, führten fortan ein stilles, unauffälliges Leben, aber es gab immer Leute, die wussten, wer sie waren, die ihren Ruf kannten, diese Aura, die sie niemals würden abschütteln können. Und irgendwann, nach zu vielen Pints im Stammpub, beschloss einer dieser Leute, es sei an der Zeit, sich selbst zu beweisen, was in ihm steckte, denn der Exsträfling trug etwas wie einen Parameter mit sich herum – etwas, woran man sich messen konnte. Es war Hollywood pur: Alternder Revolverheld wird von ausgeflipptem jungem Nobody herausgefordert. Aber für die Polizei bedeutete das alles nur Ärger.

»Die Frage ist bloß, John: Können wir es uns leisten, einfach nur abzuwarten? Der ACC sagt, wir könnten Mittel für eine partielle Observierung bekommen.«

»*Wie* partiell?«

»Zwei Zweierteams, vielleicht zwei Wochen lang.«

»Echt großzügig von ihm.«

»Der Vizepolizeichef ist ein Fan von hübsch knapp bemessenen Budgets.«

»Selbst wenn dieser Typ wieder töten könnte?«

»Selbst für Mord gibt's heutzutage ein Budget, John.«

»Ich kapier's trotzdem nicht.« Rebus hob das Fax auf. »Nach dem, was da steht, ist Oakes gar nicht hier geboren, hat keinerlei Angehörige hier. Er hat hier lediglich, na, vier, fünf Jahre lang gelebt. Ist mit zwanzig in die Staaten, hat fast sein halbes Leben dort verbracht. Was will er also hier?«

Der Farmer zuckte die Schultern. »Einen Neuanfang versuchen?«

Einen Neuanfang: Rebus dachte an Darren Rough.

»Da muss mehr dahinterstecken, Sir«, sagte Rebus, während er wieder die Akte aufschlug. »Es kann nicht anders sein.«

Der Farmer warf einen Blick auf die Uhr. »Müssen Sie nicht aufs Gericht?«

Rebus nickte. »Pure Zeitverschwendung, Sir. Die werden mich gar nicht aufrufen.«

»Trotzdem, Inspector…«

Rebus stand auf. »Was dagegen, wenn ich das hier mitnehme?« Und wedelte mit dem Stoß Faxe. »Sie sagten doch, ich sollte mich mit Lesestoff eindecken.«

11

Rebus saß zusammen mit anderen Zeugen in anderen Strafsachen herum und wartete wie sie darauf, aufgerufen zu werden. Da waren Uniformierte, die ihre Notizen noch einmal memorierten, und CID-Beamte, die sich, die Arme verschränkt, um Lässigkeit bemühten. Rebus kannte ein paar der Anwesenden, unterhielt sich leise mit einigen von ihnen. Die Vertreter der Öffentlichkeit saßen mit zwischen den Knien verschränkten Händen oder mit starr an die Decke gerichtetem Blick da und langweilten sich zu Tode. Zeitungen – schon durchgelesene, mit ausgefüllten Kreuzworträtseln – lagen verstreut herum. Ein paar zerfledderte Taschenbücher hatten Interessenten gefunden, aber bald wieder verloren. Die Atmosphäre hatte etwas an sich, das einem jeglichen Enthusiasmus aus der Seele saugte.

Von der Beleuchtung bekam man Kopfschmerzen, und man fragte sich die ganze Zeit, wozu man eigentlich hier war.

Antwort: um der Gerechtigkeit zu dienen.

Und irgendwann kam ein Gerichtsdiener hereingeschlurft und rief, den Blick auf ein Klemmbrett gerichtet, einen auf. Und dann begab man sich knarrenden Schritts in den Verhandlungsraum, wo irgendwelche Unbekannte, die für Richter, Geschworene und Publikum ihre Schau abzogen, nur darauf warteten, einem lahmen Gedächtnis auf die Sprünge zu helfen.

Das war Gerechtigkeit.

Rebus direkt gegenüber saß ein Zeuge, der fortwährend in Tränen ausbrach. Es war ein junger Mann, vielleicht Mitte zwanzig, korpulent und mit schütterem schwarzem, in dünnen Strähnen am Schädel angeklatschtem Haar. Er schnäuzte sich andauernd lautstark in ein schmutziges Taschentuch. Als er einmal aufsah, lächelte ihm Rebus aufmunternd zu, aber das brachte ihn bloß wieder zum Heulen. Schließlich musste Rebus raus. Er sagte einem der Uniformierten, er gehe eine rauchen.

»Ich komm mit«, meinte der Uniformierte.

Draußen rauchten sie verbissen, schweigend und beobachteten den Gezeitenstrom der Menschen, die im Gebäude ein und aus fluteten. Das Oberste Strafgericht lag versteckt hinter der St.-Giles-Kathedrale, und gelegentlich verirrten sich Touristen dorthin und fragten sich, was das wohl sein mochte. Es waren nirgendwo Schilder zu sehen, lediglich römische Zahlen über den verschiedenen wuchtigen Holztüren. Ein Parkplatzwächter wies den Versprengten gelegentlich den Weg zurück zur High Street. Auch wenn das Gerichtsgebäude grundsätzlich der Öffentlichkeit zugänglich war, bemühte man sich, Touristen vom Betreten abzuhalten. Die Great Hall war schon so der reinste Viehmarkt. Trotzdem gefiel sie Rebus: Ihm gefiel die geschnitzte Holzdecke, das Denkmal zu Ehren Sir Walter Scotts, das riesige Buntglasfenster. Er spähte gern durch die Glastür in die Bibliothek, wo die Anwälte in großen staubigen Wälzern nach Präzedenzfällen suchten.

Noch lieber war er aber an der frischen Luft – Pflastersteine unter den Füßen und graue Steinmauern im Rücken, Nikotin in der Lunge und dazu die Illusion, er könnte, wenn er nur wollte, gehen und das alles hinter sich lassen. Denn die Sache war die, dass sich hier hinter all der architektonischen Pracht, der Wucht der Tradition und den erhabenen Begriffen »Recht« und »Gerechtigkeit« eine Stätte unbeschreiblichen, niemals endenden menschlichen Leidens verbarg, wo tagtäglich brutale Geschichten ans Licht gezerrt und entsetzliche Bilder immer wieder heraufbeschworen wurden. Menschen, die glaubten, sie hätten endlich alles hinter sich gelassen, wurden dazu aufgefordert, wieder in die geheimsten und tragischsten Momente ihrer Vergangenheit einzutauchen. Die Opfer erzählten ihre Geschichten; die Anwälte breiteten kalte Fakten über die Emotionen anderer aus; die Angeklagten präsentierten ihre eigenen Versionen in der Hoffnung, die Geschworenen für sich einzunehmen.

Und so leicht es einem auch fiel, das alles als ein Spiel zu betrachten, als eine Art grausamen Publikumssports, konnte man es doch nicht einfach so abtun. Denn trotz all der harten Arbeit, die Rebus und andere in einen Fall investierten, war *das* der eigentliche Ort der Bewährung. Der Ort, an dem jeder Polizist schon früh die Lektion eingetrichtert bekam, dass Wahrheit und Gerechtigkeit weit davon entfernt waren, Verbündete zu sein, und dass Opfer mehr waren als versiegelte Aktenkästen voller Beweise, Aufzeichnungen und Aussagen unter Eid.

Früher einmal war das wahrscheinlich alles ganz einfach

gewesen, theoretisch war es noch heute leicht zu fassen. Es gibt einen Angeklagten und ein Opfer. Es gibt für jede Seite je einen Anwalt, der seine Argumente darlegt und seine Beweise präsentiert. Ein Urteil wird gefällt. Aber es war alles eine Frage von Worten und Auslegungen, und Rebus wusste, dass Tatsachen sich verdrehen und entstellen ließen, dass die eine Zeugenaussage lediglich durch ihre bessere Formulierung überzeugender als die anderen klingen konnte, dass Geschworene mitunter schon vor Prozessbeginn einzig aufgrund der Erscheinung oder des Auftretens des Angeklagten entschieden, wie sie abstimmen würden. Und so verkam das Ganze zu bloßem Theater, und je geschickter die Anwälte wurden, desto spitzfindiger wurden ihre Sprachspielchen. Rebus hatte es schon vor langem aufgegeben, sie mit ihren eigenen Waffen schlagen zu wollen. Er machte seine Aussage, bemühte sich, möglichst kurz und knapp zu antworten, und versuchte, auf keinen der tausendfach erprobten Tricks hereinzufallen. Manche Anwälte sahen es in seinen Augen, erkannten, dass er das alles schon zu oft mitgemacht hatte. Sie behielten ihn nur kurz im Zeugenstand und gingen dann möglichst rasch zu erfolgversprechenderen Kandidaten über.

Und eben deshalb glaubte er nicht, dass sie ihn heute aufrufen würden. Aber trotzdem musste er die Sache aussitzen, musste im hehren Namen der Gerechtigkeit seine Zeit und Energie vergeuden.

Einer der Wachleute kam heraus. Rebus kannte ihn und bot ihm eine Zigarette an. Der Mann nahm sie mit einem Kopfnicken an, dann auch Rebus' Streichholzschachtel.

»Echt beschissen heute«, sagte der Wachmann kopfschüttelnd. Alle drei Männer starrten über den Parkplatz hinweg.

»Das dürfen wir gar nicht wissen«, erinnerte ihn Rebus mit einem verschmitzten Lächeln.

»Zu welcher Verhandlung sind Sie da?«

»Shiellion«, antwortete Rebus.

»Ist genau die, von der ich rede«, erklärte der Wachmann. »Ein paar von den Zeugenaussagen …« Er schüttelte den Kopf – ein Mann, der in seiner beruflichen Laufbahn mehr Horrorgeschichten gehört hatte als die meisten anderen Menschen.

Plötzlich wusste Rebus, warum der Mann ihm gegenüber geweint hatte. Und auch wenn er ihn mit keinem Namen in Verbindung bringen konnte, wusste er jetzt zumindest, wer er war: einer der Shiellion-Opfer.

Shiellion House lag in Ingliston Mains, praktisch um die Ecke von der Glasgow Road. In den 1820er Jahren für einen der Bürgermeister der Stadt erbaut, war es nach dessen Tod und etlichen Familienstreitigkeiten in den Besitz der Church of Scotland übergegangen. Als private Residenz wurde es für zu groß und zugig befunden; hinzu kam die Isoliertheit des Anwesens – nichts als weit auseinander liegende Bauernhöfe in der Umgebung. In den 1930er Jahren hatte man daraus ein Heim gemacht, in dem Waisen und mittellosen Kindern mittels harter Zucht und unchristlicher Weckzeiten christlicher Glaube eingebläut werden sollte. Im vergangenen Jahr hatte Shiellion endgültig dicht gemacht. Jetzt war davon die Rede, dass es zu einem Hotel oder Country Club umgebaut werden sollte. Aber in seinen letzten Jahren hatte Shiellion einen anrüchigen Ruf erlangt. Ehemalige Heiminsassen hatten Anschuldigungen erhoben: ähnliche Geschichten aus dem Mund verschiedener Zeugen, die durchweg dieselben zwei Männer betrafen.

Geschichten von Missbrauch.

Auf jeden Fall körperlicher und seelischer Misshandlung, zuletzt aber auch von sexuellem Missbrauch. Ein paar Fälle waren der Polizei zu Ohren gekommen, aber dabei hatte Aussage gegen Aussage gestanden: das Wort aggressiver Kinder gegen dasjenige ihrer ruhig und besonnen auftretenden Pfleger. Die Ermittlungen waren halbherzig durchgeführt worden. Die Kirche hatte eine eigene interne Untersuchung in die Wege geleitet, die zu dem Ergebnis gelangt war, die Behauptungen der Kinder seien ein einziges böswilliges Lügengebäude.

Aber wie sich jetzt allmählich herausstellte, hatte diese Untersuchung lediglich Alibifunktion gehabt und weniger der Aufdeckung von Missständen als vielmehr deren Vertuschung dienen sollen. In Shiellion *war* etwas passiert. Etwas Schlimmes.

Die Opfer hatten eine Interessengruppe gebildet und die Aufmerksamkeit der Medien erregt. Die Polizei leitete neue Ermittlungen ein, und das war nun das Resultat: der Shiellion-Prozess; zwei Männer, denen je achtundzwanzig Straftaten zur Last gelegt wurden, die von Körperverletzung bis hin zu Unzucht reichten. Und die Opfer bereiteten inzwischen eine Zivilklage gegen die Church of Scotland vor.

Rebus wunderte es nicht, dass der Wachmann so blass war. Er hatte über die Geschichten, die in Verhandlungsraum eins referiert wurden, selbst schon einiges munkeln hören. Er hatte ein paar der ursprünglichen Aussagen von ehemaligen – inzwischen erwachsenen – Heiminsassen gelesen, die nach und nach in verschiedenen schottischen Polizeiwachen aufgenommen und protokolliert worden waren. Manche dieser Zeugen hatten mit der ganzen Sache nichts zu tun haben wollen. »Das habe ich alles hinter mir«, war eine häufig gehörte Ausrede. Nur dass es mehr als eine Ausrede war: Es war die schlichte Wahrheit. Sie hatten hart daran gearbeitet, die Albträume ihrer Kindheit zu bewältigen: Warum hätten sie sie jetzt aufs Neue durchleiden sollen? Sie hatten zu einer Art Frieden gefunden – einem prekären, fragilen Frieden. Warum hätten sie ihn aufs Spiel setzen sollen?

Wer würde sich schon dazu bereit erklären, in einem Gerichtssaal dem Grauen ins Gesicht zu sehen – wenn er sich auch weigern konnte?

Ja, wer.

Die Gruppe der »Überlebenden« umfasste acht Personen, die sich für den schwierigeren Weg entschieden hatten. Sie würden dafür sorgen, dass nach all den Jahren endlich Gerechtigkeit geschah. Sie würden die zwei Bestien hinter Gitter bringen, die – wann immer sie aus ihren Albträumen erwachten – noch immer da waren.

Harold Ince war siebenundfünfzig, klein, dürr und bebrillt, mit lockigem, ergrauendem Haar. Er hatte eine Frau und drei erwachsene Kinder. Er war Großvater und seit sieben Jahren arbeitslos. Auf allen Fotos, die Rebus von ihm kannte, wirkte sein Gesichtsausdruck benommen.

Ramsay Marshall war vierundvierzig, groß und stämmig, Haare kurz geschoren und borstig. Geschieden, keine Kinder, hatte bis vor kurzem in Aberdeen gewohnt und (als Koch) gearbeitet. Die Fotos zeigten ein finster dreinblickendes Gesicht mit vorstehendem Kinn.

Die zwei Männer hatten sich Anfang der Achtzigerjahre in Shiellion kennen gelernt und angefreundet – oder zumindest so etwas wie eine Allianz gebildet. Sie hatten ihr gemeinsames Interesse entdeckt, ein Interesse, dem sie, wie es aussah, in Shiellion House ungestraft frönen konnten.

Kinderschänder. Rebus fand sie zum Kotzen. Sie ließen sich weder heilen noch ändern. Sie machten einfach immer nur weiter. Sobald man sie wieder auf die Gesellschaft losließ, kam ihre wahre Natur zum Vorschein. Sie waren Machtfreaks, charakterschwach und einfach widerlich. Wie Süchtige, die durch nichts von ihrem Stoff abgebracht werden konnten. Es gab keine legale Ersatzdroge, und keine noch so lange Therapie schien etwas zu bewirken. Sie erkannten Schwäche und mussten sie einfach ausnutzen; sahen Unschuld und mussten sie ausbeuten. Rebus hatte von ihnen die Nase gestrichen voll.

Wie von Darren Rough. Rebus wusste, dass er im Zoo nur wegen der Shiellion-Sache ausgerastet war, weil sie einfach nicht aufhörte. Der Prozess lief schon in der dritten Woche, und noch immer gab es Geschichten, die erzählt werden mussten, noch immer gab es Menschen, die im Warteraum weinten.

»Chemische Kastration«, meinte der Wachmann und drückte seine Zigarette aus. »Ist die einzige Lösung.«

Von der Tür des Gerichtsgebäudes erklang eine Stimme: eine Gerichtsdienerin.

»Inspektor Rebus?«, rief sie. Rebus nickte, schnippte seine Zigarette auf die Steinplatten.

»Sie sind dran«, rief sie. Er ging schon auf sie zu.

Rebus wusste nicht, warum er da war. Außer, dass er Harold Ince vernommen hatte. Oder, besser gesagt, Teil des Vernehmungsteams gewesen war. Nur einen Tag lang, noch ganz am Anfang der Ermittlungen – andere Arbeit hatte ihn von Shiellion abgezogen. Sein Partner bei den Vernehmungen war Bill Pryde gewesen, aber der Verteidiger wollte nicht Bill Pryde ins Kreuzverhör nehmen. Er wollte John Rebus.

Der Zuschauerraum war halb leer. Die fünfzehn Geschworenen saßen mit starren Mienen da – die Folge der tagelangen Konfrontation mit einem fremden Albtraum. Der Richter war Lord Justice Petrie. Ince und Marshall saßen auf der Anklagebank. Ince hatte den Oberkörper vorgebeugt, um die Zeugenaussagen besser hören zu können, seine Hände arbeiteten am polierten Messinggeländer.

Marshall saß zurückgelehnt, mit demonstrativ gelangweilter Miene. Er betrachtete seine Hemdbrust, drehte dann den Kopf hin und her und ließ seinen Nacken knacken. Räusperte sich, schnalzte mit der Zunge und fing dann wieder an, sich kritisch zu betrachten.

Der Verteidiger war Richard Cordover, für seine Freunde Richie. Rebus hatte schon früher mit ihm zu tun gehabt; bislang war er noch nicht dazu aufgefordert worden, den Anwalt »Richie« zu nennen. Cordover war in den Vierzigern, hatte aber schon graues Haar. Mittelgroß, mit einem muskulösen Nacken und sonnengebräuntem Gesicht. Stammgast in irgendeinem Fitnessklub, vermutete Rebus. Der Ankläger war ein stellvertretender Staatsanwalt, nicht ganz halb so alt wie Rebus. Er sah zuversichtlich, aber wachsam aus; las seine Unterlagen durch und machte sich gelegentlich mit einem dicken schwarzen Füller Notizen.

Petrie räusperte sich, um Cordover daran zu erinnern, dass die Zeit verging. Cordover verneigte sich vor dem Richter und näherte sich der Zeugenbank.

»Detective Inspector Rebus …« Und hier schon die erste Kunstpause. »Soweit mir bekannt ist, haben Sie einen der Verdächtigen vernommen.«

»Das stimmt, Sir. Ich habe an der Vernehmung Harold Ince' teilgenommen, die am 20. Oktober letzten Jahres stattgefunden hat. Gleichfalls anwesend waren –«

»Und das fand wo genau statt?«

»Im Vernehmungszimmer B, Polizeiwache St. Leonard's.«

Cordover wandte sich von Rebus ab, ging langsam auf die Geschworenenbank zu. »Sie gehörten zum Vernehmungsteam?«

»Ja, Sir.«

»Wie lange?«

»Knapp über eine Woche, Sir.«

Cordover wandte sich zu Rebus. »Wie lange dauerten die Ermittlungen insgesamt, Inspector?«

»Es dürfte sich um ein paar Monate gehandelt haben.«

»Ein paar Monate, ja …« Cordover ging an seinen Tisch, als müsste er seine Aufzeichnungen einsehen. Rebus fiel eine Frau auf, die auf einem Stuhl neben der Tür saß. Es war eine CID-Beamtin namens Jane Barbour. Obwohl sie mit verschränkten Armen und übereinander geschlagenen Beinen dasaß, sah sie genauso angespannt aus, wie Rebus sich fühlte. Normalerweise arbeitete sie in Fettes, aber während der Ermittlungen war sie auf den Shiellion-Fall angesetzt worden; nach Rebus' Zeit; er hatte nichts mit ihr zu tun gehabt.

»Achteinhalb Monate«, sagte Cordover. »Eine richtige Schwangerschaft.« Er lächelte kalt; Rebus erwiderte nichts. Er fragte sich, worauf das alles hinauslaufen würde; wusste jetzt, dass die Verteidigung einen verdammt guten Grund gehabt hatte, ihn aufzurufen. Nur war ihm noch nicht klar, welchen.

»Wurden Sie von den Ermittlungen abgezogen, Inspector Rebus?« Ganz beiläufig gefragt, wie aus bloßer Neugier.

»Abgezogen? Nein, Sir. Es ergab sich ein neuer Fall –«

»Und da brauchte man jemanden, der sich damit befasste?«

»Das ist richtig.«

»Was glauben Sie, warum gerade Sie?«

»Ich habe keine Ahnung, Sir.«

»Nein?« Cordover klang überrascht. Er wandte sich zu den Geschworenen. »Sie haben keine Ahnung, warum Sie bereits nach einer Woche von dem Fall abgezogen –«

Der Vertreter der Anklage war aufgesprungen und breitete die Arme aus. »Der Detective Inspector hat bereits erklärt, dass das Wort ›abgezogen‹ nicht zutrifft, Euer Ehren.«

»Also gut«, redete Cordover schnell weiter, »sagen wir, Sie wurden *versetzt*. Würde das eher zutreffen, Inspector?«

Rebus zuckte lediglich die Achseln, nicht willens, was auch immer zu bejahen.

»Ein Ja oder Nein genügt.«

»Ja, Sir.«

»Und Sie haben keine Ahnung, warum?«

»Weil ich anderswo gebraucht wurde, Sir.« Rebus bemühte sich, den Staatsanwalt nicht anzusehen. Jeder Blick in diese Richtung hätte Cordover jemanden wittern lassen, der sich in Schwierigkeiten befand. Jane Barbour bewegte sich, die Arme weiterhin verschränkt, unruhig auf ihrem Stuhl.

»Sie wurden anderswo gebraucht«, wiederholte Cordover mit ausdrucksloser Stimme. Er warf wieder einen Blick in seine Notizen. »Wie sieht Ihr dienstliches Führungszeugnis aus, Inspector?«

Der Staatsanwalt sprang auf. »Inspector Rebus steht hier nicht unter Anklage, Euer Ehren. Er ist als Zeuge geladen, und bislang sehe ich keinen Grund –«

»Ich ziehe die Frage zurück, Euer Ehren«, sagte Cordover leichthin. Er lächelte Rebus zu, trat wieder näher an ihn heran. »Wie viele Verhöre haben Sie mit Mr. Ince geführt?«

»Zwei Sitzungen im Laufe eines Tages.«

»Verliefen sie zufriedenstellend?« Rebus sah ihn ausdruckslos an. »Zeigte sich mein Mandant kooperativ?«

»Er stellte sich bewusst begriffsstutzig, Sir.«

»›Bewusst‹? Sind Sie etwa Experte auf dem Gebiet, Inspector?«

Rebus fixierte den Advokaten. »Ich merke es, wenn jemand meinen Fragen ausweicht.«

»Tatsächlich?« Cordover schlenderte wieder hinüber zur Geschworenenbank. Rebus fragte sich, wie viele Kilometer er so während eines Verhandlungstages zurücklegen mochte. »Mein Mandant ist der Ansicht, dass Sie ›ein bedrohliches Auftreten‹ – seine Worte, nicht meine – an den Tag legten.«

»Die Verhöre sind aufgezeichnet worden, Sir.«

»In der Tat. Und nicht nur auf Tonband, sondern auch auf Video. Ich habe sie mir mehrmals angesehen, und ich denke, Sie werden mir darin beipflichten, dass Ihre Verhörmethoden als *aggressiv* bezeichnet werden können.«

»Nein, Sir.«

»Nein?« Cordover hob die Augenbrauen. »Mein Mandant fühlte sich ganz offensichtlich von Ihnen eingeschüchtert.«

»Bei den Vernehmungen ist jede entsprechende Vorschrift beachtet worden, Sir.«

»Aber ja, sicher«, sagte Cordover wegwerfend, »aber seien wir doch einmal ehrlich, Inspector.« Er stand jetzt direkt vor Rebus, nah genug für einen Fausthieb. »Es gibt verschiedene Möglichkeiten, nicht wahr? Körpersprache, Gesten, bestimmte Weisen, eine Frage oder eine Behauptung zu formulieren. Ich kann nicht beurteilen, ob Sie die erforderlichen hellseherischen Fähigkeiten besitzen, um ›bewusste Begriffsstutzigkeit‹ als solche zu erkennen, aber Sie sind ohne jeden Zweifel ein erbarmungsloser Vernehmungsbeamter.«

Der Richter spähte über den Rand seiner Brille hinweg. »Wollen Sie auf etwas Bestimmtes hinaus, außer auf einen versuchten Rufmord?«

»Wenn Sie sich noch einen Augenblick gedulden wollen, Euer Ehren …« Cordover verneigte sich wieder, ein vollendeter Schauspieler. Nicht zum ersten Mal ging Rebus die absolute Lächerlichkeit der ganzen Veranstaltung auf: eines Spiels, bei dem gut bezahlte Anwälte anstelle von Spielsteinen echte Menschen herumschoben.

»Trifft es zu, Inspector«, fuhr Cordover fort, »dass Sie vor ein paar Tagen Teil eines Observierungsteams im Edinburgher Zoo waren?«

O Scheiße. Jetzt wusste Rebus *ganz genau*, worauf Cordover hinauswollte, und wie ein schlechter Schachspieler, der gegen einen Großmeister angetreten ist, konnte er kaum noch etwas tun, um seine Niederlage abzuwenden.

»Ja, Sir.«

»Und dass dies damit endete, dass Sie einen unbeteiligten Passanten verfolgten?«

Der Staatsanwalt war wieder aufgestanden, aber der Richter gab ihm mit einer Handbewegung zu verstehen, sich zu setzen.

»Das trifft zu, Sir.«

»Sie waren Teil eines verdeckt arbeitenden Teams mit dem Auftrag, unseren berüchtigten Giftmörder festzunehmen?«

»Ja, Sir.«

»Und der Mann, den Sie verfolgten und... wenn ich recht informiert bin, in das Seelöwenbecken hetzten...?« Cordover hob die Brauen, um eine Bestätigung zu erhalten. Rebus nickte gehorsam. »War dieser Mann der Giftmörder?«

»Nein, Sir.«

»Hatten Sie ihn im Verdacht, der Giftmörder zu sein?«

»Er war ein verurteilter Pädophiler...« In Rebus' Stimme schwang Zorn, und er spürte, dass sein Gesicht sich gerötet hatte. Er unterbrach sich, aber zu spät. Er hatte dem Verteidiger bereits alles geliefert, was er haben wollte.

»Ein Mann, der seine Haftstrafe verbüßt hatte und wieder in die Freiheit entlassen worden war. Ein Mann, der seither nicht wieder straffällig geworden ist. Ein Mann, der die harmlosen Freuden eines Ausflugs in den Zoo genoss, bis *Sie* ihn wiedererkannten und Jagd auf ihn machten.«

»Er ist als Erster losgerannt.«

»Er ist weggerannt? Vor *Ihnen*, Inspector? Warum sollte er wohl so etwas tun?«

Schon gut, du süffisanter Scheißkerl, bring's hinter dich.

»Worauf ich hinauswill«, sagte Cordover, während er in einer fast ehrfurchtsvollen Haltung auf die Geschworenen zuging, »ist, dass Vorurteile gegen jeden bestehen, der auch nur *verdächtig* ist, sich an Kindern vergangen zu haben. Der Inspector sah zufällig einen Mann, der eine einzige Freiheitsstrafe verbüßt hatte, und vermutete sofort das Schlimmste – und zwar ganz zu Unrecht, wie sich später herausstellte. Es wurde keine Anklage erhoben, der Giftmörder schlug wieder zu, und meines Wissens plant der zu Unrecht Verfolgte, die Polizei wegen unrechtmäßiger Festnahme zu verklagen.« Er nickte. »*Ihre* Steuergelder, fürchte ich.« Er atmete tief ein. »Nun können wir vielleicht alle Inspector Rebus' Empfindungen nachvollziehen. Wenn es um Kinder geht, gerät das Blut in Wallung. Aber ich frage Sie: Ist das moralisch gerechtfertigt? Und kontaminieren diese Empfindungen möglicherweise die gesamte Klage gegen meine Klienten, nachdem sie die Ermittlungen beeinflusst haben, eben weil sie den Blickwinkel der diese Ermittlungen führenden Beamten verzerrten?« Er zeigte auf Rebus, der jetzt eher das Gefühl hatte, auf der Anklagebank zu sitzen als im Zeugenstand. Als Ramsay Marshall sein Unbehagen bemerkte, funkelten seine Augen vor Vergnügen. »Zu gegebener Zeit werde ich weiteres Beweismaterial dafür vorlegen, dass die polizeiliche Ermittlung von Anfang an mit Mängeln behaftet war und der hier anwesende Inspector Rebus nicht der Einzige in dieser Hinsicht Schuldige ist.« Er wandte sich Rebus zu. »Keine weiteren Fragen.«

Und damit war Rebus entlassen.

»Das war ganz schön hart.«

Rebus sah zu der Gestalt auf, die langsam auf ihn zukam. Er zündete sich gerade eine Zigarette an und sog den Rauch tief in die Lunge. Er bot ihr eine an, aber sie schüttelte den Kopf. Dann fragte er: »Hatten Sie schon mal mit Cordover zu tun?«

»Wir sind schon ein paar Mal aneinander geraten«, erwiderte Jane Barbour.

»Tut mir Leid, dass ich nicht ...«

»Sie hätten kaum was tun können.« Sie atmete geräuschvoll aus und drückte sich dabei eine Aktentasche an die Brust. Sie standen vor dem Gerichtsgebäude. Rebus fühlte sich gerädert und erschöpft. Ihm fiel auf, dass sie ebenfalls ziemlich müde aussah.

»Lust auf einen Drink?«

Sie schüttelte den Kopf. »Hab zu tun.«

Er nickte. »Glauben Sie, wir gewinnen?«

»Nicht, wenn's nach Cordover geht.« Sie scharrte mit einem Absatz über das Pflaster. »In letzter Zeit scheine ich häufiger zu verlieren als zu gewinnen.«

»Noch immer in Fettes?«

Sie nickte. »Sexualdelikte.«

»Noch immer DI?«

Sie nickte wieder. Rebus erinnerte sich, irgendwann mal was von einer möglichen Beförderung munkeln gehört zu haben. Offenbar nichts geworden. Damit blieb Gill Templer also bis auf weiteres der einzige weibliche Chief Inspector in Lothian. Rebus musterte Barbour durch den Rauch seiner Zigarette. Sie war groß, »grobknochig«, wie seine Mutter gesagt hätte. Schulterlanges braunes, welliges Haar. Senffarbenes Kostüm, dazu eine helle Seidenbluse. Sie hatte einen Leberfleck auf einer Wange und einen weiteren am Kinn. Mitte dreißig ...? Im Alterschätzen war Rebus nicht der Beste.

»Tja…«, sagte sie, bereit zu gehen, aber sichtlich auf der Suche nach einer Ausrede, um noch bleiben zu können.

»Dann auf Wiedersehen.« Eine Stimme hinter ihnen. Sie drehten sich um und sahen Richard Cordover, der zu seinem Auto ging. Es war ein roter TVR mit Herrchens Initialen im amtlichen Kennzeichen. Als er den kleinen Flitzer aufschloss, schien er die zwei Polizisten bereits vergessen zu haben.

»Eiskalter Bastard«, murmelte Barbour.

»Spart ihm bestimmt ein paar Kröten.«

Sie sah Rebus an. »Wie das?«

»Kann sich im TVR die Klimaanlage schenken. Sicher mit dem Drink? Da wär was, was ich Sie gern gefragt hätte…«

Sie machten einen Bogen um den Deacon Brodie's – von zu vielen »Kunden« frequentiert – und steuerten den Jolly Judge an. Rebus war da einmal mit einem Advokaten gewesen, der Advocaat trank. Jetzt hatten die Rangers einen niederländischen Manager verpflichtet, der Advocaat hieß, und die Witze wurden wieder aus der Mottenkiste gekramt… Er bestellte für Barbour eine Virgin Mary und für sich ein halbes Pint Starkbier. Sie setzten sich an einen Tisch unter der Treppe, wo sie möglichst ungestört waren.

»Cheers!«, sagte sie.

Rebus prostete ihr zu und nahm einen Schluck.

»Also, was kann ich für Sie tun?«

Er stellte das Glas wieder ab. »Nur ein paar Hintergrundinfos. Sie haben doch früher in der Vermisstenabteilung gearbeitet, oder?«

»Erinnern Sie mich nicht daran.«

»Was genau haben Sie da gemacht?«

»Gesammelt, geordnet, in Aktenschränke und auf Computerfestplatten abgelegt. Ein bisschen V-Frau gespielt, anderen Dienststellen Vermisste zugeschoben und dafür deren gekriegt. Jede Menge Gespräche mit karitativen Organisationen ...« Sie blies die Backen auf. »Und jede Menge Gespräche mit Angehörigen, um ihnen nach Möglichkeit verstehen zu helfen, was passiert war.«

»Befriedigender Job?«

»In etwa so wie Tütenkleben. Warum fragen Sie?«

»Ich hab einen Vermissten.«

»Wie alt?«

»Neunzehn. Wohnt noch zu Haus. Seine Eltern machen sich Sorgen.«

Sie schüttelte schon den Kopf. »Stecknadel im Heuhaufen.«

»Ich weiß.«

»Hat er einen Abschiedsbrief hinterlassen?«

»Nein, und sie meinen, er hätte gar keinen Grund wegzulaufen gehabt.«

»Manchmal gibt es auch keine Gründe, jedenfalls keine, die die Angehörigen nachvollziehen könnten.« Sie richtete sich auf ihrem Stuhl auf. »Hier kommt die Checkliste.« Sie zählte dabei an den Fingern ab. »Bankkonten, Bausparkonten, alles in der Richtung. Etwaige Abbuchungen.«

»Erledigt.«

»Fragen Sie in Jugendherbergen und Heimen nach. Hier und in den üblichen Großstädten – alles zwischen Aberdeen und London. In ein paar davon gibt's wohltätige Organisationen, die sich speziell um Obdachlose und Ausreißer kümmern: in London zum Beispiel Centrepoint. Schicken Sie eine Personenbeschreibung herum. Dann gibt's an Einschlägigem noch das National Missing Persons Bureau in London. Faxen Sie denen alle Infos, die Sie haben. Sie könnten auch die Heilsarmee bitten, die Augen offen zu halten. Suppenküchen, Nachtasyle, man kann nie wissen, wer da vorbeischaut.«

Rebus notierte alles. Er hob die Augen, sah, wie sie die Achseln zuckte.

»Und das wär's in etwa.«

»Ist es ein ernstes Problem?«

Sie lächelte. »Der Witz ist, es ist *überhaupt kein* Problem, solange Sie nicht derjenige sind, dem jemand abhanden gekommen ist. Viele von ihnen tauchen wieder auf, andere nicht. Nach der letzten Schätzung, die mir zu Ohren gekommen ist, könnte es bis zu einer Viertelmillion Vermisste geben. Leute, die sich einfach abgesetzt und ihre Identität gewechselt haben oder von den so genannten ›sozialen‹ Einrichtungen abgestoßen worden sind.«

»Zurück in die Gemeinschaft?«

Sie lächelte wieder bitter, nahm einen Schluck von ihrem Drink, warf einen Blick auf ihre Uhr.

»Ich kann mir schon vorstellen, dass Shiellion eine willkommene Abwechslung für Sie gewesen ist.«

Sie schnaubte. »Ja, klar, der reinste Badeurlaub. Fälle von Missbrauch sind immer ein Klacks.« Sie wurde nachdenklich. »Vor ein paar Wochen hatte ich einen zweifachen Vergewaltiger, der ist zu guter Letzt freigekommen. Die Staatsanwaltschaft hat's verbockt, im Schnellverfahren durchgezogen.«

»Höchststrafe drei Monate?«

Sie nickte. »Diesmal ging's nicht um Vergewaltigung, lediglich unsittliche Entblößung. Der Sheriff schäumte vor Wut. Als überhaupt in Betracht gezogen wurde, ihn wieder in die Untersuchungshaft zurückzuschicken, hätte der Dreckskerl nur noch zwei Wochen abzusitzen gehabt, also hat ihn der Sheriff gleich laufen lassen.« Sie sah Rebus an. »Laut psychologischem Gutachten wird er es wieder tun. Bewährung und gemeinnützige Arbeit, dazu ein paar Stunden Beratung. Und er wird's wieder tun.«

Er wird's wieder tun. Rebus dachte an Darren Rough,

aber auch an Cary Oakes. Er sah ebenfalls auf die Uhr. Bald würde Oakes in Turnhouse landen. Bald würde er ein Problem darstellen…

»Tut mir Leid, dass ich Ihnen mit Ihrem Vermissten nicht mehr behilflich sein kann«, sagte sie und machte schon Anstalten aufzustehen. »Ist es jemand, den Sie kennen?«

»Sohn von Freunden.« Sie nickte. »Woher wussten Sie's?«

»Nehmen Sie's mir nicht übel, John, aber andernfalls würden Sie sich kaum die Mühe machen.« Sie nahm ihren Aktenkoffer. »Er ist einer unter einer Viertelmillion. Wer hat da schon Zeit für so was?«

12

Reporter warteten im Terminal. Die meisten von ihnen hatten Handys dabei, mit denen sie Kontakt zu ihrer jeweiligen Redaktion hielten. Kameraleute fachsimpelten miteinander über Objektive und Filmgeschwindigkeiten und die zunehmend große Rolle, die Digitalkameras in absehbarer Zeit spielen würden. Es waren drei Fernsehteams da: schottisches Fernsehen, BBC und Edinburgh Live. Jeder schien jeden zu kennen; sie wirkten alle ziemlich entspannt, vielleicht sogar ein bisschen müde von der Warterei.

Die Landung verspätete sich um zwanzig Minuten.

Rebus wusste, warum. Der Grund war, dass die Beamten der Metropolitan Police sich in Heathrow gründlich Zeit gelassen hatten. Cary Oakes hatte über eine Stunde in Heathrow verbracht. Er war auf der Toilette gewesen, hatte sich in einer der Bars einen Drink genehmigt, sich eine Zeitung und ein paar Illustrierte gekauft und ein Telefonat geführt.

Das Telefonat hatte Rebus neugierig gemacht.

»Er ist ausgerufen worden«, hatte ihn der Farmer informiert. »Jemand wollte ihn am Telefon sprechen.«

»Wer könnte das gewesen sein?«

Der Farmer hatte den Kopf geschüttelt.

Jetzt war Oakes unterwegs nach Edinburgh. Detectives hatten ihn zum Flugsteig begleitet und die Maschine dann von der Besucherterrasse aus so lange im Auge behalten, bis sie den Londoner Luftraum verließ. Dann hatten sie ihre Kollegen in der Zentrale von Lothian und Borders angerufen.

»Jetzt gehört er euch«, meinten sie.

Der Vizepolizeichef hatte den Farmer mit der operativen Leitung betraut. Normalerweise rührte sich der Farmer nicht aus seinem Büro; er delegierte gern, vertraute seinem Team. Aber heute Abend… heute Abend war alles ein bisschen anders. Also saß er neben Rebus im Streifenwagen. DC Siobhan Clarke hockte im Fond. Es war ein Streifenwagen, weil sie wollten, dass Oakes ihn sah. Rebus war schon draußen gewesen, um die Lage zu peilen, und hatte anschließend von den Reportern berichtet.

»Jemand dabei, den wir kennen?«, fragte Clarke.

»Die üblichen Gesichter«, antwortete Rebus, während er einen weiteren Streifen Kaugummi von ihr annahm. Sie hatten eine Abmachung getroffen: Er würde nicht rauchen, solange sie für Kaugumminachschub sorgte. Sein Erkundungsgang war eine Ausrede für eine Kippe gewesen.

Nach der Uhr am Armaturenbrett musste die Maschine jeden Augenblick landen. Sie hörten sie, bevor sie sie sahen; ein dumpfes Heulen, dann blitzende Lichter am dunklen Himmel. Sie hatten ein Fenster offen, damit die Scheiben innen nicht beschlugen.

»Könnte sie sein«, meinte der Farmer.

»Könnte sein.«

Neben Siobhan Clarke lag die vollständige Akte; sie hatte alles gelesen, was sie über Cary Dennis Oakes besaßen. Sie hatte ihre Zweifel, dass sie hier mehr erreichen würden, als ihre Neugier zu befriedigen. Aber immerhin *war* sie neugierig.

»Dürfte nicht mehr allzu lange dauern«, erklärte sie.

»Wetten Sie besser nicht darauf«, sagte Rebus und öffnete erneut seine Tür. Als er auf den Terminaleingang zusteuerte, kramte er bereits in seiner Tasche nach einer Zigarette.

Er machte einen Bogen um die Gruppe von Presseleuten und hielt auf ein Durchgang-verboten-Schild zu. Er wies seine Dienstmarke vor und machte sich auf den Weg zur Ankunftshalle. Er hatte sich angemeldet, und die Zollbeamten erwarteten ihn schon. Er wusste, was bei internationalen Transitflügen passierte: In Heathrow fanden keinerlei Kontrollen statt. In Edinburgh oft ebenso wenig: Das hing von der jeweiligen Personalsituation ab; die Sparmaßnahmen hatten sich dramatisch ausgewirkt. Aber heute Abend würde wie nach dem Lehrbuch kontrolliert werden. Rebus beobachtete, wie die Passagiere aus Heathrow nach und nach in den Terminal kamen und auf ihr Gepäck zu warten begannen. Größtenteils Geschäftsleute, mit entsprechenden Aktenkoffern und Zeitungen. Die Hälfte der Passagiere hatte lediglich Handgepäck dabei. Sie kamen rasch durch die Zollkontrolle, und dann ging's weiter zum Parkplatz, wo die Autos, und nach Haus, wo die Angehörigen warteten.

Dann erschien der eher salopp Gekleidete: Jeans und Turnschuhe, rot-schwarz-gewürfeltes Hemd, weiße Baseballkappe. Er trug eine Sporttasche. Sie sah nicht sonderlich voll aus. Rebus nickte dem Zollbeamten zu, worauf der vortrat, den Mann anhielt und ihn zum Schalter führte.

»Ihren Reisepass, bitte«, sagte der Beamte der Einwanderungsbehörde.

Der Mann steckte die Hand in die Brusttasche seines Hemdes und holte einen sichtlich neuen Pass heraus. Er war vor einem knappen Monat beantragt worden, sobald die Amerikaner gewusst hatten, dass sie ihn freilassen würden. Der Passbeamte blätterte das Dokument durch, fand nicht viel mehr als leere Seiten.

»Woher kommen Sie, Sir?«

Cary Oakes' Augen fixierten den Mann im Hintergrund, den Mann, der das alles arrangiert hatte.

»Vereinigte Staaten«, antwortete er. Seine Stimme war eine seltsame Mischung aus verschiedenen transatlantischen Akzenten.

»Und was haben Sie dort getan, Sir?«

Oakes grinste. Er hatte das Gesicht eines gealterten Schuljungen, des Klassenclowns. »Mir die Zeit vertrieben«, entgegnete er.

Der Zollbeamte hatte den Inhalt seiner Tasche nach und nach auf den Schaltertisch geleert. Kulturbeutel, was zum Wechseln, ein paar Sexheftchen. Ein brauner Umschlag war voll von Zeichnungen und aus Illustrierten ausgeschnittenen Fotos. Sie sahen so aus, als hätten sie ziemlich lange an einer Wand gehangen. Eine Glückwunschkarte war auch dabei: Sie riet ihm, »steil nach oben und schnurgeradeaus zu fliegen«, und war mit »deine Kumpels vom Block« unterzeichnet. Ein Aktendeckel enthielt Prozessunterlagen und ausgeschnittene Prozessberichte aus der Zeitung. Außerdem gab es noch zwei Taschenbücher: eine Bibel und ein Wörterbuch. Beide zeigten deutliche Gebrauchsspuren.

»Leichtes Gepäck, das ist mein Motto«, informierte Oakes die beiden.

Der Zollbeamte sah zu Rebus, der ihm, ohne die Augen

von Oakes zu wenden, mit einem Nicken antwortete. Alles wurde wieder in der Tasche verstaut.

»Das nenne ich wirklich unaufdringlich«, sagte Oakes. »Und glauben Sie nicht, ich wüsste es nicht zu schätzen. Fürs Erste freue ich mich auf ein ruhig-beschauliches Leben.« Er nickte vor sich hin.

»Rechnen Sie nicht damit, hier alt zu werden«, sagte Rebus leise.

»Ich glaube nicht, dass wir uns schon vorgestellt worden sind, Officer.« Oakes streckte die Hand aus. Rebus sah, dass der Handrücken mit primitiven Tätowierungen übersät war: Initialen, Kreuzen, einem Herzen. Nach einem Augenblick zog Oakes die Hand wieder zurück und lachte in sich hinein. »Ist wohl nicht so einfach, neue Freundschaften zu schließen«, sinnierte er. »Ich hab wohl meine guten alten Umgangsformen verlernt.«

Der Zollbeamte zog den Reißverschluss der Sporttasche zu. Oakes packte den Griff.

»So, meine Herren, wenn Sie jetzt Ihren Spaß gehabt haben …?«

»Was ist Ihr nächstes Ziel?«, fragte der Einwanderungsbeamte.

»Ein nettes Hotel in der Stadt. Von nun an heißt es für mich nur noch Hotels. Die wollten mich in irgendeinen Palast auf dem Land stecken, aber ich hab nein gesagt. Ich will bunte Lichter und Action. Ich will, dass was *los ist.*« Er lachte wieder.

»Wer sind ›die‹?«, konnte sich Rebus nicht verkneifen zu fragen.

Oakes zwinkerte bloß und grinste. »Sie werden's schon noch rauskriegen, Partner, und sich dabei nicht mal besonders anstrengen müssen.« Er wuchtete die Tasche hoch, hängte sie sich über die Schulter und reihte sich in die Schlange ein, die zum Ausgang drängte.

Rebus hängte sich dran. Die Reporter draußen zückten ihre Kameras und kamen auf ihre Kosten, auch wenn Oakes sich die Baseballkappe tief ins Gesicht gezogen hatte. Fragen prasselten auf ihn ein. Und dann drängte sich ein übergewichtiger Mann mit Zigarette im Mundwinkel nach vorn. Rebus erkannte in ihm Jim Stevens. Er arbeitete für eines der Glasgower Boulevardblätter. Er packte Oakes am Arm und flüsterte ihm etwas ins Ohr. Sie schüttelten sich die Hand, und dann übernahm Stevens die Regie. Er lotste Oakes mit besitzergreifender Hand durch das Gedränge.

»Mann, Jim, Herrgott noch mal«, rief einer der Reporter.

»Kein Kommentar«, sagte Stevens mit wackelnder Zigarette im Mundwinkel. »Aber ihr könnt unsere Exklusivserie lesen: erste Folge morgen.«

Und mit einem Abschiedswinken verschwand er durch die Tür. Rebus nahm einen anderen Ausgang, setzte sich in den Wagen neben den Farmer.

»Scheint einen Freund gefunden zu haben«, kommentierte Siobhan Clarke, während sie beobachtete, wie Stevens Oakes' Tasche in den Kofferraum eines Vauxhall Astra lud.

»Jim Stevens«, sagte Rebus zu ihr. »Glasgower Journalist.«

»Und Oakes ist jetzt sein Eigentum?«, tippte sie.

»Sieht jedenfalls so aus. Ich glaube, sie fahren in die Stadt.«

Der Farmer schlug mit der Hand aufs Armaturenbrett. »Hätte ich mir denken können, dass eine der Zeitungen ihn sich schnappen würde.«

»Ewig werden sie ihn nicht festhalten. Sobald sie die Story ausgeschlachtet haben …«

»Aber bis es so weit ist, haben sie ihre Anwälte.« Der Farmer wandte sich an Rebus. »Wir dürfen also *nichts* unternehmen, was als Schikane ausgelegt werden könnte.«

»Wie Sie wünschen, Sir«, sagte Rebus und ließ den Motor an. Er wandte sich zum Farmer. »Geht's jetzt also nach Hause?«

Der Farmer nickte. »Sobald wir sie bis zu ihrem Bestimmungsort verfolgt haben. Stevens soll ruhig wissen, wie die Sache steht.«

»Da fährt ein Bullenauto hinter uns her«, warnte Cary Oakes.

Jim Stevens griff nach dem Zigarettenanzünder. »Ich weiß.«

»Empfangskomitee am Flughafen war ebenfalls da.«

»Er heißt Rebus.«

»Wer?«

»Detective Inspector John Rebus. Ich bin schon ein paar Mal mit ihm aneinander geraten. Was hat er Ihnen gesagt?«

Oakes zuckte die Achseln. »Stand einfach so rum und bemühte sich, taff auszusehen. Ich hab im Knast Typen kennen gelernt, da würde er sich in die Hose machen.«

Stevens lächelte. »Sparen Sie sich das auf, bis das Band mitläuft.«

Oakes hatte sein Fenster ganz heruntergekurbelt und hielt den Kopf in den grimmig kalten Fahrtwind.

»Stört Sie der Rauch?«, fragte Stevens.

»Nein.« Oakes bewegte den Kopf hin und her, wie unter einem Föhn. »Geschickt von Ihnen, mich in Heathrow ausrufen zu lassen.«

»Ich wollte der Erste sein, der Ihnen ein Angebot macht.«

»Zehn Riesen, richtig?«

»Ich glaube, zehn sind zu machen.«

»Exklusivrechte?«

»Muss sein, bei dem Preis.«

Oakes zog den Kopf wieder ins Auto. »Ich weiß nicht, wie gut ich sein werde.«

»Keine Sorge. Sie sind doch Schotte, oder? Wir sind geborene Geschichtenerzähler.«

»Ich schätze, Edinburgh hat sich verändert.«

»Sie sind eine Zeit lang nicht mehr hier gewesen.«

»Kann man sagen.«

»Kennen Sie immer noch Leute hier?«

»Ein paar Namen fallen mir schon ein.« Oakes lächelte. »Jim Stevens, John Rebus. Das sind schon mal zwei, und ich bin erst seit einer halben Stunde im Land.« Jim Stevens lachte. Oakes kurbelte das Fenster wieder hoch, streckte die Hand nach dem Autoradio aus und stellte es ab. Drehte sich auf seinem Sitz um, so dass Stevens seine volle Aufmerksamkeit hatte. »Erzählen Sie mir also von Rebus. Ich möchte mir ein Bild von ihm machen.«

»Warum?«

Oakes wandte den Blick nicht vom Reporter. »Jemand interessiert sich für mich«, sagte er, »also interessiere ich mich für ihn.«

»Gilt das also auch für mich?«

»Sie wissen nicht, was Sie für ein Glück haben, Jim. Sie haben einfach keine Ahnung.«

Stevens hatte Oakes außerhalb von Edinburgh unterbringen wollen. Er hätte ihn für die Dauer der Interviews am liebsten von allen möglichen Ablenkungen fern gehalten. Aber Oakes hatte ihm am Telefon gesagt, es müsste Edinburgh sein. Es musste einfach sein. Also war es Edinburgh; ein diskretes Hotel in der Neustadt. Als er »Neustadt« hörte, musste Stevens lächeln. Überall sonst in Schottland verstand man darunter etwas wie Glenrothes und Livingston, in den Fünfziger- oder Sechzigerjahren aus dem Boden gestampfte Betonsiedlungen. In Edinburgh aber datierte die »Neustadt« aus dem achtzehnten Jahrhundert. Das war so ziemlich das Neueste, was die Stadt an sich duldete. Das Hotel war einst vermutlich eine Privatresidenz gewesen, über vier Stockwerke verteilt. Unaufdringliche Eleganz; eine ruhige Straße. Oakes warf einen Blick darauf und entschied, dass das nichts für ihn sei. Er sagte nicht, warum, blieb lediglich auf den Eingangsstufen stehen und atmete die Abendluft ein, während Stevens mit seinem Handy ein paar hektische Telefonate führte.

»Es wäre schon hilfreich, wenn ich wüsste, was Sie eigentlich wollen.«

Oakes zuckte lediglich die Achseln. »Ich werd's wissen, wenn ich es sehe.« Er winkte dem Streifenwagen zu, der mit noch eingeschalteten Scheinwerfern ein Stückchen abseits parkte.

»Okay«, sagte Stevens endlich. »Zurück in die Karre.«

Sie fuhren den Leith Walk entlang, direkt auf den Hafen von Leith zu.

»Ist das immer noch eine üble Gegend?«, fragte Oakes.

»Ändert sich. Neue Wohnsiedlungen, Scottish Office. Neue Restaurants und ein paar Hotels.«

»Aber ist immer noch Leith, ja?«

Stevens nickte. »Immer noch Leith«, räumte er ein. Aber als sie ans Wasser kamen und Oakes ihr Hotel sah, fing er sofort an zu nicken.

»Atmosphäre«, sagte er und blickte auf die Docks. Ein Containerschiff lag da vertäut, gleißende Bogenlampen, in deren Licht Schauerleute arbeiteten. Zwei Pubs, beide mit angeschlossenen Restaurants. Auf der anderen Seite des Hafenbeckens lag ein Schiff permanent vor Anker, das zu einem schwimmenden Nachtklub umfunktioniert worden war. Auch neue Wohnhäuser entstanden dort.

»Das Scottish Office liegt da grad ein Stück weiter«, erklärte Stevens und deutete in die entsprechende Richtung.

»Was glauben Sie, wie lang die das noch durchhalten?«, fragte Oakes, den Blick auf das Polizeiauto gerichtet, das gerade hielt.

»Nicht lang. Wenn sie nicht bald verschwinden, rufe ich unsere Anwälte an. Ich muss die sowieso anrufen, wegen Ihres Vertrags.«

»Vertrag.« Oakes ließ sich das Wort auf der Zunge zergehen. »Ist schon lange her, dass ich einen Job hatte.«

»Bloß in ein Mikro reden, für ein paar Fotos posieren, mehr wird gar nicht verlangt.«

Oakes wandte sich zu ihm. »Für zehn Riesen spiele ich Ihnen auf Wunsch sogar die eine oder andere interessante Szene nach.«

Stevens' Gesicht wurde um ein paar Nuancen blasser. Oakes betrachtete ihn aufmerksam, schätzte seine Reaktion ab.

»Das wird wahrscheinlich nicht notwendig sein«, sagte Stevens.

Oakes lachte; das »wahrscheinlich« gefiel ihm.

Sein Zimmer sagte ihm zu. Stevens konnte für sich keines direkt nebenan bekommen, musste sich mit einem ein paar Türen weiter begnügen. Zahlte für die Zimmer im Voraus mit seiner Kreditkarte und sagte, er würde sie ein paar Tage lang brauchen. Als er wieder zurückkam, lag Oakes auf seinem Bett, die Schuhe noch an den Füßen, die Sporttasche neben sich. Er hatte nur eins ausgepackt: die zerlesene Bibel. Sie lag auf dem Nachttisch. Hübsches Detail: Stevens würde es in seinem Einführungsartikel verwenden.

»Sind Sie religiös, Jim?«, fragte Oakes.

»Nicht sonderlich.«

»Schämen Sie sich. Aus der Bibel können Sie eine Menge lernen. Gab mal ’ne Zeit, da hatte ich keine Zeit für die heilige Schrift.«

»Sind Sie regelmäßig in die Kirche gegangen?«

Oakes nickte, scheinbar in Gedanken woanders. »Im Gefängnis gab’s jeden Sonntag Gottesdienst. Ich war da Stammgast.« Er sah Stevens an. »Ich bin kein Gefangener, richtig? Ich meine, ich kann beliebig kommen und gehen?«

»Das Letzte, was ich möchte, ist, dass Sie sich wie ein Gefangener fühlen.«

»Da geht’s mir genau so.«

»Aber solang *ich* für Sie zahle, gibt’s ein paar Regeln zu beachten. Wenn Sie das Haus verlassen, möchte ich, dass Sie mir Bescheid sagen. Ja, ich möchte mitgehen.«

»Angst, dass die Konkurrenz mich abwirbt?«

»Was in der Art.«

Oakes drehte den Kopf herum, grinste. »Angenommen, ich will eine Frau? Wollen Sie dann in der Ecke sitzen, während ich sie bumse?«

»An der Tür lauschen wird mir schon reichen«, antwortete Stevens.

Oakes lachte, wand sich auf der Matratze. »Das weichste Bett, das ich je gehabt hab. Gut riecht’s auch.« Er blieb noch einen Augenblick liegen, dann stand er mit einem einzigen Schwung auf. Stevens war von seiner plötzlichen Agilität überrascht.

»Na, dann kommen Sie«, sagte Oakes.

»Wohin?«

»Raus, Mann. Aber keine Sorge, ich lauf nicht mehr als fünfzig Meter weit.«

Stevens folgte ihm nach draußen, blieb aber vor dem Hotel stehen, als er bemerkte, wohin Oakes wollte.

Zum Polizeiauto: Scheinwerfer noch an; drinnen drei Gestalten. Oakes spähte durch die Windschutzscheibe, ging auf die Fahrerseite, klopfte ans Fenster. Der, den er mittlerweile als Rebus kannte, kurbelte die Scheibe herunter.

»Hey«, grüßte Oakes, nickte dann den beiden anderen zu – junge Frau und ein irgendwie nach Vorgesetztem aussehender Mann mit finsterer Miene. Oakes deutete zum Hotel. »Netter Laden, hm? Ist einer von Ihnen je in so was abgestiegen?« Sie schwiegen. Er legte einen Arm auf das Dach des Wagens, den anderen an die Tür.

»Ich war…« Mit einem Mal wirkte er etwas unsicher. »Ja« – als wüsste er jetzt, wie er es formulieren sollte – »hat mir ganz schön Leid getan, das mit Ihrer Tochter. Mann, muss echt Scheiße gewesen sein.« Dabei sah er Rebus mit ausdruckslosem Blick an. »Eine der Leichen, die die mir angehängt haben, ein Mädchen, dürfte das gleiche Alter gehabt haben. Ich meine, das gleiche Alter wie Ihre Tochter. Sammy, so heißt sie doch, oder?«

Rebus stieß seine Tür so abrupt auf, dass Oakes fast bis zum Rand des Kais zurückgeschleudert wurde. Der andere Mann – Rebus' Boss – stieß irgendeine Warnung aus; die junge Frau stieg ebenfalls aus. Jim Stevens kam vom Hotel herübergesprintet.

Oakes hatte die Hände hoch über den Kopf erhoben. »Wenn Sie mich anfassen, ist es tätlicher Angriff.«

»Sie lügen.«

»Wie bitte?«

»Ihnen wurde kein Mord an jemandem zur Last gelegt, der so alt wie meine Tochter war.«

Oakes lachte, rieb sich das Kinn. »Tja, da haben Sie nicht Unrecht. Damit geht die erste Runde wohl an Sie, hm?«

Die Beamtin hielt Rebus an einem Arm fest. Jim Stevens war nach dem kurzen Sprint ganz außer Atem. Der Oberboss saß weiterhin im Auto und guckte bloß.

Oakes beugte sich ein Stückchen hinunter und spähte

hinein. »Zu wichtig für das Ganze, hm? Oder fehlt Ihnen einfach der Mumm? Sie sind dran, Mann.«

Stevens packte ihn an der Schulter. »Kommen Sie schon.«

Oakes schüttelte ihn ab. »Keiner fasst mich an, das ist Regel Nummer eins.« Aber er ließ es zu, dass der Journalist ihn über die Straße und zurück zum Hotel dirigierte. Stevens drehte sich im Gehen um und sah, dass Rebus ihm böse nachstarrte: Er wusste, wer Oakes von ihm, von seiner Familie erzählt hatte.

Oakes fing an zu lachen, hörte nicht wieder auf, bis er die Glastür des Hotels erreicht hatte. Drinnen blieb er stehen und starrte hinaus.

»Dieser Rebus«, sagte er leise. »Der ist nicht gerade das, was man *phlegmatisch* nennen würde, hab ich Recht?«

In Patience' Wohnung auf der Oxford Terrace schenkte sich Rebus einen Whisky ein und goss Wasser aus einer Flasche aus dem Kühlschrank dazu. Patience kam in einem knöchellangen blassgelben Nachthemd aus dem Schlafzimmer, die Augen halb zugekniffen wegen der plötzlichen Helligkeit.

»Tut mir Leid, wenn ich dich geweckt habe«, sagte Rebus.

»Ich wollte sowieso was trinken.« Sie holte Grapefruitsaft aus dem Kühlschrank und goss sich ein großes Glas davon ein. »Guten Tag gehabt?«

Rebus wusste nicht, ob er lachen oder weinen sollte. Sie gingen mit ihren Gläsern ins Wohnzimmer, setzten sich nebeneinander aufs Sofa. Rebus nahm ein Exemplar der Obdachlosenzeitung *The Big Issue* in die Hand. Patience kaufte sie regelmäßig, aber er war derjenige, der sie las. Innen baten neue Inserate um Informationen über vermisste Personen. Er wusste, dass er nur den Fernseher einzuschalten und den Teletext aufzurufen brauchte, um eine ständig aktualisierte Liste von Vermissten zu finden. Sie wurde von der National MisPer Helpline betreut. Janice hatte gesagt, dass sie sich mit der Organisation in Verbindung setzen würde.

»Und du?«, fragte er.

Patience zog die Füße aufs Sofa hoch. »Immer das Gleiche. Manchmal glaube ich, ein Roboter könnte die Arbeit genauso gut erledigen. Immer die gleichen Symptome, die gleichen Rezepte. Mandelentzündung, Masern, Schwindelanfälle ...«

»Vielleicht könnten wir wegfahren.« Sie sah ihn an. »Nur übers Wochenende.«

»Haben wir schon ausprobiert, weißt du noch? Du hast dich gelangweilt.«

»Ach, das lag an der ganzen ländlichen Ruhe.«

»Was für ein romantisches Zwischenspiel schwebte dir also dann vor? Dundee? Falkirk? Kirkcaldy?«

Er stand auf, um sich nachzuschenken, fragte sie, ob sie auch noch etwas wollte. Sie schüttelte den Kopf, die Augen auf sein leeres Glas gerichtet.

»Ist erst das zweite heute«, sagte er auf dem Weg in die Küche.

»Wo kommt denn die Idee überhaupt her?« Sie folgte ihm.

»Welche?«

»Dieser plötzliche Einfall mit dem Urlaub.«

Er warf ihr einen Blick zu. »Ich war gestern bei Sammy. Sie meinte, sie würde mit dir mehr reden als ich.«

»Vielleicht ein bisschen übertrieben ...«

»Das habe ich auch gesagt. Aber da ist trotzdem was dran.«

»Aha?«

Diesmal goss er weniger Wasser ins Glas, dafür vielleicht

ein Tröpfchen mehr Whisky. »Ich meine, ich weiß, dass ich manchmal… etwas zerstreut bin. Ich weiß, dass ich eine ziemlich miese Partie bin.« Er schloss den Kühlschrank, drehte sich zu ihr um und zuckte die Achseln. »Das ist eigentlich alles, ehrlich.«

Während er redete, sah er unverwandt auf das Glas und fragte sich, woran es wohl lag, dass ihm gerade jetzt ein Urlaubsfoto von Janice Mich durch den Kopf schoss.

»Ich geb die Hoffnung nicht auf, dass du irgendwann zurückkommst«, sagte Patience. Er sah sie an. Sie tippte sich an die Schläfe. »Wo immer du momentan auch sein magst.«

»Ich bin hier.«

Sie schüttelte den Kopf. »Nein, bist du nicht. Du bist ganz und gar nicht hier.« Sie wandte sich ab, kehrte ins Wohnzimmer zurück.

Kurz danach ging sie ins Bett. Rebus sagte, er würde noch ein Weilchen aufbleiben. Zappte ein bisschen, fand nichts. Schaltete auf Teletext, Seite 346. Setzte sich Kopfhörer auf, so dass er sich Genesis anhören konnte: »For Absent Friends«. Jack Morton saß die ganze Zeit auf der Armlehne des Sofas, während sich auf dem Bildschirm Seite um Seite von vermissten Personen aufbaute. Bislang noch immer nichts von Damon. Rebus steckte sich eine Zigarette an, blies den Rauch zum Fernseher, sah zu, wie er sich verflüchtigte. Erinnerte sich dann, dass es Patience' Wohnung war und sie was gegen Zigarettenrauch hatte. Zurück in die Küche, um den Glimmstängel schuldbewusst auszudrücken. Nach Genesis schaltete er auf Family um: »Song for Sinking Lovers«.

Bei Ihnen drin ist irgendwas schief gelaufen.

Es war Ihr *Verein, der ihn hier haben wollte.*

Sah zwei Männer auf der Anklagebank sitzen, während ihr Anwalt die Geschworenen bearbeitete. Sah Cary Oakes sich durchs Wagenfenster lehnen.

Er wird's wieder tun.

Sah Jim Margolies sich ins Dunkel stürzen. Vielleicht war es schlechthin unmöglich, irgendwas davon zu verstehen. Er wandte sich Jack zu. Früher hatte er Jack oft angerufen – egal, wie spät es war, Jack hatte sich nie beschwert. Sie hatten über Gott und die Welt geredet, Sorgen und Depressionen geteilt.

»Wie konntest du mir das antun, Jack?«, sagte Rebus leise und nippte an seinem Glas, während sich der Raum nach und nach mit Gespenstern füllte.

Es war spät, aber Jim Stevens wusste, dass sein Chefredakteur es ihm nicht übel nehmen würde. Er probierte es als Erstes auf der Handynummer. Bingo! Sein Chef war auf einer Abendgesellschaft in Kelvingrove. Politiker, die üblichen Macher und Beweger. Stevens' Boss verkehrte gern in solchen Kreisen. Vielleicht war er in einem Revolverblatt eine Fehlbesetzung.

Oder vielleicht war es Jim, der nach all den Jahren den Kontakt zur Wirklichkeit verloren hatte. Ihm kam es so vor, als sei er ausschließlich von jüngeren, intelligenteren und eifrigeren Kollegen umgeben. Heutzutage konnte man mit fünfzig schon zum alten Eisen gehören. Er fragte sich, wie lange es wohl dauerte, bis der Abfindungsscheck von seinem Chefredakteur gegengezeichnet werden würde, wie lang es dauerte, bis die jungen Spunde in der Redaktion den Hut herumgehen lassen würden, um den »guten alten Jim« in den wohlverdienten Ruhestand zu entlassen. Er kannte das Prozedere, selbst die Reden, die sie halten würden – Gewäsch, das jeder Redakteur mit auch nur einem Funken Selbstachtung auf ein Viertel der Länge zusammengestrichen hätte –, wusste er auswendig. Er kannte das alles, weil er das selbst schon mitgemacht hatte, damals, als *er* ein junger Spund gewesen war und die Altgedienten über den Niveauverfall und die sich ändernde Welt des Journalismus gejammert hatten.

Nachdem Jim von Cary Oakes erfahren hatte, hatte er seinen Boss auf ein Gespräch unter vier Augen beiseite genommen, sich anschließend die Flugpläne angesehen und war der Information von Heathrow in den Arsch gekrochen, bis die sich bereit erklärte, den verlorenen Sohn auszurufen.

»Sie haben die Story, Jim«, hatte sein Chefredakteur gesagt, allerdings mit erhobenem Zeigefinger. »Könnte das Sahnehäubchen auf dem Kuchen werden. Sehen Sie bloß zu, dass die Sahne nicht sauer wird.«

Jetzt referierte ihm der Boss ein bisschen Insiderklatsch von der Dinnerparty. Er hatte offensichtlich schon einiges intus. Das würde ihn nicht davon abhalten, anschließend noch in der Nachrichtenredaktion vorbeizuschauen. Zwölfstundentage – die lagen für Jim Stevens schon ein Weilchen zurück.

»Also, was kann ich für Sie tun, Jim?«

Endlich. Stevens atmete tief durch. »Ich hab uns in einem Hotel einquartiert.«

»Wie wirkt er?«

»Okay.«

»Kein geiferndes Monster oder so?«

»Nein, im Gegenteil, eher ziemlich ruhig.« Stevens entschied, dass sein Boss nicht unbedingt vom Zusammenstoß mit Rebus zu erfahren brauchte.

»Und bereit, uns die Exklusivrechte zu geben?«

»Ja.« Stevens zündete sich eine Zigarette an.

»Sie könnten ein bisschen enthusiastischer klingen.«

»War ein langer Tag, Chef, das ist alles.«

»Sicher, dass Sie das Stehvermögen haben, Jim? Ich könnte Ihnen jemanden von der Nachrichtenredaktion ausleihen ...«

»Danke, aber nein danke.« Stevens hörte seinen Boss lachen. Ha, ha, todkomisch. »Es ist nicht das, was mir Kopfzerbrechen bereitet.«

»Sie meinen, eher die Beweise?«

»Eher das Fehlen selbiger.«

»Hmm.« Jetzt nachdenklich. »Und, wie sieht Ihre Strategie aus?«

»Sie haben doch vor ein paar Jahren in den Staaten gearbeitet, oder?«

»Schon 'ne Weile her.«

»Noch Freunde da?«

»Vielleicht ein, zwei.«

»Ich bräuchte einen Kontakt zu einer Seattler Zeitung, müsste mit einem der Bullen reden, die an dem Oakes-Fall gearbeitet hatten.«

»Einer, den ich früher kannte, ist jetzt bei CBS.«

»Wär schon mal ein Anfang.«

»Sobald ich in der Redaktion bin, okay, Jim?«

»Danke.«

»Und Jim? Machen Sie sich keinen Kopf wegen etwaiger Beweise. Das Wichtigste ist, dass Sie unserem Freund Oakes eine richtig heiße Story aus dem Kreuz leiern. Was immer es kosten mag.«

Stevens legte auf, streckte sich wieder auf dem Bett aus. Ein Teil von ihm hätte den Job am liebsten gleich hingeschmissen. Aber der andere Teil war noch immer hungrig. Er *wollte*, dass diese Jungchen in der Redaktion ihn bewundernd anstarrten und sich fragten, ob *sie* jemals so gut, so clever sein würden. Er wollte Oakes' Story. Anschließend konnte er noch immer seinen Abschied nehmen: krönender Abschluss und so. Er dachte wieder an Rebus. Fragte sich, was es Oakes einbringen konnte, sich mit ihm anzulegen. Soweit Stevens wusste, war bislang noch niemand mit Rebus in den Ring gestiegen, ohne wenigstens ein paar Blessuren davonzutragen. Und manchmal... manchmal war es nicht ohne Streckverband und ein paar Wochen Krankenhaus abgegangen.

Aber Oakes hatte *scharf* ausgesehen, kampfbereit, wie er Rebus herausgefordert hatte.

Jim Stevens war als Oakes' Babysitter abgestellt, aber es kam ihm so vor, als habe Oakes entweder was vor – oder aber einen stark ausgeprägten Todestrieb. So oder so kein leichtes Baby zum Sitten.

»Das ist dein letzter Job, Jim«, gelobte sich Stevens. Und beschloss, die Abmachung mit einem Überfall auf die Minibar zu besiegeln.

13

Das Budget für die Observierung war so knapp bemessen, dass sie nur noch Ein-Mann-Schichten fahren konnten. Vier Uhr früh, Rebus konnte nicht schlafen, also fuhr er raus zum Hafen und parkte auf einer durchgehend geöffneten Tankstelle. Siobhan Clarke saß in einem zivilen Rover 200. Sie hatte sich wie zu einer Bergtour angezogen: die Hosenbeine in dicke Socken und Kletterschuhe gesteckt; dazu Daunenjacke und Bommelmütze. Auf dem Beifahrersitz: Notizbuch und Stift, drei leere Tüten fettarme Chips, zwei Thermosflaschen. Rebus setzte sich in den Fond und reichte eine Pastete aus der Mikrowelle und einen Becher Kaffee nach vorn.

»Danke«, sagte sie.

Rebus sah hinüber zum Hotel. »Irgendwas passiert?«

Sie schüttelte den Kopf, kaute und schluckte. »Aber ich mach mir ein bisschen Sorgen. Es gibt einen Notausgang nach hinten raus. Den kann ich unmöglich auch noch im Auge behalten.«

»Wahrscheinlich hat Oakes sowieso einen Jetlag.«

»Sie meinen, er schläft den ganzen Tag und ist die ganze Nacht wach?«

»Daran hatte ich gar nicht gedacht.« Rebus lehnte sich nach vorn. »Ist er *überhaupt* noch nicht draußen gewesen?«

Sie schüttelte den Kopf. »Nach all den Jahren im Gefängnis leidet er vielleicht unter Platzangst.«

»Vielleicht.« Rebus wusste, dass sie Recht haben konnte. Er hatte ehemalige Sträflinge gekannt, die mit der Außenwelt – dem ganzen leeren Raum und Licht – einfach nicht mehr klarkamen. Am Ende wurden sie rückfällig, nur damit man sie wieder einbuchtete.

»Zu Abend hat er im Restaurant gegessen.« Sie nickte in Richtung der großen Fenster des Hotelspeisesaals.

»Hat er Sie gesehen?«

»Weiß nicht genau. Sein Zimmer liegt im zweiten Stock. Dieses Fenster da ganz hinten.«

Rebus sah nach oben. Zwölf kleine quadratische Glasscheiben. Das Fenster war unten zwei Finger breit auf. »Woher wissen Sie das?«

»Ich hab den Hotelmanager gefragt.«

Rebus nickte. Order vom Farmer: nicht nötig, diskret vorzugehen. »Wie hat's der Mann aufgenommen?«

»Er wirkte wenig begeistert.« Sie steckte sich das letzte Stück Pastete in den Mund.

»Wir wollen nicht, dass sich Oakes' Aufenthalt *zu* angenehm gestaltet, oder?«

»Nein, Sir«, sagte Clarke.

Rebus öffnete seine Tür. »Geh mich nur ein bisschen umsehen.« Er hielt inne. »Was tun Sie eigentlich, wenn Sie müssen?«

Sie hielt eine der Thermosflaschen in die Höhe, klaubte einen Trichter vom Boden auf.

»Und was, wenn Sie …?«

»Selbstbeherrschung, Sir.«

Er nickte. »Kommen Sie mit den Thermosflaschen bloß nicht durcheinander.«

Draußen war es frisch. Geräusche von nächtlichem Verkehr am Hafen, ab und an ein Taxi, das am Ende der Straße vorbeisauste. Taxis: Er musste bei denen noch nach Damon und der Frau fragen. Er ging ums Hotel herum und gelangte auf den Parkplatz. Der Notausgang war abgeschlossen. Daneben standen vier Müllcontainer, die durch eine hohe Bretterwand von den Autos der Gäste abgetrennt waren. Jim Stevens' Astra war leicht zu finden. Rebus riss ein Blatt aus einem Notizbuch, kritzelte ein paar Worte darauf, faltete es zusammen und steckte es unter den Scheibenwischer. Er ging zurück zum Notausgang und prüfte nach, ob er sich auch wirklich nicht von außen öffnen ließ. Als er wieder zur Straße zurückkehrte, war er sich sicher, dass Oakes das Hotel zwar durch die Hintertür verlassen konnte, aber die Vordertür würde benützen müssen, um wieder hineinzukommen.

Immer vorausgesetzt, er käme überhaupt zurück. Vielleicht würde er auch einfach nur abhauen. War's nicht genau das, was sie wollten? Nein, nicht direkt: Sie wollten sicher sein, dass er *Edinburgh* verlassen hatte. Zu wissen, dass Oakes aus seinem Hotel verschwunden war, kam nicht ganz aufs Gleiche raus. Rebus ging zurück zu Clarkes Auto, stieg ein, holte sein Handy heraus und tippte eine Nummer ein. Die Hotelrezeption meldete sich.

»Guten Abend«, sagte Rebus. »Könnten Sie mich bitte mit Mr. Oakes' Zimmer verbinden?«

»Einen Augenblick.«

Rebus zwinkerte Clarke zu. Er hielt das Handy so, dass sie mithören konnte. Es summte drei- oder viermal. Dann wurde abgenommen.

»Ja? Was ist?« In echt verschlafenem Ton.

»Tommy, bist du das?« Pseudo-Glasgower Akzent. »Wir zischen uns hier auf meinem Zimmer einen rein. Ich dachte, du könntest auch raufkommen.«

Augenblicklanges Schweigen. Dann: »Wie war die Zimmernummer noch mal?«

Rebus versuchte, sich eine Antwort auszudenken, legte dann aber stattdessen auf. »Wenigstens wissen wir, dass er da ist.«

»Und jetzt auch wach.«

Rebus sah auf seine Uhr. »Ihre Schicht endet um sechs.«

»Falls Bill Pryde nicht verschläft.«

»Ich werde ihn telefonisch für Sie wecken.« Rebus öffnete wieder die Wagentür.

»Sehen Sie da, Sir.« Clarke nickte in Richtung des Hotels.

Rebus drehte sich um: Fenster im zweiten Stock, ganz am äußersten Ende. Kein Licht an, aber die Vorhänge aufgezogen, und hinter der Scheibe ein Gesicht, das nach draußen spähte und die beiden Beamten direkt ansah. Rebus winkte Cary Oakes zu und schlenderte zurück zu seinem Wagen.

Nicht nötig, diskret vorzugehen.

Um Punkt acht war er im Büro, tippte ein paar Informationen zu Damon Mich in den Computer und rüstete sich zu einem Großangriff auf Wohltätigkeitsvereine, Asyle und Obdachlosen-Hilfsorganisationen. Um neun ließ die Pforte ausrichten, es sei jemand da, der ihn sprechen wollte.

Janice.

»Du musst hellseherisch begabt sein«, sagte Rebus zu ihr. »Ich hab gerade an eurer Sache gearbeitet. Gibt's was Neues?«

Er dirigierte sie die Rankeillor Street entlang. Auf der

Clerk Street würden sie ein geöffnetes Café finden. Er hatte sich mit ihr nicht auf der Wache unterhalten wollen. Jede Menge Gründe: Wollte nicht, dass jemand auf die Idee kam, er arbeite an einem Fall, der nicht offiziell in die Zuständigkeit der L&B-Polizei fiel; wollte nicht, dass sie bestimmte Dinge in St. Leonard's sah – Fotos von Vermissten und Verdächtigen, Zeugnisse von Fällen, die ohne jede Anteilnahme oder (häufig) jede Begeisterung bearbeitet wurden; und vielleicht, nur *vielleicht*, wollte er *sie* nicht teilen müssen. Wollte nicht, dass derjenige Teil von ihr, der zu seiner Vergangenheit gehörte, in sein Hier und Jetzt, seinen Arbeitsplatz, einbrach.

»Nichts Neues«, erwiderte sie. »Ich dachte, ich verbring den Tag in der Stadt, seh zu, ob ich nicht … Ich weiß auch nicht. Ich muss einfach *irgendetwas* tun.«

Rebus nickte. Sie hatte dunkle Halbmonde unter den Augen. »Kannst du schlafen?«, fragte er.

»Der Arzt hat mir Pillen gegeben.«

Rebus erkannte ihre Art wieder, Fragen manchmal nur scheinbar zu beantworten.

»Hast du sie auch genommen?« Sie lächelte, warf ihm einen kurzen Blick zu. »Hab ich mir gedacht«, sagte er. Es war nicht so, dass Janice einen direkt anlog, aber man musste die Fragen schon so geschickt formulieren, dass man sicher sein konnte, eine wahrheitsgemäße Antwort zu erhalten.

»Wir haben früher ständig solche Gespräche geführt, stimmt's?«

Das stimmte. Rebus hatte geargwöhnt, sie könnte irgendeinen seiner Freunde attraktiv finden, hatte versucht, sie diskret auszufragen, ohne den Eindruck zu erwecken, er sei eifersüchtig. Sie ihrerseits hatte ihm Geschichten aus ihrem Leben vor seiner Zeit erzählt. Dialoge des Unausgesprochenen.

Er führte sie in das Café. Sie setzten sich an einen Ecktisch. Der Besitzer – er war gerade erst angekommen –, hatte ihnen nur aufgeschlossen, weil er Rebus kannte.

»Kochen kann ich Ihnen aber nichts«, warnte er sie.

»Kaffee reicht uns völlig«, sagte Rebus. Er sah Janice an, und sie nickte. Als der Besitzer sich entfernte, lösten sich ihre Blicke nicht voneinander.

»Hast du's mir je verziehen?«, fragte sie.

»Was?«

»Ich glaub, das weißt du.«

Er nickte. »Aber ich möchte, dass du es sagst.«

Sie lächelte. »Dass ich dich k.o. geschlagen habe.«

Er sah sich verstohlen um. »Red leise, jemand könnte dich hören.«

Sie lachte, genau wie er es beabsichtigt hatte. »Du warst schon immer ein Witzbold, Johnny.«

»Wirklich?« Er versuchte, sich zu erinnern.

»Bist du mit Mitch in Kontakt geblieben?«

Er blies die Backen auf. »Also, *das* ist wirklich ein Name aus der Vergangenheit.«

»Ihr beide wart damals *so*.« Sie kreuzte zwei Finger.

»Ich würde nicht beschwören, dass das heutzutage polizeilich erlaubt ist.«

Sie lächelte, errötete und sah hinunter auf den Tisch. »Immer der Witzbold.« Ja, damals hatte er sie auch gelegentlich zum Erröten gebracht.

»Wie steht's mit dir?«

»Wie steht was mit mir?«

»Mit dir und Barney.«

»Kein Mensch nennt ihn heutzutage noch Barney.« Sie lehnte sich zurück. »Wir waren nur Freunde, und das blieb auch ein paar Jahre so. Eines Abends ist er mit mir ausgegangen. Wir haben angefangen, uns häufiger zu treffen.« Sie zuckte mit den Achseln. »So läuft's eben manchmal.

Kein Donnerschlag, kein Himmel voller Geigen. Bloß irgendwie … nett.« Sie sah zu ihm auf, lächelte wieder. »Was den Rest der Bande angeht … Billy und Sarah gibt es noch. Sie haben geheiratet, sich aber inzwischen wieder getrennt, drei Kinder. Tom ist immer noch da, hatte irgendeinen Arbeitsunfall und ist seit Jahren krankgeschrieben. Cranny – erinnerst du dich an sie?« Rebus nickte. »Ein paar sind weggezogen … ein paar gestorben.«

»Gestorben?«

»Auto- und sonstige Unfälle. Die kleine Paula hat Krebs bekommen. Midge erlitt einen Herzinfarkt.« Sie verstummte, als ihre Kaffees, mit einer Haube aus aufgeschäumter Milch, an den Tisch gebracht wurden.

»Ich hätte noch Kekse …«, bot der Besitzer an. Sie schüttelten beide den Kopf.

Janice pustete auf den Kaffee, trank. »Dann war da noch Alec …«

»Nie wieder aufgetaucht?« Alec Chisholm, der Fußball spielen gegangen und nie im Park angekommen war.

»Seine Mum ist noch am Leben, weißt du. Sie geht auf die Neunzig zu. Fragt sich noch immer, was ihm zugestoßen sein könnte.«

Rebus sagte nichts. Ihm war klar, was sie dachte: *Vielleicht werde auch ich so enden*. Er lehnte sich über den Tisch, drückte ihre Hand. Sie war warm, anschmiegsam.

»Du kannst mir helfen«, sagte er.

Sie suchte in ihrer Tasche nach einem Taschentuch. »Wie?«

Rebus holte die Liste heraus, die er an dem Morgen ausgedruckt hatte. »Obdachlosenasyle und Wohltätigkeitsorganisationen«, antwortete er. Sie putzte sich die Nase und sah sich die Liste an. »Die müsste man alle anrufen. Ich wollte das selbst tun, aber wir würden Zeit sparen, wenn du erst mal damit anfangen könntest.«

»Okay.«

»Dann wären da noch die Taxifahrer. Das bedeutet, die Suchmeldung rausgeben, sämtliche Stände abklappern und genau erklären, worum's uns geht. Damon und die Blondine, gegenüber vom Dome.«

Janice nickte. »Das kann ich machen«, sagte sie.

»Ich geb dir eine Liste, wo du die alle findest.«

Der Cafébesitzer stand am Tresen, rauchte eine Frühstückszigarette und schlug die Morgenzeitung auf. Rebus sah eine Schlagzeile und wusste, dass er sich die Zeitung besorgen musste. Janice kramte in ihrem Geldbeutel.

»Die Kaffees gehen auf mich«, sagte Rebus zu ihr.

»Ich brauch Münzen für das Telefon«, sagte sie.

Rebus dachte einen Augenblick lang nach. »Warum benutzt du nicht meine Wohnung als Operationsbasis? Ist zwar nicht viel gemütlicher als eine durchschnittliche Telefonzelle, aber wenigstens kannst du dich da hinsetzen, dir eine Tasse Kaffee machen ...« Er hielt ihr einen Schlüsselbund hin. Sie sah ihn an.

»Bist du sicher?«

»Sicher bin ich sicher.« Er schrieb die Adresse in sein Notizbuch, fügte noch seine Büro- und Handynummer hinzu, riss das Blatt heraus und reichte es ihr. Sie sah es sich an.

»Keine Geheimnisse da, die niemand sehen darf?«

Er lächelte. »Ich bin da nicht oft, um ehrlich zu sein. Es gibt ein paar Läden in der Nähe, wenn du was brauchen solltest ...«

»Wo wohnst du dann sonst?«

Er räusperte sich. »Bei einer Bekannten.«

Jetzt lächelte sie. »Das ist schön.«

Warum hatte er nicht »Freundin« statt »Bekannte« gesagt? Rebus fragte sich, ob sie so befangen klangen, wie er sich fühlte: wieder Halbwüchsige, für die die Sprache die grobschlächtigste Form der Kommunikation überhaupt darstellte.

»Ich fahr dich hin«, sagte er.

»Vergiss nicht die Liste der Taxistände«, sagte sie. »Und einen Stadtplan, wenn du einen hast.«

Rebus ging zahlen. Der Besitzer tippte den Betrag in die Registrierkasse. Seine Zeitung war an der Seite mit den Gerichtsnachrichten aufgeschlagen: die Zeugenaussagen des Vortags zum Shiellion-Fall. Die Schlagzeile lautete: UNGEHEUER ALS HEIMLEITER. Ein Foto zeigte Harold Ince, wie er von dem Gerichtsbeamten, mit dem Rebus eine Zigarette geraucht hatte, zu einem Polizeiwagen geführt wurde. Ince wirkte müde, gewöhnlich.

Das war das Problem mit Ungeheuern. Sie konnten wie ein x-beliebiger Durchschnittsbürger aussehen.

Als er in den Speiseraum trat, konnte Jim Stevens seine Erleichterung nicht verhehlen. Er ging auf einen der Fenstertische zu. Ein paar Gäste nickten und lächelten ihm freundlich zu. Er meinte sich dunkel zu erinnern, sie vergangenen Abend in der Bar gesehen zu haben.

»Morgen, Jim«, sagte Cary Oakes und wischte sich Eigelb aus den Mundwinkeln. Er sah aus dem Fenster. »Richtig schön trüb, genau wie ich es in Erinnerung habe.« Er nahm die letzte halbe Scheibe Toastbrot und fing an, daran zu knabbern. »Die Bullen sitzen immer noch da draußen rum.«

Jim Stevens blickte aus dem Fenster. Ein Zivilauto, aber nicht zu verkennen. Auf dem Fahrersitz ein Mann, der an einem Brötchen kaute.

»Was glauben Sie, wie lang die noch so weitermachen?«, fragte Oakes.

Stevens sah ihn an. »Ich hab versucht, Sie anzurufen.«

»Wann?«

»Vor fünfzehn, zwanzig Minuten.«

»Ich war hier unten, Partner, hab das Ambiente auf mich wirken lassen.«

Stevens sah sich nach einem Kellner um.

»Sie bedienen sich selbst mit Fruchtsäften und Frühstücksflocken«, erklärte Oakes und deutete mit einer Kopfbewegung auf das Büffet. »Dann kommt der Kellner, und Sie sagen ihm, was Sie an warmen Gerichten wollen.«

Stevens warf einen Blick auf Oakes' fettigen Teller. »Nach dem gestrigen Abend lasse ich's, glaube ich, lieber bei Orangensaft und Kaffee bewenden.«

Oakes lachte. »Genau deswegen trinke ich nicht.« Letzten Abend hatte er kübelweise O-Saft und Limonade in sich hineingeschüttet. Jetzt erinnerte sich Stevens. »Außerdem«, sagte Oakes und lehnte sich vertraulich über den Tisch, »wenn ich trinke, stelle ich die verrücktesten Dinge an.«

»Sparen Sie sich das für den Rekorder auf, Cary.«

Als der Kellner erschien, fragte Oakes, ob er noch ein zweites warmes Frühstück haben könne. »Nur die Sachen, die ich beim ersten Durchgang ausgelassen habe.« Er studierte die Speisekarte. »Äh, wie wär's zum Beispiel mit gebratener Leber, etwas Zwiebeln und vielleicht ein bisschen gebratenem Haggis und Blutwurst?« Er klopfte sich auf den Bauch und lächelte Stevens zu. »Nur heute, Sie verstehen. Ab morgen ist wieder Gesundheit angesagt.«

Als das Essen kam, warf Stevens, der mit großen Mengen von Orangensaft die Grundlage für etwas trockenen Toast zu schaffen versucht hatte, einen Blick auf Oakes' Teller und entschuldigte sich. Er ging vor die Tür, steckte sich eine Zigarette an. Vom Hafen her wehte ein kalter Wind. Direkt durch das Docktor konnte er das Gebäude des Radiosenders Scot FM erkennen. Als er sich umdrehte, sah er den Bullen, der ihn von seinem Auto aus beobachtete. Das Gesicht kam ihm nicht bekannt vor. Hinter der Fensterscheibe des Speiseraums spielte Oakes dem Detective mit theatralischer Geste Genuss vor. Lächelnd ging Stevens um die Ecke zum Gästeparkplatz und betrachtete die Protzkarren: BMWs, 600er Rover, ein Audi. Entdeckte, dass an der Windschutzscheibe seines eigenen Autos etwas steckte. Im ersten Moment hielt er es für ein Stück Abfall, das der Wind dorthin geweht hatte. Dann dachte er, es sei vielleicht eine Werbung für einen Teppichausverkauf oder eine Antiquitätenausstellung. Doch als er den Zettel auseinander faltete, wusste er, von wem er stammte. Vier Worte:

FINGER WEG VON IHM.

Stevens steckte sich den Zettel in die Tasche, ging zurück ins Hotel. Oakes hatte inzwischen sein Frühstück beendet; er saß auf einem der Sofas in der Lobby und blätterte eine Zeitung durch, eins der seriösen Blätter.

»Es trifft mich tief«, sagte er. »Nach dem ganzen Aufstand auf dem Flughafen …«

»Probieren Sie es doch mal mit den Boulevardblättern«, schlug Stevens vor, während er ihm gegenüber Platz nahm. »Da finden Sie jede Menge. Ich glaube, mein Favorit ist: ›Killer Cary kehrt heim.‹«

»Na, ist das nicht nett?« Oakes warf die Zeitung beiseite. »Also, wann machen wir uns an die Arbeit?«

»Sagen wir, in einer Viertelstunde in Ihrem Zimmer?«

»Mir recht. Aber vorher müsste ich Sie noch um einen weiteren Gefallen bitten.«

»Was?«

»Da ist jemand, den ich suche. Heißt Archibald.«

»Da gibt's hier 'ne Menge von.«

»Das ist sein *Nachname*. Sein Vorname ist Alan.«

»Alan Archibald? Sollte ich ihn kennen?«

Oakes schüttelte den Kopf.

»Dürfte ich erfahren, wer das ist?«

»Er war Polizist – vielleicht ist er's immer noch. Dürfte aber inzwischen nicht mehr der Jüngste sein.«

»Und?«

Oakes zuckte die Achseln. »Mehr brauchen Sie vorläufig nicht zu wissen. Wenn Sie ein braver Junge sind, erzähle ich Ihnen vielleicht die Story.«

»Für das, was wir Ihnen zahlen, wollen wir *sämtliche* Storys.«

»Finden Sie ihn einfach. Sie werden mich damit glücklich machen.«

Stevens musterte seinen Schützling und fragte sich, wer von ihnen beiden eigentlich die Zügel in der Hand hielt. Er wusste, dass *er* es hätte sein sollen. Aber irgendwie...

»Ich kann ein bisschen rumtelefonieren«, räumte er ein.

»So ist's brav.« Oakes stand auf. »In einer Viertelstunde in meinem Zimmer. Bringen Sie alle Zeitungen mit. Ich hab's gern, die Nachricht des Tages zu sein.«

Und damit verschwand er in Richtung Treppe.

14

Es war Jamies Job, Milch, Zeitungen und Frühstücksbrötchen aus dem Laden zu holen. Er hatte das zu einer Kunst vervollkommnet und sahnte kräftig ab, indem er bezüglich der Preise log. Seine Mutter maulte, wusste, dass die Sachen anderswo billiger zu haben gewesen wären, aber »anderswo« wäre für Jamie zu weit gewesen. Sie mochte es nicht, wenn er sich herumtrieb. Aber das war kein Problem: Wann immer er Lust hatte, durch die Stadt zu schlendern, vergatterte er Billy Boy dazu, hinterher zu behaupten, er sei bei ihm gewesen.

Jamie fand sich ganz schön clever.

Er blieb vor dem Laden stehen, um eine zu rauchen. Er kaufte die Zigaretten nicht dort – es war gegen das Gesetz, und der Paki, dem der Laden gehörte, hätte ihm keine verkauft. Er bezog sie von einem älteren Jungen in der Schule, der Zwanzigerpäckchen gegen Tittenmagazine tauschte. Die Magazine besorgte sich Jamie unter Cals Bett. Da lagen so viele davon herum, dass Cal nie was merkte. Selbst bei eisigem Wetter genoss Jamie seine Zigarettenpause vor dem Laden. Frühaufsteher auf dem Weg zur Schule starrten ihn immer an. Freunde stellten sich manchmal dazu. Er wurde beachtet.

Eine Nachbarin hatte ihn einmal bei seiner Mutter verpetzt, und die hatte versucht, ihn zu verprügeln, aber er reagierte superschnell, hatte sich unter ihren Arm weggeduckt und war lachend aus der Wohnung geflitzt, während sie ihm hinterherfluchte. Einmal war sie allerdings richtig auf ihn losgegangen, und zwar als die Schule den Brief schickte. Er hatte geschwänzt, ganze Wochen am Stück. Seine Mutter hatte ihn grün und blau geprügelt und ihn heulend und rot vor Scham über seine eigenen Tränen in sein Zimmer geschickt.

Heute würde er wahrscheinlich irgendwann im Lauf des Tages in die Schule gehen. Cal war gut im Briefefälschen. Er machte das schon so lang, dass die Schule glaubte, *seine* Unterschrift sei die seiner Mutter, und als sie einmal irgendeinen Wisch wegen eines Schulausflugs tatsächlich selbst unterschrieb, hatte der Direktor Jamie argwöhnisch gefragt, wessen Handschrift das sei. Er hatte sogar zum Telefon gegriffen, um Jamies Mutter anzurufen, worüber Jamie nur lächeln konnte: Sie besaßen zu Haus gar kein Telefon. Rund zwei Dutzend Aschenbecher, größtenteils aus dem einen oder anderen Urlaub oder Pub mitgenommen, aber kein Telefon. Cal hatte ein Handy, und das benutzten sie eben in Notfällen – wenn Cal in der Stimmung war und es ihnen erlaubte.

Das war das Problem mit Cal. Er konnte echt cool sein… und manchmal total ausrasten. Wamm! Wie eine Flasche, die an einer Wand zerbarst. Oder er wurde ganz still, schloss sich in seinem Zimmer ein und weigerte sich, ihm Entschuldigungen zu schreiben. Dann zog Jamie los und besorgte ihm was, klaute es vielleicht in irgendeinem Laden: Versöhnungsgeschenke für ein Vergehen, das er nicht begangen hatte. An guten Tagen verpasste Cal Jamie ziemlich schmerzhafte Kopfnüsse und sagte, er sei der Friedensstifter. Jamie gefiel das. Cal sagte, er sei die Vereinten Nationen und sorge für die Aufrechterhaltung eines prekären Waffenstillstands. Solche Sprüche bezog er aus den Zeitungen: »Vereinte Nationen«; »prekärer Waffenstillstand«. Jamie hatte ihn einmal gefragt: »Wenn die Nationen doch angeblich vereint sind – wie kommt's, dass wir uns trennen wollen?«

»Wie meinst du das, Kumpel?«

»Na, von England.«

Cal hatte die Zeitung auf seinem Schoß zusammengefaltet, Asche in einen Aschenbecher geschnippt, der auf der Armlehne seines Sessels stand. »Weil wir die Engländer nicht mögen.«

»Wieso nicht?«

»Weil sie *Engländer* sind.« Eine Schärfe in Cals Stimme, die Jamie zur Vorsicht gemahnte.

»Aber wir haben doch Cousins in England. Die hassen wir doch nicht, oder, Cal?«

»Also…«

»Und gegen die Deutschen, da haben wir doch zusammen mit den Engländern gekämpft, oder?«

»Also, Jamie, wir wollen unser Land selbst regieren, okay? Das ist alles. Schottland ist ein Land, oder?« Als Jamie nickte, redete er weiter. »Wer sollte es dann regieren? London oder Edinburgh?«

»Edinburgh, Cal.«

»Na also.« Zeitung wieder aufgeschlagen, Diskussion beendet.

Jamie hatte jede Menge weiterer Fragen auf Lager, aber irgendwie schien er nie Antworten darauf zu kriegen. Seine Mutter war zu nichts nutze: »Komm mir bloß nicht mit Politik«, sagte sie andauernd. Oder: »Komm mir bloß nicht mit Religion.« Oder was auch immer, echt. Als hätte sie in ihrem Leben schon über alles nachgedacht, zufrieden stellende Antworten gefunden und jetzt nicht vor, *seinetwegen* wieder damit anzufangen.

»Dafür hast du doch die Lehrer«, gab sie dann meist zurück.

Und da war schon was dran, aber in der Schule hatte Jamie einen Ruf zu wahren. Er war *Cal Bradys Bruder*. Er konnte nicht einfach die Lehrer was fragen. Da hätten alle angefangen, sich über ihn zu wundern. Cal hatte ihm schon vor langem eingeschärft: »In der Schule, Jamie, da heißt es ›wir‹ und ›die‹, weißt du, was ich meine? Ein Schlachtfeld, Kumpel, keine Gefangenen machen, kapiert?«

Und Jamie hatte genickt und nichts kapiert.

Wie er so vor dem Laden stand und mit der Fußspitze gegen eine Mülltonne klopfte, kam Billy Horman angeschlendert. Jamie straffte seine Schultern.

»Alles klar, Billy Boy?«

»Geht so. Hast 'ne Kippe?«

Jamie reichte ihm eine seiner kostbaren Zigaretten.

»Gestern Abend Fußball geguckt?«

Jamie schüttelte den Kopf, schniefte. »Keinen Bock gehabt.«

»Hearts, ihr Prachtkerle!« So, wie er ihn ansah, als er das

sagte, Bestätigung oder was auch immer heischend, wusste Jamie, dass Billy den Spruch irgendwo aufgeschnappt hatte, vielleicht beim Freund seiner Mutter, und sich dabei nicht so ganz sicher war.

»Sind ganz okay«, räumte Jamie ein, während Billy einen imaginären Ball in ein imaginäres Tor drosch.

»Gehst du nach Haus?«, fragte Billy.

Jamie tippte auf die Zeitung und die Brötchen, die er sich unter den Arm geklemmt hatte.

»Wart 'n Augenblick, ich komm mit.« Billy marschierte in den Laden, kam mit Milch und einer Packung Margarine wieder heraus. »Mum hat heute Morgen voll die Krise gekriegt. Ihr neuer Macker ist vom Pub nach Haus gekommen und hat gut zehn Scheiben Toast verdrückt.« Er warf die Margarine in die Luft und fing sie wieder auf. »Hat den Becher leer gefressen.«

Jamie sagte nichts. Er dachte über Väter nach und dass es doch komisch war, dass weder Billy noch er einen hatte. Jamie fragte sich, wo seiner geblieben sein mochte, welcher Geschichte über ihn er Glauben schenken sollte.

»Wer war das, mit dem du gestern zusammen warst?«, fragte er, als sie losgegangen waren.

»Hä?«

»Unten auf der St. Mary's Street. Ein Onkel oder so?«

»Ja, genau. Mein Onkel Bill.«

Aber Billy Boy log. Wenn er log, bekam er immer rote Ohren…

Zu Hause angelangt, brachte Jamie Cal die Zeitung.

»Wurd auch langsam Zeit, Knirps.« Cal lag im Bett vor laufendem Fernseher. Im Zimmer miefte es. Manchmal versuchte Jamie, die Luft anzuhalten. Auf dem Fußboden, neben dem Aschenbecher, stand ein Becher Tee.

»Schalt mal grad um.«

Der tragbare Fernseher stand auf einer Kommode am Fußende des Betts. Er hatte keine Fernbedienung. Cal war eines Abends einfach mit dem Ding heimgekommen, hatte behauptet, er hätte ihn im Pub bei einer Wette gewonnen. Neben den Bedienungsknöpfen war so ein kleines Viereck. Da drauf stand »Remote Sensor«. Deswegen wusste Jamie, dass da eigentlich eine Fernbedienung dazugehörte. Um an den Fernseher ranzukommen, musste er über einen Haufen von Cals Klamotten steigen. Drückte auf den Knopf für Channel 4. Im Frühstücksfernsehen kriegte man immer ein paar Puppen zu sehen – das Wort hatte er von Cal gelernt: Puppen.

Jamie hüpfte über die Klamotten zurück und verließ fluchtartig das Zimmer. Im Flur atmete er keuchend aus. Fünfundzwanzig Sekunden – nicht annähernd sein Rekord im Luftanhalten. Seine Mutter schmierte gerade am Küchentisch Brötchen. Sie gab ihm eins. Er goss sich einen Becher Milch ein und setzte sich. Er hatte seiner Mutter gesagt, wegen der Sparmaßnahmen würde die Schule erst um halb zehn anfangen. Entweder sie hatte ihm geglaubt, oder sie war nicht zum Streiten aufgelegt gewesen. Sie sah müde aus, seine Mum, so als könnte sie etwas Aufmunterung gebrauchen. Aber er wusste, dass der Schein manchmal trog: Sie konnte in zwei Sekunden von total kaputt auf rasende Bestie umschalten. Er hatte schon erlebt, wie das bei einer der alten Nutten vom Stock über ihnen passiert war, die angetanzt kam, um sich über den Krach zu beschweren. Genauso wie bei dem alten Knacker, der sich beklagte, weil der Ball in seinem Garten gelandet war.

»Nächstes Mal stech ich mit der Gartenforke rein, das schwör ich Ihnen.«

»Probieren Sie's nur«, hatte Jamies Mum gesagt, »und ich schnapp mir Ihre Scheißforke und stech sie Ihnen in die Eier!« Zwei Finger breit von ihm entfernt, immer riesiger wirkend, je mehr *er* in sich zusammenschrumpfte.

Jamie hatte einen Heidenrespekt vor seiner Mum. Zuletzt hatte sie ihn vertrimmt, weil er sich erdreistet hatte, sie Van zu nennen. Cal nannte sie immer Van, aber das war okay, weil er erwachsen war, genau wie sie. Jamie konnte es nicht erwarten, erwachsen zu werden.

Einen Becher Tee in der Hand, begann seine Mum das allmorgendliche Ritual: versuchte sich zu erinnern, wo sie ihre Zigaretten gelassen hatte.

»Vielleicht hat Cal sie genommen«, schlug Jamie vor.

»Red nicht mit vollem Mund.« Sie brüllte eine Frage in Richtung von Cals Zimmer, erntete dafür ein ebenso gebrülltes »Nein«. Im Wohnzimmer zog sie die Sitzpolster vom Sofa und den Sesseln, verpasste dem Stapel von Auto- und Musikzeitschriften, der auf dem Boden herumstand, einen Tritt. Fand eine halbe Schachtel oben auf der Stereoanlage. Der Klappdeckel der Schachtel fehlte. Den benutzte Cal immer für seine speziellen Selbstgedrehten. Seine Mum zog sich eine Zigarette heraus, aber der größte Teil der Tabakfüllung fehlte ebenfalls. Sie stieß einen tiefen Seufzer aus, steckte sich die Kippe trotzdem in den Mund und zündete sie mit dem Feuerzeug an, das sie in der Schachtel gefunden hatte.

Sie hatte keine Taschen, also legte sie die Zigaretten auf die Armlehne ihres Sessels. Sie trug eine silbergraue Nylonhose und ein violettes Joggingoberteil mit Reißverschluss. Das Oberteil war alt, der Schriftzug auf dem Rücken – SPORTING NATION – rissig und schon teilweise abgeblättert. Jamie fragte sich, ob mit »Sporting Nation« Schottland gemeint sei.

Als er mit Milch und Brötchen fertig war, rutschte er vom Sessel. Er wollte heute was unternehmen, vielleicht auf die Princes Street oder mit dem Bus raus zum Gyle-

Einkaufszentrum. Allein oder mit wem auch immer. Das Problem mit dem Gyle war, dass es am Arsch der Welt lag. Auf der Lothian Road gab's eine Spielhalle, wo er ganz gern hinging, bloß hatte es da andere Stammgäste, die besser waren als er, und auch wenn er nicht gegen sie spielte, standen sie herum, sahen ihm zu und meinten, selbst mit eingegipsten Handgelenken würden sie mehr bringen als er.

Ist auch gut so, hätte er ihnen sagen müssen, *denn wenn ihr nicht aufpasst, liegt ihr bald von Kopf bis Fuß in Gips*. Aber er sagte es dann doch nie. Die meisten von ihnen waren größer als er. Und sie kannten Cal nicht, so dass er nicht mit ihm drohen konnte. Was der Grund war, warum sich Jamie in dem Laden nicht mehr allzu oft blicken ließ.

Cals Tür flog auf, und er kam in die Küche gestapft. Er hatte seine Jeans an, aber vergessen, den Reißverschluss hochzuziehen oder den Gürtel zuzumachen. Keine Schuhe oder Socken, kein T-Shirt. Er hatte Schrammen und blaue Flecken an Brust und Armen. Unter seiner Haut sah man die Muskeln zucken. Er knallte die Zeitung auf den Tisch und schlug mit der flachen Hand darauf.

»Guckt euch das an«, zischte er mit zornrotem Gesicht. »Guckt euch das bloß an.«

Jamie guckte: zweiseitiger Artikel. SEXTÄTER WOHNT MIT BLICK AUF SPIELPLATZ. Dazu Fotos. Eins zeigte ein Hochhaus, ein Pfeil deutete auf ein bestimmtes Stockwerk, das andere eine asphaltierte Fläche, auf der ein paar Kinder spielten.

»Das ist ja hier«, sagte er verblüfft. Er hatte noch nie Greenfield in der Zeitung, noch nie überhaupt Fotos von der Siedlung gesehen. Seine Mum kam an den Tisch.

»Was ist?«, fragte sie.

»Ein beschissener Perverser wohnt direkt hier vor unserer Nase«, fauchte Cal. »Keiner hat uns was davon gesagt.«

Er stieß mit dem Finger auf die Zeitung. »Steht hier wortwörtlich drin. Keine Sau hat's für nötig gehalten, uns zu informieren.«

Van sah sich den Artikel an. »Da ist gar kein Bild von ihm.«

»Nein, aber die zeigen praktisch auf die Tür des Scheißkerls.«

Sie erinnerte sich an etwas. »Neulich waren die Bullen da. Ich dachte, die würden dich suchen.«

»Was wollten die?«

»War eigentlich nur einer von der Sorte. Wollte wissen, ob ich einen …« sie kniff die Augen zusammen, »… Darren soundso kennen würde.«

»Darren Rough«, sagte Jamie. Cal starrte ihn an.

»Du kennst ihn?«

Jamie wusste nicht, welche Antwort Cal am meisten zugesagt hätte. Er zuckte die Achseln. »Nur so vom Sehen.«

»Woher weißt du, wie er heißt?« Sein Blick bohrte sich in ihn hinein.

»Er … Keine Ahnung.«

»Was, er?« Cal stand jetzt direkt vor ihm, die Fäuste geballt. »In welcher Wohnung ist er?« Jamie machte den Mund auf, um es ihm zu sagen, aber Cal packte ihn am Hemdkragen. »Noch besser, bring mich hin!«

Aber wie sie die Galerie entlang zu Darren Roughs Wohnung gingen, sahen sie, dass schon andere auf dieselbe Idee gekommen waren. Ein Grüppchen von sieben, acht Hausbewohnern hatte sich vor Roughs Tür versammelt, die meisten mit der Morgenzeitung bewaffnet. Cal war enttäuscht, dass sie nicht die Ersten gewesen waren.

»Is nich da?«

»Macht jedenfalls nich auf.«

Cal verpasste der Tür einen Tritt, sah an den Blicken der Umstehenden, dass sie beeindruckt waren. Nahm ein paar

Schritte Anlauf und warf sich mit der Schulter gegen die Tür, trat dann noch einmal dagegen. Zwei Schlösser: ein Schnapp- und ein Einsteckschloss. Keine Möglichkeit, einen Blick reinzuwerfen: Der Briefschlitz war verrammelt, das Fenster mit einem Laken verhängt. Alle ließen sich darüber aus.

»Wach auf, du perverse Sau!«, brüllte Cal Brady das Fenster an. »Komm und zeig dich deinem Fanklub!« Ein paar Gesichter lächelten beifällig.

»Vielleicht macht er Schichtarbeit«, schlug jemand vor. Cal fiel auf die Schnelle keine coole Erwiderung ein. Also klopfte er stattdessen ans Fenster, fing dann wieder an, gegen die Tür zu treten. Es trafen ein paar weitere Hausbewohner ein, aber noch mehr verzogen sich. Bald waren außer Cal und Jamie nur noch ein paar Kids da.

»Jamie«, sagte Cal, »hol mir 'ne Spraydose. Guck unter meinem Bett nach.«

Jamie wusste schon, dass da ein paar Dosen herumlagen. »Blau oder schwarz?«, fragte er, ehe ihm bewusst wurde, dass er sich verplappert hatte.

Aber Cal bekam das gar nicht mit. Er war zu sehr damit beschäftigt, die Tür anzustarren. »Is egal«, sagte er. Jamie ging los. Seine Mum stand mit verschränkten Armen vor der Tür ihrer Wohnung und unterhielt sich mit ein paar Frauen vom selben Stock. Jamie trottete an ihnen vorbei.

»Und?«, sagte seine Mum.

»Keiner da.«

Sie wandte sich wieder zu ihren Freundinnen. »Könnte überall sein. Bei solchem Pack kann man nie wissen.«

»Wir müssen eine Eingabe machen«, schlug eine der Frauen vor.

»Genau, dass die Stadt ihn woanders einquartiert.«

»Glaubst du vielleicht, da hört wer auf uns?«, fragte Van.

»Was wir brauchen, ist Selbsthilfe. *Unser* Problem, *wir* kümmern uns darum, egal, was irgendwer sagt.«

»Volksrepublik Greenfield«, meinte eine andere Frau.

»Ich mein's ernst, Michele«, sagte Van. »Todernst.« Jamie drückte sich hinter ihr in die Wohnung.

15

»Mum und ich, wir sind in der ersten Zeit irgendwie ziemlich viel rumgekommen.«

Cary Oakes saß in einem Sessel am Fenster seines Zimmers, die Füße auf dem Tisch, der vor ihm stand. Jim Stevens hatte auf einer Ecke des Betts Platz genommen und hielt Oakes den Kassettenrekorder mit ausgestrecktem Arm entgegen.

»Orte? Daten?«

Oakes sah ihn an. »An die Namen der Orte oder der Leute, bei denen wir gewohnt haben, erinnere ich mich nicht. Für ein Kind spielen solche Dinge keine Rolle. Ich führte mein eigenes Leben, hatte meine eigene kleine Phantasiewelt. Ich war Soldat oder Jetpilot. Schottland war voll von Aliens, und ich machte Jagd auf sie, gehörte zu so einer Art Bürgerwehr.« Er starrte aus dem Fenster. »Weil wir ständig umgezogen sind, habe ich eigentlich nie Freunde gehabt. Jedenfalls keine richtigen.« Er merkte, dass Stevens ihn gleich wieder unterbrechen würde. »Auch da kann ich Ihnen keine Namen nennen. Aber wie wir nach Edinburgh gekommen sind, daran kann ich mich erinnern.« Er verstummte, beugte sich vor und rieb mit dem Daumen über die eine Schuhspitze, um einen Hauch von Schmutz zu entfernen. »Ja, Edinburgh ist mir im Gedächtnis geblieben. Wir wohnten bei Verwandten. Meiner Tante und ihrem Mann. Weiß nicht mehr, in welchem Teil der Stadt. Es gab einen Park in der Nähe, da bin ich oft hin. Vielleicht könnten wir ein Foto von mir dort schießen.«

Stevens nickte. »Wenn Ihnen wieder einfällt, wo der war.«

Oakes lächelte. »Ein Park ist so gut wie der andere. Wir könnten einfach so tun als ob. Genau das habe ich in dem Park immer gemacht. So getan als ob. Er war mein Universum. Ganz und gar *meins*. Ich konnte dort alles tun, was mir passte. Ich war Gott.«

»Und, was *haben* Sie getan?« Stevens dachte: *Das läuft problemlos, absolut glatt.* Oakes war entweder der geborene Geschichtenerzähler oder… oder er hatte geübt. Aber etwas hatte ihn vorhin gestört, etwas, was Oakes über seine Verwandten gesagt hatte: *meine Tante und ihr Mann.* Eine seltsame Formulierung.

»Was ich getan habe? Ich hab gespielt, wie jedes andere Kind auch. Ich hatte Phantasie, das kann ich Ihnen flüstern. Wenn man ein Kind ist, kann man die ganze Welt zusammenballern, und kein Mensch schert sich darum – wissen Sie, was ich meine? Im Kopf kann man ganze Landstriche entvölkern. Jede Wette, dass es nicht einen verdammten Menschen auf der Welt gibt, der sich nicht *irgendwann* schon mal vorgestellt hätte, jemand zu ermorden. Ich wette, Sie haben das auch schon getan.«

»Ich zeig Ihnen mal meine Sammlung von Voodoo-Puppen.«

Oakes lächelte. »Meine Mum tat für mich, was sie konnte.« Er schwieg kurz. »Da bin ich mir sicher.«

»Was ist aus ihr geworden?«

»Sie ist gestorben, Mann.« Seine Augen bohrten sich in die des Reporters. »Aber schließlich stirbt jeder mal.«

»Haben Sie diese Spiele allein gespielt?«

Oakes schüttelte den Kopf. »Die anderen Kids haben

mich kennen gelernt. Ich hab mich einer Gang angeschlossen, bin nach und nach aufgestiegen.«

»Viele Kämpfe mitgemacht?«

Oakes zuckte die Achseln. »Gab ein paar Schlägereien. Meist haben wir bloß Fußball gespielt und Fremde schief angeguckt. Ein paar Straßenkatzen platt gemacht haben wir auch.«

»Wie?«

»Mit Feuerzeugbenzin besprüht und abgefackelt.« Die Augen fest auf Stevens gerichtet. »Klassischer Anfang für den typischen Serienmörder. Hab im Gefängnis darüber gelesen. Einzelgänger, der Tiere abfackelt.«

»Aber Sie waren nicht allein, Sie waren mit Ihrer Gang zusammen.«

Wieder lächelte Oakes. »Aber ich war derjenige, der das Feuerzeug hatte, Jim. Und darauf kam's an.«

Als sie eine Pause einlegten, kehrte Stevens in sein eigenes Zimmer zurück. Zwei Beutelchen Pulverkaffee in eine Tasse kochendes Wasser. An dem Morgen hatte ihn das Telefon um vier Uhr geweckt. Sein Chef hatte das Wunder vollbracht, und Stevens telefonierte mit einem Journalisten aus Seattle, der den Oakes-Fall von Anfang an mitverfolgte. Der Journalist, ein gewisser Matt Lewin, bestätigte, dass Oakes in der Strafanstalt Walla Walla regelmäßig am Gottesdienst teilgenommen hatte.

»Tun aber viele von denen, heißt noch lange nicht, dass sie bekehrt sind.«

Jetzt streckte sich Stevens auf dem Bett aus und schlürfte seinen Kaffee. Er wollte Oakes' frühere Gang aufspüren. Hätte einen guten Background abgegeben, ein weiteres Streiflicht auf Cary Oakes' Persönlichkeit. Wenn sie die Story brachten, würde sie vielleicht ein ehemaliges Bandenmitglied lesen und sich bei der Zeitung melden. Dann konnte

Stevens ihn für das Buch interviewen. Er hatte Matt Lewin gefragt, ob er sich vorstellen könnte, dass ein amerikanischer Verlag sich dafür interessieren würde.

»Nicht, wenn's keiner von unseren Jungs ist. Wir stehen auf heimische Produkte, Jim. Außerdem sind Serienmörder schon eine ganze Weile nicht mehr in Mode.«

Stevens hoffte auf eine Nostalgiewelle. Der Buchvertrag wäre seine goldene Uhr gewesen, ein kleines Geschenk, mit dem er sich den Einstieg in den Ruhestand versüßt hätte. Er wusste, dass ein paar Recherchen angebracht gewesen wären, dass Oakes' Geschichten ein paar untermauernde Fakten benötigt hätten. Aber er war todmüde, und sein Chef hatte gesagt: erst die Story, Beweise können Sie später suchen. Er trank seinen Kaffee aus und griff nach einer Zigarette. Schwang die Beine vom Bett.

Showtime.

Janice Mich legte eine Pause ein und aß einen Happen im Restaurant im Obergeschoss des John Lewis's. Durch eines der Fenster sah man den Calton Hill. Einmal waren sie mit Damon da hochgeklettert, als er sieben oder acht war. In einem ihrer Alben gab es Fotos von dem Ausflug: Calton Hill, das Schloss, das Museum of Childhood … Es gab Dutzende von Alben. Sie bewahrte sie auf dem Boden gestapelt im Kleiderschrank auf. Kürzlich hatte sie sie rausgeholt und allesamt mit nach unten genommen, um sie durchzusehen und Erinnerungen an Ferienlager und Tage am Meer, Geburtstagspartys und Sportveranstaltungen wachzurufen. Durch ein anderes Fenster des Restaurants hatte sie einen guten Blick auf die Küste von Fife. Ihr Heimatstädtchen konnte sie allerdings nicht ausmachen, lag zu weit landeinwärts. Im Lauf ihres Lebens hatte sie schon mehrmals mit dem Gedanken gespielt, von da wegzuziehen: südwärts nach Edinburgh, nordwärts nach

Dundee. Aber es hatte etwas Tröstliches, dort zu wohnen, wo man geboren und aufgewachsen war, wo Angehörige und alte Freunde lebten. Ihre Eltern und Großeltern waren alle in Fife geboren, ihre Geschichte hing untrennbar mit derjenigen der Region zusammen. Ihre Mutter war zur Zeit des Generalstreiks ein kleines Mädchen gewesen, erinnerte sich aber noch daran, wie sie rings um Lochgelly Barrikaden errichtet hatten. Ihr Vater war an einem Laternenmast hochgeklettert, um Johnny Thomsons Begräbnis mitverfolgen zu können. Wie weit eine Familie in die Zeit zurückreichte, ließ sich exakt messen. Aber ein solches historisches Bewusstsein verführte einen dazu zu glauben, es würde immer so weitergehen. Aber wie Janice allmählich aufging, konnte der rote Faden der Kontinuität jederzeit, an jedem Punkt zerreißen.

Sie aß das Krabbenbrötchen ohne jeden Genuss, ja ohne auch nur etwas zu schmecken. Dass sie ihren Kaffee getrunken hatte, wusste sie lediglich, weil die Tasse leer war. Eine Krabbe war aus ihrem Brötchen gerutscht und lag bleich auf dem Tellerrand. Sie ließ sie da liegen und stand auf.

Vor dem St. James' Centre überquerte sie die Princes Street und machte sich auf den Weg zur Waverley Station. Eine Schlange von Taxis wand sich aus der unterirdischen Bahnhofshalle rückwärts hinauf auf die Waverley Bridge. Die Fahrer saßen am Lenkrad und lasen zum Teil, aßen oder hörten ihren Funk ab. Andere starrten ins Leere oder unterhielten sich mit Kollegen. Sie fing am hinteren Ende der Schlange an und arbeitete sich langsam vor. John Rebus hatte ihr ein paar Namen genannt. Einer davon war Henry Wilson. Die Fahrer schienen ihn alle zu kennen, nannten ihn »Lumberjack«, den »Holzfäller«. Sie ließen ihn von der Zentrale ausrufen. Währenddessen zeigte Janice ihnen Fotos von Damon und erklärte, er sei auf der George Street in ein Taxi gestiegen.

»War jemand bei ihm, junge Frau?«, fragte ein Fahrer.

»Eine Frau … kurzes blondes Haar.«

Der Fahrer schüttelte den Kopf. »Für Blondinen hab ich ein gutes Gedächtnis«, sagte er und gab ihr den Steckbrief zurück.

Das Problem war, dass inzwischen zwei Züge angekommen waren – aus London und Glasgow. Die Taxis rückten schneller, als sie mithalten konnte, eins nach dem anderen dorthin nach, wo die Fahrgäste warteten. Sie sah über die Schulter nach oben. Immer mehr Taxis schlossen sich der Schlange an. Sie konnte nicht erkennen, mit wem sie schon gesprochen hatte und wer neu hinzugekommen war. Motoren wurden angelassen, Auspuffgase drangen ihr in die Lunge. Taxis hupten, während sie auf dem Weg hinunter in die Bahnhofshalle an ihr vorbeizogen und die Fahrer sich fragten, was sie wohl auf der Fahrbahn zu suchen habe, wo es doch auf der anderen Seite einen Bürgersteig gab. Tagesausflügler starrten sie ebenfalls an. Sie wussten, dass sie *da* nie ein Taxi bekommen würde, wussten, wie man's richtig machte: Man stellte sich unten am Stand an.

Sie hatte einen sauren, sandigen Geschmack im Mund. Der Kaffee war stark gewesen, und sie spürte, wie ihr Herz hämmerte. Und dann hupte ein weiteres Auto.

»Schon gut, schon gut«, sagte sie und ging die Schlange entlang zum nächsten Taxi, das schon am Losfahren war. Die Hupe ertönte noch einmal – direkt hinter ihr. Sie drehte sich wütend um, sah, dass es ein weiteres schwarzes Taxi war; das Fenster heruntergekurbelt. Niemand im Fond, bloß der Fahrer, der sich zu ihr rauslehnte. Kurzes schwarzes Haar, langer schwarzer Bart, grünes Tartanhemd.

»Lumberjack?«, fragte sie.

Er nickte. »So nennt man mich.«

Sie lächelte. »John Rebus hat mir Ihren Namen gegeben.« Hinter ihm bildete sich allmählich ein Stau. Ein Fahrer blinkte mit der Lichthupe.

»Steigen Sie besser ein«, sagte Lumberjack. »Bevor die mir wegen Behinderung des Straßenverkehrs die Lizenz abnehmen.«

Janice Mich stieg ein.

Das Taxi fuhr hinunter in die Bahnhofsvorhalle, dann die Ausfahrtrampe hinauf, bog oben rechts ab durch den entgegenkommenden Verkehr und stellte sich wieder ans Ende der Schlange. Henry Wilson zog die Handbremse an und drehte sich zu Janice um.

»Also, was will der Inspector diesmal von mir?«

Und Janice Mich erklärte es ihm.

Es musste was Ernstes sein: Anstatt Rebus zu sich zu bestellen, war der Farmer selbst losgezogen und hatte ihn schließlich auf dem Parkplatz gefunden, wo er eine Zigarette rauchte und an die fünfzehnjährige Janice Playfair dachte …

»Geht's um die Observierung?«, fragte Rebus; konnte ja was passiert sein.

»Nein, verdammt, es geht *nicht* darum!« Der Farmer steckte die Hände in die Taschen. Er meinte es ernst.

»Was habe ich *diesmal* angestellt?«

»Die Presse hat Darren Rough aufgespürt. Eine Zeitung hat die Story heute Morgen gebracht, die übrigen versuchen nachzuziehen. Meine Sekretärin musste schon so viele Anrufe abwimmeln, dass sie nicht mehr weiß, ob sie in St. Leonard's oder auf dem Hauptbahnhof ist.«

»Wie sind die an die Story drangekommen?«, fragte Rebus und warf seine Zigarette weg.

Der Farmer kniff die Augen zusammen. »Genau das fragt

sich Roughs Sozialhelfer auch. Er will eine formelle Beschwerde einreichen.«

Rebus rieb sich die Nase. »Er glaubt, ich hätt's getan?«

»John, ich weiß verdammt *genau*, dass Sie das waren.«

»Bei allem Respekt, Sir –«

»John, halten Sie einfach den Mund, okay? Der Reporter, mit dem Sie gesprochen haben, rief anschließend sofort die Telecom an. Er hat die Nummer gekriegt, von der aus Sie ihn angerufen hatten.«

»Und?«

»Und es war die Nummer des Maltings.« Ein Pub – praktisch direkt gegenüber der St.-Leonard's-Wache. »Aber es kommt noch besser: Unser unerschrockener Reporter hat den Typ, der sich meldete, gefragt, wer zuletzt das Telefon benutzt hätte. Soll ich Ihnen die Personenbeschreibung vorlesen?«

»Männlich, weiß, mittleren Alters?«, tippte Rebus. »Könnte sonst wer gewesen sein.«

»Könnte. Was Roughs Sozialhelfer nicht davon abgehalten hat zu vermuten, dass *Sie* es waren.«

Rebus richtete den Blick auf die Salisbury Crags. »Ich bin froh, dass ihn jemand verpfiffen hat.« Er schwieg kurz. »Wenn es denn nicht anders ging.«

»Wenn *was* nicht anders ging? Dass er aus der Stadt gejagt wird? Dass der Mob nach seinem Blut schreit? John, ich möchte nicht mit ansehen müssen, was Sie mit Ince und Marshall anstellen würden.«

Ince und Marshall: die Angeklagten im Shiellion-Fall.

»Sie könnten ja weggucken«, meinte Rebus. Er sah seinen Boss trotzig an. »Was soll ich tun?«

»Halten Sie sich von Rough fern, das wäre Nummer eins. Machen Sie weiter bei der Observierung von Oakes mit – auf die Weise können Sie wenigstens jeweils sechs Stunden am Stück keinen Mist bauen. Und rufen Sie Jane

Barbour an.« Er reichte Rebus einen Zettel mit einer Nummer.

»Barbour? Was will sie?«

»Keine Ahnung. Wahrscheinlich geht's um Shiellion House.«

Rebus starrte die Telefonnummer an. »Wahrscheinlich«, sagte er.

Der Farmer ließ ihn stehen, und anstatt ihm in die Wache zu folgen, ging Rebus den Fußweg entlang zur Straße und überquerte die Fahrbahn. Betrat den Maltings. Tagsüber war hier fast nichts los. Als er angerufen hatte, war nur ein einziger weiterer Gast da gewesen. Jetzt, eine Minute nach Öffnungszeit, stand derselbe Mann wieder am Tresen, vor sich ein halbes Pint und einen Whisky.

»Alexander«, sagte Rebus, »ich müsste Sie kurz sprechen.« Er packte den Mann am Arm und zog ihn in Richtung Herrenklo. Die Frau hinterm Tresen brauchte nicht unbedingt zuzuhören.

»Herrgott, Mann, was gibt's?« Der Trinker hieß Alexander Jessup. Er mochte es nicht, wenn man ihn Alex oder Alec oder Sandy oder Eck nannte – es musste schon Alexander sein. Früher besaß er einen eigenen Betrieb: eine Druckerei. Hatte Briefpapier, Haushaltsbücher, Tombolalose und Ähnliches produziert, irgendwann den Laden verkauft und versoff nun in aller Ruhe den Erlös. Als Mann, der Gott und die Welt kannte, hörte er immer wieder dies und das, lieferte Rebus aber nie viel nützliche Informationen. Allerdings redete er für sein Leben gern; er redete mit jedem, der ihm zuzuhören bereit war.

»Haben Reporter Sie in letzter Zeit ausgefragt?«, wollte Rebus wissen.

Jessup sah ihn mit den wässrigen Augen eines alten Hundes an. Er schüttelte den Kopf. Sein Gesicht war ein von geplatzten Äderchen marmorierter Schwamm.

»Sie haben mit einem am Telefon gesprochen«, half ihm Rebus auf die Sprünge.

»War das ein Reporter?« Jessup sah betroffen drein. »Hat kein Wort von gesagt.«

»Sie haben ihm meine Personenbeschreibung gegeben.«

»Kann sein.« Er dachte darüber nach, nickte, hielt dann einen Finger in die Höhe. »Aber keine Namen, Sie kennen mich, John. Ihren Namen habe ich ihm nicht verraten.«

Rebus bemühte sich, leise zu reden. »Falls jemand deswegen vorbeikommen sollte, halten Sie die Personenbeschreibung so unbestimmt wie möglich, klar? Sie hatten den Typen am Telefon nie vorher gesehen, er ist kein Stammgast.« Er wartete darauf, dass die Botschaft einsickerte. Jessup bedachte ihn mit einem Varietézwinkern.

»Botschaft empfangen.«

»Und verstanden?«

»Und verstanden«, bestätigte Jessup. »Sie haben doch nicht meinetwegen Ärger gekriegt, oder?« Er platzte schier vor Neugier. »Sie wissen, das wär das Letzte, was ich möchte.«

Rebus klopfte ihm auf die Schulter. »Ich weiß, Alexander. Vergessen Sie einfach nicht, wer Ihnen das Frühstück bringt, wenn man Sie in die Ausnüchterungszelle gesteckt hat.«

»Völlig klar, John.« Jessup machte ein »Okay«-Zeichen. »Tut mir Leid, wenn Sie meinetwegen Probleme gekriegt haben.«

Rebus zog die Tür auf. »Kommen Sie, ich geb Ihnen einen aus, einverstanden?«

»Aber nur, wenn dann einer auf mich geht.«

»Klingt verlockend«, sagte Rebus, während sie zum Tresen gingen. »Ich müsste lügen, wenn ich das bestreiten würde.«

»Hast du getrunken?«, fragte Janice Mich.

Rebus antwortete nicht sofort; er war zu sehr damit beschäftigt, sein Wohnzimmer zu bestaunen. Janice lachte.

»Tut mir Leid«, sagte sie. »Ich konnte mich nicht beherrschen.«

Sie hatte aufgeräumt. Zeitungen und Illustrierte stapelten sich jetzt auf dem untersten Brett des Bücherregals. Bücher, die sonst über den ganzen Fußboden verstreut gewesen waren, standen auf dem zweiten und dritten Brett von unten. Becher und Teller waren in der Küche verschwunden, Imbiss-Pappbehälter und Bierdosen lagen im Müll. Sogar der Aschenbecher war ausgewaschen worden. Rebus hob ihn auf.

»Ich glaube, das ist das erste Mal, dass ich lesen kann, was innen draufsteht.«

Das Ding stammte aus einem Pub, wo es für irgendeine neue Biermarke werben sollte, die den Sprung aber nicht geschafft hatte.

Janice lächelte. »So was mache ich immer, wenn ich nervös bin.«

»Du müsstest häufiger hier nervös sein.«

Sie verpasste ihm einen Fausthieb.

»Vorsicht«, sagte er, »das letzte Mal, als du das gemacht hast, lag ich anschließend zehn Minuten lang flach.«

»Ich hab Teebeutel und Milch besorgt«, sagte sie auf dem Weg in die Küche. »Möchtest du eine Tasse?«

»Bitte.« Er folgte ihrer Parfümspur. Es war über ein Jahr her, dass er Patience mit hierher genommen hatte; überhaupt waren nie viele Frauen in seiner Wohnung gewesen. »Und, wie ist es gelaufen?«

»Lumberjack hat mir gefallen.«

»Aber konnte er dir irgendwie helfen?«

Sie hantierte mit dem Wasserkocher herum. »Ach, weißt du…«

»Hast du alle Taxistände abgeklappert?«

»Dein Freund meinte, das wär nicht nötig. Er würde das für mich erledigen.«

»So dass du dich jetzt wieder nutzlos fühlst?«

Sie versuchte zu lächeln. »Ich dachte… ich dachte, wenn ich herkäme, könnte ich…« Sie ließ den Kopf sinken, ihre Stimme verebbte zu einem Flüstern. »Wär besser gewesen, wenn ich zu Haus geblieben wäre.«

»Janice.« Er drehte sie zu sich herum. »Du tust dein Bestes.« Sie standen jetzt so dicht beieinander wie damals, als sie auf dem Schulabschlussfest getanzt hatten: ihr letzter Abend als Paar. Tanzschultänze: Walzer, militärischer Twostep und der schottische Gay Gordons. Sie hätte ewig weitertanzen können; er wäre am liebsten gleich mit ihr hinter die Schule gegangen, zu ihrer geheimen Stelle – derselben geheimen Stelle, an die sich auch alle anderen zurückzogen.

»Du tust dein Bestes«, wiederholte er.

»Aber es bringt nichts. Weißt du, was mir heute durch den Kopf gegangen ist? Ich dachte: Den bring ich um für das, was ich durchmachen muss.« Bitteres Lächeln. »Dann hab ich gedacht: Und was, wenn er schon tot ist?«

»Er ist nicht tot«, sagte Rebus. »Glaub mir: Er ist nicht tot.«

Sie gingen mit dem Tee ins Wohnzimmer, setzten sich an den Esstisch.

»Um wie viel Uhr willst du zurück?«

»Ich dachte, um sechs. Um die Zeit fährt ein Zug.«

»Ich fahr dich.«

Sie schüttelte den Kopf. »Selbst ein Landei wie ich weiß, wie's um die Uhrzeit auf den Straßen aussieht. Mit dem Zug bin ich schneller da.«

Womit sie Recht hatte. »Dann bring ich dich zum Bahnhof.« Was hätte er bis zum Beginn seiner Schicht sonst auch groß getan, außer versucht, ein bisschen zu dösen?

Sie legte die Hände um ihren Becher. »Warum ausgerechnet Polizist, Johnny?«

»Warum?« Er versuchte, sich eine Antwort zurechtzulegen, die sie akzeptieren konnte. »Ich war beim Militär gewesen, es hatte mir nicht gefallen, ich wusste nicht, was ich tun sollte.«

»Das ist nicht der Job, in den man so reinschlittert.«

»Für manche schon. Ich bin wirklich einfach so reingerutscht.«

»Und bist du gut in deinem Job?«

Er zuckte die Achseln. »Ich bring Resultate.«

»Ist es nicht dasselbe?«

»Nicht ganz. Wenn's darum geht, nicht unangenehm aufzufallen und eine saubere Weste zu behalten und den Bonzen um den Bart zu gehen… *da* kann ich nicht mithalten.« Er rutschte auf dem Stuhl herum. »Du hattest immer gesagt, du wolltest Lehrerin werden.«

»Bin ich auch… eine Zeit lang gewesen.«

Rebus verkniff sich zu sagen, dass seine Exfrau ebenfalls Lehrerin gewesen war.

»Und dann hast du Brian geheiratet?«

»Die zwei Dinge haben nichts miteinander zu tun.« Sie starrte hinunter auf ihren Tee und wirkte erleichtert, als das Telefon klingelte. Rebus nahm ab.

»Abend, Mr. Rebus.«

»Henry«, sagte Rebus zu Janice' Information, »haben Sie was für uns?«

»Könnte sein. Zwei Fahrgäste, in der George Street eingestiegen. Der Fahrer erinnerte sich an die Blondine. Einprägsames Gesicht, sagte er. Irgendwie hart. Kalte Augen. Fragte sich, ob sie eine Professionelle war.«

»Wo hat er sie hingefahren?« Die Augen auf Janice gerichtet, die, den Becher noch immer in den Händen, aufgestanden war.

»Raus nach Leith. Hat sie am Shore abgesetzt.«

Leith – wo die Strichmädchen der Stadt ihrem Gewerbe nachgingen. The Shore – wo Cary Oakes' Hotel lag.

»Hat er gesehen, wo sie hingegangen sind?«

»Der Junge war nicht sonderlich spendabel. Mein Kumpel ist sofort wieder losgefahren. Vorher hatte jemand auf der Bernard Street versucht, ihn anzuhalten. Aber viel Auswahl hatten die beiden ja nicht. Um die Uhrzeit schenkten die Pubs wahrscheinlich bereits die letzten Drinks aus, wenn sie nicht überhaupt schon zuhatten. Aber es gibt Apartments da in der Gegend.«

Da war was dran. Apartments ... und das Hotel.

»Außer sie wollten auf diesen Kahn.«

»Was für einen Kahn?«

»Den, der da am Kai liegt.« Ja, Rebus hatte ihn gesehen, machte den Eindruck, als liege er mehr oder weniger ständig dort. »Die veranstalten da Partys«, sagte Wilson. »Nicht dass ich je auf einer davon gewesen wäre ...«

Er setzte Janice am Waverley-Bahnhof ab. Sie hatten vereinbart, sich am folgenden Nachmittag zu treffen und sich zusammen das Schiff anzusehen.

»Kann was dran sein, vielleicht aber auch nicht«, hatte Rebus sich verpflichtet gefühlt, sie zu warnen.

»Das reicht mir schon«, hatte sie gesagt.

Als sie schon im Begriff war, aus dem Auto auszusteigen, hielt sie zögernd inne, beugte sich dann zu ihm hinüber und drückte ihm einen Kuss auf die Wange.

»Was denn, ohne Zunge?«, sagte er lächelnd. Sie holte aus, wie um ihn gegen den Arm zu boxen, überlegte es sich dann aber anders. »Grüß Brian von mir.«

»Mach ich, wenn er nicht grad mit seinen Kumpels unterwegs ist.« Etwas an ihrem Ton bewirkte, dass Rebus das Thema gern weiterverfolgt hätte, aber sie war schon ausgestiegen und schlug die Tür zu. Sie winkte, warf ihm eine Kusshand zu und entfernte sich in Richtung Bahnsteig mit dem Gang einer Frau, die weiß, dass sie beobachtet wird. Rebus wurde bewusst, dass seine Hand auf dem Türgriff lag.

»Vergiss es«, sagte er sich. Also holte er stattdessen sein Handy heraus und teilte Patience' AB mit, dass er Nachtschicht habe und vorher in seiner Wohnung ein bisschen vorschlafen würde.

Aber zunächst ein Boxenstopp in der Oxford Bar: Whisky mit viel Wasser. Nur den einen: verantwortungsbewusster Autofahrer. Er hörte sich den neuesten Klatsch an, steuerte selbst aber nur wenig zur Unterhaltung bei. George Klasser rügte ihn wegen seiner Treulosigkeit.

»Sie werden zu einem recht unzuverlässigen Stammgast, John.«

»War ich schon immer, Doc.«

Weiter hinten am Tresen entspann sich gerade eine Rugbydiskussion, an der sich nach und nach immer mehr Gäste beteiligten. Jeder hatte eine Meinung beizusteuern – jeder außer Rebus. Er starrte auf einen Druck an der Wand: Porträt von Robert Burns. An der hinteren Wand hing noch so ein Schinken: Robert Burns trifft den blutjungen Walter Scott. Der – im Nachhinein natürlich klügere – Künstler hatte seinem Werk etwas merkwürdig Prophetisches untergejubelt. Es sah so aus, als hätte Burns *gewusst*, dass das Kind, das vor ihm stand, dazu bestimmt war, ihn in Sachen Erfolg um Längen zu schlagen – als hätte er gewusst, dass der Knirps es zum Sir bringen, Abbotsford bauen und Königs Liebling werden würde.

War schon toll, im Nachhinein klüger zu sein.

Er starrte in sein Glas und sah die Abschlussfete. Sah einen schlaksigen Jungen namens Johnny seine Freundin aus dem Saal führen, aus dem Schulgebäude hinaus und die Eingangsstufen hinunter. Er tat so, als sei es nur ein Spiel, zog sie aber fest an beiden Händen. Und sie beide taten so, als sei alles okay, weil es zum Ritual gehörte. Und im Saal Johnnys Kumpel Mitch – beste Freunde, die beiden; immer bereit, einer für den anderen in die Bresche zu springen –, der nicht merkte, dass er von drei Jungen belauert wurde, die seine Feinde geworden waren. Jungen, denen klar war, dass das möglicherweise ihre letzte Chance zur Rache sein würde. Rache wofür? Das wussten sie wahrscheinlich selbst nicht. Vielleicht für das unbestimmte hässliche Gefühl, dass das Leben sie bereits übers Ohr gehauen hatte; dass Leute wie Mitch überall dort Erfolg haben würden, wo sie immer nur gescheitert waren.

Drei gegen einen.

Während Johnny mit einem ganz anderen Schicksal rang.

Rebus trank aus, fuhr nach Hause. Versank in seinem Sessel, einen doppelten Malt in der Hand. Hörte sich Tommy Smith an, *The Sound of Love*. Grübelte darüber nach, ob man Liebe tatsächlich *hören* konnte.

Schlief im orangefarbenen Licht der Straßenlaternen ein.

Die beste Annäherung an einen Zustand des Friedens, die ihm je gelang.

Sie hatten eine Weile gebraucht, um eine nicht abgeschlossene Kirche zu finden.

»Heutzutage weiß niemand mehr, was Vertrauen heißt«, hatte Cary Oakes gesagt. »Nicht mal Gott.«

Sie waren durch Leith geschlendert und den Walk hinauf nach Pilrig. Es war eine katholische Kirche; außer ihnen kein Mensch da. Innen kalt und dunkel. Fenster gab's mehr als genug, aber die Kirche war auf drei Seiten von hohen Mietshäusern umgeben. Es gab mal eine Zeit, erinnerte sich Stevens, wo es verboten war, irgendetwas zu bauen, was höher als eine Kirche war. Oakes saß mit gebeugtem Kopf auf einer Bank in einer der ersten Reihen. Er sah nicht sonderlich friedvoll oder andächtig aus: Nacken und Schultern waren verkrampft, sein Atem ging flach und schnell. Stevens war nicht wohl in seiner Haut. Die Tür mochte nicht abgeschlossen gewesen sein, aber er fühlte sich trotzdem wie ein Eindringling. Und auch noch eine katholische Kirche! Er konnte sich nicht erinnern, jemals in seinem Leben in einer gewesen zu sein. Sah nicht viel anders aus als die presbyterianische Ausführung: keinerlei Weihrauchgeruch. Beichtstühle, gut, aber die kannte er schon von Filmen her. Bei einem davon stand der Vorhang offen. Er warf einen Blick hinein und bemühte sich, dabei nicht zu denken, dass das Ding wie ein Passbildautomat aussah. Er versuchte, möglichst lautlos zu gehen; nicht dass plötzlich ein Priester auftauchte und er ihm erklären müsste, was sie da trieben.

Oakes' Bitte: »Ich möchte in die Kirche gehen.«

Stevens: »Kann das nicht bis Sonntag warten?«

Aber Oakes' Blick hatte ihm verraten, dass Witze hier nicht angebracht waren. Also waren sie losmarschiert, gefolgt vom Polizeiwagen, der mit seinem Schneckentempo jeden Passanten auf sich und die beiden aufmerksam machte.

»Wenn sie's auf *die* Tour wollen«, hatte Oakes gesagt, »soll's mir recht sein.«

Zehn, fünfzehn Minuten verstrichen. Stevens fragte sich, ob Oakes nicht möglicherweise eingenickt war. Er ging den Mittelgang entlang, blieb neben ihm stehen. Oakes hob den Kopf.

»Noch ein paar Minuten, Jim.« Oakes nickte in Richtung Ausgang. »Gehen Sie sich die Beine vertreten, wenn Sie möchten.«

Das ließ sich Stevens nicht zweimal sagen. Zigarettenpause vor der Kirche. Das Bullenauto parkte am Ende der Straße, die Fahrerin beobachtete ihn. Er hatte sich gerade erst eine angezündet, als ihn der Gedanke durchfuhr: Du bist ein Reporter, der an einer Story sitzt. Du solltest da drinnen sein, versuchen, einen Ansatz zu finden, dir griffige Formulierungen überlegen. Oakes in der Kirche: Damit konnte eins der Kapitel des Buches beginnen. Also drückte er die Zigarette aus, steckte sie ins Päckchen zurück. Drückte die Tür auf und trat ein.

Oakes war von der Bank verschwunden. Geräusch von fließendem Wasser. Stevens spähte ins Halbdunkel, erkannte nur langsam Einzelheiten. Eine Gestalt drüben beim Beichtstuhl. Oakes stand da, sah über die Schulter zu ihm und machte einen Buckel, während er durch die Öffnung des Vorhangs urinierte. Grinste, zwinkerte. Beendete sein Geschäft und zog den Reißverschluss wieder hoch. Dann schlenderte er den Gang entlang zurück, dorthin, wo Stevens stand und es nicht schaffte, nicht schockiert auszusehen. Oakes deutete nach oben zur Decke.

»Musste den da oben wieder daran erinnern, wer hier der Boss ist, Jim.« Ging an Stevens vorbei und hinaus ins Tageslicht. Stevens blieb noch einen Augenblick stehen. In den Beichtstuhl pissen: eine Botschaft an Gott – oder an den Reporter? Stevens machte kehrt und verließ die Kirche, während er sich fragte, wie, zum Teufel, es mit seiner Welt so weit gekommen sein konnte.

16

Das vierte Mitglied des Observierungsteams war ein junger Detective Sergeant namens Roy Frazer. Er war vergangenen Monat nach St. Leonard's gekommen – einer der seltenen Zugänge aus der Abteilung F, im abgelegenen Livingston. Die Kollegen aus Livingston liefen bei den Edinburgher Stadtbullen unter dem Spottnamen »F Troop«. Die Kollegen von St. Leonard's hatten ein paar Spitzen gegen Frazer losgelassen, aber er hatte sie anstandslos – oder jedenfalls mit Anstand – geschluckt. Der Farmer hatte ihn für das Team ausgesucht. Er fand, Frazer sei ein bisschen was Besonderes.

Rebus saß neben ihm im Rover und hörte sich seinen Bericht an.

»Das einzige nennenswerte Ereignis«, sagte Frazer, »war, dass die Leute vom Restaurant neben dem Pub da hinten sich meiner erbarmt und mir ein Abendessen rausgebracht haben.«

»Sie machen Witze.« Rebus drehte sich nach dem fraglichen Pub um. Polizeistunde, und die abgefüllten Gäste begannen allmählich, sich widerwillig zu verziehen.

»Möhrensuppe, danach irgendwelches Hühnerzeugs in Blätterteig. War gar nicht übel.«

Rebus sah hinunter auf die Plastiktüte, die er sich mitgenommen hatte: zwei belegte Brötchen (Cornedbeef und rote Bete); Schokolade und Chips; ein paar Kassetten und der Walkman; eine Abendzeitung und ein paar Bücher.

»Haben's auf einem Tablett rausgetragen. Eine halbe Stunde später sind sie mit Kaffee und Pfefferminzplätzchen wiedergekommen.«

»Sie sollten besser aufpassen, Junge«, mahnte Rebus. »Gratismahlzeiten gibt's nicht. Wenn Sie erst einmal anfangen, sich schmieren zu lassen ...« Er schüttelte trübselig den Kopf. »Ich meine, in Livingston mag das ja gegangen sein, aber jetzt sind Sie nicht mehr in der Pampa.«

Frazer begriff endlich, dass er scherzte, und verzog das Gesicht zu einem Grinsen. Er war kräftig gebaut, spielte in der Polizei-Rugbymannschaft. Kurz geschorenes schwarzes Haar, kantige Kinnlade. Als er in St. Leonard's antrat, hatte er einen dichten Schnurrbart gehabt, ließ ihn sich aber dann aus welchen Gründen auch immer abrasieren. Die Haut darunter sah immer noch rosig und zart aus. Rebus wusste, dass er auf einer Farm aufgewachsen war – irgendwo zwischen Calder und der A70. Sein Vater bewirtschaftete den Hof noch immer. Eine Gemeinsamkeit mit dem Farmer, dessen Familie das Land um Stonehaven bebaut hatte. Ein weiteres gemeinsames Merkmal der beiden Männer: Sie waren eifrige Kirchgänger. Rebus ging ebenfalls in Kirchen, aber selten sonntags. Er mochte sie am liebsten, wenn sie – abgesehen von seinen Gedanken – leer waren.

»Haben Sie das Logbuch?«, fragte Rebus. Frazer holte das DIN-A4-formatige Notizbuch hervor. Bill Pryde hatte um sechs Uhr Siobhan Clarke abgelöst und später notiert, dass Oakes und Stevens bis elf im Hotel geblieben und bis dahin nicht unten gewesen waren. Er hatte sich an der Rezeption erkundigt. Von Oakes' Zimmer aus war Kaffee für zwei bestellt worden. Prydes Interpretation: Sie arbeiteten. Um elf war ein Taxi vorgefahren, und beide Männer kamen aus dem Hotel heraus. Stevens hatte dem Fahrer einen großen Umschlag ausgehändigt, dann war das Taxi wieder losgefahren. Prydes Vermutung: Kassette mit dem ersten Interview auf dem Weg in die Redaktion.

Als das Taxi verschwunden war, hatten Stevens und Oakes einen Spaziergang durch den Hafen von Leith gemacht. Pryde war ihnen zu Fuß gefolgt. Sie schienen lediglich etwas Zeit totzuschlagen, sich eine Verschnaufpause zu gönnen. Dann zurück zum Hotel. Siobhan Clarke, die Rebus dazu überredet hatte, mit ihm die Schicht zu tauschen, war um zwölf Uhr Mittag gekommen. Nicht dass sie sich groß geziert hätte: »Nachts bin ich am liebsten in meinem eigenen Bett«, hatte sie gesagt.

Der Nachmittag war weitgehend so wie der Vormittag verlaufen: die zwei Männer in Klausur im Hotel; Taxi holt Umschlag ab; die zwei Männer machen eine Pause. Außer dass sie diesmal stadteinwärts gegangen waren und Station in einer Kirche in Pilrig gemacht hatten. Rebus sah Frazer an.

»In einer *Kirche*?«

Frazer zuckte bloß die Achseln. Nach der Kirche waren sie weiter zum John Lewis's und hatten für Oakes Klamotten eingekauft. Auch neue Schuhe. Stevens hatte alles mit seiner Karte bezahlt. Dann noch zwei Pubs: Café Royal, Guilford Arms. Clarke war draußen geblieben. »Ich war mir unsicher, ob ich nicht vielleicht doch reingehen sollte. Schließlich wussten sie ja, dass ich da war.«

Zurück zum Hotel, ein Abschiedswinken von Oakes, als sie draußen parkte.

Um achtzehn Uhr von Frazer abgelöst. Die zwei Männer, Stevens und Oakes, waren in eines der neuen Restaurants gegenüber vom Scottish Office gegangen. Eine Wand bestand vollständig aus Glas, so dass die beiden bequem mitverfolgen konnten, wie Frazer sich draußen kalte Füße holte. Abgesehen von seinem eigenen Überraschungsdinner – über das sich keine schriftlichen Aufzeichnungen fanden – war sonst praktisch nichts passiert.

»Gehe ich recht in der Annahme, dass das Ganze eine einzige Zeitverschwendung ist?«, fragte Frazer, als Rebus seine Lektüre beendet hatte.

»Hängt davon ab, welche Kriterien Sie dabei anlegen«, erwiderte Rebus. Er hatte den Spruch während eines Fortbildungslehrgangs in Tulliallan aufgeschnappt.

»Na, die bleiben doch offensichtlich bis zum bitteren Ende hier, oder?«

»Uns geht's nur darum, dass Oakes Bescheid weiß.«

»Sicher, aber der richtige Zeitpunkt für den Beginn eines Nervenkriegs dürfte doch wohl sein, wenn er auf sich gestellt ist. Wenn er sich irgendwo häuslich niedergelassen hat und der ganze Medienrummel vorbei ist.«

Frazer hatte nicht Unrecht. Rebus bestätigte ihm das mit einem Kopfnicken. »Erzählen Sie's nicht mir«, sagte er, »sondern dem Chief Super.«

»Hab ich ja.« Rebus sah ihn erwartungsvoll an. »Er ist gegen neun hier aufgekreuzt und wollte wissen, wie die Sache steht.«

»Und Sie haben es ihm gesagt?«

Frazer nickte; Rebus lachte.

»Was hat er gesagt?«

»Er meinte, wir sollten noch ein paar Tage abwarten.«

»Wissen Sie, dass die Experten glauben, Oakes könnte wieder töten?«

»Der einzige Mensch in seiner Reichweite ist momentan dieser Reporter. Wenn *dem* was zustieße, würd's mir das Herz brechen.«

Rebus musste laut lachen. »Wissen Sie was, Roy? Aus Ihnen wird noch mal was.«

»Die Kraft des Gebetes, Sir.«

Rebus saß seit einer Stunde allein im Wagen und spürte, wie die Kälte allmählich durch seine drei Paar Socken kroch, als er jemanden die Hoteltür öffnen und herauskommen sah. Die Hotelbar hatte noch auf, würde nicht eher schließen, bis der letzte Gast genug hätte. Stevens hing der Schlips lose um den Hals, seine zwei obersten Hemdknöpfe waren geöffnet. Er blies Zigarettenrauch in den Himmel und scharrte mit den Füßen, um das Gleichgewicht zu behalten. Kenne ich nur zu gut, dachte Rebus. Schließlich richtete Stevens den Blick auf das Polizeiauto, schien es amüsant zu finden. Schmunzelte in sich hinein, beugte dabei den Oberkörper nach vorn und schüttelte langsam den Kopf. Kam auf das Auto zu. Rebus stieg aus, wartete auf ihn.

»Treffen wir uns also endlich, Moriarty«, sagte Stevens. Rebus verschränkte die Arme, lehnte sich an den Wagen.

»Wie läuft das Babysitten?«

Stevens blies die Backen auf. »Um ehrlich zu sein, hab ich gewisse Schwierigkeiten, ihn einzuordnen.«

»Wie meinen Sie das?«

»Nach all der Zeit hinter Gittern sollte man doch annehmen, dass er einen draufmachen möchte.«

»Ich tipp mal, dass er nicht trinkt.«

»Da tippen Sie richtig. Meint, Alkohol verunreinigt seinen Geist, macht, dass er sich gefährlich fühlt.« Ein freudloses Lachen.

»Wie lang noch?« Rebus roch den Whisky in Stevens' Atem. Noch ein, zwei Minuten, und er hätte die Marke bestimmen können.

»Paar Tage. Ist guter Stoff, warten Sie, bis Sie es gelesen haben.«

»Wissen Sie, was die Yanks uns gesagt haben? Sie meinen, er wird wieder töten.«

»Echt?«

»Hat er nichts gesagt?«

Stevens nickte. »Hat mir eine Liste mit seinen nächsten Opfern gegeben. Gibt 'ne hübsche Anschlussstory.« Stevens grinste schief, sah dann den Ausdruck in Rebus' Gesicht. »Sorry, sorry. Nicht sehr geschmackvoll. Ein Verlag hat Interesse bekundet. Meldet sich morgen oder übermorgen mit einem Angebot.«

»Wie können Sie das nur tun?«, fragte Rebus leise.

Stevens fand sein Gleichgewicht wieder. »Was tun?«

»Das, was Sie tun.«

»Klingt wie eine Zeile aus einem Motown-Song. *Do what you do.*« Er schniefte, hustete. »Das ist eine interessante Story, Rebus. Nichts anderes bedeutet er für mich: eine Story. Was bedeutet er für *Sie*?« Er wartete auf eine Antwort, bekam keine, wedelte rügend mit dem Finger. »Dieser Zettel, den Sie mir dagelassen haben – ›FINGER WEG VON IHM‹ –, dachten Sie, mir fällt es plötzlich wie Schuppen von den Augen, ich überlass ihn jemand anderem, einer anderen Zeitung? Denkste, Kumpel. Das hier ist nicht der Weg nach Damaskus.«

»Ist mir schon aufgefallen.«

»Und mein Schützling ist auch nicht der einzige Exknacki, der Schlagzeilen macht, hab ich Recht? Da ist jemand als Kinderschänder geoutet worden. Wie man hört, soll's ein Bulle gewesen sein.« Er machte »t-ch, t-ch«, wackelte wieder mit dem Zeigefinger. »Möchten Sie dazu Stellung nehmen, Inspector?«

»Ficken Sie sich ins Knie, Stevens.«

»Apropos, da fällt mir noch was anderes ein. Der Typ ist vierzehn Jahre im Knast gewesen, und jetzt sind wir in Leith, Edinburghs Pimperviertel Nummer eins, und er bekundet keinerlei Interesse. Können Sie sich das vorstellen?«

»Vielleicht hat er anderes im Kopf.«

»Würd mich nicht stören, wenn er eher aufs Hühnerficken stünde, solang er mir einen Buchvertrag verschafft.« Er rieb sich die Hände. »Sehen Sie sich uns beide an: Sie hier draußen, ich in dem schicken Hotel. Das gibt einem doch zu denken.«

»Gehen Sie ins Bett, Stevens. Sie brauchen so viel Schönheitsschlaf, wie Sie nur kriegen können.«

Stevens wandte sich ab, dann fiel ihm was ein, und er drehte sich noch einmal um. »Was gegen eine kleine Fotosession morgen Abend? Der Fotograf kommt dann sowieso, und ich dachte, das könnte eine nette Nebenspalte abgeben: Der Bulle, der kein Auge zumacht, solang der Killer auf freiem Fuß ist.«

Rebus schwieg, wartete, bis der Reporter sich wieder abgewandt hatte. »Was wollte er in der Kirche?« Die Frage ließ Stevens erstarren. Rebus wiederholte sie. Stevens drehte sich halb nach ihm um, schüttelte langsam den Kopf, überquerte dann die Straße. Sein Gang hatte mit einem Mal etwas Müdes – etwas, das Rebus nicht deuten konnte. Er griff ins Auto nach den Zigaretten, steckte sich eine an. Schloss die Fahrertür und ging fünfzig Meter weit bis zum Ende der Straße, dann über die Brücke auf die andere Seite des Hafenbeckens, wo ein Schiff festgemacht war. Ein Schild ersuchte Gäste, Rücksicht auf die Anwohner zu nehmen und spätnachts nicht zu viel Lärm zu veranstalten. Aber das Schiff wurde heute Nacht nicht benutzt, keine Party oder sonstige Feier. Unweit davon entfernt erhoben sich Gebäude mit »New York Loft-Style Apartments« für Yuppies, die im Rahmen der Leith-Renaissance entstanden waren. Rebus ging zurück zum Pub, aber der hatte inzwischen geschlossen. Die Angestellten waren wahrscheinlich noch drinnen und genehmigten sich einen Drink, während sie die Highlights des Abends noch einmal Revue passieren ließen. Rebus schlenderte zum Auto.

Eine Stunde später hielt ein Taxi vor dem Hotel. Rebus' erster Gedanke: wieder eine Kassette für die Zeitung. Aber im Taxi saß ein Fahrgast. Er bezahlte, stieg aus. Rebus sah auf seine Uhr. Viertel nach zwei. Ein Hotelgast, der in der Stadt einen draufgemacht hatte. Er nahm einen Schluck aus seiner Viertelflasche, schob sich die Kopfhörer wieder auf die Ohren. String Driven Thing: »Another Night in This Old City«.

Mehr als das war's nie…

Vierzig Minuten später kam der Mann aus dem Taxi wieder aus dem Hotel heraus. Er winkte dem Nachtportier zu. Durch das offene Autofenster hörte Rebus, wie er »Gute Nacht« sagte. Er blieb draußen stehen, warf einen

Blick auf seine Uhr, sah links und rechts die Straße entlang. Hält nach einem Taxi Ausschau, dachte Rebus. Wer würde wohl zu dieser nachtschlafenden Zeit jemanden in einem Hotel besuchen? *Wen* würde er da besuchen?

Der Blick des Mannes fiel auf das Polizeiauto. Rebus kurbelte das Fenster noch weiter herunter, schnippte Asche auf die Fahrbahn. Der Mann kam schon auf den Wagen zu. Rebus öffnete die Tür, stieg aus.

»Inspector Rebus?« Der Mann streckte die Hand aus. Rebus schätzte ihn rasch ab. Ende fünfzig, gut gekleidet. Sah nicht danach aus, als ob er Dummheiten vorhätte, aber man konnte nie wissen. Der Mann las seine Gedanken, lächelte.

»Ich nehm's Ihnen nicht übel. Mitten in der Nacht, Unbekannter kommt Ihnen auf die freundliche Tour, weiß schon, wie Sie heißen ...«

Rebus kniff die Augen leicht zusammen. »Wir kennen uns, stimmt's?«

»Ist schon 'ne Weile her. Sie haben ein gutes Gedächtnis. Ich heiße Archibald. Alan Archibald.«

Rebus nickte, schlug endlich ein. »Man hat Sie in die Great London Road versetzt.«

»Für ein paar Monate, ja. Bevor ich in Pension gegangen bin, war ich in Fettes, hab da Akten rumgeschoben.«

Alan Archibald: groß, kurz geschorenes grau meliertes Haar. Ein markiges Gesicht, ein Körper, der sich dem Älterwerden widersetzte.

»Ich hatte davon gehört, dass Sie in Pension gegangen sind.«

Archibald zuckte die Schultern. »Zwanzig Jahre dabei, da dachte ich, es wär an der Zeit.« Sein Blick sagte: *Und wie steht's mit Ihnen?* Rebus' Lippen zuckten.

»Im Auto ist es wärmer. Wo hinchauffieren kann ich Sie nicht, aber ich könnte wahrscheinlich ...«

»Ich weiß«, sagte Alan Archibald. »Cary Oakes hat's mir gesagt.«

»Er hat *was?*«

Archibald nickte in Richtung des Wagens. »Ihr Angebot nehme ich aber an. An Nachtschichten bin ich nicht mehr gewöhnt.«

Also stiegen sie ein, Archibald zog seinen schwarzen Wollmantel fest um sich. Rebus ließ den Motor an, schaltete die Heizung ein, bot Archibald eine Zigarette an.

»Ich rauche nicht, trotzdem danke. Aber lassen Sie sich nicht aufhalten.«

»Sie würden schon schwere Artillerie brauchen, um mich aufzuhalten«, sagte Rebus und steckte sich eine an. »Also, was ist das für eine Geschichte mit Oakes?«

Archibald legte die Fingerspitzen an das Armaturenbrett. »Er hat mich angerufen, mir gesagt, wo er ist.« Er sah Rebus an. »Er weiß von der Observierung.«

Rebus zuckte die Achseln. »Ist auch der Sinn der Sache.«

»Ja, das weiß er auch. Aber er wusste, dass *Sie* die Spätschicht haben.«

»Keine Kunst. Er kann mich vom Fenster seines Zimmers aus sehen.« Rebus deutete darauf. »Aber vielleicht hat's ihm auch sein Kindermädchen gesagt.«

»Der Journalist? Den hab ich nicht gesehen.«

»Wahrscheinlich im Bett.«

»Ja, ich musste bei Oakes durchklingeln lassen. Aber er hat nicht geschlafen – liegt am Jetlag, meinte er.«

»Wie ist er an Ihre Nummer gekommen?«

»Im Telefonbuch steht sie nicht.« Archibald schwieg kurz. »Ich schätze, der Journalist hat ein paar Beziehungen spielen lassen.«

Rebus inhalierte, ließ den Rauch aus seinen Nasenlöchern strömen. »Also, worum geht's?«

»Ich schätze, Oakes will irgendein Spiel abziehen.«

»Was für eine Sorte Spiel?«

»Die Sorte, die mich um ein Uhr nachts aus dem Bett springen lässt. Da hat er mich nämlich angerufen, meinte, wir müssten uns jetzt treffen – jetzt oder nie.«

»Weswegen?«

»Dem Mord.«

Rebus runzelte die Stirn. »Mord im Singular?«

»Keiner von denen, die er in den Staaten begangen hat. Dieser ist direkt hier in Edinburgh passiert. Oder genauer: draußen in Hillend.«

Hillend: am nördlichen Zipfel der Pentland Hills – daher auch der Name. Regional bekannt wegen seiner Kunstschneepiste. Nachts konnte man von der Umgehungsstraße aus die Lichter sehen. Plötzlich erinnerte sich Rebus wieder an den Fall. Eine Felsnase, eine weibliche Leiche. Junge Frau: Studentin an einer pädagogischen Hochschule. Rebus hatte in der Anfangsphase der Ermittlungen mitgeholfen. Diese hatten ihn von Hillend nach Swanston Cottages geführt, einer unglaublichen, von der modernen Zeit scheinbar unberührt gebliebenen Ansammlung von stroh- und schiefergedeckten Häuschen. Er hatte sich dort was kaufen wollen, aber seiner Frau war es zu abgelegen gewesen – und ihre finanziellen Möglichkeiten hätte es ohnehin überstiegen.

»Das war vor fünfzehn Jahren, oder?«, fragte Rebus.

Archibald schüttelte den Kopf. Er hatte die Hände in die Taschen gesteckt und starrte auf die Windschutzscheibe. »Vor siebzehn Jahren«, antwortete er. »Auf den Monat genau siebzehn Jahre. Sie hieß Deirdre Campbell.«

»Haben Sie an dem Fall gearbeitet?«

Wieder schüttelte Archibald den Kopf. »War zu dem Zeitpunkt nicht möglich.« Er atmete tief durch. »Der Mörder wurde nie gefasst.«

»Sie wurde erwürgt?«

»Niedergeknüppelt, dann erwürgt.«

Rebus erinnerte sich an Oakes' *modus operandi*. Wieder war es so, als könnte Archibald seine Gedanken lesen.

»Ähnlich«, sagte er.

»War Oakes damals im Land?«

»Es passierte unmittelbar vor seiner Abreise in die Staaten.«

Rebus stieß einen leisen Pfiff aus. »Hat er gestanden?«

Archibald setzte sich um. »Nicht direkt. Als er in den Staaten verhaftet wurde, habe ich den Prozess mitverfolgt, Ähnlichkeiten festgestellt. Ich bin rübergeflogen, um ihn zu vernehmen.«

»Und?«

»Und er hat seine Spielchen mit mir getrieben. Lächelnde Andeutungen, Halbwahrheiten und Märchen. Er hat mich ganz schön an der Nase herumgeführt.«

»Ich dachte, Sie hätten gar nicht an dem Fall gearbeitet?«

»Hab ich auch nicht. Nicht offiziell.«

»Kapier ich nicht.«

Archibald betrachtete seine Fingerspitzen. »All die Jahre, die er im Knast gewesen ist, bin ich auf seine Spielchen eingegangen. Weil ich sicher bin, dass ich ihn zermürben kann. Er weiß nicht, wie hartnäckig ich sein kann.«

»Und jetzt ruft er Sie mitten in der Nacht an?«

»Und liefert mir weitere Geschichten.« Ein halbes Lächeln. »Aber er scheint nicht zu begreifen, dass wir auf einem anderen Brett spielen. Jetzt ist er in Schottland. Jetzt gelten *meine* Regeln.« Eine Pause. »Ich habe ihm gesagt, er soll mit mir nach Hillend rausfahren.«

Rebus starrte Archibald an. »Der Mann ist ein Killer. Die Psychoberichte sagen, dass er's wieder tun wird.«

»Er tötet die Schwachen. Ich bin nicht schwach.«

Rebus war sich da nicht so sicher. »Vielleicht hat er sich inzwischen auf ein anderes Spiel verlegt«, sagte er.

Archibald schüttelte den Kopf. Er sah wie ein Besessener aus. Herrgott, Rebus hätte ein Buch zu dem Thema schreiben können: Fälle, die einen packten und nicht wieder losließen; ungelöste Fälle, die einen die ganzen langen schlaflosen Nächte verfolgten. Man ging sie immer und immer wieder durch, siebte, sichtete jedes einzelne Krümelchen, suchte nach Auffälligkeiten...

»Trotzdem kapier ich's nicht«, sagte Rebus. »Sie waren damals nicht mit dem Fall befasst... wie kommt's dann, dass Sie...«

Und dann erinnerte er sich. Er hätte früher darauf kommen sollen. Damals hatte die Geschichte die Runde gemacht, war während der Spurensuche auf dem Hügel von Mann zu Mann weitergegeben worden.

»O Scheiße«, sagte Rebus. »Das war Ihre Nichte...«

17

Es war nicht schwer gewesen, im Hotel ein leeres Zimmer zu finden. Die Tür aufzuschließen geradezu ein Klacks. So kam es, dass Cary Oakes im Dunkeln am Fenster saß – an einem Fenster, das Detective Inspector John Rebus *nicht* beobachtete. Er musste lächeln: Ohne es zu merken, war der Beobachter zum Beobachteten geworden.

Auf seinem Schoß lag ein Stadtplan. Er hatte Stevens erzählt, er bräuchte einen, um sich mit der Stadt wieder vertraut machen zu können. Schon vorher hatte Stevens beiläufig erwähnt, dass Rebus früher in der Arden Street gewohnt hatte und vielleicht noch immer da wohnte. Arden Street in Marchmont. Seite 15, Planquadrat 6G. Alan Archibald wohnte in Corstorphine oder hatte da jedenfalls gewohnt, als er Oakes ins Gefängnis geschrieben hatte. In all diesen Briefen hatte er dem Sträfling seine Telefonnummer nicht *ein*mal verraten. Oakes hatte weniger als einen Tag gebraucht, um sie herauszufinden. Die Macht des Wissens; immer wieder seinen Gegner überraschen – das war das Geheimnis jedes Spiels.

Oakes beobachtete die zwei Männer, die sich im Auto unterhielten. Er verspürte einen gewissen Stolz, fast so, als leitete er eine Partnervermittlung. Er hatte die beiden zusammengeführt; er war sich sicher, dass sie gut miteinander auskommen würden. Sie saßen eine Stunde lang da, teilten sich sogar einen heißen Becher aus der Thermoskanne. Dann fuhr ein Streifenwagen vor – Rebus musste ihn über Funk angefordert haben. War das nicht aufmerksam? Bekam der pensionierte Detective doch tatsächlich eine Heimfahrt spendiert. Archibald war gut gealtert, vielleicht aus reiner Bosheit. Oakes wusste sehr wohl, dass *er* längst nicht so frisch aussah wie an dem Tag seiner Inhaftierung. Seine Gesichtshaut war erschlafft, und seine Augen hatten einen leblosen Ausdruck – trotz all der Vitamine und dem regelmäßigen Fitnesstraining.

Er steckte eine Hand in die Tasche, berührte dort eine Rolle Banknoten. Er hatte in der Bar was getrunken, auf ein paar Managertypen eingequasselt. Dazu Stevens als stummer Partner. Stevens hatte schließlich aufgegeben, sie sich selbst überlassen. Oakes hatte während seiner Zeit im Bau allerlei Handwerkliches dazugelernt. Schlösserknacken etwa, und Taschendiebstahl. Von den Kreditkarten hatte er die Finger gelassen. So was ließ sich leicht zurückverfolgen, konnte einen in Schwierigkeiten bringen. Einzig Bargeld sollte sein Leitstern sein. Stevens wollte, dass er von der Zeitung abhängig blieb. Das war der Grund, warum er das Honorar zurückhielt. Schön, vorläufig war er auf Stevens angewiesen, aber das würde sich ändern. Und bis dahin hatte er noch was zu erledigen.

Und das Geld würde ihm dabei helfen.

Er verließ das Zimmer und ging hinunter in den ersten Stock. Am Ende des Korridors befand sich ein Fenster, das auf eine Reihe von Garagen hinausging. Sprung von zweieinhalb Metern bis zum Dach der nächsten Garage. Er hockte sich auf das Fensterbrett, wartete auf das Taxi. Hörte, wie es sich dem Hotel näherte. Er hatte Namen und Zimmernummer eines seiner Zechkumpane angegeben. Er passte den Augenblick ab, als das Taxi an Rebus' Wagen vorbeifuhr und der Detective aller Wahrscheinlichkeit nach am wenigsten mitbekam, dann sprang er in der Dunkelheit auf das Dach, ließ sich von da hinuntergleiten und landete auf festem Boden. Ohne sich eine Atempause zu gönnen, rannte er sofort weiter zur Mauer, die ihn zur Gasse und weg vom Hotel führen würde.

Mit ein wenig Glück würde in einer Minute ein Taxi mit einem verärgerten Fahrer auf der Suche nach einem Ersatzfahrgast zurückkommen.

Um vier Uhr früh, schätzte Darren Rough, würde er sich wohl trauen können. Alle würden schlafen. Er hatte alles in allem Glück gehabt: Letzte Nacht spät unterwegs, hatte er auf dem Heimweg eine frühe Ausgabe seiner Zeitung mitgenommen und darin seine – bösartig entstellte – Geschichte gefunden. Er hatte in der Wohnung gesessen, ganz leise im Hintergrund Radio Two gehört, um die Nachbarn nicht zu stören. Sie hatten Kinder. Kinder brauchten Schlaf, jeder wusste das. Das Radio kaum hörbar, Tee und Toast, im Sessel am Gasofen.

Dann hatte er diesen Artikel entdeckt. Hatte nur die ersten paar Absätze gelesen, gerade genug, um den Drang zu verspüren, die Zeitung zusammenzuknüllen, im Zimmer auf und ab zu laufen, zu hyperventilieren. Er atmete in eine Papiertüte, bis der Anfall vorüber war. Fühlte sich kraftlos, kroch auf Händen und Knien ins Bad. Spritzte sich Wasser aus der Kloschüssel auf Gesicht und Nacken. Stemmte sich hoch, blieb eine Weile auf dem Klo sitzen, Kopf unter der tonnenschweren Last gebeugt. Als seine Beine ihm wieder gehorchten, strich er die Zeitung glatt, breitete sie auf dem Fußboden aus und las den Artikel.

Geht's also wieder los, dachte er.

Wusste, dass er noch vor Tagesanbruch da rausmusste. Verbrachte den Rest der Nacht draußen auf den Straßen, die Knochen kalt und schmerzend vor Müdigkeit. Sobald's ging, in ein Café und frühstücken. Sein Sozialhelfer war erst um neun im Büro, meinte, er würde mit einem Anwalt reden und rauskriegen, welche Handhabe sie konkret für eine Beschwerde hätten. Meinte, es würde alles gut werden.

»Wir müssen es bloß aussitzen.«

Leicht gesagt, wenn man in einem warmen Büro hockte; dazu wahrscheinlich eine liebende Familie, die einen zu Hause erwartete. Sein Sozialarbeiter fuhr einen Kombi: im Gepäckraum Kinderfußballschuhe. Familienvater mit ruhigem Bürojob.

Den Rest des Tages hielt Darren Abstand von Greenfield. Lief bis zum botanischen Garten, tat so, als interessierte er sich für die Pflanzen. Wärmte sich in den Gewächshäusern auf, machte ein gutes Dutzend Runden. Zurück ins Zentrum, Princes Street Gardens, ergatterte ein Stündchen Schlaf auf einer Parkbank, bis ein Polizist ihn aufforderte weiterzugehen. Ein paar Tippelbrüder wurden auf ihn aufmerksam. Sie boten ihm Zigaretten und starkes Lager an. Er blieb eine Stunde bei ihnen, aber sie gefielen ihm nicht: zu verlottert, ganz und gar nicht sein Geschmack.

Kunstgalerien, Kirchen – in Edinburgh gab's eine Menge Orte, wo man umsonst reinkam. Als es Abend wurde, schätzte er, dass er einen entsprechenden Stadtführer hätte schreiben können. Aß in einem Fastfoodrestaurant, zog die Mahlzeit, so weit es irgend ging, in die Länge. Dann ein Pub auf der Broughton Street. Darauf warten, dass ein Tag verging... da begriff man erst, warum die Menschen Ziele, Arbeit brauchten. Er mochte es, wenn sein Tag eine Struktur hatte. Wenn er sich nicht gejagt fühlte.

Nach der Polizeistunde hatte er weitere Tippelbrüder getroffen, sich weitere Geschichten von ihnen angehört. Hatte sich dann vorsichtig an Greenfield herangepirscht, war dreimal wieder abgeschwenkt, bevor er sich endlich seiner Angst gestellt und sie überwunden hatte. Ziel erreicht.

Er schlich die Treppe hinauf, darauf gefasst, sich hinter jeder Kehre einem Gesicht, einer Messerklinge gegenüberzusehen. Nichts. Nur Schatten. Die Galerie entlang, an geschlossenen Türen, verhangenen Fenstern vorbei. Als er seinen Schlüssel vorsichtig ins Schloss steckte, machte er ein Geräusch wie eine rostige Säge. Dann merkte er, dass seine Hände klebrig waren. Trat einen Schritt zurück, bemerkte erst jetzt, dass seine Tür mit Schlamm beschmiert war... Nein, kein Schlamm: Kot. Er roch ihn an seinem Handrücken, den Knöcheln, den Fingern. Und unter der Scheiße irgendwas in Schwarz, Buchstaben, Wörter. Er ging in die Hocke, und während er sich die Hände am Betonfußboden abwischte, sah er nach oben und las die Botschaft.

VERRECK DU SAU.

Das Wort VERRECK war zweimal unterstrichen, damit er es ja nicht übersah.

Das war der Park.

Er hatte sich nicht verändert. Da gab es ein paar Schaukeln und ein Karussell, aber vom Karussell war nur noch die einbetonierte Achse übrig, um die es sich mal gedreht hatte. Die Schaukelsitze bestanden aus dicken Gummireifen. Der Boden war asphaltiert. Ein Stück weiter nach links lag ein Sportplatz. Man hatte Bäume gepflanzt, aber sie sahen verkümmert aus. Das Haus seiner Tante ... vom Fenster des Badezimmers im ersten Stock aus hatte man eine schmale senkrechte Scheibe Park gesehen, eingeklemmt zwischen zwei Zeilen von Reihenhäusern. Das Haus war noch da, dunkel, mit zugezogenen Vorhängen. Er hatte dort zusammen mit seiner Mutter in einem Zimmer gewohnt, das nach hinten rausging, mit Blick auf einen kleinen verwilderten Garten und die Hütte, die zu seinem Zufluchtsort wurde.

Im Park hatte er nicht allzu viel Geborgenheit gefunden. Die örtliche Gang traf sich dort, und Cary durfte nie dabei sein. Er war ein »Zugezogener«, ein »Außenseiter«. Er blieb an der Peripherie stehen, an das Parkgeländer geklammert, bis der eine oder andere von ihnen die Lust verlor, ihn anzupöbeln, rüberkam und ihn mit Fußtritten traktierte.

Und er ließ es über sich ergehen. Weil es besser als nichts war.

Das eine Mal, als er sich an eine Katze rangepirscht hatte und sie mit Feuerzeugbenzin besprüht und dann zugeguckt hatte, wie ihr Schwanz Feuer fing ... da war keiner da gewesen, der ihn dabei beobachtet hätte. Die Polizei hatte die Gang vernommen, aber kein Mensch hatte sich um Cary Oakes gekümmert. Kein Mensch hatte es für nötig gehalten, »den Mickerling« zu befragen.

Jetzt stand er am Zaun. Das Ding war halb demoliert. Tiefe Nacht, niemand auf der Straße. Keine Autos unterwegs. Keiner da, der hätte sehen können, wie seine Hände an den verrosteten Gitterstäben arbeiteten, sie in ihren Einfassungen hin und her drehten.

Dann ein Geräusch: betrunkenes Lachen. Drei Leute, jung, ziellos herumschlendernd, ohne sich darum zu kümmern, wer sie hörte, wessen Schlaf sie möglicherweise störten. Der halbwüchsige Cary hatte bis tief in die Nacht wach gelegen und das Gegröle heimkehrender Besoffener gehört, die zum Teil irische Protestantenlieder sangen.

Drei Typen, unbekümmert darum, wen sie wecken könnten, weil *sie* hier das Sagen hatten. Sie waren die Anführer der hiesigen Gang. *Sie* waren das Einzige, was zählte.

Sie waren auf der anderen Straßenseite, aber sie sahen Oakes, sahen, dass er sie beobachtete.

»Was guckst du, Mann?«

Keine Antwort. Sie fingen an, sich miteinander zu unterhalten, schienen weitergehen zu wollen.

»Einer von diesen Kinderfickern.«

»Trei'm sich ständig in Parks rum.«

»Um diese Uhrzeit, steht einfach so rum...«

Jetzt waren sie stehen geblieben. Kamen zurück, überquerten die Straße. Drei Stück.

Beste Chancen.

»He, Kumpel, was treibst du da?«

»Über dies und das nachdenken«, sagte Oakes ruhig, während er mit einer Hand noch immer am Gitter arbeitete. Die drei Jugendlichen sahen sich an. Sie hatten die Nacht in der Stadt verbracht, in Pubs und Klubs, gesoffen und sich vielleicht irgendwelche Drogen reingezogen. Die richtige Mischung, um Aggressivität und Selbstsicherheit hochzupushen. Noch während sie überlegten, was sie mit diesem Fremden anfangen sollten und wer von ihnen die Initiative ergreifen sollte, riss Oakes den Gitterstab aus dem Zaun und schlug zu. Erwischte den Ersten an der Nase, dass sie wie eine Blume in einer von diesen Zeitrafferaufnahmen aufplatzte. Hände fuhren ans Gesicht, während der junge Mann aufkreischte und auf die Knie fiel. Als die Stange ihren waagerechten Bogen vollendet hatte, schwang Oakes sie wieder zurück, wie ein Pendel, und erwischte Nummer zwei am Ohr. Nummer drei trat zu, aber die Stange knallte an sein Schienbein, sauste dann aufwärts gegen seinen Mund und ließ Zähne zersplittern. Oakes ließ die Waffe fallen. Gebrochene-Nase fällte er mit einem Tritt in die Kehle. Trommelfell erledigte er mit der Faust. Schienbein-und-Zähne humpelte schon davon, aber Oakes lief ihm nach, stellte ihm ein Bein und bearbeitete dann seinen Kopf mit einem Trommelfeuer von Fußtritten.

Anschließend richtete er sich wieder auf, beruhigte seine Atmung. Ließ den Blick über die Häuser schweifen, an die er sich so gut erinnerte. Kein Mensch hatte sich aus seinem Bett gerührt, kein Mensch ihn in diesem Augenblick des Triumphs gesehen. Er wischte sich die Schuhspitzen am Hemd der bäuchlings liegenden Gestalt sauber, vergewisserte sich, dass sie im Verlauf des Kampfes keine Schrammen abbekommen hatten. Ging hinüber zu Trommelfell und zog ihn an den Haaren hoch. Ein weiteres Aufkreischen. Oakes brachte seine Lippen ganz nah an das Ohr, das nicht blutete.

»Das ist jetzt *mein* Revier, kapiert? Wer mir dämlich kommt, kriegt's zehnfach zurück.«

»Wir haben nichts –«

Oakes presste den Daumen fest gegen das blutende Ohr.

»Ihr wolltet ja nie hören.« Er sah hinüber zur Lücke in der Häuserzeile und weiter zum Haus seiner Tante. Er knallte den Kopf des Jungen aufs Pflaster. Tätschelte ihn einmal, wandte sich dann ab und ging.

Um zwanzig nach sechs schlich sich Rebus, mit ofenwarmem Brot, frischer Milch und Zeitung bewaffnet, in

Patience' Wohnung auf der Oxford Terrace. Er brühte sich einen Becher Tee und setzte sich mit dem Sportteil an den Küchentisch. Um Viertel vor sieben, gerade als die Zentralheizung ansprang, schaltete er das Radio ein. Bereitete eine frische Kanne Tee zu, goss für Patience ein Glas Orangensaft ein. Schnitt das Brot auf und stellte alles auf ein Tablett. Trug es ins Schlafzimmer. Patience fixierte ihn mit einem Auge.

»Was ist das?«

»Frühstück ans Bett.«

Sie setzte sich auf, stopfte sich die Kissen in den Rücken. Er stellte das Tablett auf ihrem Schoß ab. »Ich wollte nur nicht, dass du verschläfst.«

»Warum nicht?«

»Weil sobald du aufstehst, bin ich in diesem Bett und am Schlafen.«

Er wich dem Buttermesser aus, mit dem sie nach ihm stach. Als er anfing, sich das Hemd aufzuknöpfen, mussten sie beide lachen.

Jim Stevens ging zum Frühstück nach unten und erwartete, Cary Oakes vor einem weiteren Teller Gebratenem anzutreffen. Aber er war nirgends zu entdecken. Er fragte an der Rezeption nach, aber niemand hatte ihn gesehen. Er telefonierte nach oben – keine Reaktion. Er ging rauf zum Zimmer und hämmerte an die Tür – nichts.

Er war wieder an der Rezeption, im Begriff, einen Zweitschlüssel zu verlangen, als Cary Oakes durch die Hoteltür hereinspaziert kam.

»Wo, zum Teufel, sind Sie gewesen?«, fragte Stevens, fast schwindlig vor Erleichterung.

»Heute Morgen fällt Kaffee für Sie aus, Jim«, sagte Oakes. »Gucken Sie sich bloß an, Sie haben schon jetzt einen Tatterich.«

»Ich hab gefragt, wo Sie waren.«

»Früh aufgestanden. Ich hab anscheinend noch immer US-Zeit drin. Bin am Hafen spazieren gegangen.«

»Niemand hat Sie hier rausgehen sehen.«

Oakes wandte sich zur Rezeption, dann wieder zu Stevens. »Gibt's irgendein Problem? Jetzt bin ich hier, oder?« Er breitete die Arme aus. »Das ist doch die Hauptsache.« Er legte Stevens eine Hand auf die Schulter. »Kommen Sie, gehen wir frühstücken.« Bugsierte ihn schon in Richtung Speisesaal. »Hab echt starken Stoff für Sie heute Morgen. Wenn Ihr Chef das liest, bietet er garantiert an, Ihnen einen zu blasen ...«

»Also *business as usual*«, sagte Stevens und wischte sich den Schweiß von der Stirn.

18

Der Geschäftsmann, dem das Clipper Night-Ship gehörte, fragte Rebus, ob er ihm ein Angebot machen wolle.

»Ich mein's ernst, ich wäre froh, den Kahn mit Verlust loszuwerden, bloß, es will ihn keiner haben.«

Er erklärte Rebus, dass der Clipper ihm kaum mehr als Kopfschmerzen eingebracht habe. Ärger mit der Ausschanklizenz, Beschwerden von den Anwohnern, eine von der Stadt angeordnete Untersuchung, Besuche von der Polizei ...

»Und alles nur, damit sich die Leute auf einem Kahn voll laufen lassen können. Einen Pub könnte ich mit weniger Stress und höherem Gewinn betreiben.«

»Warum tun Sie's dann nicht?«

»Habe ich früher: den Apple Tree in Morningside. Aber damals sah es so aus, als müsste jeder Pub einen besonderen Aufhänger haben. Weiß der Geier, was das ganze

Tamtam um die irischen Pubs soll. Wer ist eigentlich auf die Schnapsidee gekommen, die wären auch nur um einen Deut besser als die schottischen? Dann gibt's die anderen ›Themen-Pubs‹ – Sherlock Holmes oder Jekyll und Hyde oder Pubs für Australier und Südafrikaner.« Er schüttelte den Kopf. »Ein Blick auf den Clipper, und ich war davon überzeugt, das große Los gezogen zu haben. Vielleicht habe ich das wirklich, bloß manchmal sieht es eher wie ein Berg harte Arbeit aus, bei der null Komma nix rausspringt.«

Sie befanden sich im Chefbüro der PJP: Preston-James Promotions. Rebus und Janice saßen auf der einen, Billy Preston auf der anderen Seite des Schreibtisches. Rebus nahm nicht an, dass Preston die Information zu würdigen gewusst hätte, dass ein Namensvetter von ihm früher Keyboard für die Beatles und die Stones gespielt hatte.

Billy Preston war Mitte dreißig, tadellos herausgeputzt mit einem metallisch glänzenden grauen kragenlosen Anzug. Man hatte das Gefühl, dass nichts an ihm kleben blieb: ein regelrechter Teflonmann. Sein Kopf war kahl rasiert, aber an seinem langen kantigen Kinn prangte ein Frank-Zappa-Bart. Die Geschäftsräume der PJP nahmen zwei Zimmer im ersten Stock eines altehrwürdigen Gebäudes auf der Canongate ein: exklusive Lage. Darunter befand sich ein Antiquitätengeschäft, das auf historische Landkarten spezialisiert war.

»Wir würden ja umziehen«, hatte Preston ihnen erklärt, »uns was Größeres suchen, mit Möglichkeiten zum Parken, bloß meint mein Partner, wir sollten abwarten.«

»Warum?«, hatte Rebus gefragt.

»Das Parlament.« Preston hatte durch das Fenster nach draußen gedeutet. »Zweihundert Meter da runter. Die Grundstückspreise in dieser Gegend schießen in die Höhe. Wir wären Trottel, schon jetzt zu verkaufen.« Er spielte fortwährend mit seiner Computermaus, schob sie über das Pad, klickte und doppelklickte. Da Rebus den Bildschirm nicht sehen konnte, nervte es ihn. »Natürlich, wenn sie statt Holyrood Leith dafür ausgewählt hätten …« Preston verdrehte die Augen.

»Dann würde Ihnen der Clipper weniger Sorgen machen«, tippte Rebus.

»Bingo. Dann hätten wir abgewartet, bis die Abgeordneten und ihre Mitarbeiter mit ihren saftigen Gehältern gekommen wären und sich nach Möglichkeiten zum Geldausgeben umgesehen hätten.«

»Der Clipper, ist das so was wie ein Privatklub?«, fragte Janice.

»Nicht direkt. Das Schiff kann gemietet werden. Wenn Sie mir ein Minimum von wochentags vierzig, an Wochenenden sechzig Gästen garantieren, bekommen Sie es umsonst, solange sich die Gäste ihre Drinks an der Schiffsbar holen. Sie zahlen für die Disko, das ist alles.«

»Sie sagen, ein Minimum von vierzig. Was ist das Maximum?«

»Laut Sicherheitsbestimmungen fünfundsiebzig.«

»Aber ab vierzig machen Sie Gewinn?«

»Gerade eben«, sagte Preston. »Ich hab Personal, allgemeine Unkosten, Strom …«

»Dann ist an manchen Abenden also gar nicht auf?«

»Das kommt in Wellen, wenn Sie das Wortspiel entschuldigen. Wir haben gute Zeiten gehabt. Momentan stecken wir in …«

»In einer Flaute?«, schlug Rebus vor.

Preston schnaubte, zog aus einer Schublade ein Hauptbuch hervor. »Also, um welches Datum handelt es sich?«

Janice sagte es ihm. Sie hielt die Hände um einen Becher Kaffee gewölbt. Der Kaffee war von Anfang an lauwarm und abgestanden gewesen. Rebus fragte sich, worin die Qualitäten der großen blonden Sekretärin bestanden, die im Vorzimmer saß. Der Fußboden war mit Papierkram übersät, überall lag ungeöffnete Post... Wenn Preston sich nicht hilfsbereit zeigte, schloss Rebus einen Anruf beim Finanzamt nicht aus.

Aber Preston blätterte rasch das Hauptbuch durch. »Ich hab das Ding gefunden, als wir hier eingezogen sind«, erklärte er. »Ich dachte mir, ich müsste irgendeinen Verwendungszweck dafür finden.« Er sah auf. »Sie wissen schon, Kontinuität und so weiter.«

Sein Finger fand das Datum, fuhr die Zeile entlang.

»An dem Abend gebucht, private Party. Kostümfest.« Er sah zu Janice. »Sicher, dass Ihr Sohn auf den Clipper wollte?«

Sie zuckte die Achseln. »Es wäre möglich.«

»Wer gab denn die Party?«, fragte Rebus. Er war schon aufgestanden. Die Augen auf das Hauptbuch gerichtet, schien Preston nicht zu bemerken, dass Rebus auf seine Seite des Schreibtisches kam. Rebus' erster Impuls: auf den Bildschirm gucken. Solitaire wartete darauf, dass der Spieler den ersten Zug machte.

»Amanda Petrie«, sagte Preston. »Ich war an dem Abend da. Ich erinnere mich daran. Es war irgendein Thema vorgegeben... Piraten oder was in der Art.« Er rieb sich das Kinn. »Nein, es war *Die Schatzinsel*. Irgendso'n Arschloch kreuzte als Papagei auf. Ehe der Abend rum war, kotzte er wie ein Reiher.« Er sah Janice an. »Könnte ich diese Fotos noch einmal sehen?«

Sie reichte sie ihm: Damon und die Blondine aus dem Überwachungsvideo, dann Damon auf einem Urlaubsschnappschuss.

»Sie waren nicht kostümiert?«, fragte Preston.

Janice schüttelte den Kopf.

Prestons Hände waren mit dem Hauptbuch und den

Fotos beschäftigt. Als Rebus sich hinüberbeugte, um selbst einen Blick ins Hauptbuch zu werfen, stellte er fest, dass er mit dem Ellbogen die Maus verschoben hatte, so dass der Zeiger auf »Schließen« stand. Ein leichter Druck auf die Maustaste, und das Bild änderte sich. Anstelle einer Patience eine Frau auf allen vieren. Das Foto war von hinten aufgenommen worden, und das Modell sah mit einem Schmollmund über die Schulter dem Betrachter entgegen. Sie trug weiße Strümpfe und Strapse und sonst nichts. Der Schmollmund war übertrieben. Neben ihr auf dem Fußboden eine leere Champagnerflasche. Rebus sah zur Fensterbank, wo eine leere Champagnerflasche stand.

»Aber kann sie auch Steno?«, fragte Rebus. Preston sah, worauf seine Augen gerichtet waren, schaltete den Bildschirm aus. Rebus nutzte die Gelegenheit, um das schwere Hauptbuch vom Schreibtisch zu nehmen und damit wieder zu seinem Sessel zurückzukehren.

»Sie waren in der Nacht also da?«, fragte er.

Preston sah verdattert aus. »Um nach dem Rechten zu sehen.«

»Und Sie haben weder Damon noch die Blondine gesehen?«

»Ich kann mich jedenfalls nicht an sie erinnern.«

Rebus sah ihn an. »Nicht ganz dasselbe, oder?«

»Hören Sie, Inspector, ich bemühe mich, Ihnen behilflich zu sein...«

»Amanda Petrie«, sagte Rebus. Dann entdeckte er ihre Adresse, erkannte sie wieder. Er sah wieder Preston an.

»Die Tochter des Richters?«

Preston nickte. »Ama Petrie.«

»Ama Petrie«, echote Rebus. Er wandte sich zu Janice, sah die Frage in ihrem Blick. »Edinburghs wildes Mädchen Nummer eins.« Wieder zu Preston gewandt: »Wie ich sehe, haben Sie ihr für den Kahn nichts berechnet.«

»Ama bringt immer ein ordentliches Gefolge mit.«

»Benutzt sie den Clipper häufig?«

»Vielleicht einmal im Monat, gewöhnlich zu irgendeiner Art von Kostümfest.«

»Spielen alle mit?«

Preston begriff, worauf er hinauswollte. »Nicht immer.«

»An diesem Abend hat's also auch Gäste in normaler Kleidung gegeben?«

»Ja, ein paar.«

»Und die fielen dann wohl nicht so sehr ins Auge wie Piraten und Papageien – richtig?«

»Richtig.«

»Also wär's möglich …?«

»Es *wär* möglich«, sagte Preston mit einem Seufzer. »Hören Sie, was erwarten Sie von mir? Soll ich lügen und behaupten, ich hätte die beiden dort gesehen?«

»Nein, Sir.«

»Am besten wäre es, Sie würden direkt mit Ama reden.«

»Ja«, sagte Rebus nachdenklich. Dachte über Amanda Petrie, über ihren Ruf nach. Und auch über ihren Vater, Lord Justice Petrie.

»Sie zieht mit einer ziemlich wilden Clique durch die Gegend«, erklärte Preston.

Rebus nickte. »Auch einer ziemlich reichen.«

»O ja.«

»Die Sorte Gäste, von denen Sie ruhig mehr haben könnten.«

Preston sah ihn böse an. »Lügen würde ich ihretwegen nicht. Außerdem bezweifle ich, dass mein Kreislauf mehr als *eine* Ama verkraften könnte. Dauert eine Ewigkeit, hinter ihr her zu putzen – noch mehr Unkosten für mich. Und die meisten Beschwerden scheinen nach Amas Partys zu kommen. Die sind weiß Gott schon laut genug, wenn sie hier eintreffen …«

»Irgendwas Ungewöhnliches in der Nacht?«

Preston starrte Rebus an. »Inspector, es war *Ama Petrie*. Bei ihr *gibt* es kein ›gewöhnlich‹.«

Rebus notierte sich ihre Telefonnummer aus dem Hauptbuch. Dabei überflog er noch die anderen Buchungen, fand nichts, was für ihn von Interesse gewesen wäre.

»Tja, danke, dass Sie sich die Zeit genommen haben, Mr. Preston.« Ein letzter Blick in Richtung Computer. »Dann wollen wir Sie nicht länger von Ihrem Spiel abhalten.«

Draußen wandte sich Janice zu ihm. »Ich hab das Gefühl, dass ich da drin irgendwas nicht mitbekommen habe.«

Rebus zuckte die Achseln, schüttelte den Kopf. Das Auto stand in einer Querstraße. Während sie gingen, blies ihnen der Wind Nieselregen ins Gesicht.

»Ama Petrie«, sagte Rebus mit gesenktem Kopf. »Sie passt nicht in mein Bild von Damon.«

»Die geheimnisvolle Blondine«, stellte Janice fest.

»Kannst du ihn dir als Freund von ihr vorstellen?«

»Fragen wir doch Ms. Petrie.«

Rebus rief die Nummer von seinem Handy aus an; es meldete sich ein Anrufbeantworter, und er hinterließ keine Nachricht. Janice musterte ihn.

»Manchmal ist es besser, sich nicht zu lang im Voraus anzukündigen«, erklärte er.

»Damit die Leute keine Zeit haben, sich eine Geschichte auszudenken?«

Er nickte. »Was in der Art.«

Sie musterte ihn noch immer. »Du hast es drauf, stimmt's?«

»Früher ja.« Er dachte an Alan Archibald: all die Jahre bei der Polizei, die Hartnäckigkeit, mit der er Deirdre Campbells Mörder verfolgte… Es mochte eine Art Wahnsinn sein, aber man musste ihn einfach bewundern. Es war genau das, was Rebus an Bullen schätzte. Das Problem war nur, dass die meisten nicht so waren…

»Zurück in die Arden Street«, sagte er zu Janice. Sie hatte noch mehrere Anrufe zu erledigen; seine Wohnung war immer noch ihr Stützpunkt.

»Und du?«, fragte sie.

»Hab zu tun, muss ein paar Leute sprechen.«

Sie nahm seine Hand, drückte sie. »Danke, John.« Dann berührte sie sein Gesicht. »Du siehst müde aus.« Rebus nahm ihre Finger von seiner Wange, führte sie an den Mund, küsste sie. Mit der freien Hand drehte er den Zündschlüssel herum.

Die erste Folge der Cary-Oakes-Story »Lebenslänglich« war nicht mehr als ein Appetizer: ein paar Absätze über seine Rückkehr nach Schottland, ein paar weitere über seine Haftzeit und dann die frühen Jahre des Helden. Rebus fiel auf, dass mit Ortsnamen äußerst sparsam umgegangen wurde. Oakes' Erklärung: »Ich möchte nicht, dass ein Ort einen schlechten Ruf kriegt, bloß weil Cary Oakes da mal einen verregneten Winter verbracht hat.«

Rücksichtsvoll von ihm.

Wiederholt wurde auf kommende Enthüllungen angespielt – Mohrrüben, die der dümmlichen Leserschaft vor die Nase gehalten wurden, damit sie brav bei der Stange blieb –, aber insgesamt gewann man den Eindruck, dass die Zeitung die Katze (für wie viel auch immer) im Sack gekauft hatte. Rebus bezweifelte, dass Stevens' Boss allzu begeistert war. Es gab Fotos: Oakes auf dem Flughafen; Oakes bei seiner Entlassung aus der Strafanstalt; Oakes als Baby. Auch ein kleines Foto von »Reporter James Stevens« neben seinem Namen unter der Schlagzeile. Rebus stellte fest, dass die Fotos zusammen mehr Platz einnahmen als der Text. Wie es aussah, würde der Reporter einige Mühe haben, die Geschichte auf Buchformat auszuwalzen.

Rebus faltete die Zeitung zusammen und sah aus dem Fenster seines Autos. Er parkte vor dem Eingang eines Heimwerkermarktes, eine dieser dürftig kaschierten Lagerhallen, die, für wenig Geld und auf die Schnelle aus dem Boden gestampft, die Stadt mehr und mehr zu umzingeln schienen. Auf dem weitläufigen Parkplatz standen lediglich vier Autos. Diesen Teil der Stadt kannte Rebus nicht besonders gut: Brunstane. Zwischen The Jewel im Westen, mit seinem obligatorischen Einkaufszentrum, und dem Jewel and Esk College im Osten. Die Mitteilung, die Jane Barbour für ihn im Büro hinterlassen hatte, war kurz und bündig gewesen: Zeit und Ort, dazu die knappe Bitte, sich dort mit ihr zu treffen.

Rebus steckte sich eine weitere Zigarette an und fragte sich, ob sie irgendwann noch auftauchen würde. Dann hielt ein Auto neben ihm, hupte und fuhr weiter auf den Parkplatz. Rebus ließ den Wagen an und folgte.

DI Jane Barbour fuhr einen cremefarbenen Ford Mondeo. Sie stieg gerade aus, als Rebus neben ihr parkte. Sie beugte sich noch einmal ins Auto und holte einen DIN-A4-Umschlag heraus.

»Hübsches Auto«, sagte Rebus.

»Danke, dass Sie gekommen sind.«

Rebus schlug die Wagentür für sie zu. »Was ist los? Dübel ausgegangen?«

»Sind Sie hier schon mal gewesen?«

»Kann ich nicht behaupten.«

Der Wind blies ihr das Haar ins Gesicht. »Kommen Sie«, sagte sie in geschäftsmäßigem, fast feindseligem Ton.

Er folgte ihr um die Ecke. Hier, an der Längsseite der Halle, stellten die Mitarbeiter ihre Fahrzeuge ab. Es gab zwei Notausgänge, in einem Grün gestrichen, das dem

Grau der Wellblechwände an Trostlosigkeit in nichts nachstand. Die Rückseite des Gebäudes diente der Müllentsorgung und der Warenanlieferung. Container quollen über von platt gedrückten Pappkartons. Ein Dutzend Keramiktöpfe wartete darauf, hineingetragen und in Regale gestellt zu werden. Eine niedrige Backsteinmauer umgab das Gelände.

»Und hier ziehen Sie mir eins über den Schädel?«, fragte Rebus und steckte die Hände in die Taschen.

»Weswegen haben Sie einen solchen Hass auf Darren Rough?«

»Was geht Sie das an?«

»Sagen Sie's mir einfach.«

Er versuchte, Blickkontakt herzustellen, aber sie spielte nicht mit. »Wegen dem, was er ist, dem, worauf er im Zoo aus war. Wegen der miesen Geschichten, die er über einen Kollegen von uns in Umlauf gebracht hat. Wegen ...«

»Shiellion?«, tippte sie und sah ihm endlich in die Augen. »Ince und Marshall konnten Sie nicht drankriegen, aber plötzlich war jemand da, dem sie es stellvertretend heimzahlen konnten.«

»So war's nicht.«

Barbour öffnete den Umschlag, zog ein Schwarzweißfoto heraus. Es sah alt aus, zeigte ein dreigeschossiges georgianisches Haus. Davor posierte eine Familie, stolz auf ihr neues Automobil. Das Auto war ein Modell aus den Zwanzigerjahren.

»Das Haus ist vor sechs Jahren abgerissen worden«, erklärte Barbour. »Die einzige Alternative wäre gewesen, abzuwarten, dass es von selbst einstürzte.«

»Schönes Haus.«

»Der Patriarch da«, sagte Barbour und tippte mit dem Finger auf den Mann, der mit einem Fuß auf dem Trittbrett des Autos stand, »ging irgendwann mal Bankrott. Ein gewisser Mr. Callstone. Machte in Jute oder was in der Richtung. Das Haus der Familie musste verkauft werden. Die Church of Scotland hat es sich geschnappt. Aber der Kaufvertrag sah unter anderem vor, dass der Name der Familie beibehalten werden musste. Also blieb es Callstone House.«

Sie wartete, bis er den Namen eingeordnet hatte. »Das Kinderheim«, sagte er schließlich und sah, wie sie nickte.

»Ramsay Marshall arbeitete dort bis zu seiner Versetzung nach Shiellion. Und da kannte er Harold Ince bereits.« Sie reichte ihm weitere Fotos.

Rebus sah sie durch. Callstone House als von der Church of Scotland geleitetes Heim. Kinder, die in Reih und Glied vor derselben Haustür standen, Innenaufnahmen mit Kindern, die mit hungrigem Blick an langen Tischen saßen. Schlafsäle. Ein paar Fotos von streng dreinschauendem Personal. Rebus stellte jetzt im Geist Zusammenhänge her. »Darren Rough hat einige Zeit in Callstone verbracht…«

»Ja, genau.«

»Während Ramsay Marshalls Regierungszeit?«

Sie nickte wieder.

»Sie…«, sagte er, plötzlich begreifend, »… *Sie* waren es, die Darren Rough wieder hier haben wollte.«

»Stimmt.«

»Für den Prozess?«

Sie nickte. »Ich hab ihm eine Wohnung besorgt, wollte ihn in Reichweite haben. Hab ihn wochenlang bearbeitet.«

»Er wurde missbraucht?« Rebus runzelte die Stirn. »Er steht nicht auf der Liste.«

»Der Staatsanwalt meinte, dass er keinen besonders guten Zeugen abgegeben hätte.«

Rebus nickte. »Vorbestraft. Unangenehm, wenn's im Kreuzverhör zur Sprache gekommen wäre.«

»Eben.«

Rebus gab ihr die Fotos zurück. Jetzt wusste er, worum es ging. »Also, was ist ihm passiert?«

Sie steckte demonstrativ beschäftigt die Fotos in den Umschlag zurück. »Eines Nachts kam Marshall in den Schlafsaal. Darren war wach. Marshall sagte, sie würden eine Spazierfahrt machen. Er nahm Darren mit nach Shiellion.«

»Was beweist, dass Marshall und Ince schon damals unter einer Decke steckten?«

»So sieht's jedenfalls aus. Die beiden und noch ein dritter Mann wechselten sich ab.«

»Scheiße.« Rebus starrte die Lagerhalle an und stellte sich vor, sie sei ein Kinderheim, eine angebliche Stätte der Geborgenheit. Er fragte sich, was der Geist Mr. Callstones davon gehalten hätte. »Wer war der dritte Mann?«

Barbour zuckte die Achseln. »Sie hatten Darren die Augen verbunden.«

»Warum?«

»Die Sache ist die, John, ich hab ihm gewisse Zusicherungen gemacht.«

»Einem verurteilten Pädophilen«, fühlte sich Rebus verpflichtet hinzuzufügen.

»Nie davon gehört, dass die Umwelt den Charakter prägt?«

»Dass das geschändete Kind selbst zum Kinderschänder wird? Finden Sie, das ist eine annehmbare Entschuldigung?«

»Ich finde, das ist eine *Erklärung.*« Jetzt war sie ruhiger. »Professor Calder in Glasgow führt so einen Test durch. Er zeigt, wie wahrscheinlich es ist, dass jemand rückfällig wird. Bei Darren wurde das Risiko als niedrig eingestuft. Während seiner ganzen Haftzeit ist er regelmäßig zu den Sitzungen gegangen, hat seine Therapie konsequent durchgezogen.«

Rebus rümpfte die Nase. »Wie kommt's, dass er nicht registriert ist?« Er hatte es überprüft: In Edinburgh waren neunundvierzig Sexualstraftäter polizeilich registriert; Rough gehörte nicht zu ihnen.

»Das war Teil des Deals. Er hat eine Heidenangst, dass sie ihn sich schnappen könnten.«

»›Sie‹?«

»Ince und Marshall. Ich weiß, dass sie hinter Schloss und Riegel sind, aber er hat ihretwegen noch heute Albträume.« Sie wartete darauf, dass er etwas sagte, aber Rebus war in Gedanken versunken. »Was in Greenfield abläuft«, fuhr sie fort, »ist nicht richtig. Ist das Ihre Lösung: sie hetzen, sie rausjagen? *Irgendwo* landen sie am Ende doch, John. Wir müssen uns mit ihnen befassen, dürfen sie nicht einfach dem Pöbel ausliefern.«

Rebus starrte auf seine Schuhe. Wie immer hätten sie mal wieder geputzt werden müssen. »Hat Rough es Ihnen gesagt?«

Sie schüttelte den Kopf. »Als ich die Zeitung sah, hab ich mich sofort auf die Suche nach ihm gemacht. Dann habe ich mit seinem Sozialarbeiter gesprochen. Und Davies ist sich ziemlich sicher, dass Sie es waren.«

»Und, glauben Sie ihm?«

Sie zuckte die Achseln. Sie waren wieder auf dem Weg zu ihren Autos. »Also, was wollen Sie?«, fragte Rebus. »Eine Entschuldigung?«

»Ich will nur, dass Sie begreifen.«

»Schön, danke für die Therapie. Ich glaube, ich bin so weit, dass man mich wieder in die Gesellschaft eingliedern kann.«

»Freut mich, dass Sie darüber Witze reißen können«, sagte sie kalt.

Er wandte sich zu ihr. »Rough kommt nach Edinburgh zurück, und Jim Margolies, der Bulle, der ihn angeblich zusammengeschlagen hatte, beschließt, einen Sprung von den Salisbury Crags zu machen. Ich glaube, da könnte ein Zusammenhang bestehen. *Deswegen* interessiere ich mich für –« Er bemerkte, wie sich ihr Gesichtsausdruck bei Erwähnung Margolies' veränderte. »Was ist?«, fragte er. Sie schüttelte den Kopf. Rebus kniff die Augen zusammen. »Sie haben mit ihm gesprochen, stimmt's? Sie haben mit ihm das gleiche Gespräch geführt wie eben mit mir?«

Sie zögerte, nickte dann. »Ich wollte Darren nach Edinburgh zurückholen. Er sträubte sich, wollte wissen, ob DI Margolies noch immer in der Stadt war.«

»Also haben Sie sich mit Jim getroffen, ihm alles erklärt?«

»Ich wollte vermutlich sicher sein, dass es keine … Konflikte geben würde.«

»Dann wusste Margolies also, dass Rough zurückkommen würde?« Rebus dachte nach. Ein Handy trillerte: ihres. Sie holte es aus ihrer Tasche, hörte kurz zu.

»Ich fahr sofort hin«, sagte sie und beendete das Gespräch. Dann zu Rebus gewandt: »Sie sollten besser auch mitkommen.«

Er sah sie an. »Was gibt's?«

Sie öffnete die Tür ihres Wagens. »Hässliche Szenen in Greenfield. Darren scheint endlich doch nach Haus gekommen zu sein.«

19

Auf der Galerie vor Darren Roughs Wohnung hatte sich ein wütender Haufen versammelt, und das Einzige, was sich zwischen Letzterem und der Tür befand, war Police Constable Tom Jackson. Van Brady stand in der vordersten Reihe und schwang eine Brechstange. Weitere Frauen drängten sich hinter ihr nach vorn. Ein Team des örtlichen Fernsehsenders versuchte, die Kamera in Stellung zu bringen. Ein Fotoreporter knipste ein paar Kinder, die ein Spruchband – Marke Eigenbau: ein entzweigerissenes Bettlaken und schwarze Farbe aus der Spraydose – hochhielten. Die Aufschrift lautete: RETTET UNS VOR DEM UNGEHEUER.

»Sehr hübsch«, meinte Jane Barbour.

In den anderen Wohnblocks schauten Leute von ihren Fenstern aus zu oder lehnten sich hinaus, um die Menge lautstark anzufeuern. Rebus sah, dass die Wohnungstür mit Farbe beschmiert war. An der Fensterscheibe klebten Eierreste und Fett. Die Meute schrie nach Blut, und sie schien ständig anzuwachsen.

Rebus dachte: *Mein Gott, was habe ich getan?*

Tom Jackson warf einen Blick in Rebus' Richtung. Sein Gesicht war gerötet, an beiden Seiten rann ihm der Schweiß hinunter. Jane Barbour drängte sich nach vorn.

»Was ist hier los?«, rief sie.

»Holen *Sie* nur den Scheißkerl hier raus«, schrie Van Brady als Antwort. »Das Lynchen besorgen wir schon!«

Beifällige Rufe aus der Menge – »Knüpft ihn auf!«; »Hängen ist noch zu gut für ihn!« Barbour hob beide Hände in die Höhe, bat um Ruhe. Sie sah, dass die meisten Demonstranten weiße Klebetiketten an ihren Jacken oder Pullovern trugen. Schlichte weiße Etiketten, auf die man mit der Hand drei Buchstaben geschrieben hatte: GGP.

»Was heißt das?«, fragte sie.

»Greenfield gegen Perverse«, teilte ihr Van Brady mit.

Rebus sah einen Jungen, der die Sticker verteilte. Erkannte ihn als James Brady, Vans Jüngsten.

»Seit wann ist es euer Job, für abartige Dreckschweine wie den einzutreten?«, fragte eine Frau.

»Jeder Mensch hat gewisse Rechte«, erwiderte Barbour.

»Auch Perverse?«

»Darren Rough hat seine Strafe verbüßt«, fuhr Barbour fort. »Jetzt macht er ein Rehaprogramm mit.« Sie sah, dass die Fernsehcrew näher heranrückte, und flüsterte Tom Jackson etwas zu. Er drängte sich zur Kamera vor, hielt eine Hand vor das Objektiv.

»Wir wollen Antworten!«, brüllte Van. »Warum hat man ihn hier einquartiert? Wer wusste davon? Warum hat man uns nicht informiert?«

»Und wir wollen, dass er verschwindet!«, rief eine Männerstimme. Ein Neuankömmling, vor dem sich die Menschenmenge wie das Rote Meer teilte. Ein junger Mann, ein Gesicht wie aus Stein gemeißelt, die Arme nackt. Er stand jetzt Schulter an Schulter neben Van Brady, schenkte Barbour keinerlei Beachtung und richtete seine Kommentare an das Fernsehteam.

»*Wir* leben hier, und nicht die Polizei.« Applaus und Beifallsrufe. »Wenn die mit solchem Abschaum« – und deutete mit dem Daumen hinter sich, auf Roughs Wohnungstür – »nicht fertig werden, kein Problem, wir erledigen das selbst. In der Hinsicht haben wir hier in Greenfield schon immer auf Sauberkeit geachtet.«

Weitere Beifallsrufe; entschieden nickende Köpfe.

Ein Demonstrant: »Du sagst es, Cal.«

Cal Brady, aufrecht neben seiner Mutter, die ihren wortgewandten Sohn voller Stolz ansah. Cal Brady, den Rebus jetzt zum ersten Mal leibhaftig sah.

Na ja, nicht ganz richtig: zum ersten Mal sah *und* wusste, wer er war. Aber Rebus war Cal Brady vorher schon mal begegnet. In Gaitano's Nachtklub, wo er mit dem Vizegeschäftsführer, Archie Frost, an der Bar gestanden hatte. Frost mit seinem Rattenschwänzchen und seinen schlechten Manieren; sein Freund erst stumm, dann sich rar machend …

»Können wir darüber reden?«, fragte Jane Barbour.

»Was gibt's denn da zu reden?«, fragte Van Brady und verschränkte die Arme.

»Diese ganze Situation.«

Cal Brady tat so, als sei sie gar nicht da, und wandte sich an seine Mutter. »Ist er da drin?«

»Einer seiner Nachbarn hat Geräusche gehört.«

Cal Brady hämmerte gegen die Fensterscheibe, musste sich dann Schmiere von den Jeans wischen.

»Hören Sie«, versuchte es Jane Barbour weiter, »wenn wir jetzt alle –«

»Gute Idee«, sagte Cal Brady. Dann riss er seiner Mutter die Brechstange aus der Hand und schwang sie gegen das Fenster, das in Scherben ging. Packte das schmutzige Laken und riss es samt den Reißzwecken, mit denen es oben am Rahmen befestigt war, herunter. Er war schon halb über die Fensterbank und, die Brechstange noch immer in der Hand, in die Wohnung gestiegen. Rebus packte ihn an den Füßen und zog ihn wieder heraus. Bradys T-Shirt blieb am Glas hängen und zerriss.

»Hey, Sie!«, schrie Van Brady und verpasste Rebus einen Schwinger. Cal Brady strampelte sich frei, stemmte sich hoch und ging auf Rebus los.

»Wollen Sie das, ja?« Und holte mit der Brechstange aus. Erkannte den Polizisten nicht wieder.

»Ich will, dass du dich beruhigst«, sagte Rebus leise. Er wandte sich zu Van. »Und Sie, Sie benehmen sich.«

Die Menge hatte sich um das Fenster geschart, begierig, einen Blick in die Wohnung zu werfen. Sie sah praktisch wie jede andere aus: mit Emulsionsfarbe gestrichene Wände, Sofa, Sessel, Bücherregal. Kein Fernseher, keine Stereoanlage. Auf dem Sofa Stapel von Büchern: Fotohandbücher, Romane. Auf dem Fußboden Zeitungen, leere Fertigsuppenbecher, eine Pizzaschachtel. Im Bücherregal Dosen und Limoflaschen. Alle schienen von der dürftigen Ausbeute enttäuscht zu sein.

»Das ist ein Bulle«, warnte Van ihren Sohn.

»Hör auf deine Mutter, Cal«, sagte Rebus.

Cal Brady ließ schon die Brechstange sinken, als ein halbes Dutzend Uniformierte auf der Treppe erschien.

Als Erstes trieben sie die Menge auseinander. Van Brady brüllte, dass in ihrer Wohnung eine GGP-Versammlung stattfinden würde. Das Fernsehteam schien ihr folgen zu wollen. Der Fotograf blieb noch und machte ein paar Schnappschüsse von Darren Roughs Wohnzimmer, bis Uniformierte ihn ebenfalls verscheuchten. Barbour hatte ihr Handy gezückt und forderte jemanden an, der das Fenster mit Brettern vernageln sollte.

»Und dalli, bevor jemand einen Kanister Benzin hineinschmeißt.«

Tom Jackson wischte sich die Stirn ab, während er auf Rebus zukam.

»Allmächtiger Himmel«, sagte er. »Ich glaube, so, wie's vorher war, war's mir lieber.«

Als Rebus aufsah, waren Jacksons Augen auf ihn gerichtet.

»Machen Sie mich für das Ganze hier verantwortlich?«

»Habe ich das gesagt?« Jackson war noch immer mit seinem Taschentuch zugange. »Ich kann mich nicht erinnern, das gesagt zu haben.« Wandte sich ab und ging.

Rebus sah durchs Fenster hinein. Aus dem Zimmer drang ein muffiger Geruch; kein Wunder, wo weder frische Luft noch Sonne jemals reinkamen. Wenn schon, denn schon, dachte er, setzte einen Fuß auf den Fenstersims und stemmte sich hoch.

Glassplitter knirschten unter seinen Sohlen. Von Darren Rough weit und breit keine Spur.

Du wolltest es so haben, John. Die Stimme in seinem Kopf: nicht seine eigene, Jack Mortons Stimme. *Du wolltest es so haben, und jetzt hast du's bekommen…*

Nein, dachte er, *das* habe ich nicht gewollt.

Aber Jack hatte nicht ganz Unrecht: Jedenfalls war's passiert.

Ein enger bogenförmiger Durchgang führte vom Wohnzimmer in die kleine Küche. Rebus berührte den Wasserkocher: eine Spur Restwärme. Sah in den Kühlschrank: Brot, Margarine, Marmelade. Keine Milch. Im Mülleimer mit dem Schwingdeckel: leere Milchtüte, Baked-Beans-Dosen.

Jane Barbour rief durchs Fenster hinein: »Was gefunden?«

»Nicht viel.«

»Wie wär's, wenn Sie mich reinlassen würden?«

»Klar.«

Er öffnete die Tür zum Flur, wo es stockdunkel war, tastete und fand einen Lichtschalter. Nackte Vierzig-Watt-Birne. Er versuchte, die Tür zu öffnen, aber das Einsteckschloss war abgeschlossen und nirgendwo ein Schlüssel zu finden. Den Briefschlitz hatte Rough mit einem Holzklotz gesichert. Viel Post dürfte er ohnehin nicht bekommen haben. Rebus ging zum Fenster zurück, teilte Barbour mit, dass sie schon reinklettern müsse, wenn sie an einer Besichtigung interessiert sei.

»Nein, danke«, sagte sie. »*Ein*mal hat mir gereicht.« Rebus sah sie an. »Als ich ihn hergebracht habe.«

Rebus nickte, ging wieder in den Flur. Nur die zwei Schlafzimmer, dann Bad und separates Klo. Im ersten Schlafzimmer lag ein Schlafsack auf dem Boden. Einschlaflektüre: die Bibel, in »zeitgemäßer Übersetzung«. Leere

Chipstüten. Rebus hob sie auf. In einer lag ein gebrauchtes Kondom. Fenstervorhang war zu: Rebus zog ihn auf, sah hinunter auf eine Straße. Das zweite Schlafzimmer war völlig leer, nicht einmal eine Glühbirne hing an der Decke. Selbe Aussicht wie bei Nummer eins. Das Bad hätte mal wieder geputzt werden können. An den Wänden Schimmel. Das einzige Handtuch war ein erbärmlich kleiner, abgewetzter Fetzen, wie aus einem Krankenhaus oder was in der Richtung. Rebus versuchte, die Toilettentür zu öffnen. Sie war abgeschlossen. Er drückte fester: eindeutig abgeschlossen. Er klopfte.

»Rough? Sind Sie da drin?« Von außen ließ sich die Tür nicht abschließen. »Polizei!«, rief Rebus. »Hören Sie, wir räumen hier gleich das Feld, und Ihr vorderes Fenster ist eingeschlagen. Sobald wir weg sind, dauert es keine Minute, und die Wandalen sind wieder da.« Schweigen. »Ganz wie Sie wollen«, sagte Rebus und wandte sich ab. »Ach, übrigens, DI Barbour ist draußen. Tschüs, Darren.«

Rebus war schon halb durchs Fenster gestiegen, als er das Geräusch hinter sich hörte. Er drehte sich um und sah Darren Rough in der Tür stehen: ausgezehrtes Gesicht, Augen flackernd in angstvoller Erwartung. Von innen wie von außen gehetzt. Er hielt zitternd die Hände vor die Brust, als könnten sie ihn vor den Schlägen einer Brechstange schützen.

Rebus, sonst gegen die meisten Dinge immun, verspürte plötzlich einen Anflug von Mitleid. Jane Barbour stand draußen auf der Galerie und redete mit Tom Jackson. Als sie Rebus' Blick sah, verstummte sie.

»DI Barbour«, rief er. »Ich glaub, da ist jemand für Sie!«

Jim Stevens versuchte, den Anblick des in der Kirche urinierenden Cary Oakes aus seinem Bewusstsein zu verbannen. Jetzt, wo er Oakes hatte, brauchte er die Story, und zwar eine *richtig heiße* Story. Sein Boss hatte sich über die erste Folge beschwert, gemeint, sie wär wie eine Amateurnutte: erst die Leute scharf machen, dann die Beine zusammenkneifen; er hoffe sehr, dass noch Besseres folge. Stevens hatte ihm sein Wort gegeben.

Auf Oakes' Nachttisch lag eine Bibel. Trotzdem hatte er in der Kirche... Stevens wollte nicht darüber nachdenken, was es bedeuten mochte. Oakes hatte irgendetwas... man blickte ihm manchmal in die Augen und sah es, und wenn er einen dabei ertappte, konnte er es einfach wegblinzeln. Aber immer wieder, jeweils ein paar Sekunden lang, befand sich sein Geist ganz woanders, an einem Ort, wo der Reporter nicht ums Verrecken hätte sein wollen.

Tu einfach deinen Job, sagte er sich immer wieder. Nur noch ein paar Tage, genügend Zeit, um bei seinem Boss ordentlich Pluspunkte zu sammeln, den anderen Blättern zu zeigen, dass er es noch immer draufhatte, und für den Verlag, der ihm das beste Angebot machte, ein Exposé zu verfassen. Er stand schon mit zwei Londoner Häusern in Verhandlung, aber vier weitere hatten abgewinkt.

»Lebenserinnerungen eines Mörders«, hatte ein Lektor abfällig gesagt, »haben wir alles schon gehabt.«

Um eine richtige Angebotsschlacht in Gang zu bringen, brauchte er weitere Interessenten. Zwei ergaben nicht mehr als eine freundliche Rangelei.

Und jetzt das.

Oakes hatte gesagt, er würde nach dem Essen für eine halbe Stunde in sein Zimmer gehen. Die Vormittagssession war gut gelaufen; nicht brillant, aber ganz ordentlich. Genug Rosinen für die nächste Folge. Doch Oakes hatte über Kopfschmerzen geklagt, hatte gemeint, er wolle ein langes heißes Bad nehmen. Nach einer halben Stunde hatte Stevens durchgeklingelt: keine Antwort. An der Rezeption hatte ihn keiner gesehen. Stevens hatte mit dem

Gedanken gespielt, rauszugehen und den Observierungsbeamten zu fragen, aber das wäre denn doch ein bisschen peinlich gewesen. Es gelang ihm, den Hotelmanager davon zu überzeugen, dass er sich Sorgen um den Gesundheitszustand seines »Kollegen« machte. Ein Hauptschlüssel verschaffte ihnen Zutritt ins Zimmer. Niemand da, keine Menschenseele. Stevens hatte sich beim Manager entschuldigt, war wieder in sein Zimmer gegangen, wo er jetzt saß, an seinen Nägeln kaute und sich fragte, wohin sich seine Story verzogen haben mochte.

Es musste gespielte Tapferkeit sein.

So heulend und bibbernd, wie ihn die Polizei vorgefunden hatte ... Darren Roughs einzige Möglichkeit, sein letztes bisschen Selbstachtung zusammenzukratzen, bestand darin, Barbours Angebot, ihn anderswo unterzubringen, abzulehnen. Sie könne ihm, bis man etwas Besseres fände, eine Zelle auf dem Revier anbieten; in Greenfield könne sie für seine Sicherheit nicht mehr garantieren.

Beim »nicht mehr« hatte Rebus gelächelt; wussten sie doch beide, dass es nicht mehr als eine Floskel war.

»Ich bleibe hier«, hatte er gesagt. »Ewig kann ich nicht weglaufen, da kann ich ebenso gut hier und jetzt damit aufhören.« Und er hatte geschmunzelt. »Wie in so 'nem alten Western, nicht? Wie heißt der noch mal, John Wayne.« Er machte aus Finger und Faust einen Colt, ballerte durch die Gegend. Dann wandte er sich ab und schniefte, und sein Gesicht fiel wieder in sich zusammen.

»Ich halte das für keine gute Idee«, meinte Barbour.

»Ich auch nicht«, sagte Andy Davies. Es war Rebus' erste Begegnung mit Darren Roughs Sozialhelfer. Davies war lang, mager und bärtig und hatte rotes Haar, das sich am Scheitel lichtete. Lachfältchen rings um die Augen; kleiner roter Mund.

»*Etwas* könnten Sie schon für mich tun«, sagte Rough.

Die Hände zwischen die Knie gepresst, beugte sich Davies auf dem Sofa nach vorn. »Was, Darren?«

»Kehrschaufel und Handfeger, dass ich die ganze Scheiße hier beseitigen kann.« Und kickte einen Glassplitter weg.

Die Stadt hatte einen Handwerker vorbeigeschickt, damit er das Fenster verrammelte. In seinen Augen lag Abscheu. Unten hatte ihm jemand einen GGP-Sticker an den Werkzeugkasten geklebt. Mit Säge, Hammer und Akkuschrauber bewaffnet, befestigte er Bretter am Fensterrahmen und sperrte den letzten Rest Tageslicht aus.

Als Rough in die kleine Küche ging, folgte Rebus ihm. Der Sozialhelfer stand auf.

»Schon okay«, sagte Rebus. »Ich will nur kurz mit ihm reden.« Die zwei Männer starrten sich gegenseitig an. Rebus bedeutete Davies mit einer Handbewegung, sich wieder hinzusetzen, aber stattdessen ging Davies zum Fenster. Rebus stellte sich in den bogenförmigen Durchgang zur Küche. Rough klappte Schränke auf und zu, ohne selbst so recht zu wissen, was er da tat und warum. Ihm war klar, dass Rebus hinter ihm stand, kehrte ihm aber weiterhin den Rücken zu.

»Jetzt haben Sie ja, was Sie wollten«, murmelte er.

»Was ich will, sind ein paar Antworten.«

»Komische Art zu fragen.«

Rebus steckte die Hände in die Taschen. »Wie lang sind Sie schon wieder hier?«

»Drei, vier Wochen.«

»DI Margolies haben Sie nicht zufällig gesehen?«

»Er ist tot. Ich hab's in der Zeitung gelesen.«

»Ja, aber vorher.«

Rough knallte eine Schranktür zu, drehte sich um und fuhr Rebus mit zitternder Stimme an. »Herrgott, was denn jetzt noch? Er hat sich doch umgebracht, oder?«

»Kann sein.«

Rough rieb sich mit einer Hand über die Stirn. »Sie glauben, ich ...?«

Andy Davies war schon zur Stelle. »Was, zum Teufel, ist jetzt schon wieder los?«

»Er versucht, mir was anzuhängen«, stieß Rough hervor.

»Hören Sie, Inspector, ich weiß nicht, was in Ihrem Kopf vorgeht –«

»Ganz recht«, gab Rebus scharf zurück, »Sie wissen es nicht. Warum halten Sie sich dann nicht einfach raus?«

»Ich kann nicht mehr«, jammerte Rough, den Tränen nah.

Jane Barbour kam vom Flur herein. Rebus sah ihren Blick: vier Teile Vorwurf auf einen Teil Enttäuschung. Er erinnerte sich daran, was sie ihm über Rough erzählt hatte. Der Mann schniefte jetzt, wischte sich die Nase mit dem Handrücken. Seine Knie sahen so aus, als wollten sie jeden Augenblick nachgeben. Der Handwerker war fast fertig, das Zimmer in entsprechendes Halbdunkel getaucht. Schraube um Schraube schien er einen Sarg immer fester zu verschließen.

»Hat DI Margolies Sie aufgesucht?«, beharrte Rebus.

Rough fixierte ihn herausfordernd. »Nein.«

Rebus erwiderte den Blick, bis Rough wegsah. »Ich glaube, Sie lügen.«

»Dann knallen Sie mir doch ein paar.«

Rebus ging einen Schritt auf ihn zu. Der Sozialhelfer redete auf Barbour ein.

»DI Rebus«, sagte Barbour in warnendem Tonfall.

Rebus stand jetzt fast Nase an Nase mit Rough. Der hatte sich immer weiter in die Küche zurückgezogen: jeder Fluchtweg ausgeschlossen.

»Hat er Sie aufgesucht?«

Rough sah weg, biss sich auf die Lippe.

»Hat er?«

»Ja!«, schrie Darren Rough. Er ließ den Kopf hängen, fuhr sich mit einer Hand durch die Haare. Unablässiges Einhämmern von Nägeln in Holz. Er presste sich die Hände an die Ohren. Rebus zog sie möglichst behutsam weg. Sprach dann ruhig und leise.

»Was wollte er?«

»Shiellion«, stöhnte Rough. »Es ist immer nur um Shiellion gegangen.«

Rebus runzelte die Stirn. »DI Rebus ...« Barbours Stimme klang immer angespannter.

»Was war mit Shiellion?«

Rough richtete den Blick auf Jane Barbour. »Sie haben ihm doch gesagt, was mit mir passiert ist.«

»Und?«, bohrte Rebus weiter.

»Er wollte wissen, warum sie mir die Augen verbunden hatten ... fragte in einem fort, wer sonst noch da gewesen war.«

»Wer *war* sonst noch da, Darren?«

Mit zusammengebissenen Zähnen: »Ich weiß es nicht.«

»Und das haben Sie ihm gesagt?«

Ein langsames Nicken. »Hätte jeder sein können.«

»Jemand, den Sie nicht sehen sollten. Weil Sie ihn vielleicht kannten.«

Rough nickte. Seine Stimme klang ruhiger. »Das habe ich mich selbst oft gefragt. Vielleicht hätte ich ... ich weiß nicht, eine Uniform oder so was wiedererkannt. Einen weißen Priesterkragen.« Er sah auf. »Vielleicht sogar einen von Ihrer Bande.«

Aber Rebus hörte schon nicht mehr zu. »Priesterkragen?«, sagte er. »Callstone und Shiellion wurden von der Church of Scotland geleitet. Da gibt's keine Priester.«

Doch Rough nickte. »*Wir* hatten einen.«

Barbour hob, mit einem Mal neugierig, die Brauen. »Sie hatten einen Priester?«

»Kam eine Weile manchmal bei uns vorbei, dann blieb er weg. Ich mochte ihn gern. Pater Leary, hieß er.« Ein schwaches Lächeln. »Sagte, wir sollten ihn Conor nennen.«

Als Rebus die Treppe hinunterstieg, schloss sich ihm Jane Barbour an.

»Was halten Sie davon?«, fragte sie.

Rebus zuckte die Achseln. »Warum interessierte sich Jim Margolies für Shiellion?«

Ihrerseits ein Achselzucken.

»Hatten Sie Jim erzählt, dass Rough dort missbraucht worden war?«

Sie nickte. »Glauben Sie, dass das etwas mit seinem Selbstmord zu tun hat?«

»Falls es Selbstmord *war.*«

Sie blies die Backen auf, stieß Luft aus. »Ich sollte mich besser mit der Bürgerwehr unterhalten«, meinte sie. »Zusehen, dass der Kessel nicht explodiert.«

»Tom Jackson hat schon ein Wörtchen mit denen geredet.«

Als sie Schritte hinter sich im Treppenhaus hörten, drehten sie sich um: Andy Davies.

»Wir sollten ihn woanders unterbringen«, sagte Davies. »Es ist für ihn gefährlich, hier zu bleiben.«

»Er will nicht weg.«

»Wir könnten ein bisschen Druck machen.«

»Wenn dieser Pöbel da oben es nicht geschafft hat, ihn zu vertreiben, was haben *wir* da für eine Chance?«

»Sie könnten ihn festnehmen.«

Rebus lachte laut los. »Noch vor ein paar Tagen –«

»Ich rede davon, ihn zu *beschützen*«, fuhr ihn Davies an, »nicht, ihn zu schikanieren!«

»Wir werden jemanden in der Nähe postieren«, sagte Barbour.

»Irgendwann muss auch Tom Jackson nach Haus«, kommentierte Rebus.

»Falls nötig, werde ich selbst Wache schieben.« Sie wandte sich zu Davies. »Ich weiß wirklich nicht, was man momentan mehr von uns erwarten könnte.«

»Und wenn er Ihnen im Prozess mehr genutzt hätte ...?«

»Ich werde Ihre letzte Bemerkung ignorieren, Mr. Davies«, erwiderte sie mit einer Stimme aus Eis und Augen wie Dolchen.

»Sie werden ihn töten«, sagte der Sozialhelfer. »Und ich bezweifle, dass Sie ihm allzu viele Tränen nachweinen werden.«

Barbour warf Rebus einen Blick zu, neugierig, ob er darauf etwas erwidern würde. Aber Rebus schüttelte lediglich den Kopf und steckte sich eine Zigarette an.

Rebus kannte Pater Conor Leary schon seit Jahren. Eine Zeit lang hatte er den Priester regelmäßig besucht, sich mit ihm unterhalten und Guinness getrunken. Aber als Rebus Learys Nummer wählte, meldete sich ein anderer Priester.

»Conor liegt im Krankenhaus«, erklärte der junge Priester.

»Seit wann?«

»Ein paar Tage. Wir glauben, es war ein Herzinfarkt. Ein eher leichter, ich denke, er ist bald wieder auf dem Posten.«

Also fuhr Rebus ins Krankenhaus. Als er Leary das letzte Mal besucht hatte, war da ein ganzer Kühlschrank voll von Medikamenten gewesen. Der Priester hatte erklärt, die seien für kleinere Wehwehchen.

»Wie lange wussten Sie schon Bescheid?«, fragte Rebus, während er einen Stuhl ans Bett seines Freundes zog. Conor Leary sah alt und blass aus, seine Haut schlaff.

»Keine Trauben, wie ich sehe«, sagte Leary; seiner Stimme fehlte die gewohnte knurrige Kraft. Er saß aufrecht im Bett, umgeben von Blumen und Karten mit Genesungswünschen. An der Wand hinter ihm starrte Christus von seinem Kreuz herab.

»Ich hab erst vor einer halben Stunde davon erfahren.«

»Nett, dass Sie vorbeikommen. Zu trinken kann ich Ihnen leider nichts anbieten.«

Rebus lächelte. »Man hat mir versichert, dass Sie in null Komma nichts wieder draußen sein werden.«

»Ja, aber hat man Ihnen auch gesagt, ob ich mit den Füßen zuerst hier rauskommen werde?«

Rebus brachte ein Lächeln zustande. Im Kopf hörte er einen Schreiner, der Nägel in Holz hämmerte.

»Ich müsste Sie um einen Gefallen bitten«, sagte er. »Wenn Sie in der Verfassung dazu sind.«

»Sie wollen Kathole werden?«, scherzte Leary.

»Meinen Sie, der Beichtstuhl würde das aushalten?«

»Sie haben Recht. Für einen Sünder von Ihrem Kaliber müssten schon mehrere Priester Schichten fahren.« Er schloss die Augen. »Also, was ist es?«

»Fühlen Sie sich auch wirklich fit genug? Ich könnte ein andermal wiederkommen …«

»Hören Sie schon auf, John. Sie wissen doch selbst, dass Sie mich sowieso fragen werden.«

Rebus beugte sich nach vorn. Sein alter Freund hatte Schaumbläschen in den Mundwinkeln. »Ein Name, an den Sie sich vielleicht erinnern«, sagte er. »Darren Rough.«

Leary dachte kurz nach. »Nein«, sagte er. »Da müssen Sie mir schon ein bisschen Kontext liefern.«

»Callstone House.«

»Also, *das* liegt schon ein Weilchen zurück.«

»Sie haben da eine Zeit lang gearbeitet?«

Leary nickte. »Eine von diesen interkonfessionellen Geschichten. Weiß der Geier, wessen Idee das war, meine jedenfalls nicht. Ein protestantischer Geistlicher besuchte katholische Heime, und ich habe in Callstone Dienst geschoben.« Kurze Pause. »War Darren eins der Kinder?«

»Ja.«

»Der Name sagt mir nichts. Ich hab mich mit vielen von denen unterhalten.«

»Er erinnert sich an Sie. Meint, Sie hätten ihm gesagt, er sollte Sie Conor nennen.«

»Wird schon stimmen. Steckt er in Schwierigkeiten, dieser Darren?«

»Haben Sie nicht davon gehört?«

»Hier wird man ein bisschen wie in Watte gewickelt. Keine Zeitungen, keinerlei Nachrichten.«

»Er ist ein Pädophiler, nach verbüßter Strafe wieder in die Gesellschaft entlassen. Bloß dass die Gesellschaft ihn nicht haben will.«

Conor Leary nickte, noch immer mit geschlossenen Augen. »Hat er ein anderes Kind missbraucht?«

»Als er zwölf war. Das Opfer war sechs.«

»Jetzt erinnere ich mich an ihn. Gesicht wie Magerquark, ein schüchternes Karnickel. Der Mann, der damals Callstone leitete …«

»Ramsay Marshall.«

»Der steht doch jetzt vor Gericht, oder?«

»Ja.«

»Hat er …? Mit Darren?«

»Ja, leider.«

»Ach, lieber Gott. Wahrscheinlich direkt vor meiner Nase.« Er öffnete die Augen. »Vielleicht haben die Jungen … vielleicht haben sie versucht, es mir zu erzählen, und ich hatte keine Ohren zu hören, was sie sagten.« Als der Priester die Augen erneut schloss, quoll aus einem eine Träne und rann seine Wange hinab.

Rebus fühlte sich mies. Er drückte seinem Freund die Hand. »Wir reden noch weiter darüber, Conor. Aber jetzt müssen Sie sich ausruhen.«

»John, wann ruhen sich Leute wie Sie und ich schon aus?«

Rebus stand auf, sah hinunter auf die im Bett liegende Gestalt. *Priesterkragen...* Vielleicht, aber niemals Conor Leary. *Vielleicht sogar einer von Ihrer Bande...* Jemand in Uniform. Rebus wollte nicht darüber nachdenken, aber Jim Margolies – Jim Margolies *hatte* darüber nachgedacht. Und kurze Zeit später war er gestorben.

»John«, sagte der Priester, »schließen Sie mich in Ihre Gebete ein, ja?«

»Tu ich immer, Conor.«

Brachte es nicht über sich, ihm zu sagen, dass er schon seit langem nicht mehr betete.

20

Wieder in seiner Wohnung, brühte er zwei Becher Kaffee auf und nahm sie mit ins Wohnzimmer. Janice telefonierte gerade mit einer weiteren karitativen Organisation, gab eine Personenbeschreibung von Damon durch. Rebus setzte sich an den Esstisch. Es war ein großes Zimmer, mehr als vier mal sieben Meter. Erkerfenster (noch mit den ursprünglichen Läden). Hohe Decke – fast vier Meter hoch – mit umlaufendem Stuckgesims. Rhona, seine Exfrau, hatte das Zimmer geliebt, selbst noch mit den Originaltapeten (violette Wellenlinien, von denen Rebus immer seekrank wurde, wenn er daran vorbeiging). Die Tapeten waren später verschwunden, ebenso der braune Teppich und die dazu passend gestrichenen Bodenleisten.

Er dachte an Darren Roughs Wohnung. Er hatte im

Lauf seines Lebens natürlich schon schlimmere gesehen, aber nicht *viel* schlimmere. Janice legte auf und kratzte sich den Kopf mit einem Stift, bevor sie sich etwas auf einem Block notierte. Nachdem sie die Telefonnummer der Organisation durchgestrichen hatte, warf sie den Stift auf den Tisch.

»Kaffee«, sagte Rebus. Sie nahm den Becher mit einem dankbaren Lächeln entgegen.

»Du siehst niedergeschlagen aus.«

»Meine normale Stimmung«, sagte er. »Was dagegen, wenn ich kurz telefoniere?«

Sie schüttelte den Kopf, also setzte er sich in den Sessel und nahm den Hörer ab. Ein schnurloser Apparat; er hatte ihn erst seit ein paar Monaten. Er wählte noch einmal Ama Petries Nummer. Eine nervöse männliche Stimme empfahl ihm, es in einem der Festsäle des Marquess Hotel zu versuchen, und sagte ihm, was er dort vorfinden würde.

»Der Filialleiter von Damons Bank lässt dir was ausrichten«, sagte Janice zu ihm, als er wieder aufgelegt hatte.

»Ach ja?«

»Hat den Segen von der Zentrale. Wenn von Damons Konto was abgeht, kriegst du Bescheid.«

»Bislang nichts?«

»Nein.«

»In der Nacht, wo er verschwunden ist, hat er hundert abgehoben.«

»Wie weit kommt man heutzutage schon damit?«

»Wenn er im Freien schläft, ein ganzes Stück.«

»Wir reden von ihm so, als wäre er ein Ausreißer.«

»Bis zum Beweis des Gegenteils ist er das auch.«

»Aber warum sollte er …?« Sie unterbrach sich, lächelte. »Immer die gleichen Fragen. Die müssen dir schon zum Hals raushängen.«

»Der Einzige, der sie beantworten kann, ist Damon selbst.

Dir bis dahin den Kopf zu zerbrechen, bringt uns keinen Schritt weiter.«

Sie sah ihn an. »Hast wie immer Recht, Johnny.«

Er zuckte die Achseln. »Jederzeit gern zu Diensten.«

Als Janice ihren Kaffee ausgetrunken und mit den letzten Schlucken zwei Paracetamol hinuntergespült hatte, eröffnete er ihr, dass sie ausgehen würden.

»Wohin?«, fragte sie, während sie sich nach ihrer Jacke umsah.

»Zu einem Schönheitswettbewerb«, antwortete Rebus. Dann zwinkerte er. »Badeanzug dabei?«

»Nein.«

»Macht nichts, du könntest da sowieso nicht mitmachen: zu alt.«

»Sehr charmant.«

»Wirst schon sehen«, sagte er und führte sie zur Tür.

Cary Oakes hatte einen Zeitungsausschnitt. Er war alt und spröde. In letzter Zeit sah er ihn sich nicht mehr allzu oft an, aus Angst, er könnte ihm zwischen den Fingern zerbröseln. Aber heute war irgendwie ein besonderer Anlass, also holte er ihn im Café aus der Tasche und las ihn durch. Verblasste Wörter auf grauem Papier. Ein Bericht über seinen Prozess und sein Strafmaß, ausgeschnitten aus einem britischen Boulevardblatt. Und dazu hasserfüllte Worte: »Er hätte den elektrischen Stuhl verdient.« Ein schlichtes Glaubensbekenntnis.

Aber er war um den »Funkensessel« rumgekommen, und da war er jetzt, wieder in derselben Stadt wie der Kerl, der sich gewünscht hatte, sie würden ihn grillen. Die Wut stieg wieder in ihm hoch, und seine Hände zitterten ein bisschen, als er den Ausschnitt entlang der scharf gezogenen, abgeriebenen Falze zusammenlegte und wieder in die Tasche steckte. Schon bald, sehr bald, würde er jemanden zwingen, seine Worte zurückzunehmen. Er würde dabeisitzen und zugucken, wie er kaute und schluckte, und Angst und Wissen in seinen Augen sehen.

Und dann würde er *dessen* Leben wie einen Funken ausknipsen.

Er verließ das Café und stieg den Hügel hinauf, an Bungalows vorbei, menschenleere Bürgersteige entlang. Bis er sein Ziel erreichte. Das Haus anstarrte.

Er war da drin. Oakes konnte ihn beinah schmecken und riechen. Vielleicht war er allein in seinem Zimmer und ruhte sich aus oder schlief. Oder las die Zeitung und aktualisierte sein Wissen über die Heldentaten Cary Oakes'.

»Bald«, sagte Oakes leise zu sich selbst und wandte sich ab, um keine unnötige Aufmerksamkeit zu erregen. »Bald«, wiederholte er und begann wieder den Abstieg in die Stadt.

Das Hotel war ein Gebäude aus den Dreißigerjahren an einem Kreisel am westlichen Stadtrand von Edinburgh.

»Sieht wie das Rex aus, nicht?«, sagte Janice.

Sie hatte nicht Unrecht. Das Rex war eins der drei Kinos Cardendens gewesen, zentral an der Hauptstraße des Ortes gelegen. Als Kind hatte Rebus dabei immer an eines dieser Regierungsgebäude denken müssen, die man in Filmen über den Ostblock sah: abweisend, ganz gerade Linien und rechte Winkel. Dieses Hotel wirkte wie eine verbreiterte Version des Rex, als habe es jemand an beiden Seiten gepackt und auseinander gezogen. Der Parkplatz war voll besetzt, also tat es Rebus einigen seiner Vorgänger nach und fuhr den Saab auf den begrünten Seitenstreifen, bis er mit der Nase ein Blumenbeet berührte.

Mitten im Foyer stand eine große Tafel. Sie verriet ihnen, dass »Unsere kleinen Engel« in der Devonshire-Suite zu finden seien. Durch eine Doppeltür, dann einen Korridor entlang, auf dem ihnen leiser Applaus entgegenplätscherte. An der Tür der Suite war eine korpulente Frau in einem zyklamfarbenen Kostüm postiert. Sie saß an einem kleinen Tisch, auf dem ein halbes Dutzend Namensschildchen lagen. Sie fragte sie nach ihren Namen.

»Wir werden nicht erwartet«, erklärte Rebus und holte seine Dienstmarke heraus. Die Augen der Frau weiteten sich und blieben geweitet, als Rebus Janice die Tür aufhielt.

Am einen Ende des Raums hatte man eine provisorische Bühne aufgebaut, davor waren Stühle aufgereiht, dahinter hingen kunstvoll geraffte rosafarbene und blaue Tücher. Entlang der Bühnenfront und an beiden Enden jeder Stuhlreihe standen üppige Blumengebinde. Der Raum war ungefähr halb voll. Entlang der Wände lagen Handtaschen und Mäntel. Mütter und Töchter waren eifrig mit Herausputzen und Aufbrezeln beschäftigt: Haare wurden gekämmt und gebauscht, Make-up vollendet, ein Kleid zurechtgezupft oder eine Schleife neu gebunden. Die Töchter sahen sich im Saal um, musterten nervös – oder mitunter leicht geringschätzig – die Konkurrenz. Keine von ihnen konnte älter als acht oder neun sein.

»Es ist wie auf einer Hundeausstellung«, flüsterte Janice Rebus ins Ohr.

Ein Mann mit Mikrofon stellte unter Zuhilfenahme eines Spickzettels die nächste Kandidatin vor.

»Molly kommt aus Burntisland und besucht die dortige Grundschule. Ihre Hobbys sind Ponywandern und Modezeichnen. Das Kleid für den heutigen Wettbewerb hat sie selbst entworfen.« Er richtete den Blick auf sein Publikum. »Na, Leute, wie findet ihr das? Die neue Dior. Ein Applaus für Molly!«

Die Mutter tätschelte der Tochter die Schulter, und mit zögernden Schritten stieg Molly die drei Holzstufen zur Bühne hinauf. Der Showmaster ging mit gezücktem Mikrofon in die Hocke. Sonnenbräune aus der Tube und Föhnwelle – oder vielleicht war Rebus auch nur neidisch. Die Preisrichter saßen in der ersten Reihe und versuchten, ihre Stimmzettel vor neugierigen Augen zu verbergen.

»Und wie alt bist du, Molly?«

»Siebendreiviertel.«

»Siebendreiviertel? Bist du auch sicher, dass es nicht siebenachtel sind?« Der Showmaster lächelte, aber Molly war schon in Panik geraten, wusste nicht, was sie darauf antworten sollte. »Schon gut, Schätzchen«, fuhr der Showmaster fort. »Erzähl uns also was über das wunderschöne Kleid, das du da anhast.«

Rebus sah sich um. Make-up auf Gesichtern, die dazu noch nicht alt genug waren, so dass die Mädchen wie Clowns wirkten. Zappelige, gespannt und erwartungsvoll dreinschauende Mütter, ebenfalls geschminkt und farbenfroh gekleidet. Etliche von ihnen hatten gefärbte Haare und einige wahrscheinlich schon unterm Messer gelegen. Niemand schenkte Rebus und Janice die geringste Beachtung. Es gab jede Menge Paare. Aber das war eine Mutter-Tochter-Show, da bestand gar kein Zweifel.

Keine Spur von Ama Petrie. Er konnte sich ohnehin nicht vorstellen, was sie hier gewollt hätte. Die Stimme am Telefon hatte keine Zeit gehabt, nähere Erklärungen abzugeben. Dann sah er zwei Gestalten, die er wiedererkannte. Hannah Margolies, mit langen blonden Haaren, die ihr weit über die Schultern wallten. Beim Begräbnis ihres Vaters hatte sie weiße Spitze getragen. Heute steckte sie in einem blassblauen Kleidchen mit weißen Strumpfhosen und blanken roten Schuhen. Sie hatte blaue Schleifen im Haar, und ihr Mund war ein glänzender purpurroter Knopf. Ihre Mutter, Katherine Margolies, kniete vor ihr und gab ihr letzte Instruktionen. Hannah wandte kein

Auge von ihrer Mutter, nickte ab und zu leicht. Katherine umfasste die Hände des Kindes und drückte sie, dann stand sie auf.

Jim Margolies' Witwe hatte auf der Beerdigung gefasst gewirkt; jetzt sah sie schon nervöser aus. Sie trug noch immer Schwarz – Rock und Jacke über einer weißen Seidenbluse. Sie sah auf die Bühne, wo Molly zu einer Begleitung vom Band »Sailor« sang, einen Song, den Rebus mit Petula Clark in Verbindung brachte. Janice, die einen Sitzplatz am Ende einer Reihe gefunden hatte, drehte sich um und warf Rebus einen ungläubigen Blick zu. Als er ihn wieder auf Hannah richtete, bemerkte er, dass Katherine Margolies ihn musterte, als versuchte sie, ihn einzuordnen. Molly beendete ihren Auftritt und nahm den Beifall mit einem Knicks entgegen. Sie huschte recht gekonnt von der Bühne und entblößte mit einem breiten Lächeln weit auseinander stehende Zähne.

»Unsere nächste Kandidatin«, verkündete der Showmaster derweil, »ist Hannah, die direkt hier in Edinburgh wohnt...«

Sobald Hannah die Bühne betreten hatte, schlenderte Rebus hinüber zu ihrer Mutter.

»Hallo, Mrs. Margolies.«

Sie legte sich den Finger an die Lippen, ganz auf die Bühne konzentriert. Während sie Hannahs Auftritt verfolgte, presste sie die Hände wie zum Gebet zusammen, und als der Showmaster dem Kind eine offenbar schwierige Frage stellte, verzog sich ihr Mund. Schließlich griff sie in eine ihrer Tragetaschen, holte eine Blockflöte heraus und ging damit zur Bühne; lächelnd reichte sie ihrer Tochter das Instrument. Ohne jede Begleitung spielte Hannah ein Stück, von dem Rebus vermutete, dass es was Klassisches sei. Er hatte es schon mal in einem Werbespot gehört, kam aber beim besten Willen nicht darauf, wofür der

Spot gewesen sein mochte. Als er sich wieder zu Janice wandte, sah er, dass neben ihr ein älteres Paar saß, das in Richtung Bühne strahlte. Die Eheleute hielten sich bei der Hand. Der Mann umfasste mit der freien Hand einen Gehstock. Rebus erkannte die beiden wieder: Jim Margolies' Eltern.

Endlich: Applaus, und Hannah kam zu ihrer Mutter zurück, die sie auf den Scheitel küsste.

»Du warst perfekt«, sagte Katherine Margolies. »Einfach perfekt.«

»Ich hab einen falschen Ton gespielt.«

»Ich hab ihn nicht gehört.«

Hannah wandte sich zu Rebus. »Haben Sie ihn gehört?«

Rebus schüttelte den Kopf. »Für mich klang es einwandfrei.«

Hannahs Gesicht entspannte sich ein wenig. Sie flüsterte ihrer Mutter etwas zu.

»Na, dann lauf zu.«

Während Hannah zu ihren Großeltern ging, stand Katherine Margolies langsam auf und sah ihr nach.

»Wir kennen uns nicht direkt, Mrs. Margolies«, begann Rebus, »aber ich war auf Jims Begräbnis. Wir waren Kollegen. Ich heiße John Rebus.«

Sie nickte zerstreut. »Sie müssen mich für …« Sie suchte nach Worten. »Ich meine, so kurz nach Jims Unfall. Aber ich dachte, das würde Hannah vielleicht etwas ablenken.«

»Natürlich.«

»Es hat sie furchtbar mitgenommen.«

»Das kann ich mir vorstellen.« Ihm fiel auf, dass sie jetzt die Preisrichter, das Publikum musterte, als suchte sie nach Hinweisen auf Hannahs Erfolg. »Sie glauben, dass Jim gestürzt ist?«

Sie starrte ihn an. »Was?«

»Einige Leute scheinen zu glauben, dass es Selbstmord war.«

»Sollen die doch glauben, was sie wollen«, gab sie scharf zurück. »Verlangen Sie von mir, dass ich Hannah erkläre, ihr Vater habe sich das Leben genommen?«

»Natürlich nicht…«

»Er ging spazieren, kam zu nah an die Kante. Es war dunkel… vielleicht eine Windbö…«

»Und *das* glauben Sie?« Sie gab darauf keine Antwort. »Ging Jim oft nachts spazieren?«

»Was geht Sie das an?«

Er sah hinunter auf den Teppich. »Ehrlich gesagt, nichts.«

»Also bitte.«

»Ich suche einfach nach einer vernünftigen Erklärung.«

»Wozu?«

»Zu meiner eigenen Beruhigung.« Er hielt ihrem Blick stand. Sie war schön. Ebenmäßiges Gesicht, schwarzes Haar, straff nach hinten gebunden. Dünne gewölbte Brauen, ausgeprägte Wangenknochen. Hannahs Augen waren blau wie die ihres Vaters, aber Katherine Margolies hatte nussbraune. »Und«, fuhr Rebus fort, »weil ich dachte, es könnte etwas mit Darren Rough zu tun haben.«

»Wer ist das?«

»Hat Jim nie von ihm gesprochen?«

Sie schüttelte den Kopf, stieß einen ungeduldigen Seufzer aus und richtete den Blick wieder auf die Preisrichter. Einer von ihnen besprach sich gerade mit dem Showmaster, der dazu das Mikrofon ausgeschaltet hatte.

Rebus dachte zunächst, sie würde gleich etwas sagen. Als sie es dann aber doch nicht tat, versuchte er es mit einer weiteren Frage.

»Er hat sein Auto stehen lassen, stimmt's?«

»Was?«

»In dieser Nacht hat's geregnet.«

»Nehmen *Sie* Ihr Auto, wenn Sie spazieren gehen?«

»*Ich* würde nicht mitten in einem Wolkenbruch auf die Salisbury Crags steigen, egal ob tags oder nachts.«

»Schön – Jim hat's getan, oder?«

»Ja, hat er ... und ich verstehe immer noch nicht, warum.«

»Nun, Mr. Rebus, ich habe schon genug andere Sorgen, also wenn Sie mich entschuldigen würden ...« Sie sah über die Schulter, und ihr Gesicht leuchtete auf.

»Amanda, Schätzchen!«

Eine junge Frau war, ohne sich im Mindesten um die Türsteherin zu kümmern, munter hereingerauscht. Jetzt kam sie mit ausgebreiteten Armen und an beiden Händen baumelnden Einkaufstüten auf Katherine Margolies zu und umarmte sie.

»Tut mir Leid wegen der Verspätung, Katy. Der Verkehr war mörderisch. Sag, dass ich sie nicht verpasst habe.«

»So Leid's mir tut ...«

»Ach, Kacke, verdammte!« Immerhin so laut, dass sich mehrere Köpfe umdrehten. Rebus roch aus über einem Meter Entfernung den Zigarettenrauch und Alkohol. Die Einkaufstüten: Jenners, Cruise, Body Shop. »Wie war sie? Ich wette, sie war genial ...« Sie schaute sich um. »Wo ist sie überhaupt?«

Hannah kam gerade auf sie zu, die Großmutter an der Hand, den Großvater im Schlepptau. Beim Anblick der Besucherin hellte sich ihre Miene auf. Amanda ging in die Hocke und breitete wieder die Arme aus, und Hannah warf sich hinein.

»Pass mit ihrem Make-up auf, Ama«, warnte Katherine Margolies.

»Du siehst wie ein Engel aus«, versicherte Amanda dem kleinen Mädchen. »Auch wenn Engel wohl keinen Lippenstift tragen.«

Katherine Margolies wandte sich zu Rebus. »Tut mir Leid, ich dachte, unsere kleine Plauderei sei beendet gewesen.« Höflich abserviert.

»Ist sie auch«, erwiderte Rebus. »Aber ich war wegen Miss Petrie gekommen.«

Amanda Petrie stand auf. Sie trug ein hautenges schwarzes Minikleid und eine schwarze Lederjacke mit vielen Reißverschlüssen. Schwarze hochhackige Schuhe, nackte Beine. Sie sah Rebus abschätzig an.

»Wem bin ich Geld schuldig?«, fragte sie. Ihre Aufmerksamkeit schweifte zu den Großeltern Hannahs ab. »Hallo, ihr zwei!« Sie umarmte und küsste beide. »Wie geht's euch denn so?«

»Na, das kannst du dir ja vorstellen, meine Liebe«, antwortete Mrs. Margolies.

»Hannah war *wunderbar*«, schwärmte Dr. Margolies. »Wir sind uns noch nicht vorgestellt worden.« Er reichte Rebus die Hand.

»DI Rebus«, sagte Rebus und sah, wie das Gesicht des alten Mannes in sich zusammenfiel. Jetzt musterte ihn auch Ama Petries. Er lächelte. »Man hat mich schon für Schlimmeres gehalten als für einen Schuldeneintreiber«, sagte er zu ihr. »Vielleicht könnten wir auf einen Drink an die Bar gehen ...?«

Aber so dumm war Amanda Petrie nicht. Rebus' Überlegung: Ein paar Drinks mehr würden sie *noch* ein bisschen lockerer machen. Amanda hatte aber auf einer Kanne Tee und mehreren Gläsern Orangensaft bestanden. Rebus, Janice und Amanda Petrie – ganz unter sich in der Hotellobby. Ama strich sich eine blonde Haarsträhne hinters Ohr. Rebus sah sie an und wusste, was Janice dachte: Konnte sie die geheimnisvolle Blondine sein? Er glaubte nicht; sie besaß eine ganz andere Figur: nicht so groß, mit schmaleren Schultern. Er konnte keinerlei Ähnlichkeit mit ihrem Vater entdecken …

Sie spielte mit einem der Träger ihres Kleids. Ihr Blick wanderte immer wieder durch die Lobby, auf der Suche nach jemand Interessanterem.

»Ich möchte zur Preisverleihung wieder zurück sein«, betonte sie noch einmal. »Es ist überhaupt keine Frage, dass Hannah gewinnt.«

»Was macht Sie da so sicher?«

»Sie hat *Klasse*. Das ist nichts, was man jemandem aufschminken oder mal eben schnell mit der Nähmaschine zurechtschneidern könnte.«

»Haben Sie selbst schon mal genäht?«, fragte Rebus.

Sie richtete ihre Aufmerksamkeit wieder auf ihn. »Handarbeit und Hauswirtschaftslehre. Meine Schule wollte kleine Frauen aus uns machen.« Sie zündete sich eine Zigarette an, zog die Beine auf den Sessel hoch. Da sie ihnen keine angeboten hatte, zog Rebus demonstrativ sein eigenes Päckchen hervor, bot Janice eine an und steckte sich selbst eine in den Mund.

»Sorry«, sagte Ama Petrie und hielt ihnen ihr Päckchen hin. Rebus schwenkte seine bereits brennende Zigarette. »Wie haben Sie mich gefunden?«, fragte sie.

»Hab Ihre Nummer angerufen.«

»Wahrscheinlich war Nick am Apparat.« Sie stieß Rauch aus. »Das ist mein Bruder. Jederzeit bereit, sein Schwesterchen an den Mob auszuliefern.«

Rebus ließ ihr das durchgehen. »Woher kennen Sie Hannah?«, fragte er.

»Wir sind irgendwie Cousinen. So um zwei Ecken, Sie wissen schon, wie das bei Familien so ist.«

Rebus wusste, dass Jim Margolies in »die besseren Kreise« eingeheiratet hatte. Dass Katherine mit Lord Justice Petrie verwandt war, hatte er nicht gewusst.

»Nicht dass ich mit meinen Verwandten auch nur das Geringste zu schaffen hätte«, fuhr Ama Petrie fort, »jedenfalls mit den meisten von denen nicht, aber Hannah ist einfach hinreißend, finden Sie nicht auch?« Sie hatte die Frage an Janice gerichtet; Janice nickte.

»Was diese Wettbewerbe angeht, bin ich mir allerdings nicht so sicher«, sagte Janice.

Ama schien ihrer Meinung zu sein. »Ja, aber Katy ist ganz versessen darauf und Hannah, glaube ich, auch.«

»Diese ganzen Mütter…«, sagte Janice nachdenklich. »Wie sie ihre Töchter pushen…«

»Ja, tja…« Ama klopfte ihre Zigarette am Aschenbecher ab. »Aber was wollten Sie eigentlich von mir?«

Rebus erklärte ihr die Situation. Während er redete, richtete Ama ihre Aufmerksamkeit auf Janice. Irgendwann beugte sie sich nach vorn, nahm ihre Hand und drückte sie.

»Ach, Sie Arme.«

Mit der Miene einer Kummerkastentante, die von Schmerz und Verlust nur indirekt berührt wird.

»Ich *hab* an dem Abend eine Party gegeben«, räumte sie ein. »Nicht dass ich mich allzu genau daran erinnern könnte. Ein bisschen zu viel getrunken, zu viele Leute… Wie üblich. So was spricht sich rum, da kommen immer wieder mal ein paar ungeladene Gäste. Mir ist es ja egal, solang's interessante Leute sind, aber der Besitzer des Kahns regt sich dann immer auf von wegen Sicherheitsbestimmungen und so. Fragt mich ständig, ob ich diesen oder jenen kenne, ob ich ihn eingeladen habe…« Sie leerte ihr zweites Glas Orangensaft. »Weiß der Geier, warum ich mir das überhaupt antue.«

»Und, warum *tun* Sie es sich an?«

Ein süffisantes Grinsen. »Weil's Spaß macht, vermutlich. Und weil ich, solang ich's mache, jemand bin.« Sie dachte über ihren letzten Satz nach, schüttelte den Gedanken mit einem Achselzucken ab, als wäre er eine falsche Jacke. »Sind Sie sicher, dass er auf *meine* Party wollte?«

»Da hat man ihn jedenfalls das letzte Mal gesehen«, bestätigte Janice.

Rebus holte die Fotos heraus: Damon; Damon und die geheimnisvolle Blondine. Während Ama die Bilder studierte, fragte er beiläufig, ob sie jemals im Gaitano's gewesen sei.

»Ist das der Guiser's?« Er nickte. »Ja, ein- oder zweimal. Jede Menge verschwitzte ABM-Typen und Sozialschnorrer. Füllen sich mit Billigcocktails ab, werfen auf dem Klo Ecstasy ein.« Sie lächelte. »Sorry, nicht meine Szene.« Sie gab die Fotos zurück. »Tut mir Leid, die sagen mir nichts.«

»Nicht mal die Frau?«

Sie rümpfte die Nase. »Sieht leicht nuttig aus.«

»Könnte nicht jemand sein, den Sie kennen?«

»Inspector.« Ein kehliges Lachen. »Dadurch würde die Auswahl auch nicht kleiner werden. *Kennen* tu ich alle.«

»Aber meinen Sohn nicht«, sagte Janice bitter.

»Nein«, sagte Ama mit künstlich betroffener Miene. »Es tut mir schrecklich Leid, nein.« Sie sprang auf. »Ich sollte jetzt besser wieder reingehen. Sie sind bestimmt schon bei der Preisverleihung.«

Rebus und Janice folgten ihr und sahen von der Tür aus zu, wie die Preise überreicht wurden. Hannah war Zweite geworden. Als die Siegerin genannt wurde und zur Bühne ging, um ein glitzerndes Krönchen in Empfang zu nehmen, klatschten und jubelten alle. Alle außer Ama Petrie, die auf den Fußspitzen hüpfte und das strassfunkelnde kleine Mädchen mit der schwarzen Mähne nach Leibeskräften ausbuhte und dazu energisch mit dem Daumen nach unten zeigte.

Katherine Margolies versuchte, Ama davon abzuhalten,

eine Szene zu machen, aber wie es Rebus schien, gab sie sich dabei keine allzu große Mühe…

»Wo, zum Teufel, sind Sie gewesen?«

Stevens hatte Cary Oakes endlich in der Bar gefunden, wo er Orangensaft trank und sich mit dem Personal unterhielt.

»Spazieren gegangen, nachgedacht.« Oakes sah ihn an. »Ich will sicher sein, dass ich auch nichts vergesse.«

Stevens nahm Oakes' Glas in die Hand. »Dann vergessen Sie auch das nicht: Das ist *mein* Saft, den Sie da trinken, er wird von *meinem* Geld bezahlt. Wir haben eine ganze Sitzung versäumt.«

»Ich mach's wieder gut.« Oakes warf Stevens eine Kusshand zu, grinste und zwinkerte in Richtung Barkeeper. Wandte sich wieder an Stevens. »Sehen Sie sich bloß an, Mann, zittern und schwitzen am ganzen Leib. Während wir hier reden, tippt Ihnen schon der Herzstillstand auf die Schulter. Sie müssen langsamer machen, Jim. Relaxen Sie, schwimmen Sie mit dem Strom.«

»Mein Chefredakteur will besseres Material.«

»Sie könnten ihm den Kennedy-Mörder liefern, und er würde immer noch sagen, dass er besseres Material will. Sie und ich wissen, Jim, dass wir uns das Beste für das Buch aufsparen müssen, stimmt's? Das Buch ist das, was uns reich machen wird.«

»Wenn ich einen Verlag finde.«

»Werden Sie schon, glauben Sie mir. Und jetzt setzen Sie sich hier neben mich und lassen Sie sich einen von mir ausgeben. Zum Teufel, es macht mir gar nichts aus, für einen Freund in die Tasche zu greifen.« Er schlang einen Arm um Stevens' Schultern. »Sie sind jetzt bei Cary, Jim. Sie gehören zu meinem exklusiven Zirkel. Es wird alles gut werden.« Oakes sah ihm fest in die Augen. »Sie können sich darauf verlassen«, sagte er. »Auf Ehre und Gewissen.«

»Setz mich einfach am Haymarket ab«, sagte Janice. Sie waren wieder im Auto, unterwegs ins Zentrum.

»Sicher? Ich könnte dich nach Hause –«

Doch sie schüttelte den Kopf.

»Hör mal, Janice, bei einer solchen Sache… es kann nicht ausbleiben, dass wir gelegentlich auch in Sackgassen geraten. Vielleicht sogar in eine Menge Sackgassen. Du wirst das akzeptieren müssen.«

Sie schüttelte erneut den Kopf. »Ich dachte an diese ganzen Mädchen… und hab mich gefragt, wie sie als Erwachsene wohl sein werden. Wenn ich eine Tochter hätte…«

»Es war ganz schön grauenhaft«, pflichtete ihr Rebus bei.

Sie schaute ihn an. »Fandest du? Ja, ich auch, anfangs. Aber dann habe ich sie weiter betrachtet… und sie sahen alle so schön aus.« Sie zog ein Taschentuch heraus, tupfte sich die Augen.

»Ich glaube, ich fahr dich besser nach Haus«, erklärte er.

»Nein, das will ich nicht.« Sie schwieg kurz, legte ihm eine Hand auf den Arm. »Ich meine bloß… ich will dich nicht in eine irgendwie… Ach Mist, ich weiß überhaupt nicht mehr, was ich will!«

»Du willst Damon wiederhaben.«

»Ja, das will ich.«

»Was noch?«

Sie schien über die Frage nachzudenken, gab am Ende doch keine Antwort. Wandte sich lediglich zu ihm und lächelte mit tränennassen Augen.

»Es ist komisch, irgendwie so, als wärst du überhaupt nie weg gewesen«, sagte sie.

Er nickte. »Abgesehen von den dreißig und ein paar Jährchen. Aber was ist das schon unter Freunden?«

Sie lachten beide; er berührte mit den Fingern ihren Handrücken. Vor dem Bahnhof Haymarket saßen sie eine Weile schweigend im Auto. Dann öffnete sie die Tür, stieg aus. Lächelte ein letztes Mal und ging.

Rebus blieb noch ein, zwei Minuten sitzen und stellte sich vor, er würde den Bahnsteig entlanglaufen, sie in der Menschenmenge suchen... Wie in einem Film. Das wirkliche Leben war niemals so. In Filmen gab es nichts, was man nicht tun konnte; in der Realität... in der Realität wurd's früher oder später schmuddelig.

Er fuhr zurück zur Oxford Terrace. Patience war nicht zu Haus. Über das Stadium, in dem man sich Zettelchen schrieb, waren sie schon hinaus. Er lag eine halbe Stunde lang in der Wanne, nickte ein, schreckte wieder hoch, als sein Kinn unter Wasser geriet. Er sah schon die Schlagzeile: HÄUSLICHE TRAGÖDIE – HUNDEMÜDER BULLE ERTRINKT IN DER BADEWANNE. Jim Stevens hätte sich die Finger danach geleckt.

Er legte sich auf das Sofa, ließ etwas Musik laufen. Peter Hammill: »Two or Three Spectres«. Er wusste, dass sie da waren, seine Gespenster, dass sie sich um ihn scharten, es sich gemütlich machten. Gemütlicher, als es *ihm* jemals vergönnt war. Patience, Sammy, Janice... Patience und er näherten sich allmählich einem bestimmten Punkt. Einer Krise vielleicht, aber andererseits hatten sie so was schon mehrfach erlebt. Aber näherten sich auch *Janice* und er einem gewissen Punkt? Einem ganz anderen Punkt...? Er nahm ein Buch, legte es sich auf die Augen.

Schlief ein.

21

Ama Petrie war nicht die Einzige, die gefunden hatte, dass die geheimnisvolle Blondine »nuttig« oder ein bisschen wie eine Professionelle aussah. Als er an dem Abend zum Shore rausfuhr, beschloss Rebus, einen kleinen Umweg zu machen.

Ein paar von den Huren betrieben ihr Gewerbe noch immer am Hafen. Die meisten Prostituierten der Stadt arbeiteten in registrierten Etablissements, die sich nach außen hin als Saunaklubs gaben, aber ein paar nahmen weiterhin die Gefahren des Straßenstrichs in Kauf. Manchmal lag es daran, dass sie verzweifelt waren oder als Arbeitskraft nicht zu gebrauchen – das heißt, ihre Drogensucht nicht mehr verheimlichen konnten. Anderen hingegen war es einfach lieber, ihr eigenes Ding durchzuziehen – ungeachtet der damit verbundenen Risiken. Drüben in Glasgow gab es weniger Saunaklubs und mehr Mädchen auf den Straßen. Resultat: sieben Morde in ebenso vielen Jahren.

Rebus' Überlegung: Straßenmädchen arbeiteten in Leith; die Blondine hatte »nuttig« ausgesehen; das Taxi hatte sie und Damon nach Leith gefahren. War auch eine Möglichkeit. Angenommen, sie waren nicht auf dem Weg zum Clipper gewesen, sondern hatten auf ihr Zimmer gewollt.

Auf ihr Zimmer oder vielleicht in ein Hotel…

An dem Abend standen nur drei Frauen auf der Coburg Street, aber er kannte eine von ihnen. Hielt und rief sie herüber. Sie stieg neben ihm ein, schleppte eine ganze Wolke Parfüm mit sich.

»Lange nicht gesehen«, sagte sie. Sie hieß Fern, »Farn«. Die Freier nahmen an, das sei ein Künstlername, aber

Rebus wusste aus ihrer Akte, dass sie tatsächlich als Fern Bogot auf die Welt gekommen war. Er wusste außerdem, dass sie auf der Straße arbeitete, weil sie gern ihr eigener Boss war. In Saunaklubs behielt der Besitzer immer einen Prozentsatz für sich ein. Sie hatte ihre Stammfreier. Unbekannte ließ sie meist abblitzen. Bevorzugte Herren in reiferem Alter. Die waren in der Regel weniger aggressiv.

Ihre feuerrote Mähne war eine Perücke, hätte aber ohne weiteres für echt durchgehen können. Rebus legte den ersten Gang ein, blinkte und fuhr los. Sie dirigierte ihre Freier immer zu einem unbebauten Gelände in Granton. Wäre Rebus mit seinem Auto am Straßenrand stehen geblieben, wäre er kein Freier gewesen, und das hätte alle nervös gemacht. Als er einen Blick in den Rückspiegel warf, sah er, wie eine der zurückbleibenden Frauen dem Wagen nachsah, sich dann abwandte und etwas auf eine Hauswand kritzelte.

»Was macht die da?«, fragte er.

Fern drehte sich um. »Die gute alte Lesley«, antwortete sie. »Sie schreibt Ihre Zulassungsnummer auf. Wenn man irgendwo meine Leiche findet, haben die Bullen etwas, womit sie anfangen können. Wir nennen das unsere Lebensversicherung. Heutzutage kann man nicht vorsichtig genug sein.«

Rebus nickte, fuhr ziellos die Straßen entlang, stellte seine Fragen. Sie sah sich die Fotos aufmerksam an, schüttelte aber schließlich den Kopf.

»Hier arbeitet keine, die so aussieht.«

»Was ist mit dem Jungen?«

»Tut mir Leid.« Sie gab ihm die Fotos zurück. Rebus reichte ihr dafür einen von Janice' Steckbriefen.

»Nur für den Fall«, meinte er.

Als er sie wieder an ihrem Standplatz absetzte, stieg er aus und ging sich die Wand ansehen. Und tatsächlich standen da Reihen von Autokennzeichen untereinander gekritzelt, zumeist in verschiedenen Lippenstifttönen, zum Teil schon verwittert und verblasst. Sein eigenes befand sich am unteren Ende der letzten Spalte. Er ging die Spalte hoch, runzelte die Stirn. Ganz oben las er ein Kennzeichen, das ihm irgendwie bekannt vorkam. Aber woher…?

Plötzlich dämmerte es ihm: Er hatte es in einer Akte auf der Polizeiwache Leith gesehen. Leith, wo Jim Margolies stationiert gewesen war. Es hatte in der Akte zu Jims Selbstmord gestanden.

Es war die amtliche Zulassungsnummer von Margolies' Wagen.

»Was gibt's?«, fragte Fern.

Rebus tippte auf die Wand. »Die Nummer hier. Gehört zu einem gewissen Jim. Einem Bullen.«

Sie zog die Brauen konzentriert zusammen, zuckte dann die Schultern. »Keiner von meinen«, sagte sie. »Aber es ist orangener Lippenstift.«

»Und?«

»Lesley hat so einen Code, eine eigene Art anzugeben, wer in welchem Auto mitgefahren ist.«

»Und wer ist mit orangenem Lippenstift gemeint?«

Sie schüttelte den Kopf. »Nicht so sehr ein ›Wer‹ als ein ›Was‹. Orange bedeutet, dass der betreffende Freier auf junges Fleisch steht…«

Roy Frazer war nicht der Einzige, der unten am Shore auf Rebus wartete. Neben ihm im Auto saß der Farmer.

»Sehen Sie uns auf die Finger, Sir?«, fragte Rebus, während er sich in den Fond setzte. Sobald er eingestiegen war, stieg Frazer aus.

»Wo, zum Teufel, sind Sie gewesen?«, wollte der Farmer wissen. »Ich hab den halben Tag lang versucht, Sie ausfindig zu machen.« Er reichte Rebus die Aufzeichnungen zur heutigen Observierung. »Erster Eintrag«, bellte er.

Rebus las. Bill Pryde hatte eingetragen, dass er Rebus um sechs Uhr abgelöst hatte. Dann: »Cary Oakes betritt um 7.45 Uhr das Hotel.«

»Was bedeutet«, sagte der Farmer, »dass er das Hotel zu irgendeinem früheren Zeitpunkt verlassen hatte und einer von Ihnen das nicht mitbekommen hat.«

»Ich habe gesehen, wie in seinem Zimmer das Licht ausging«, sagte Rebus.

»Stimmt, das haben Sie. So steht's im Logbuch.«

»Das heißt also, er hat sich während meiner Schicht rausgeschlichen?« Rebus' Nägel bohrten sich in seine Handflächen.

»Oder während der ersten Stunde von Bill Prydes Wache.«

»Wär beides möglich. Wir beobachten nur die Vorderseite des Gebäudes. Jede Menge Einstiegsmöglichkeiten nach hinten raus.«

Der Farmer wandte sich zu ihm. »Unser Problem sind nicht die Möglichkeiten *einzusteigen*, John. Unser Problem ist die Tatsache, dass er offensichtlich verschwinden kann, wann immer es ihm passt.«

»Ja, Sir. Aber eine Ein-Mann-Observierung …«

»Nützt uns einen Scheißdreck, wenn er uns jederzeit entwischen kann!«

»Ich dachte, es ginge nur darum, ihn nervös zu machen, ihm zu zeigen, dass wir ihm Knüppel zwischen die Beine werfen können.«

»Und sieht es Ihrer Meinung nach so aus, als hätten wir damit Erfolg, Inspector?«

»Nein, Sir«, räumte Rebus ein. »Aber was anderes: Wenn er einen Weg gefunden hat, unbemerkt rauszukommen, warum geht er dann nicht auch auf demselben Weg wieder rein?«

»Weil sich die Türen auf der Rückseite des Hotels nur von innen öffnen lassen.«

»Das ist *ein* möglicher Grund, Sir.«

»Und der andere?«

»Er spielt mit uns, gönnt sich einen Spaß auf unsere Kosten. Wir *sollen* wissen, was er gemacht hat.«

»Und was *hat* er gemacht, während er sich draußen rumtrieb?«

Rebus schüttelte den Kopf. »Ich weiß es nicht, Sir. Warum fragen wir ihn nicht?«

Als Frazer und der Farmer abgefahren waren, beschloss Rebus, seinen eigenen Vorschlag aufzugreifen. Er traf Cary Oakes in der Bar an, von Jim Stevens war nichts zu sehen. Oakes saß auf einem Barhocker und plauderte mit den zwei Barkeepern. An den Tischen hielten sich hier und da noch ein paar andere Gäste auf, offenbar Geschäftsleute, die noch betrunken über Abschlüsse diskutierten.

Oakes winkte Rebus zu sich heran, fragte ihn, was er trinken wolle.

»Whisky«, sagte Rebus. »Einen Malt.«

»Suchen Sie sich was aus. Geht alles auf Mr. Stevens.« Oakes gestattete sich ein leises Schmunzeln. Er wirkte so, als habe er schon ein paar intus, aber Rebus sah, dass er Cola trank. »Vielleicht noch was zum Nachspülen?«

Rebus schüttelte den Kopf. »Und ich zahl selbst«, sagte er.

Die Bar bot eine reiche Auswahl. Rebus entschied sich für etwas Feuriges: Laphroaig, mit einem Spritzer Wasser, um die Glut zu mildern. Cary Oakes versuchte, die Rechnung zu unterschreiben, aber Rebus gab nicht nach.

»Na, dann auf Ihre Gesundheit«, sagte Oakes und hob sein Glas.

»Sie spielen gern, stimmt's?«, fragte Rebus.

»Im Gefängnis hat man sonst nicht viel zu tun. Ich hab mir Schach beigebracht.«

»Ich spreche nicht von Brettspielen.«

»Sondern?« Oakes' Augen lagen halb unter den Lidern verborgen.

»Na, Sie treiben doch gerade ein Spielchen.«

»Und zwar?«

»Anekdoten erzählen. Ein paar zu viele davon und jedem, der Ihnen zuhört.« Er deutete mit dem Kopf auf die Barkeeper, die sich ans andere Ende des Tresens verzogen hatten, um Gläser zu spülen. »Theater, auch eine Art von Spiel.«

»Sie könnten damit im Fernsehen auftreten. Nein, im Ernst. Sie haben *so* was von Durchblick. Geht in Ihrem Beruf wohl auch nicht anders.«

»Fällt Jim Stevens drauf rein?«

»Worauf?«

»Auf die Geschichten, die Sie ihm erzählen. Wie viel von der Wahrheit liefern Sie ihm?«

Oakes' Augen wurden schmal. »Wie viel Wahrheit kann er Ihrer Meinung nach vertragen? Wenn ich ihm mehr Details lieferte, glauben Sie, dass seine Zeitung die abdrucken würde?« Er schüttelte langsam den Kopf. »Die Menschen vertragen nur ein bestimmtes Quantum Wahrheit, John.« Er beugte sich näher zu Rebus hinüber. »Soll ich *Ihnen* was darüber sagen, John? Soll ich Ihnen erzählen, wie viele ich wirklich getötet habe?«

»Erzählen Sie mir von Deirdre Campbell.«

Oakes lehnte sich wieder zurück, trank einen Schluck. »Alan Archibald glaubt, ich hätte sie getötet.«

»Und, haben Sie?« Rebus bemühte sich, die Frage möglichst beiläufig klingen zu lassen. Führte sein Glas an die Lippen.

»Spielt das irgendeine Rolle?« Oakes lächelte. »Für Alan schon, nicht? Warum wäre er sonst angerannt gekommen, gleich als ich ihn angerufen habe?«

»Er will die Wahrheit – die ganze Wahrheit.«

»Vielleicht haben Sie Recht. Und was wollen *Sie*, John? Warum sind *Sie* hier reingehechelt gekommen? Soll ich's Ihnen verraten?« Er machte es sich auf dem Hocker bequem. »Die Morgenschicht hat mich zurückkommen sehen. Ich fragte mich, ob der Mann auch wach war: Arme verschränkt, Kopf seitlich runtergefallen. Ich dachte, er wär vielleicht eingenickt.« Er schnalzte missbilligend mit der Zunge. »Ich *weiß* nicht, ob er wirklich mit dem Herzen dabei ist. Bei dem Job, meine ich, der Polizeiarbeit. Er sieht mir ganz wie der Typ aus, der konsequent auf den Ruhestand hinarbeitet.«

Was ein ziemlich treffendes Charakterbild Bill Prydes war. Natürlich hatte Rebus nicht vor, das zuzugeben.

»Ich glaube, Sie haben ebenfalls Probleme mit Ihrem Job – aber in anderer Hinsicht.«

»Haben Sie sich außer Schach auch Psychologie beigebracht?«

»Als es keine neuen Bücher mehr zu lesen gab, habe ich angefangen, *Menschen* zu lesen.«

»Sie haben Deirdre Campbell getötet, stimmt's?«

Oakes legte sich einen Finger an die Lippen. Dann: »Haben *Sie* Gordon Reeve getötet?«

Gordon Reeve – auch so ein Gespenst; ein Jahre zurückliegender Fall ... Jim Stevens hatte aus der Schule geplaudert.

»Verraten Sie mir eins«, sagte Rebus, »treiben Sie mit Stevens Tauschhandel? Sie erzählen ihm eine Geschichte, er muss Ihnen dafür eine andere erzählen?«

»Ich interessiere mich einfach für Sie.«

»Dann werden Sie auch wissen, dass ich Gordon Reeve getötet habe.«

»Absichtlich?«

»Nein.«

»Sind Sie da sicher? Sie haben einen Drogendealer erstochen… er ist gestorben.«

»Notwehr.«

»Ja, aber *wollten* Sie, dass er stirbt?«

»Reden wir doch von Ihnen, Oakes. Warum haben Sie sich damals Deirdre Campbell ausgesucht?«

Oakes setzte wieder ein süffisantes Lächeln auf. Rebus hätte ihm am liebsten eine reingehauen. »Sehen Sie, John? Sehen Sie, wie einfach es ist, das Spiel zu spielen? Man erzählt Geschichten, das ist alles. Uralte Geschichten, Dinge, von denen wir gern glauben würden, dass wir sie vergessen können.« Er glitt vom Hocker herab. »Jetzt gehe ich auf mein Zimmer. Ein schönes heißes Bad, denke ich, und dann vielleicht ein Video. Später lasse ich mir möglicherweise ein Sandwich raufkommen. Möchten Sie, dass man Ihnen was zum Auto rausbringt?«

»Ich weiß nicht, was steht denn so auf der Speisekarte?«

»Keine Speisekarte, Sie sagen einfach, was Sie haben wollen.«

»Dann hätte ich gern Ihren Kopf auf einem Tablett, ohne jede Beilage.«

Cary Oakes lachte noch, als er die Bar verließ.

Im Auto war jemand.

Rebus rannte los, sah, dass der Betreffende auf dem Beifahrersitz saß. Als er näher kam, erkannte er, dass es Alan Archibald war. Rebus öffnete die Tür auf der Fahrerseite und stieg ein.

»War nicht abgeschlossen«, sagte Archibald.

»Nein.«

»Ich dachte nicht, dass es Sie stören würde.«

Rebus zuckte die Achseln, steckte sich eine Zigarette an.

»Haben Sie mit ihm geredet?« Archibald brauchte keine Bestätigung. »Was hat er gesagt?«

»Er treibt mit Ihnen ein Spiel, Alan. Mehr ist das für ihn nicht.«

»Das hat er Ihnen gesagt?«

»Brauchte er gar nicht. Es ist sonnenklar. Stevens, Sie, ich… wir sind das, womit er sich seine Kicks verschafft.«

»Da irren Sie sich, John. Ich habe *gesehen*, wie er sich seine Kicks verschafft.« Er beugte sich vor, hob einen grünen Aktendeckel vom Boden auf. »Ich dachte, Sie könnten was zu lesen brauchen.«

Alan Archibalds Akte über Cary Dennis Oakes.

Cary Oakes war mit einem Touristenvisum in die USA eingereist. Bis zu diesem Zeitpunkt war seine Biographie eher skizzenhaft: ein Vater, den er schon in seiner Kindheit verloren hatte; eine Mutter mit psychischen Problemen. Cary war in Nairn geboren, wo sein Vater als Greenkeeper bei einem der örtlichen Golfplätze und seine Mutter als Zimmermädchen in einem Hotel in der Stadt gearbeitet hatte. Rebus kannte Nairn als einen windgepeitschten Ferienort an der Küste, der im Wettbewerb gegen die immer billigeren ausländischen Urlaubsziele den Kürzeren gezogen hatte.

Als Oakes' Vater infolge eines Schlaganfalls gestorben war, hatte die Mutter einen Nervenzusammenbruch erlitten. Ihr Arbeitgeber hatte sie gehen lassen, und sie war mit ihrem Sohn immer weiter nach Süden gezogen, bis sie schließlich in Edinburgh, wo ihre Halbschwester wohnte, landete. Sie hatten sich nie besonders nah gestanden, aber es gab sonst niemanden, keine anderen Verwandten, also hatten sich Mutter und Sohn in einem Zimmer im Haus in Gilmerton einquartiert. Kurze Zeit später hatte Cary angefangen herumzustreunen. Die Schule hatte seiner Mutter mitgeteilt, dass er den Unterricht bestenfalls sporadisch besuche. Es kam zunehmend häufiger vor, dass er sich Nächte und ganze Wochenenden nicht mehr zu Hause blicken ließ. Seine Mutter hatte schon längst aufgehört, sich Gedanken um ihn zu machen, und ihrer Halbschwester war es ohnehin lieber, wenn er sich nicht im Haus befand, da ihr Mann eine heftige Abneigung gegen den Jungen entwickelt hatte.

Woher war das Geld für seinen Trip in die USA gekommen? Alan Archibald hatte ein paar Nachforschungen angestellt und war auf eine Serie von Raubüberfällen und Einbrüchen in Edinburgh gestoßen, die nie aufgeklärt worden waren, aber etwa um die Zeit von Cary Oakes' Abreise aufgehört hatten. Das Geheimnis um die Ermordung von Archibalds Nichte machte für sich eine ganze Akte aus. Archibald hatte Oakes' Mutter und Tante (mittlerweile beide verstorben) sowie den Ehemann der Letzteren (noch am Leben, zurzeit wohnhaft in einem Seniorenheim in East Craigs) befragt. Sie hatten keinerlei konkrete Erinnerungen an die Mordnacht gehabt, konnten nicht einmal mit Sicherheit sagen, dass Cary an dem betreffenden oder dem folgenden Tag in der Nähe des Hauses gewesen war.

Deirdre Campbell war in der Stadt tanzen gewesen und zuletzt in einem Klub an der Ecke Rose Street gelandet – keine hundert Meter von der Stelle entfernt, wo jetzt der Gaitano's stand. Sie war von einem Mann angesprochen worden, hatte die letzten vier, fünf Tänze mit ihm getanzt. Sie hatte ihn ihren Freunden und Freundinnen vorgestellt. Sie musste sich eigentlich auf Schulprüfungen vorbereiten, und auch sonst hätte sie gar nicht da sein dürfen. In den

Klub kam man erst ab einundzwanzig rein, und Deirdre war damals noch minderjährig gewesen. Der Besitzer hatte anschließend Schwierigkeiten bekommen. Seine Verteidigung: »Wäre sie nicht hier reingekommen, hätte man sie wo anders reingelassen.« Was auch stimmte. Make-up, entsprechende Kleidung und Frisur konnten einen Teenager um einige Jahre älter erscheinen lassen. Nach dem Klub war die Clique raus auf die Lothian Road, krampfhaft bemüht, die Nacht nicht zu vergeuden. Eine Pizzeria und dann Taxis. Deirdre hatte gesagt, sie wolle laufen. Sie wohnte in Dalry und würde nur zwanzig Minuten brauchen.

Die Polizei befragte den jungen Mann, der mit ihr zusammen gewesen war, mit ihr getanzt hatte. Er hatte gefragt, ob er sie nach Haus begleiten dürfe, aber sie sagte Nein. Er wohnte weit draußen, in Comiston, und war froh, in einem der Taxis mitfahren zu können. Deirdre hatte sich allein auf den Heimweg gemacht.

Und war auf einem Hügel ermordet aufgefunden worden. Kleidung in Unordnung, aber keinerlei Anzeichen von Vergewaltigung oder Missbrauch. Ein Schlag auf den Kopf mit anschließender Strangulation.

Drei Tage später hatte Cary Oakes, mit einem Rucksack und einer Sporttasche bepackt, Schottland verlassen. Keiner von seinen Angehörigen wusste von seinen Plänen. Sie hatten erst wieder etwas von ihm gehört, als er, über zwei Monate später, verhaftet worden war.

Sie hatten es nicht für nötig gehalten, die Polizei zu benachrichtigen, ihn als vermisst zu melden.

»Er war alt genug, um selbst zu entscheiden, was er tun wollte«, hatte sein Onkel Alan Archibald gegenüber gesagt. »Wir wussten, dass er was zum Anziehen und so mitgenommen hatte, da dachten wir, er hat sich einfach aus dem Staub gemacht.«

Anhand von Polizeiberichten und Zeugenaussagen hatte Archibald Cary Oakes' amerikanische Odyssee rekonstruiert. Von New York aus war er mit dem Bus landeinwärts gefahren. Während seines Prozesses sagte Oakes aus, er habe das getan, »weil es das war, was alle Pioniere getan haben: nach Westen ziehen«. Er verbrachte eine Woche in Chicago und machte dort nichts anderes, als die Stadt zu Fuß und mit öffentlichen Verkehrmitteln zu durchstreifen. Dann trampte er weiter nach Westen und machte wieder Station, diesmal in Minneapolis, wo er beschloss, seine Reisekasse durch Raubüberfälle aufzubessern. Ein paar kleinere Erfolge, denen ein schwererer Rückschlag folgte: Er geriet an eine Frau mit Pfefferspray in der Handtasche und einem mörderischen linken Haken. Er verließ Minneapolis mit einem blauen linken und einem blutunterlaufenen und brennenden rechten Auge. Er aß in Fernfahrerlokalen an der I-94, kam durch Fargo und Billings und erreichte noch Spokane, ehe seine finanzielle Situation verzweifelte Dimensionen annahm. Er brach in ein paar Häuser ein, versuchte, seine magere Ausbeute zu versetzen. Die Pfandleiher erkannten Diebesgut, wenn sie welches sahen, boten ihm ein paar Dollar an, und als er sie daraufhin anpöbelte, gaben sie seine Personenbeschreibung an die Polizei weiter.

Er übernachtete mittlerweile im Freien, lernte Gleichgesinnte kennen. Schloss sich einer kleinen Gang von Ladendieben an. Mit seinem »komischen Akzent« lenkte er die Verkäufer ab und hielt sie beschäftigt, während die anderen unbemerkt ihrer Arbeit nachgingen. Schon prahlte er damit, er sei auf der Flucht, habe in Schottland jemanden »kalt gemacht«. Da er keinerlei nähere Angaben machte, wurde die Behauptung als reine Angeberei aufgefasst. Auf der Straße verbarg sich jeder hinter einem Schild aus Lügen und Hirngespinsten. Sie hatten alle schon mit goldenen Löffeln gegessen; alle waren sie früher was Besseres gewesen.

In Spokane hatte er Dorothy Anne Wreiss ermordet, eine geschiedene Zweiundvierzigjährige, die an drei Tagen die Woche als Kindergärtnerin arbeitete. Sie wohnte in einer Siedlung am Stadtrand. Man nahm an, dass Oakes sie im Einkaufszentrum gesehen hatte und ihr nach Haus gefolgt oder aber durch die Siedlung gestreunt war, bis er ihren Kombi in der Auffahrt entdeckt hatte.

Sie wurde in ihrer Küche aufgefunden, die Einkaufstüten noch unausgepackt auf der Frühstückstheke. Ihre zwei Katzen hatten sich auf ihrem Rücken zusammengerollt und schliefen. Sie war mit einem Stein niedergeschlagen und anschließend mit einem Geschirrhandtuch erdrosselt worden. Ihr Geldbeutel war leer, ebenso das Schmuckkästchen in ihrem Schlafzimmer. Am Tag darauf hatte Oakes versucht, ihre Uhr zu verpfänden. Während der Verhandlung hatte er behauptet, er habe sie von einem seiner Vagabundenfreunde geschenkt bekommen, einem gewissen Otis. Aber keiner von denen, die ihn kannten, hatte je von einem Mann dieses Namens gehört.

Er setzte sich nach Seattle ab, blieb da über eine Woche. Dort gab es einen ungelösten Fall, den man mit ihm in Verbindung zu bringen versucht hatte: Ein Mann war auf dem Parkplatz des King Dome bewusstlos aufgefunden worden. Man hatte ihm mehrere Schläge auf den Kopf versetzt und sein Auto gestohlen. Im Krankenhaus war er seinen Verletzungen erlegen. Der Wagen tauchte in Ballard wieder auf, desgleichen Oakes. Mittlerweile interessierte sich die Polizei mehrerer Staaten für den »schottischen Vagabunden«. Ein paar schwere Körperverletzungen in Chicago; ein als solcher bekannter Homosexueller, der ebenfalls dort, im Distrikt La Grange, tot in seinem Wagen aufgefunden worden war. Eine Frau, die am Stadtrand von

Bloomington, Minnesota, überfallen, für tot gehalten und liegen gelassen worden war. Der Tod einer Achtundsiebzigjährigen im Zusammenhang mit einem Einbruch in deren Haus in Tacoma, Washington. Manchmal verfügte die Polizei über die Beschreibung eines Mannes, der am Tatort oder in dessen Nähe gesehen worden war; manchmal hatte sie nichts anderes als Übereinstimmungen in der Vorgehensweise des Täters. Keine brauchbaren Fingerabdrücke, keine sichere Identifizierung durch Augenzeugen.

Das letzte Opfer: ein weiterer Homosexueller, Willis Chadaran, sechzig Jahre alt. Die Tat wurde im Schlafzimmer seines Hauses in Bellevue verübt. Die Waffe war eine schwere Statuette gewesen, die Chadaran 1982 für den Schnitt eines Dokumentarfilms gewonnen hatte. Er war damit bewusstlos geschlagen, dann mit dem Gürtel seines rotseidenen Kimonos erdrosselt worden. Auf dem Kopfteil des Bettes wurden Cary Oakes' Fingerabdrücke gefunden. Als man ihn nach seiner Festnahme damit konfrontierte, räumte er ein, in Chadarans Haus gewesen zu sein, bestritt aber, ihn getötet zu haben. Detectives hatten ihn gefragt, wie seine Abdrücke auf das Bett gelangt sein konnten. Oakes gab an, auf der Suche nach möglicher Beute in das Schlafzimmer eingedrungen zu sein und das Bett dabei vielleicht berührt zu haben.

Verhaftet wurde er schließlich auf dem Pike Place Market. Händlern zufolge erweckte er den Eindruck, als warte er nur auf die Gelegenheit, etwas zu klauen. Die Polizei hatte ihn aufgefordert, sich auszuweisen. Er hatte seinen Reisepass mit dem inzwischen abgelaufenen Touristenvisum vorgezeigt und war dann getürmt. Sie hatten ihn geschnappt und auf die Wache verfrachtet. Jemand hatte ihn mit den verschiedenen Personenbeschreibungen in Verbindung gebracht, die mittlerweile aus dem ganzen Land eingingen.

Das Schlussplädoyer des Staatsanwalts war kurz und bündig gewesen.

»Das ist ein Mann, für den brutaler Mord zu einer Lebensweise geworden ist, einer Gewohnheit. Wenn er etwas braucht, etwas will, etwas begehrt … tötet er dafür. Er sieht uns alle als potentielle Opfer. Wir sind für ihn keine Mitmenschen; er hat aufgehört, uns in derartigen Kategorien zu betrachten, den Kategorien, die unserer Gesellschaft innere Struktur und Gültigkeit verleihen, Kategorien, ohne die wir uns unmöglich als *zivilisiert* bezeichnen können. Seine Seele ist zur Größe einer Walnuss zusammengeschrumpft, ja vielleicht nicht einmal das. Cary Oakes, meine Damen und Herren Geschworenen, ist aus unserer Gesellschaft, unseren Gesetzen, unserer Zivilisation ausgestiegen, und er muss den Preis dafür bezahlen.«

Nämlich zweimal lebenslänglich.

Rebus legte die Akte weg. »Jede Menge bloßer Indizien«, sagte er nachdenklich.

»Aber eins fügt sich zum anderen. Ergibt mehr als genug für eine Anklage.«

Rebus nickte. »Ich kann mir aber *schon* vorstellen, wo er seine Schlupflöcher gefunden hat.« Er tippte mit dem Finger auf die Akte, dachte an das Schlussplädoyer. »Ich frag mich, wie groß eine Seele normalerweise ist …« Er wandte sich zu Archibald. »Er treibt Spielchen.«

»Das weiß ich auch. Die Version, die Jim Stevens' Zeitung abdruckt … Oakes tischt ihm Märchen auf.«

»Er hat mir erzählt, eins seiner Opfer sei so alt wie meine Tochter gewesen. Das passt auf keine der hier drin genannten Personen.«

Alan Archibald zuckte die Achseln. »Ihre Tochter ist Mitte zwanzig, Deirdre war achtzehn.« Er schwieg kurz. »Vielleicht gibt es noch andere, von denen wir nichts wissen.«

Ja, dachte Rebus, und vielleicht war's auch nur eine weitere Lüge gewesen. »Was haben Sie also vor?«, fragte er.

»An ihm dranbleiben.«

»Sein Spiel mitspielen?«

»So seh ich das nicht.«

»Ich weiß; das macht mir ja gerade Sorgen.«

»Es war nicht *Ihre* Nichte.«

Rebus sah Alan Archibald in die Augen; sah darin Mut und Ausdauer, die entscheidenden Antriebskräfte, die ihm während seiner gesamten Dienstzeit treu geblieben waren und die er jetzt nicht über Bord werfen würde.

»Wie kann ich Ihnen helfen?«

»Wie kommen Sie darauf, dass ich überhaupt Hilfe brauche?«

»Weil Sie heute Abend wiedergekommen sind. Nicht, um mit ihm zu reden, sondern um sich mit mir zu treffen.«

Alan Archibald lächelte. »Ich weiß einiges über Sie, John. Ich weiß, dass wir nicht allzu verschieden sind.«

»Wie kann ich Ihnen also helfen?«

»Helfen Sie mir, ihn nach Hillend zu locken.«

»Was glauben Sie, was das bringen würde?«

»Er ist damals vor der Tat geflohen, John. Hat die Erinnerung daran, so weit es nur irgend ging, hinter sich gelassen. Führt man ihn zurück, zurück zu seinem *ersten* Mord... ich glaube, dann würde alles wieder hochkommen: das Entsetzen, die Unsicherheit. Ich glaube, dann würde er klein beigeben.«

»Ist es das, was wir wollen?« Rebus dachte: *Er wird wieder töten...*

»Es ist das, was *ich* will. Ich muss nur wissen, ob ich mit Ihrer Hilfe rechnen kann.«

Rebus rieb mit den Handflächen über das Lenkrad. »Ich muss darüber nachdenken.«

»Schön, aber denken Sie nicht zu lange nach. Ich hab das Gefühl, Sie brauchen das hier genauso sehr wie ich.«

Rebus sah ihn an.

»Wir können nicht immer bloß von unserer Überzeugung leben«, fuhr Archibald fort. »Ab und zu muss es schon ein bisschen mehr sein.«

22

Nachdem sie sich eine weitere Stunde lang unterhalten hatten, verabschiedete sich Archibald und sagte, er würde sich ein Taxi nehmen. Er hatte über seine Nichte gesprochen, seine Erinnerungen an sie und darüber, wie sich ihre Ermordung auf die Familie auswirkte.

»Wir haben uns aufgelöst«, hatte er gesagt. »So langsam, dass es, denke ich, keiner gemerkt hat. Ich glaube, wann immer wir zusammen waren, haben wir uns schuldig gefühlt, als hätten *wir* ihren Tod zu verantworten. Denn wenn wir uns trafen, gab es nur ein einziges Gesprächsthema, ein einziges Thema, das uns beschäftigte, und das wollten wir nicht.«

Er hatte auch von seiner Arbeit an dem Fall erzählt: den Wochen und Monaten, die er in Polizeiarchiven und damit zugebracht hatte, Cary Oakes' Geschichte zusammenzustückeln; von seinen Reisen in die USA.

»Muss alles eine Menge gekostet haben«, hatte Rebus gemeint.

»War jeden einzelnen Penny wert, John.«

Rebus hatte nicht hinzugefügt, dass er nicht an Geld gedacht hatte. Er war ein Fachmann für Obsessionen, wusste, dass sie einem alles rauben konnten. Einmal, als Sammy noch klein war, hatte er zu Weihnachten ein Puzzle geschenkt bekommen. Er hatte einen Tisch frei geräumt und sich an die Arbeit gemacht, hatte sich dabei ertappt, dass er bis tief in die Nacht daran saß, obwohl er das Bild, das er zusammensetzte, schon kannte – es kannte, weil es auf dem Deckel der Schachtel abgebildet war. Bloß versuchte er, nicht hinzusehen, weil er den Ehrgeiz hatte, das Puzzle ohne jede Hilfe zu vollenden.

Und ein Teilchen blieb unauffindbar. Er hatte Rhona gefragt, Sammy verhört: Hatte *sie* es genommen? Rhona meinte, es sei vielleicht von Anfang an nicht in der Schachtel gewesen, aber das konnte er nicht akzeptieren. Er hatte Sofa und Sessel abgezogen, den Teppich aufgerollt, erst das Zimmer, dann die ganze Wohnung auf den Kopf gestellt – nur für den Fall, dass Sammy das fehlende Teilchen *doch* irgendwohin gesteckt haben sollte. Er hatte es nie gefunden. Selbst Jahre danach ertappte er sich noch gelegentlich dabei, dass er sich fragte, ob es nicht möglicherweise zwischen die Dielen oder unter die Fußleiste geraten sein konnte...

Wenn man es zuließ, konnte die Polizeiarbeit einen genau so besessen machen. Ungelöste Fälle; Fragen, die einem keine Ruhe ließen; Leute, von denen man *wusste*, dass sie schuldig waren, denen man es aber nicht nachweisen konnte... Das hatte er alles mehr als zur Genüge erlebt. Aber irgendwann ließ er das alles doch immer wieder los – und wenn es auch bedeutete, es sich aus dem Gedächtnis zu saufen. Alan Archibald machte nicht den Eindruck, als ob er imstande wäre, Cary Oakes zu den Akten zu legen. Rebus hatte das Gefühl, dass Archibald, selbst wenn Oakes' Unschuld zweifelsfrei erwiesen worden wäre, nicht aufgehört hätte, an seine Schuld zu glauben. Das lag in der Natur der Besessenheit.

Allein mit seinen Gedanken, griff Rebus nach der Viertelflasche und trank sie leer.

Unschuld erwiesen... Er dachte an Darren Rough, wie

er, bibbernd vor Angst, in seinem Klo eingesperrt saß. Und alles nur, weil die Sozialbehörde ihn in eine Wohnung mit Aussicht auf einen Kinderspielplatz gesteckt hatte. Und weil John Rebus die Sünden anderer – die Sünden von Männern, die ihrerseits Rough missbraucht hatten – auf Roughs Schultern geladen hatte.

Rebus rieb sich die Augen. Es war für ihn kein ungewohntes Gefühl, die Last der Schuld auf sich zu spüren. Er trug Jack Mortons Tod mit sich herum. Aber etwas hatte sich geändert. Früher hätte er nicht allzu viele Gedanken an Darren Rough verschwendet, hätte sich gesagt, dass Rough bekommen hatte, was er verdiente – weil er eben das war, was er ganz offensichtlich war. Aber noch früher… als der Bulle, der er einmal, vor so langer Zeit gewesen war, hätte er sich mit Roughs Story nicht an die Boulevardblätter gewandt. Vielleicht hatte Marie Henderson ja doch Recht: *Bei Ihnen drin ist irgendwas schief gelaufen.*

Er bewunderte Alan Archibalds Beharrlichkeit, fragte sich aber, was passieren würde, wenn sich herausstellen sollte, dass er *sich irrte*. Würde er dann Cary Oakes trotzdem weiterverfolgen? Würde er noch ein Stück weitergehen und sich nicht mehr mit einer bloßen *Verfolgung* begnügen…? Rebus starrte hinaus in den Nachthimmel.

Ist alles ganz schön kompliziert hier unten, was, alter Mann?

Er fragte sich, wem die Observierung eigentlich nutzte. Oakes schien daraus seinen eigenen Vorteil zu ziehen, kam und ging, wie es ihm passte, und sorgte dafür, dass sie es auch erfuhren. So dass all ihre Anstrengungen für die Katz zu sein schienen. Er schloss die Augen, hörte auf die gelegentlichen Durchsagen im Polizeifunk, und seine Gedanken schweiften allmählich zu Damon Mich ab. Das Schiff schien sich als eine weitere Sackgasse zu erweisen. Damon war aus der Welt ausgestiegen, seinem Leben entwischt.

Von Damon kam er auf Janice und von ihr auf das Ende seiner Schulzeit, als alles in seinem Leben begonnen hatte, kompliziert zu werden.

Alec Chisholm war eines Tages verschwunden – und nie wieder aufgetaucht.

Rebus war zur Schulabschlussfeier gegangen, hatte Mitch etwas sagen wollen.

Dann hatte Janice ihn k.o. geschlagen, ein paar Halbstarke waren über Mitch hergefallen, und mit einem Mal war Rebus' ganzes Leben entschieden …

Ein Geräusch riss ihn aus seinen Gedanken. Er meinte, es sei von hinter dem Hotel gekommen, und beschloss nachzusehen. Parkplatz und Lieferanteneingänge lagen in tiefer Dunkelheit, aber er leuchtete mit seiner Stablampe umher. Schaute hinauf zu den Fenstern des Hotels. Man konnte sehen, wo die Korridore verliefen; deren Fenster waren noch erleuchtet. Eines der Fenster stand offen, die Gardinen flatterten. Rebus beschrieb mit der Stablampe von da aus einen Bogen nach unten, bis der Strahl auf dem Dach einer von drei nebeneinander stehenden Einzelgaragen landete. Vom Hotelgrundstück waren sie durch eine Mauer abgetrennt. Rebus stemmte sich hoch und kletterte hinüber. Eine enge Gasse, auf dem Boden Pfützen und Abfall. Keine Menschenseele zu sehen, allerdings Fußabdrücke im Schlamm. Er folgte der Spur. Sie führte ihn um eine Fabrik und ein Mietshaus herum, dann weiter zur stark befahrenen Bernard Street, wo selbst noch zu dieser Uhrzeit Autos und Taxis vor roten Ampeln hielten. Wo Betrunkene heimwärts torkelten. Ein Mann gab eine anspruchsvolle Tanznummer zum Besten und lieferte sich dazu selbst die musikalische Begleitung. Seine Begleiterin schien das urkomisch zu finden. Can: »Tango Whiskyman«.

Von Cary Oakes war nichts zu sehen, nicht das Geringste, aber Rebus wurde das Gefühl nicht los, dass er da irgendwo war. Er ging denselben Weg zurück, blieb vor einem Müllcontainer stehen, der neben einem der Lieferanteneingänge aufgestellt war, zog die leere Flasche aus der Tasche und warf sie hinein.

Spürte, wie sein Kopf einen Ruck nach vorn machte, als ihn ein Schlag von hinten traf. Ein durchdringender Schmerz. Er hob, die Augen zusammengekniffen, eine Hand, drehte sich halb um. Ein zweiter Schlag zog ihn aus dem Verkehr.

Es war stockdunkel, und als er sich bewegte, echote es dumpf stählern.

Und es stank.

Er lag auf etwas Weichem. Über ihm Stimmen, dann ein blendendes Licht.

»O je, o je.«

Zweite Stimme, amüsiert. »Rausch ausschlafen, Sir?«

Rebus hielt sich eine Hand über die Augen, spähte an jäh aufsteigenden Wänden hinauf. Zwei Köpfe kamen über dem Rand ins Bild. Er kniete sich hin, rutschte aus, als er sich aufzurichten versuchte. Seine Hände brannten. Im Schädel pochender Schmerz.

Er war ... er wusste, wo er war. In einem Müllcontainer, dem hinter dem Hotel. Unter ihm durchweichte Pappkartons und Gott weiß, was sonst noch. Hände halfen ihm aufzustehen.

»Also kommen Sie, Sir. Wollen wir doch ...« Die Stimme erstarb, als der Strahl der Taschenlampe wieder sein Gesicht erfasste. Zwei Uniformierte, wahrscheinlich von der Wache Leith. Und einer von ihnen hatte ihn erkannt.

»DI Rebus?«

Rebus: abgerissen, Atem wie aus einer Whiskybrennerei, mühsam aus einem Müllcontainer kraxelnd. Offiziell auf Observierung. Ihm war klar, was das für einen Eindruck machen musste.

»Herrgott, Sir, was ist denn mit *Ihnen* passiert?«

»Leuchten Sie mir nicht in die Augen, Junge.« Ihre Gesichter waren für ihn bloße Schatten, unmöglich festzustellen, ob er sie kannte. Er fragte, wie spät es sei, rechnete sich aus, dass er nur zehn, fünfzehn Minuten ohnmächtig gewesen war.

»Anruf von einem öffentlichen Fernsprecher auf der Bernard Street«, erklärte einer der Uniformierten. »Hinter dem Hotel würden sich Leute prügeln.«

Rebus tastete seinen Hinterkopf ab: kein Blut an der Hand. Die Hände brannten noch immer. Er rieb sich die Finger. Als er sie bewegte, taten sie weh. Hielt sie ins Licht der Stablampe. Einer der Uniformierten stieß einen Pfiff aus.

Die Knöchel waren abgeschürft, blutverkrustet. Ein paar Gelenke schienen anzuschwellen.

»Dem haben Sie aber ordentlich was verpasst, wer immer das war«, meinte der Uniformierte.

Rebus untersuchte die Abschürfungen. Als hätte er auf eine Betonwand eingedroschen. »Ich hab niemanden verprügelt«, erklärte er. Die Uniformierten tauschten einen Blick.

»Ganz wie Sie meinen, Sir.«

»Wär wahrscheinlich zu viel verlangt, Sie zu bitten, die Sache für sich zu behalten.«

»Wir sagen kein Sterbenswörtchen, Sir.«

Eine glatte Lüge; es brachte nie was, Uniformierte um Gefälligkeiten zu bitten.

»Können wir sonst noch was für Sie tun, Sir?«

Rebus schüttelte den Kopf, aber eine Woge von Übelkeit stieg in ihm auf. Er stützte sich mit einer Hand am Container ab, bis er das Gleichgewicht wiedergefunden hatte.

»Mein Auto steht um die Ecke«, sagte er mit brüchiger Stimme.

»Sobald Sie zu Hause sind, werden Sie eine Dusche brauchen.«

»Danke schön, Sherlock.«

»Ich mein ja bloß«, brummelte der Uniformierte.

Rebus ging langsam zurück zur Vorderseite des Gebäudes. Die Dame an der Rezeption schien mit dem Gedanken zu spielen, den Sicherheitsdienst anzurufen, bis Rebus seine Dienstmarke vorwies und sie bat, die Nummer von Oakes' Zimmer zu wählen. Niemand nahm ab.

»Kann ich sonst noch etwas für Sie tun, Sir?«

Rebus warf einen Blick in seine Brieftasche. Seine Karten waren da, aber das Bargeld war verschwunden.

»Haben Sie eine Ahnung, wo Mr. Oakes ist?«, fragte er.

Sie schüttelte den Kopf. »Ich habe ihn nicht das Hotel verlassen sehen.«

Rebus dankte ihr und schleppte sich zu einem Sofa, fiel längelang darauf. Kurze Zeit später bat er um ein Aspirin. Als sie damit ankam, musste sie ihn wachrütteln.

Er fuhr zu Patience. Scheiß auf die Observierung. Oakes war nicht in seinem Zimmer, sondern irgendwo unterwegs. Rebus brauchte saubere Sachen, eine Dusche und weitere Schmerztabletten. Als er durch die Tür taumelte, kam Patience verschlafen blinzelnd in den Flur. Er hob die Hände beschwichtigend in die Höhe.

»Ist nicht das, was du denkst«, sagte er.

Sie kam näher, nahm seine Hände, betrachtete die Schwellungen.

»Erzähl«, sagte sie. Also erzählte Rebus.

Er lag in der Wanne, am Hinterkopf eine kalte Kompresse. Die hatte Patience aus einem Plastikbeutel, ein paar Eiswürfeln und Verbandmull gebastelt. Sie behandelte ihm gerade die Hände mit antiseptischer Salbe, nachdem sie sie gesäubert und festgestellt hatte, dass nichts gebrochen war.

»Dieser Oakes«, sagte sie. »Mir ist immer noch nicht klar, warum er das getan hat.«

Rebus rückte sich den Eisbeutel zurecht. »Um mich zu demütigen. Er hat dafür gesorgt, dass Uniformierte mich so finden würden, weggetreten in einem Müllcontainer.«

»Ja?« Sie trug mehr Salbe auf.

»Mit aufgeschürften Knöcheln, als hätte ich mich geprügelt. Und wer immer mein Gegner gewesen war, hatte mich fertig gemacht. Und da, wo man mich gefunden hat, hinter dem Hotel, kommt nur ein einziger Kandidat in Frage. Spätestens morgen früh weiß jede Wache in der Stadt Bescheid.«

»Aber warum sollte er das tun?«

»Um mir zu zeigen, dass er das *kann*. Warum sonst?« Er versuchte, nicht zusammenzuzucken, als sie ihm Salbe in eine Platzwunde rieb.

»Ich weiß nicht«, sagte sie. »Vielleicht, um dich abzulenken.«

»Wovon?«

Sie zuckte die Achseln. »Du bist hier der Detective.« Sie betrachtete ihr Werk. »Die Hände muss ich dir noch verbinden.«

»Solang ich noch fahren kann…«

»John…« Aber sie wusste, dass er nicht auf sie hören würde.

»Patience, wenn ich mit Händen wie eine Mumie rumlaufe, geht diese Runde an ihn.«

»Nicht wenn du dich weigerst mitzuspielen.«

Er sah die tiefe Sorge in ihren Augen, strich ihr mit dem Handrücken über die Wange. Sah Janice genau das Gleiche bei ihm tun und zog die Hand schuldbewusst zurück.

»Tut weh, hm?«, fragte Patience, die Bewegung missdeutend. Er traute seiner Stimme nicht, nickte also bloß.

Später setzte er sich mit einem Becher Tee auf das Sofa. Er hatte zwei weitere Schmerztabletten geschluckt, diesmal rezeptpflichtige Hämmer. Seine verdreckten Sachen steckten zusammengeknüllt in einer schwarzen Mülltüte, bereit für die Reinigung. Wie schade, dachte er, dass er seine unreinen Gedanken nicht ebenso leicht säubern lassen konnte.

Als sein Handy trillerte, starrte er es ablehnend an. Es lag vor ihm auf dem Couchtisch, neben seinen Schlüsseln und dem Kleingeld. Als er das Handy schließlich aufnahm, stand Patience in der Tür. Um ihre Lippen spielte ein kleines Lächeln, aber in ihren Augen lag keinerlei Belustigung. Sie hatte die ganze Zeit gewusst, dass er abnehmen würde.

Als Cal Brady vom Guiser's heimkam, fühlte er sich ziemlich gut. Die Hochstimmung hielt genau zehn Sekunden lang vor. Sobald er sich aufs Bett gehauen hatte, fiel ihm das perverse Schwein wieder ein. Seine Mum hatte irgendeinen Kerl bei sich im Schlafzimmer; die Wände waren so dünn, dass die es genauso gut direkt vor seiner Nase hätten treiben können. Alle Wohnungen waren so, wenn man also etwas unter Ausschluss der Öffentlichkeit machen wollte, musste man es leise tun. Er legte das Ohr an eine Wand, dann an eine andere: seine Mum und ihr Stecher; zwei verschiedene Fernsehsender – Jamie war noch wach und saß im Wohnzimmer vor der Glotze, und der Tragbare quäkte in Vans Zimmer, ein kläglicher Versuch, anderweitige Geräusche zu übertönen. Er legte das Ohr an den Fußboden. Er konnte noch immer alles hören, dazu noch jeden Schritt der Leute in der Wohnung darunter, jedes Husten und jedes Wort. Vor einiger Zeit war er zum Arzt gegangen und hatte gefragt, ob seine Ohren vielleicht empfindlicher als normal seien.

»Ich hör dauernd Sachen, die ich nicht hören will.«

Als er erklärt hatte, dass er in einem der Hochhäuser in Greenfield wohnte, hatte der Arzt ihm empfohlen, sich einen Walkman zu besorgen.

Aber auf der Straße war's das Gleiche: Er schnappte Gesprächsfetzen auf, Dinge, von denen die Redenden glaubten, er könnte sie nicht hören. Manchmal meinte er, es würde schlimmer, bildete sich ein, er könnte anderer Leute Herzschlag hören, das Rauschen des Blutes in ihren Adern. Er meinte, er könnte deren *Gedanken* hören. Wie zum Beispiel im Guiser's, wenn die Mädchen ihn ansahen und er sie anlächelte. Sie dachten: Er macht vielleicht nicht viel her, aber er ist mit Archie Frost zusammen, also muss er irgendwie wichtig sein. Sie dachten: Wenn ich mit ihm tanze, mir von ihm was spendieren lasse, bin ich näher an der *Macht.*

Was genau der Grund war, warum er selten irgendetwas *tat,* sondern lieber am Tresen stehen blieb, eine coole Haltung einnahm und kein Wort sagte. Aber zuhörte, immer zuhörte.

Immer allerlei Dinge mitbekam ... Über Charmer, über die Gäste – Ama Petrie, ihren Bruder und den Rest der Bande. Seine eigene Version der *Macht.*

An dem Abend war im Klub nicht viel los gewesen. Wäre nicht die Busladung Leute aus Trenent eingetroffen, wäre es absolut tote Hose gewesen. Die hatten nicht sonderlich begeistert ausgesehen: niemand außer ihnen zum Tanzen da. Archie bezweifelte, dass sie sich noch mal blicken lassen würden. Archie sah sich schon nach einem neuen Betätigungsfeld um. An Klubs litt die Stadt keinen Mangel. Cal hatte allerdings noch nicht angefangen, sich umzusehen. Cal glaubte an Loyalität.

»Ich weiß, dass Charmer versucht, ein paar Schulden einzutreiben«, hatte Archie gesagt, »aber das Problem ist – er hat selbst Schulden. Nur ’ne Frage der Zeit, bis wir Besuch kriegen…«

Cal hatte die Schultern gestrafft, als wollte er sagen: Die sollen nur kommen.

Er wollte nachdenken, alles im Kopf auf die Reihe kriegen, deswegen war er in sein Schlafzimmer gegangen, statt sich zu Jamie vor die Glotze zu hocken. Aber noch bevor er dieses Refugium erreicht hatte, war Darren Rough in seine Gedanken eingebrochen. Der Flur war halb voll von Plakaten. Sie standen nebeneinander an der Wand und rochen noch immer nach frischer Farbe. Pappkartons, flach aufgeschnitten und auf der unbedruckten Seite mit Sprüchen beschriftet: VERNICHTET ALLE UNGEHEUER! FINGER WEG VON UNSEREN KINDERN! HÄNGEN WIR DEN PERVERSEN AUF!

Vernichtet alle Ungeheuer, dachte Cal, während er auf seinem Bett lag und eine Zigarette rauchte. Er stand abrupt auf, hämmerte gegen die andere Wand.

»Verdammte Scheiße, könnt ihr vielleicht endlich die Schnauze halten?«

Schweigen, dann ersticktes Lachen. Für einen Augenblick stand Cal kurz davor, zu den beiden ins Zimmer zu stürmen, aber er wusste, was seine Mum dann mit ihm gemacht hätte. Und außerdem war er nicht im Geringsten scharf darauf, sie jetzt so zu sehen.

Vernichtet alle Ungeheuer.

Die Klingel. Welcher Wichser erdreistet sich um diese Uhrzeit…? Cal ging nachsehen. Erkannte die Frau. Sie sah verwirrt aus, rieb sich fortwährend die Hände, als würde sie irgendwas auswaschen.

»Du hast nicht unsern Billy gesehen, oder?« Es war Joanna Horman, Billys Mum. Billy war einer von Jamies

Freunden. Cal rief ihn, und Jamie kam aus dem Wohnzimmer.

»Hast du Billy Boy gesehen?«, fragte Cal. Jamie schüttelte den Kopf. Er hatte eine Tüte Chips in der Hand. Cal wandte sich wieder zu Joanna Horman. Ein paar seiner Freunde fanden, dass sie ganz okay aussah. Aber im Augenblick sah sie voll scheiße aus.

»Was ist los?«, fragte er.

»Er ist so gegen sieben zum Spielen aus dem Haus, seitdem hab ich ihn nicht mehr gesehen. Ich dachte, vielleicht ist er zu seiner Oma, aber als ich sie gefragt hab, wusste sie von nix.«

»Ich geh grad fragen. Warten Sie'n Moment.« Er ging an Vans Tür und hämmerte dagegen. Gute Ausrede, um die beiden endlich zu unterbrechen. »Hey, Ma, ist Billy Horman heute Abend hier gewesen?«

Geräusche von innen. Joanna Horman hatte sich gegen die Tür gelehnt und wirkte, als würde sie jeden Augenblick zusammenklappen. Kein übler Körper, entschied Cal. Bisschen wabbelig, aber auf Weiber, die nur Haut und Knochen waren, stand er sowieso nicht. Die Tür des Schlafzimmers seiner Mutter öffnete sich. Van hatte ihr Kleid an, zupfte es sich hier und da zurecht. Da drunter gar nichts, jede Wette. Sie zog die Tür schnell hinter sich zu; unmöglich festzustellen, wer sonst noch im Zimmer war.

»Ist was, Joanna?« Drängte sich dabei an Cal vorbei, als sei er gar nicht da.

»Geht um Billychen, Van. Er ist verschwunden.«

»O Scheiße. Komm rein ins Wohnzimmer.«

»Ich weiß einfach nicht, was ich tun soll.«

»Wo hast du schon gesucht?«

Cal folgte den zwei Frauen ins Wohnzimmer.

»Überall. Ich glaub, allmählich wird's Zeit, dass ich die Bullen rufe.«

Van schnaubte. »Klar doch, die wären auch in null Komma nix hier. Das Einzige, was diese Arschlöcher interessiert, ist, Perverse zu beschützen ...« Ihre Stimme verebbte; zum ersten Mal sah sie ihren Sohn an. Sie kannten sich so gut, dass keine Worte nötig waren.

»Joanna, Schätzchen«, sagte Van leise, »du rührst dich hier nicht vom Fleck. Ich geh und trommel die Leute zusammen. Wenn dein Billy hier irgendwo in der Siedlung ist, dann finden wir ihn, keine Sorge.«

Binnen einer halben Stunde hatte Van die Suchtrupps organisiert. Leute gingen von Tür zu Tür und stellten Fragen, rekrutierten weitere Freiwillige. Jamie war ins Bett geschickt worden, schlief aber nicht, und Joanna Horman saß mit einem großen Glas Cola-Rum im Wohnzimmer. Cal hatte sich angeboten, ihr Gesellschaft zu leisten. Sie hockte auf dem Sofa und er auf dem Sessel. Er brachte keinen Ton heraus. Normalerweise war er nicht auf den Mund gefallen. Er merkte, dass ihr Kummer – die Weichheit, die er ihr verlieh – ihn irgendwie erregte. Aber er schämte sich, dass sie ihn so anmachte. Sein Gehirn lief auf Hochtouren, so als ob er zu viel getrunken oder Speed geschluckt hätte.

Er stand auf, öffnete die Tür zu Jamies Zimmer.

»Steh auf, du, und kümmer dich um Billys Mum. Ich muss noch mal raus.«

Dann öffnete er die Wohnungstür und trat hinaus auf die Galerie. Die Treppe runter und raus in die Nacht. Gegenüber befanden sich ein paar Garagen. Zu einer davon besaß er den Schlüssel. Er bewahrte darin ein paar Sachen auf. Es war Jerry Langhams Garage, aber Jerry saß drei bis fünf Jahre in Saughton ab und hatte noch sechs Monate vor sich, bevor er von Bewährung auch nur träumen konnte. In der Garage stand Jerrys Karre. Es war ein 70er

Benz mit rostigen Chromleisten und einem kackgelben Anstrich Marke Eigenbau, aber Jerry liebte ihn.

»Meine Alte halt ich nicht unter Verschluss, aber an meinen Benz lass ich keinen ran.«

Das war als Warnung gedacht gewesen: Benutz die Garage, wirf ab und zu einen Blick auf den Motor, aber komm nicht auf die Idee, den Schlitten anzurühren. Nicht, dass Cal sich an den Rat gehalten hätte. Manchmal schloss er den Wagen auf, setzte sich rein und tat so, als würde er fahren. Und einmal hatte er auch den Kofferraum geöffnet, so dass er wusste, was da drin war.

Jetzt schloss er ihn auf, holte den Blechkanister raus und schüttelte ihn einmal. Er hätte schwören können, dass früher mehr drin gewesen war; er schien gerade mal halb voll zu sein. Verdunstung oder weiß der Geier. Bei Sprit konnte das schon passieren. In einem Regal fand er ein paar ölgetränkte Lappen. Stopfte sie sich in die Taschen und war bereit.

Zurück ins Haus und hoch, zwei Stufen auf einmal. Jetzt hatte er ein Ziel. Der Kanister gab leise glucksende Geräusche von sich. Augen zu, und man hätte fast am Meer sein können. Schlich sich an Darren Roughs Wohnung heran. Frische Bretter quer über dem Fenster. Die Kids hatten sich mit ihren Spraydosen schon daran verlustiert. Das GGP hatte heute Nacht hier seinen ersten Zwischenstopp gemacht: keine Antwort, niemand zu Hause. Cal öffnete den Kanister, hielt ihn schräg, so dass das Benzin erst über das ganze vernagelte Fenster und dann über die Tür rann. Zog einen zusammengeknüllten Lumpen aus der Tasche und tränkte ihn mit Sprit. Stopfte ihn in den schmalen Ritz zwischen Brettern und Hauswand. Dann noch einen und noch einen. Schmiss den leeren Kanister über die Brüstung der Galerie. Verfluchte sich dann: Da waren bestimmt Abdrücke drauf. Und außerdem wollte ihn Jerry vielleicht wiederhaben. Er würde gleich runterlaufen und ihn holen.

Zog sein Feuerzeug raus, das, das Jamie ihm zu Weihnachten geschenkt hatte. Jamie … er tat das alles für Jamie und seine Freunde, für alle Kids. Jamie hatte was auf dem Kasten. Ging nicht gern zur Schule, aber wer tat das schon? War deswegen noch lang nicht blöd. Er konnte rumreisen, was aus seinem Leben machen. Ein paar Mal, als er betrunken gewesen war, hatte Cal versucht, ihm das zu sagen. Er hatte das Gefühl, dass er's irgendwie nicht richtig rausgebracht, dass es so geklungen hatte, als wär er neidisch. Vielleicht war er das auch, nur ein kleines bisschen. Einem Jungen wie Jamie stand die Welt offen. Cal starrte auf das Feuerzeug. Da war noch so was mit seinem Brüderchen: In Sachen Ladendiebstahl machte ihm keiner was vor.

23

Als Rebus in Greenfield eintraf, war die Hälfte der Siedlung auf den Beinen, um sich das Feuer anzugucken, oder was davon noch übrig war.

Rebus kannte einen der Feuerwehrleute, einen gewissen Eddie Dickson. Der nickte ihm zu. Er war in voller Montur, hielt neben seinem Löschwagen Wache.

»Wenn ich mich von der Stelle rühre, machen die sich sofort drüber her.« Er meinte die Jungs aus der Siedlung; meinte, dass sie alles nicht Niet-und-Nagelfeste mitgenommen hätten. »Bei der Einfahrt haben die uns mit Flaschen beworfen.«

»Wer?«

Dickson zuckte die Achseln. »Kamen aus dem Dunkeln geflogen. Ich hab so das Gefühl, dass wir nicht erwünscht waren.«

Uniformierte aus der St.-Leonard's-Wache versuchten, die Gaffer dazu zu bewegen, wieder ins Bett zu gehen.

»Irgendwelche Opfer?«

Dickson zuckte erneut die Achseln. »Sie meinen, durch die Flaschen?«

Rebus starrte ihn an. »Ich meine da drin.« Und deutete auf Darren Roughs Wohnung.

»Als wir ankamen, war die Wohnung leer.«

»Tür offen?«

Dickson schüttelte den Kopf. »Wir mussten sie eintreten – was davon übrig war. Kleine Racheaktion, wie?«

»Lesen Sie keine Zeitung?«

»Wann käme ich wohl dazu, John?«

»Pädophiler.«

Dickson nickte. »Jetzt fällt's mir wieder ein. Grillen ist noch zu gut für das Pack, was?«

Rebus ließ ihn bei seinem Löschwagen stehen und ging hinüber zum Cragside Court. Der Uniformierte in der Eingangshalle meinte, er bräuchte es mit den Fahrstühlen erst gar nicht zu versuchen.

»Der eine ist im Arsch, der andere ist ein Scheißhaus.«

Rebus hätte sowieso die Treppe genommen. Von den Brettern an Roughs Fenster waren nur noch ein paar verkohlte Enden übrig. Die Tür war ebenfalls abgefackelt worden. DC Grant Hood stand im Flur der Wohnung. Rebus öffnete die Klotür – niemand zu Hause.

»Ihr Kumpel«, sagte Hood. Er war jung, intelligent. Leidenschaftlicher Fan der Glasgow Rangers, aber schließlich war niemand vollkommen.

»Kann ich nicht behaupten«, meinte Rebus. »Aber danke für den Anruf.«

Hood zuckte die Schultern. »Ich dachte, das könnte Sie interessieren.« Er deutete mit dem Kopf auf Rebus' bandagierte Hände. »Auch einen Unfall gehabt?«

Rebus ignorierte die Frage. »*Das* hier war wohl kaum ein Unfall, oder?«

»Stofffetzen am Fensterrahmen. Draußen auf der Galerie verschlabbertes Benzin …«

»Vom Mieter keine Spur?«

Hood schüttelte den Kopf. »Haben Sie eine Idee?«

»Sehen Sie sich um, Grant. Das ist hier der Wilde Westen. Jeder von denen wär dazu imstande.« Rebus war wieder an den verkohlten Überresten der Tür vorbei ins Freie gegangen und beugte sich über die Brüstung. »Aber wenn ich Sie wäre, würde ich mir Van Brady und deren ältesten Sohn vorknöpfen.«

Hood schrieb sich die Namen auf. »Ich nehm nicht an, dass Mr. Rough zurückkommen wird.«

»Nein«, sagte Rebus. Was überhaupt der Sinn der ganzen Übung gewesen war. Aber jetzt, wo sie es erreicht hatten, fragte sich Rebus, warum er sich so beschissen fühlte … Er musste wieder an Jane Barbours Worte denken: geringes Rückfallrisiko … als Kind selbst missbraucht … muss ihm eine Chance geben …

Dann entdeckte er Cal Brady, unten in der sich verlaufenden Menge. Er war vollständig angezogen, sah aus, als sei er überhaupt noch nicht im Bett gewesen. Rebus ging wieder nach unten. Cal verteilte GGP-Sticker an jeden, der noch keinen hatte. Vor allem an Frauen, die unter dem Mantel lediglich ihr Nachthemd trugen. Cal klebte die Sticker mit einer übertriebenen Behutsamkeit auf, die manche der Frauen – nicht gerade züchtige Jungfern – erröten ließ.

»Alles klar, Cal?«, sagte Rebus. Cal drehte sich um, zog einen Sticker ab und pappte ihn ihm ans Jackett.

»Ich hoffe, Sie sind auf unserer Seite, Inspector.«

Rebus versuchte sofort, den Sticker wieder loszuwerden. Cal streckte eine Hand aus, um ihn davon abzuhalten. Rebus packte sie und führte sie sich an die Nase. Cal zuckte schnell zurück, aber nicht schnell genug.

»Wasser und Seife sind normalerweise nicht zu verachten«, sagte Rebus.

»Ich hab nix getan.«

»Du stinkst nach Benzin.«

»Nicht schuldig, Euer Ehren.«

»Ich bin keiner, der vorschnell urteilt, Cal –«

»Da habe ich aber was anderes gehört.«

»Doch in deinem Fall werde ich eine Ausnahme machen.« Und fragte sich: Mit wem hatte Cal geredet? Wer hatte ihm was über ihn, Rebus, erzählt? »DC Hood wird dir bestimmt ein paar Fragen stellen. Sei ja nett zu ihm.«

»Ich fick euch Pack in den Arsch.«

»Meinst du, dein Pimmel ist dazu lang genug?«, sagte Rebus mit einem Lächeln.

Cal starrte ihn an; dann sah er weg und lachte. »Sie sind ein Clown. Gehen Sie wieder zurück in Ihren Zirkus.«

»Was glaubst du, was *du* bist, Cal? Der Zirkusdirektor?« Rebus schüttelte den Kopf. »Nein, Jungchen, du machst für jeden Männchen, der mit der Peitsche knallt.« Rebus wandte sich ab. »Ob's nun deine Mama ist oder Charmer Mackenzie.«

»Was soll das heißen?«

»Du arbeitest doch für ihn, oder?«

»Was geht Sie das an?«

Rebus zuckte mit den Schultern und ging zurück zu seinem Auto. Er hatte es direkt neben dem Löschwagen geparkt, wollte es nicht auf Ziegelsteinen aufgebockt wiederfinden.

»Hey, John«, sagte Eddie Dickson, »wird das nicht toll?«

»Was?«

»Wenn die das Parlament bauen.« Er machte eine weit ausholende Geste. »Direkt neben all dieser Herrlichkeit.«

Rebus hob die Augen, sah die dunkle Masse der Salisbury Crags. Wieder einmal hatte er das Gefühl, in einer Schlucht zu stecken, ringsum senkrechte Wände, die keinerlei Fluchtmöglichkeit boten. Da konnte man sich beim Versuch blutige Finger holen.

Entweder blutige oder nach Sprit stinkende.

Rebus krümmte und streckte gerade seine Finger, als Hood angerannt kam. »Ich glaube, wir haben ein Problem.«

»Hätt mich auch gewundert.«

»Ein Kind wird vermisst. Die wollten uns nicht mal was davon sagen.«

Rebus sah nachdenklich aus. »Es ist eine EUE«, erklärte er. Hood machte ein verdutztes Gesicht. »Eine einseitige Unabhängigkeitserklärung, Jungchen. Also, wer hat geplaudert?«

»Ich bin zu Van Bradys Wohnung rauf. Die Tür stand offen, im Flur eine junge Frau.« Er sah in seinem Notizbuch nach. »Eine Joanna Horman. Das Kind heißt Billy.«

Rebus erinnerte sich an seinen ersten Besuch in Greenfield. Van Brady hatte sich aus ihrem Fenster gelehnt: *Ich hab dich gesehen, Billy Horman!* An den Jungen selbst konnte er sich nicht mehr erinnern, wusste lediglich, dass er mit Jamie Brady gespielt hatte.

»Jetzt wissen wir, warum die die Wohnung abgefackelt haben«, fuhr Hood fort.

»Brillant kombiniert, Grant. Vielleicht sollten wir mit der fraglichen Dame ein paar Takte reden.«

»Der Mutter des Jungen?«

Rebus schüttelte den Kopf. »Van Brady.«

Nachdem er die Verhandlungen mit Van Brady aufgenommen hatte – ihre Küche bot einen für solch einen Gipfel eher unzulänglichen Tisch –, forderte Rebus Verstärkung an. Sie würden zusätzliche Suchtrupps organisieren, Polizei und Einwohner Hand in Hand zusammenarbeiten.

»Das hier ist *Ihr* Revier«, hatte Rebus eingeräumt und ein paar weitere Pillen mit einem Becher billigen Zichorienkaffee hinuntergespült. »Sie kennen sich hier besser aus als jeder Einzelne von uns; kennen jedes Versteck, jeden Bandentreff, jeden Schlupfwinkel, wo er die Nacht verbringen könnte. Wenn seine Mutter uns eine Liste mit den Namen seiner Schulkameraden gibt, können wir die Eltern anrufen und feststellen, ob er vielleicht bei einem von ihnen ist. Es gibt Dinge, die *wir* am besten beherrschen, und Dinge, die *Sie* erledigen können.« Er sprach mit ruhiger Stimme und ließ Van die ganze Zeit nicht aus den Augen. In der Küche befanden sich acht Leute, in Flur und Wohnzimmer etliche weitere.

»Was ist mit dem Perversen?«, wollte Van Brady wissen.

»Den finden wir schon, keine Bange. Aber im Augenblick sollten wir uns lieber auf Billy konzentrieren, meinen Sie nicht auch?«

»Und was, wenn Billy bei *ihm* ist?«

»Warten wir doch erst mal ab, hm? Als Erstes sollten wir die Suche wieder aufnehmen. Solang wir hier bloß rumsitzen, finden wir niemand.«

Nach Ende des Meetings war Rebus zu Grant Hood gegangen.

»Das hier ist Ihre Angelegenheit, Grant«, sagte er. »Ich sollte gar nicht da sein.«

Hood nickte. »Tut mir Leid, dass ich Sie mit reingezogen habe.«

»Schon okay. Aber machen Sie's richtig: Wecken Sie DI Barbour, und erzählen Sie ihr, was Sache ist.«

»Was passiert, wenn *die* ihn zuerst finden?« Womit er nicht den Jungen, sondern Darren Rough meinte.

»Dann ist er tot«, antwortete Rebus. »So einfach ist das.«

Er stieg ins Auto und verließ Greenfield. Fragte sich, wann Darren Rough seine Wohnung geräumt haben mochte. Fragte sich, wo er wohl hingegangen sein konnte. Holyrood Park? Früher einmal, vor Jahrhunderten, war er ein Asyl für flüchtige Verbrecher gewesen. Solange man nicht die Grenze überschritt, befand man sich auf einer Krondomäne und war dem Zugriff des Gesetzes entzogen. Schuldner flohen dorthin, blieben jahrelang dort, lebten von Almosen und Fischen aus den Lochs und Wildkaninchen. Wenn ihre Schulden endlich bezahlt oder verjährt waren, traten sie wieder über die Grenze und kehrten in die Gesellschaft zurück. Der Park hatte ihnen eine Illusion von Freiheit gewährt; in Wirklichkeit waren sie lediglich im offenen Strafvollzug gewesen.

Holyrood Park: Eine Straße wand sich um den Fuß der Salisbury Crags und des Arthur's Seat. Parkplätze säumten die – tagsüber bei Familien ebenso wie bei Hundebesitzern beliebten – Lochs. Nachts fuhren Pärchen zum Sex dorthin. Die Royal Parks Police patrouillierte hier in unregelmäßigen Abständen. Es war davon die Rede gewesen, die Truppe aufzulösen, den Park unter die Jurisdiktion der Polizei von Lothian und Borders zu bringen. Bislang war nichts geschehen.

Rebus fuhr drei Runden durch den Park. Langsam, ohne den wenigen parkenden Autos, an denen er vorbeikam, allzu viel Beachtung zu schenken. Dann, am St. Margaret's Loch, gerade als er auf Höhe der Royal Park Terrace rausfahren wollte, glaubte er, am Rand seines Gesichtsfelds eine Bewegung im Schatten gesehen zu haben. Beschloss anzuhalten. Vielleicht waren es nur die Kopfschmerzen und die Pillen, die ihm was vorgaukelten. Er ließ den Motor laufen, kurbelte das Fenster herunter und zündete sich eine Zigarette an. Ein Fuchs, am Ende sogar ein Dachs… er konnte sich getäuscht haben. Es gab alle möglichen Schatten in der Stadt.

Dann aber tauchte ein Gesicht am offenen Fenster auf.

»Ob Sie wohl 'ne Kippe übrig haben?«

»Kein Problem.« Rebus wandte sich ab, während er in die Tasche griff.

»Äh… hören Sie, ich weiß nicht genau…« Ein Räuspern. »Ich meine, Sie suchen doch nicht Gesellschaft, oder?«

»Doch, zufällig schon.« Rebus sah jetzt hoch. »Steigen Sie ein, Darren.«

Darren Roughs Miene erstarrte, als er Rebus erkannte. Sein Gesicht war geschwärzt. Er hustete noch einmal, heftiger jetzt.

»Rauchvergiftung«, bemerkte Rebus. »Sie haben ziemlich lang damit gewartet, aus der Wohnung zu verschwinden.«

Rough wischte sich über den Mund. Die Ärmel seines grünen Regenmantels waren angesengt, er hatte sie sich wohl vors Gesicht gehalten.

»Ich dachte, die würden mich draußen vor der Tür abfangen. Ich hab die ganze Zeit auf die Feuerwehr gewartet.«

»Am Ende hat sie auch jemand gerufen.«

Er schnaubte. »Wahrscheinlich einer, der Angst hatte, das Feuer würde auf seine Wohnung übergreifen.«

»Aber draußen hat keiner auf Sie gewartet?«

Rough schüttelte den Kopf. Nein, dachte Rebus, weil alle auf der Suche nach Billy Horman gewesen waren. Cal Brady hatte die Wohnung ganz allein in Brand gesteckt und sich dann verzogen, um nicht gesehen zu werden.

Es hatte angefangen zu regnen; schwere dicke Tropfen, die von Roughs Schultern abprallten. Er hielt das Gesicht in den Regen, öffnete den ausgedörrten Mund, trank.

»Sie sollten besser einsteigen«, forderte Rebus ihn auf.

Er hielt den Kopf schief, starrte Rebus an. »Was wirft man mir vor?«

»Ein Junge wird vermisst.«

Rough schlug die Augen nieder. Sagte etwas wie »Ich verstehe«, aber so leise, dass Rebus es nicht verstand. »Die glauben, ich …?« Er unterbrach sich. »Natürlich glauben sie, ich hätt's getan. An deren Stelle würd ich das Gleiche glauben.«

»Aber Sie waren's nicht?«

Rough schüttelte den Kopf. »Das mach ich nicht mehr. Ich hab mich geändert.« Er wurde immer nasser.

»Steigen Sie ein«, wiederholte Rebus. Rough nahm auf dem Beifahrersitz Platz. »Aber Sie denken noch immer daran«, sagte Rebus, auf eine Reaktion wartend.

Rough starrte auf die Windschutzscheibe. »Ich würde lügen, wenn ich das bestreiten wollte.«

»Was ist also anders?«

Rough wandte sich zu ihm. »Wollen Sie mich auch *dafür* bezahlen lassen?«

»Nein«, sagte Rebus und legte den Gang ein. »Heute Nacht fahren Sie umsonst.«

24

Rebus fuhr mit Darren Rough nach St. Leonard's.

»Keine Sorge«, sagte er. »Nennen Sie es Schutzhaft. Ich will nur Ihre Antworten zu dem vermissten Jungen protokollieren.«

Sie saßen in einem Vernehmungszimmer, das Band lief, ein Uniformierter stand vor der Tür, und tranken dünnen Tee. Ansonsten war die Wache so gut wie ausgestorben: Sämtliche abkömmlichen Beamten befanden sich in

Greenfield und beteiligten sich an der Suche nach Billy Horman.

»Sie wissen also nichts von einem vermissten Jungen?«, fragte Rebus. Da niemand da war, der es ihm hätte verbieten können, hatte er sich eine Zigarette angezündet. Rough wollte zunächst keine, änderte dann aber seine Meinung.

»Krebs dürfte im Moment meine geringste Sorge sein«, meinte er. Dann erklärte er Rebus, er wisse darüber lediglich das, was der Detective ihm gesagt habe.

»Aber die Bewohner der Siedlung haben versucht, Sie zu vertreiben, und Sie sind trotzdem geblieben. Dafür muss es doch einen Grund geben.«

»Wo sollte ich denn hin? Ich bin ein Gebrandmarkter.« Mit einem kurzen Blick von unten herauf. »Dank *Ihnen.*« Rebus stand auf. Rough zuckte zusammen, aber Rebus lehnte sich lediglich an die Wand, so dass er der Videokamera zugewandt stand. Nicht, dass es irgendeine Rolle gespielt hätte, die Kamera war gar nicht eingeschaltet.

»Sie sind ein Gebrandmarkter, weil Sie das sind, was Sie sind, Mr. Rough.«

»Ich bin ein Pädophiler, Inspector, das bin ich wahrscheinlich schon immer gewesen. Aber ich bin kein *praktizierender* Pädophiler mehr.« Ein Achselzucken. »Die Gesellschaft wird sich an den Gedanken gewöhnen müssen.«

»Ich glaube nicht, dass Ihre Nachbarn das auch so sehen.«

Rough gestattete sich ein zerknirschtes Lächeln. »Da haben Sie wohl Recht.«

»Wie steht's mit Freunden?«

»Freunden?«

»Gleichgesinnten, Leuten mit den gleichen Interessen.« Rebus schnippte Asche auf den Teppichboden; die Putzkolonne würde da schon vor dem Morgen durchgehen. »Hatten Sie je welche zu Besuch?«

Rough schüttelte den Kopf.

»Sind Sie sich da sicher, Mr. Rough?«

»Kein Mensch wusste, dass ich da wohnte, bis die Zeitungen es auf einer Doppelseite breitgewalzt haben.«

»Aber danach... hat sich da niemand von früher bei Ihnen gemeldet?«

Rough schwieg, starrte ins Leere, in Gedanken noch immer bei den Zeitungen. »Ince und Marshall... ich les die Artikel über die beiden. Da, wo die sind... in ihren Zellen... bekommen sie da die Nachrichten zu sehen?«

»Manchmal«, räumte Rebus ein.

»Dann wissen sie also von mir?«

Rebus nickte. »Aber machen Sie sich um die keine Sorgen. Sie sitzen in Saughton in U-Haft.« Er schwieg kurz. »Sie sollten gegen die beiden aussagen.«

»Das hatte ich vor.« Er starrte wieder ins Leere, das Gesicht angespannt. Rebus kannte die Geschichten: Wer missbraucht worden war, missbrauchte später selbst. Er hatte nie Probleme damit gehabt, das als Unsinn abzutun. Nicht jedes Opfer wurde zum Täter.

»Damals, als die Sie nach Shiellion gefahren haben...«, begann Rebus.

»Marshall hat mich gefahren. Ince hatte das von ihm verlangt.« Seine Stimme zitterte. »Hatte es nicht speziell auf mich abgesehen oder so – hätte jeder von uns sein können. Allerdings glaube ich, dass ich der Ruhigste war, derjenige, von dem man am wenigsten Schwierigkeiten erwarten musste. Marshall stand damals so richtig unter Ince' Fuchtel. Es machte ihn wohl an, von ihm so herumkommandiert zu werden. Ich hab ein Foto von Ince gesehen, er hat sich nicht verändert. Marshall sieht ein ganzes Stück taffer aus, als hätte er sich in der Zwischenzeit noch eine zusätzliche Haut zugelegt.«

»Und der dritte Mann?«

»Ich hab's Ihnen doch gesagt, das könnte sonst wer gewesen sein.«

»Aber er war schon da und wartete, als Sie in Shiellion ankamen.«

»Ja.«

»Also wahrscheinlich eher ein Freund von Ince als von Marshall.«

»Sie haben sich abgewechselt.« Rough hielt sich mit beiden Händen an der Tischkante fest. »Später habe ich versucht, es anderen zu erzählen, aber keiner hörte mir zu. Da hieß es immer: ›So was darfst du nicht sagen.‹ ›Erzähl nicht solche Geschichten.‹ Als ob das alles *meine* Schuld gewesen wäre. Ich hatte ein Nachbarskind angefasst, also geschah's mir recht, was immer auch mit mir passierte ... Und noch schlimmer, ein paar Leute glaubten, ich würde lügen, aber ich hab nie gelogen ... *niemals.*« Er schloss die Augen, legte die Stirn auf die Hände. Er murmelte etwas, das wie »Dreckskerle« klang. Und dann fing er an zu weinen.

Rebus wusste, dass ihm mehrere Möglichkeiten offen standen. Das Sozialamt anrufen und es denen überlassen, Rough irgendwo einzuquartieren. Ihn in eine Zelle stecken oder ihn irgendwo absetzen ... egal, wo. Doch als er hinausging, um in seinem Büro die Nummer des Sozialamts zu wählen, meldete sich niemand. Wahrscheinlich alle irgendwo im Einsatz. Der Anrufbeantworter empfahl ihm, es in Abständen von zehn Minuten immer wieder zu versuchen. Er beschwor ihn, nicht in Panik zu geraten.

Auf der Wache gab es freie Zellen, aber Rebus wusste, dass sich die Sache schnell herumsprechen würde, und wenn die Zeit käme, Darren Rough laufen zu lassen, würde ihn draußen eine Horde empfangen. Also steckte er sich wieder eine Zigarette an und ging zurück zum Vernehmungszimmer.

»Na schön«, sagte er, als er die Tür öffnete, »Sie kommen mit zu mir.«

»Schönes Zimmer«, sagte Darren Rough. Er schaute sich um, musterte das hohe Stuckgesims. »Groß«, fügte er hinzu und nickte vor sich hin. Er versuchte, leutselig zu sein, Konversation zu machen, und fragte sich, was Rebus mit ihm anstellen würde, hier, in seiner eigenen Wohnung.

Rebus reichte ihm einen Becher Tee und forderte ihn auf, sich zu setzen. Er bot ihm eine weitere Zigarette an, doch Rough lehnte diesmal ab und nahm auf dem Sofa Platz. Rebus hätte ihn am liebsten aufgefordert, sich auf einem der Esstischstühle niederzulassen. Es war so, als verunreinigte Rough alles, womit er in Berührung kam.

»Ihr Sozialhelfer sollte morgen früh zusehen, dass er was für Sie findet«, sagte Rebus. »Etwas möglichst weit weg von Edinburgh.«

Rough musterte ihn. Er hatte dunkle Ringe unter den Augen, und die Haare hätte er sich auch mal wieder waschen können. Der grüne Regenmantel lag ausgebreitet über der Rückenlehne des Sofas. Rough trug ein kariertes Anzugjackett, dazu Jeans, Baseballschuhe und ein weißes Nylonhemd. Er wirkte, als hätte er einen Schnelldurchlauf durch einen Secondhandladen gewonnen.

»Immer in Bewegung bleiben, hm?«

»Ein bewegtes Ziel ist schwerer zu treffen«, antwortete Rebus.

Rough lächelte müde. »Wie ich sehe, haben *Sie* Ihr Ziel getroffen.«

Rebus bewegte wieder seine Finger, damit sie nicht steif wurden.

Rough trank einen Schluck Tee. »Er hat mich wirklich zusammengeschlagen, wissen Sie.«

»Wer?«

»Ihr Freund.«

»Jim Margolies?«

Rough nickte. »Ganz plötzlich hat er so einen Blick gekriegt. Und dann prügelte er auch schon auf mich ein.« Er schüttelte den Kopf. »Wie er sich umgebracht hat, habe ich die Nachrufe gelesen. Überall hieß es, er wäre ein ›guter Polizist‹, ein ›liebender Vater‹ gewesen. Wäre regelmäßig in die Kirche gegangen.« Ein bitteres Lächeln. »Wie er auf mich eingedroschen hat, wollte er mir wohl zeigen, was ›militante Kirche‹ heißt.«

»Passen Sie auf, was Sie sagen.«

»Ja, er war Ihr Freund, Sie haben mit ihm zusammengearbeitet. Aber ich frage mich, ob Sie ihn *kannten.*«

Rebus gab das zwar nicht zu, doch allmählich begann er, sich das selbst zu fragen. Orangefarbener Lippenstift, was bedeutete, dass er auf junges Fleisch stand. Er hatte Fern gefragt, *wie* jung. Durchaus im Rahmen des Erlaubten, hatte sie ihm geantwortet.

»Was glauben Sie, warum er gestorben ist?«, fragte Rebus.

»Woher soll ich das wissen?«

»Als Sie beide miteinander geredet haben ... wie wirkte er da auf Sie?«

Rough dachte nach. »Schien nicht auf mich wütend zu sein, gar nicht. Nur etwas über Shiellion erfahren zu wollen. Wie oft ich ... Sie wissen schon. Und von wem.« Er warf Rebus einen Blick zu. »Manche Leute macht das an, sich Geschichten anzuhören.«

»Sie glauben, er hat Sie *deswegen* gefragt?«

»Warum stellen *Sie* mir diese ganzen Fragen, Inspector? Hetzen mir erst die Presse auf den Hals und kommen dann als der edle Retter. Ich weiß nicht, vielleicht macht das *Sie* an, Leuten ins Hirn zu ficken.«

Rebus dachte an Cary Oakes und seine Spielchen. »Ich

glaube, Sie hatten was mit Jim Margolies' Tod zu tun«, sagte er. »Ob's Ihnen nun bewusst ist oder nicht.«

Dann saßen sie eine Weile schweigend da, bis Rough fragte, ob er irgendwas zu essen bekommen könnte. Rebus ging in die Küche, starrte einen der Schränke an und hätte ihm liebend gern einen Schlag versetzt. Aber seine Knöchel hätten es ihm übel genommen. Er betrachtete sie, wusste, was Oakes mit ihnen angestellt hatte: Er hatte sie fest über den Asphalt des Parkplatzes geschrappt, vielleicht sogar seine Hände zu Fäusten geballt und an den stählernen Müllcontainer gerammt. Abartiger kleiner Scheißkerl, der er war. Und Patience fragte sich, ob das nicht alles nur ein Trick war, ein Manöver, um Rebus von etwas anderem abzulenken. Sein Kopf schien voll von möglichen Ablenkungen zu stecken. Wie konnte er dem, was Rough ihm erzählte, Glauben schenken? Er wirkte auf ihn nicht wie ein besonderer Stratege; zu schwach dafür. Aber Jim Margolies … hatte *er* irgendein mieses Spiel getrieben?

Und hatte es ihn umgebracht?

Rebus öffnete den Küchenschrank, rief ins Wohnzimmer, er könne Bohnen auf Toast machen. Rough sagte, das wär prima. Es gab keine Margarine für den Toast, aber Rebus schätzte, dass die Tomatensauce ihn schon aufweichen würde. Er kippte die Bohnen in einen Topf, schob das Brot unter den Grill und ging die Schlafmöglichkeiten checken.

Nicht sein eigenes Zimmer– das mit Sicherheit nicht. Er öffnete die Tür des ehemaligen Gästezimmers, das *noch* früher Sammys Zimmer gewesen war. Ihr Bett stand noch immer da; an den Wänden Poster, in einem Bücherregal Teenie-Jahresalben. Einer der letzten Menschen, die diesen Raum benutzt hatten, war Jack Morton gewesen. Da würde Darren Rough ganz bestimmt nicht drin schlafen.

Rebus öffnete den Kleiderschrank, fand eine alte Decke und ein Kissen, nahm beides mit ins Wohnzimmer.

»Sie können das Sofa haben«, sagte er.

»Prima. Mir ist alles recht.« Rough stand am Fenster. Rebus ging hinüber und stellte sich neben ihn. Auf der anderen Straßenseite wohnten zwei Kinder, aber die Fensterläden waren zu, keine Peepshow heute.

»Es ist so ruhig hier«, sagte Rough. »In Greenfield scheinen die sich ständig in den Haaren zu liegen, oder es läuft irgendwo eine Party, und das endet dann meistens damit, dass sich alle in den Haaren liegen.«

»Aber Sie sind ein guter Nachbar, oder?«, sagte Rebus. »Leise, ruhig, unaufdringlich.«

»Ich versuch's.«

»Was ist, wenn die Kinder Krach machen; kriegen Sie da nicht Lust, was zu unternehmen?«

Rough schloss die Augen. »Sie werden keine Ausreden von mir hören«, flüsterte er.

»Auch keine Entschuldigungen?«

»Ich könnte mich entschuldigen, bis ich schwarz werde. Es würde nichts ändern. Es ändert nichts daran, wie ich mich fühle.« Er öffnete die Augen, wandte sich zu Rebus. »Aber davon wollen Sie nichts hören, stimmt's?«

Rebus starrte ihn an. »Der Toast brennt an«, sagte er und verschwand in die Küche.

Um fünf – Rough lag auf dem Sofa unter der Decke – rief Rebus Bill Pryde an.

»Tut mir Leid, Sie zu wecken, Bill.«

»Der Wecker hätte sowieso gleich geklingelt. Was gibt's?«

»Der Observierungswagen.«

»Was ist damit?«

»Er steht nicht am Shore.« Er erklärte, wo er stattdessen stand.

»Herrgott, John, und was ist mit Oakes?«

»Er kommt und geht, wie es ihm passt, Bill. Wir haben eigentlich nichts anderes getan, als uns lächerlich zu machen.«

»Das sollten Sie besser dem Farmer sagen.«

»Mach ich.«

»Und derweil soll ich den Wagen bei Ihnen abholen?«

»Ich hab im Logbuch alles notiert.«

»Was ist mit den Schlüsseln?«

»Unter dem Vordersitz, wo sich auch das Logbuch befindet. Ich hab ihn nicht abgeschlossen.«

»Und jetzt hauen Sie sich in die Falle?«

»Was in der Art.« Er starrte Darren Rough an, beobachtete, wie sich die Decke hob und senkte. Rough sah in etwa so gefährlich aus wie ein Batzen Mürbeteig. Rebus beendete das Gespräch, wählte die Nummer der Wache. Von Billy Horman noch immer keine Spur. Sie hatten überall nachgesehen. Die Suche wurde jetzt bis Sonnenaufgang unterbrochen. Rebus rief das Hotel an, ließ sich mit Cary Oakes' Zimmer verbinden, aber der meldete sich noch immer nicht. Er legte auf, ging in sein Schlafzimmer und ließ sich aufs Bett fallen – eine Matratze auf dem Fußboden. Er hatte mit dem Gedanken gespielt, wieder zu Patience zu fahren, aber ihm behagte die Vorstellung nicht, Rough hier allein zu lassen. Er konnte herumschnüffeln, Sammys Zimmer finden. Schubladen öffnen, Dinge anfassen. Rebus wollte ihn so schnell wie möglich aus dem Haus haben.

Ihr habt ihn hergebracht, schien eine Stimme in seinem Kopf zu sagen. *Ihr habt ihm das alles eingebrockt*. Knüppel und Stemmeisen und hasserfüllte Stimmen. Die Bewohner von Greenfield, zu einer einzigen wütenden Menge mutiert. Cal Brady mit seinem Benzin und den Ausreden. Er arbeitete für Charmer Mackenzie als Türsteher im

Guiser's. Damon Mich war von dort losgezogen und mit einer Blondine in ein Taxi gestiegen. Zuletzt in der Nähe des Clippers gesichtet worden, in der Nacht, in der Ama Petrie eine ihrer Partys feierte, deren Vater wiederum den Vorsitz im Shiellion-Prozess führte, bei dem Darren Rough hätte aussagen sollen und Rebus von Richard Cordover niedergewalzt worden war. Lord Justice Petrie, mit Katherine Margolies verwandt.

Ama, Hannah, Katherine … Sammy, Patience, Janice … Der niemals endende Tanz von Beziehungen und Querverbindungen, der so viel Raum in seinem Kopf einnahm. Die Party, die niemals endete, Einladungskarten mit Goldrand.

Leben und Tod in Edinburgh. Und noch immer Platz genug für ein paar Gespenster, immer mehr Gespenster.

Wenn ich in Fife geblieben wäre, dachte er, *nicht zur Army gegangen wäre… was würde ich wohl jetzt denken? Wer wäre ich dann?*

Wieder die Stimme in seinem Kopf – war es Jack Mortons Stimme? *Es wäre nie so gekommen. Das war von jeher deine Bestimmung.* Er sah sich im Zimmer nach Whisky um, aber er saß auf dem Trockenen. Also machte er die Augen zu. Noch immer dieser dumpfe Schmerz am Hinterkopf. *Bitte, Herr, mach, dass ich nichts träume.*

Seit längerem wieder sein erstes Gebet.

Cary Oakes hatte in der Arden Street auf Rebus' Rückkehr gewartet, hatte ihn zusammen mit einem anderen Mann aus dem Auto steigen, den Mann mit ins Haus nehmen sehen. Er fragte sich, wer dieser Unbekannte sei, wo Rebus ihn getroffen haben mochte. Er hatte auf der anderen Straßenseite gestanden, versteckt im Schatten eines Hauseingangs. Er hatte eine Plastiktüte bei sich, darin ein Taschenbuch, um sie zu beschweren. Sollte ihn jemand sehen, hatte er eine Geschichte parat: Schichtarbeiter, wartete auf den Kollegen, der ihn abholen sollte. Schön längst überfällig, würde er sagen.

Bloß dass ihn niemand sah. Niemand betrat oder verließ das Gebäude. Er aber sah, wie das Licht in Rebus' Wohnzimmer anging. Sah den Unbekannten ans Fenster treten, nach draußen schauen. Sah Rebus, wie er über die Schulter des Mannes hinweg nach unten starrte. Oakes rührte sich nicht von der Stelle, war sich sicher, nicht entdeckt worden zu sein. Das Schöne an der Sache war – selbst *wenn* Rebus ihn gesehen hätte, wär's kein Beinbruch gewesen. Dann war Rebus aus dem Haus gekommen und zu seinem Wagen gegangen, um etwas zu holen: irgendeine Art Buch. Nach dem zu urteilen, wie er ging, sich bewegte, hatte Oakes nicht allzu viel Schaden angerichtet. Rebus nahm das Buch mit hinauf, kam eine halbe Stunde später erneut herunter und legte es zurück ins Auto. Kaum war er wieder im Haus verschwunden, überquerte Oakes die Straße und versuchte, die Fahrertür des Wagens zu öffnen. Sie war nicht abgeschlossen. Er stieg ein, tastete den Boden nach dem Buch ab. Fand es. Und dazu die Autoschlüssel. Lächelte in sich hinein. Er drehte den Zündschlüssel herum, schaltete den Polizeifunk ein: angenehme Geräuschkulisse, während er die Aufzeichnungen las. Über Alan Archibald hatte Rebus nichts geschrieben. Das war interessant.

Als sich die Haustür fünfzig Minuten später knarrend öffnete, zog er den Kopf ein, richtete sich dann wieder auf und verfolgte, wie der Unbekannte sich entfernte. Er sah schmuddelig und zerzaust aus. Hatte Rebus ein geheimes Laster? Oakes hielt es nicht für wahrscheinlich. Trotzdem machte es ihn neugierig. Er wartete, bis der Mann um die Ecke gebogen war, ließ dann den Motor an und fuhr ihm nach …

Um sechs wurde Rebus von der Außenklingel geweckt. Er ging zur Tür und schaltete die Gegensprechanlage ein.

»Wer ist da?«

»Ich bin's.« Bill Pryde, hörbar nicht allzu glücklich.

»Was gibt's?«

»Das Auto, das ich hier abholen soll. Wo genau haben Sie es versteckt?«

»Moment.«

Rebus ging ins Wohnzimmer, warf einen Blick aufs Sofa. Die Decke lag ordentlich zusammengefaltet; von Darren Rough keine Spur. Spähte aus dem Fenster. Wo das Auto gestanden hatte, eine Lücke. Er fluchte leise. Zog sich die Schuhe an und lief nach unten.

»Ich glaube, jemand hat's geklaut«, sagte er zu Bill Pryde.

»*Ich* hab das nicht verbockt, John.« Pryde, der die Tage bis zu seiner Pensionierung zählte.

»Ich weiß«, sagte Rebus und verschwieg, dass er sich vielleicht denken konnte, wer es geklaut hatte: Darren Rough.

Pryde deutete auf seine Hände. »Wie man hört, haben bei der Schlägerei Sie den Kürzeren gezogen. Wie sieht Oakes denn aus?«

»So war das nicht«, erwiderte Rebus.

»So wie ich's gehört habe, sind Sie k. o. aus einem Müllcontainer gefischt worden.«

Rebus starrte ihn an. »Möchten Sie gern zu Fuß zur Arbeit, Bill?«

Pryde schüttelte den Kopf. »Ich möchte gern ganz dicht am Ring stehen, wenn der Hauptkampf ausgetragen wird – wenn Sie dem Farmer erklären, wie Ihnen der Wagen abhanden gekommen ist.«

Rebus starrte finster rechts und links die Straße entlang. »Dafür sollte ich mir besser ein Hufeisen in den Handschuh stecken«, sagte er und ging wieder ins Haus.

25

Sie fuhren mit dem Saab zu St. Leonard's, wo Rebus den Diebstahl meldete und damit der gerade beginnenden Tagschicht einen heiteren Arbeitsbeginn bescherte. Um Viertel vor neun saß er im Büro des Farmers und schilderte die ganze Sache, einschließlich der Abschürfungen an seinen Händen, noch einmal von vorn. Während Rebus Bericht erstattete, machte sich der Farmer an seiner Kaffeemaschine zu schaffen. Es handelte sich um eine Espressomaschine mit einer Dampfdüse zum Milchaufschäumen. Rebus bekam keine Tasse angeboten. Als er fertig war, goss der Farmer den Milchschaum in seinen Becher, schaltete die Maschine aus und setzte sich an seinen Schreibtisch. Den Becher in beiden Händen, starrte er Rebus an.

»Ich dachte immer, eine Observierung sei eine ziemlich unkomplizierte Angelegenheit. Wieder einmal haben Sie es geschafft, mich eines Besseren zu belehren.«

»Die führte doch sowieso zu nichts, Sir.«

»Immerhin zu einem Auto weniger.«

Rebus schlug die Augen nieder.

»Lassen Sie mich kurz rekapitulieren«, fuhr der Farmer fort und nahm einen zweiten Schluck. »Ich sage Ihnen, Sie sollen die Finger von Darren Rough lassen. Sie machen sich auf die Suche nach ihm. Ich sage Ihnen, Sie sollen einen Mann im Auge behalten, der Experten zufolge einen Mord begehen könnte. Sie landen bewusstlos in einem Müllcontainer.« Die Stimme des Farmers wurde allmählich lauter. »Sie finden Darren Rough und nehmen ihn mit in Ihre Wohnung. Er verschwindet und nimmt einen unserer Wagen samt Observierungsprotokoll mit. Trifft's den Tatbestand in etwa?« Sein Gesicht war rot vor Zorn.

»Genau ins Schwarze, Sir.«

»*Wagen Sie es nicht, hier Witze zu reißen!*« Der Farmer schlug mit der flachen Hand auf den Schreibtisch.

»Nichts läge mir ferner, Sir.« Rebus knirschte mit den Zähnen. »Aber in dem Moment glaubte ich, das Richtige zu tun.«

»Nein, Inspector. Wie immer haben Sie das getan, was *Sie* für richtig hielten, und zum Teufel mit uns anderen Volltrotteln. Trifft's das nicht eher?«

»Bei allem Respekt, Sir –«

»Kommen Sie mir nicht damit! Sie haben keinerlei Respekt vor mir, keinerlei Respekt vor dem Job, den Sie hier tun sollten!«

»Vielleicht haben Sie Recht, Sir«, entgegnete Rebus leise, während es in seinem Schädel wieder zu pochen anfing.

Der Farmer lehnte sich in seinem Sessel zurück und nahm einen weiteren Schluck Kaffee. »Also, was machen wir jetzt?«

»Ich weiß nicht, Sir. Ich meine, Sie haben Recht: Ich zweifle schon seit Monaten an dem Sinn des Jobs. Das fing an, als Jack Morton …«

»Nicht vielleicht schon früher?« Jetzt mit ruhigerer Stimme.

»Vielleicht, Sir. Ich hab schon mehr als einmal mit dem Gedanken gespielt, alles hinzuschmeißen.« Er sah seinen Chef an. »Ihr Leben ein bisschen einfacher machen.«

»Aber Sie haben's nicht getan.«

»Nein, Sir.«

»Das muss einen Grund haben.«

»Vielleicht hat ein Teil von mir den Glauben noch nicht verloren, Sir. Und seltsamerweise ist dieser Teil in letzter Zeit gewachsen.«

»Aha?«

Alan Archibald; Darren Rough. Von Archibald hatte er dem Farmer nichts gesagt, hatte keine Veranlassung dazu gesehen.

»Wegen Rough hatte ich Unrecht, das gebe ich zu. Na ja ... um ehrlich zu sein, *weiß* ich nicht genau, ob ich Unrecht hatte. Aber jetzt weiß ich zumindest, warum er in Edinburgh ist. Ich weiß einiges mehr über seine Vorgeschichte.«

»*Was* sagen Sie da?« Der Farmer kniff die Augen zusammen. »Sie haben *Verständnis* für ihn, ist es das?« Ein Lächeln, mit einer Spur von Grausamkeit darin. »Mitleid? *Sie*, John? Ich wusste nicht, dass Dinosaurier sich weiterentwickeln können.«

»Andernfalls stirbt die Spezies aus«, sagte Rebus und presste mit beiden Händen auf seine Knie. Wie konnte er es erklären – erklären, was ihm allmählich aufging: dass die Vergangenheit die Gegenwart bestimmt, dass Willensfreiheit ein Hirngespinst ist, dass eine Kraft, die wir Schicksal oder Gott nennen könnten, darüber entscheidet, welchen Weg wir einschlagen? Janice, die ihm damals eine langte ... der kleine Darren Rough in einem Auto unterwegs nach Shiellion ... Alan Archibald und seine Nichte. Sie alle schienen auf eine seltsame, komplexe Weise miteinander in Verbindung zu stehen.

»Sie möchten bestimmt einen vollständigen Bericht«, sagte Rebus und richtete sich im Sessel auf.

Der Farmer nickte. »Ich wollte die Observierung sowieso abblasen.« Er stellte seinen Becher ab. »Halten Sie Cary Oakes für gefährlich?«

»Unbedingt. Aber ich glaube, er hat sich geändert.«

»Wie geändert?«

»Seine Tour durch die Staaten, die war nicht geplant. Alles wirkte spontan, unüberlegt und schien immer nur *Begleiterscheinung* zu sein.«

»Erklären Sie das.«

»Er tötete, weil er jeweils etwas brauchte; Geld, ein Auto, was auch immer. Aber am Ende begann er, glaube ich, richtig auf den Geschmack zu kommen. Dann wurde er gefasst. Und so lang er im Gefängnis saß, all die Jahre, hat er an diesen Kick zurückgedacht.«

»Sodass er jetzt einfach wegen dieses Kicks töten könnte, aus keinem anderen Grund?«

»Ich weiß nicht. Irgendeinen Plan hat er vermutlich schon – etwas, das mit Edinburgh zusammenhängt.« Und Alan Archibald, hätte er hinzufügen können. »Ich glaube, allein die Sache zu planen, verschafft ihm ein wohliges Kribbeln.«

»Vielleicht schiebt er die Umsetzung auf unbestimmte Zeit auf.«

Rebus lächelte. »Ich glaube nicht. Das ist für ihn bloßes Vorspiel.«

Der Farmer schien von dem Bild peinlich berührt zu sein und wirkte erleichtert, als sein Telefon klingelte. Er nahm ab, hörte zu.

»Gut«, sagte er schließlich. »Ich werde es ihm ausrichten.«

Er legte auf, sah Rebus an. »Der Wagen ist wieder aufgetaucht.«

»Prima.«

»Und auch noch günstig geparkt.«

Rebus fragte den Farmer, was er meinte. Die Antwort versetzte ihm den Schock seines Lebens.

Als Rebus, der Farmer und Bill Pryde am Shore eintrafen, wurden sie schon von ein paar Uniformierten erwartet. Der Rover stand an seiner gewohnten Stelle, gegenüber dem Hotel.

»Ich glaub's nicht«, sagte Rebus zum fünften oder sechsten Mal.

»Das ist nicht zufällig ein Scherz von Ihnen?«, fragte Bill Pryde.

Der Farmer warf einen Blick ins Auto. »Wo ist das Logbuch?«

»Es lag unter dem Sitz, Sir.«

Der Farmer langte hinein und zog die Aufzeichnungen und den Autoschlüssel heraus.

»Haben Sie Rough irgendetwas von der Observierung erzählt?«, fragte er. Rebus schüttelte den Kopf. »Können wir dann also davon ausgehen, dass Rough den Wagen *nicht* gestohlen hat?«

»Sieht so aus, als sei es jemand gewesen, der von der Sache wusste«, räumte Bill Pryde ein.

»Oder der einfach im Logbuch darüber gelesen hat«, erklärte Rebus. »Wer die Schlüssel findet, findet zwangsläufig auch das Buch.«

»Stimmt«, räumte Pryde ein.

»Was den Verdacht wieder auf Rough lenken könnte«, meinte der Farmer. »Das Problem ist, wer immer den Wagen gestohlen hat, hat auch das Observierungsprotokoll gelesen.«

»Allseits rote Köpfe, Sir«, sagte Pryde.

»Dabei wird's nicht bleiben, wenn Fettes davon Wind bekommt.«

»Wer sollte es denen denn erzählen?«

Der Farmer hatte die Aufzeichnungen durchgeblättert, bis er zu Rebus' abschließender Eintragung gelangt war – beziehungsweise zu dem, was die abschließende Eintragung hätte sein sollen. Er klappte das Buch ganz auf, hielt es so, dass Rebus und Pryde hineinsehen konnten.

»Was ist das?«

Rebus sah genauer hin. In großen Druckbuchstaben, mit rotem Filzstift geschrieben. Jemand hatte Rebus' Gedanken zu dem Fall noch ein Postskriptum hinzugefügt:

ABER, ABER! UND WO BLEIBT MR. ARCHIBALD?

Der Farmer starrte Rebus an.

»Was ist mit Mr. Archibald?«

Pryde zuckte mit den Schultern. »Sie können mich auf den Kopf stellen.«

Aber der Farmer hatte nur Augen für John Rebus.

»Was ist mit Mr. Archibald?«, wiederholte er, während ihm das Blut in die Wangen schoss. Ohne ein Wort zu sagen, überquerte Rebus die Straße und spähte durch die großen Fenster des Restaurants. Kellner bedienten späte Frühstücksgäste an halb hinter Topfpflanzen und Blumenampeln versteckten Tischen. Und dort, an einem Fenstertisch, saß Cary Oakes und genoss die Vorstellung. Er winkte Rebus mit einer Gabel zu, hob mit einem strahlenden Lächeln ein Glas Orangensaft und prostete ihm damit zu. Rebus stürmte zur Eingangstür des Hotels, stieß sie auf, marschierte hinein. Aus dem Restaurant strömten Essensdüfte. Ein Kellner fragte ihn, ob er einen Tisch für eine Person wünsche. Ohne ihn zu beachten, ging Rebus schnurstracks zu Oakes' Tisch.

»Möchten Sie sich zu mir setzen, Inspector?«

»Nicht mal, wenn Sie in den letzten Zügen lägen.« Rebus schob Oakes seine Faust unter die Nase. »Kennen Sie die noch?«

»Sieht bös aus«, antwortete Oakes. »Ich würde einen Arzt aufsuchen. Sie haben ja zum Glück eine eigene Frau Doktor.«

»Sie wissen, wo ich wohne«, zischte Rebus. »Jim Stevens hat es Ihnen verraten.«

»Hat er das?« Oakes fing an, ein Würstchen zu zerschneiden. Rebus fiel auf, dass er es zuerst der Länge nach aufschlitzte, als sezierte er es.

»Sie haben den Wagen gestohlen.«

»Bisschen früh am Tag für Rätsel.« Oakes führte sich

einen Bissen Bratwurst zum Mund. Rebus schlug zu, und Gabel und Wurstbissen wirbelten durch die Luft. Dann zerrte er Oakes vom Stuhl hoch.

»Was, zum Teufel, haben Sie vor?«

»Sollte *ich* das nicht fragen?«, erkundigte sich Oakes grinsend. Ein plötzlicher Lichtblitz. Rebus drehte sich halb um. Jim Stevens stand hinter ihm. Neben ihm ein Fotograf.

»So«, sagte Stevens, »und wenn Sie sich auf dem nächsten vielleicht die Hand reichen könnten?« Er zwinkerte Rebus zu. »Ich hatte Ihnen doch gesagt, dass ich ein paar Bilder brauchte.«

Rebus ließ Oakes los und stürzte sich auf den Journalisten.

»Inspector!«

Die Stimme des Farmers. Er stand in der Tür des Restaurants, sein Gesicht das einer Furie. »Ein Wort unter vier Augen, wenn's recht ist.« Eine Stimme, die keine Widerrede duldete. Rebus starrte Jim Stevens grimmig an; nur dass klar war, dass man sich noch sprechen würde. Dann verließ er den Speisesaal und ging in die Lobby. Der Farmer folgte ihm.

»Ich warte noch immer auf eine Antwort. Wer ist Mr. Archibald?«

»Ein Mann mit einer Mission«, antwortete Rebus. Er hatte noch immer Oakes' Grinsen vor Augen. »Leider nicht der Einzige.«

Rebus verbrachte den Vormittag »in Konferenz« mit dem Farmer. Kurz vor Mittag stieß Archibald zu ihnen, nachdem der Farmer ihn von einem Streifenwagen in Corstorphine hatte abholen lassen. Die zwei Männer kannten sich von früher.

»Ich dachte, Sie hätten inzwischen Ihre goldene Uhr«,

begrüßte Archibald den Farmer und schüttelte ihm die Hand. Aber der Farmer ließ sich nicht einwickeln.

»Setzen Sie sich, Alan. Für einen Bullen im Ruhestand sind Sie in letzter Zeit verdammt aktiv.«

Archibald sah zu Rebus, der seinerseits auf die Jalousie starrte.

»Ich werde ihn festnageln, das ist alles.«

»Ach, das ist alles, ja?« Der Farmer setzte eine gespielt erstaunte Miene auf. »Wie ich von John erfahren habe, hatten Sie Einsicht in die Cary-Oakes-Akten. Ja, Sie wissen mehr über ihn als wir. Dann müsste Ihnen auch klar sein, mit wem Sie es zu tun haben.«

»Ich weiß, *womit* ich es zu tun habe.«

Der Farmer starrte von Archibald zu Rebus und wieder zurück. »Es ist schon schlimm genug, dass ich diesen hier am Hals habe«, sagte er und nickte in Rebus' Richtung. »Das Letzte, was ich jetzt brauchen kann, ist ein weiterer Verrückter, der versucht, das Gesetz in die eigenen Hände zu nehmen. Sie glauben, Oakes hat Ihre Nichte ermordet? Dann her mit den Beweisen.«

»Kommen Sie schon, Mann...«

»Zeigen Sie mir die Beweise!«

»Würd ich gern, wenn ich könnte.«

»Würden Sie das *wirklich*, Alan?« Der Farmer schwieg kurz. »Oder würden Sie lieber alles für sich behalten bis zum bitteren Ende?« Er wandte sich an Rebus. »Was ist mit Ihnen, John? Wollten *Sie* beim Verbuddeln der Leiche behilflich sein?«

»Hätte ich ihn umlegen wollen«, sagte Archibald, »dann läge er schon längst unter der Erde.«

»Aber was, wenn er gesteht, Alan? Unter vier Augen, nur er und Sie, keine Zeugen?« Der Farmer schüttelte den Kopf. »Vor Gericht gehen könnten Sie damit nicht, also was würden Sie tun?«

»Das wär genug«, antwortete Archibald leise.

»Genug wofür?«

»Für mich. Für Deirdres Andenken.«

Der Farmer wartete, wandte sich dann zu Rebus. »Kaufen Sie ihm das ab? Glauben *Sie*, Freund Alan hier würde sich Oakes' Geständnis anhören und dann einfach seines Weges gehen?«

»Ich kenne ihn nicht gut genug, um mir ein Urteil zu erlauben.« Die Jalousie schien noch immer eine starke Faszination auf Rebus auszuüben.

»Einer wie der andere«, schimpfte der Farmer. Rebus warf Archibald einen Blick zu; der sah ihn schon seit einiger Zeit an. Es klopfte. Der Farmer bellte ein »Herein!«. Es war Siobhan Clarke.

»Ein gutes Wort einlegen?«, fragte der Farmer.

»Nein, Sir.« Sie schien nicht eintreten zu wollen, streckte lediglich den Kopf durch die Tür.

»Nun?«

»Verdächtiger Todesfall, Sir. Oben auf den Salisbury Crags.«

»Wie verdächtig?«

»Laut vorläufigem Bericht *sehr*.«

Der Farmer kniff sich in die Nasenwurzel. »Das ist eine dieser Wochen, die fünfzehn Tage zu dauern scheinen.«

»Die Sache ist bloß die, Sir, dass wir, nach der Beschreibung zu urteilen, eine Identifizierung haben.«

Er hörte etwas aus ihrem Ton heraus, sah sie an. »Jemand, den wir kennen?«

Clarke hatte die Augen auf Rebus gerichtet. »Würde ich sagen, Sir.«

»Wir spielen hier nicht Rätselraten, DC Clarke.«

Sie räusperte sich. »Ich glaube, es könnte Darren Rough sein.«

26

»Wenn Sie so weit sind, können wir.«

Jim Stevens' Zimmer sah allmählich unordentlich und bewohnt aus, genau wie er es mochte. Bloß waren sie nicht in Stevens', sondern in Oakes' Zimmer, und das machte den Eindruck, als habe sein Bewohner noch keine zehn Minuten darin verbracht. An einem kleinen runden Tisch am Fenster standen zwei Stühle. Das Briefchen Streichhölzer befand sich noch immer aufgeklappt in dem dazugehörigen Aschenbecher. Daneben lagen zwei Zeitschriften, wie sie für Edinburgh-Besucher von Interesse sein konnten, und auf ihnen – noch unausgefüllt, ja nicht einmal durchgesehen – die Karte für Kommentare des Gastes.

Die meisten Leute, vermutete Stevens, selbst solche, die ein Drittel ihres Lebens den Service einer ausländischen Strafvollzugsanstalt genossen hatten, hätten das Gleiche getan, was er in *seinem* Zimmer getan hatte: herumgestöbert, alles angefasst und ausprobiert, jegliches Lesematerial durchgeblättert.

Nicht so Cary Oakes. Er räusperte sich.

»Sind Sie gar nicht neugierig, was Rebus wollte?«

»Ich möchte bloß diese Sache hinter mich bringen.«

»Ist wohl nichts mehr mit Ihrem alten Elan, was, Jim?«

»Den treiben Sie einem irgendwie aus.«

»Haben Sie jemanden aus meiner alten Jugendgang aufgespürt?« Oakes lachte, als er Stevens' Miene sah. »Hatte ich mir gedacht. Dürften auch mittlerweile in alle vier Winde zerstreut sein.«

»Als wir das letzte Mal aufgehört haben«, sagte Stevens kalt, nachdem er sich vergewissert hatte, dass das Band lief, »durchquerten Sie gerade Amerika.«

Oakes nickte. »Ich kam an einen Ort namens – ob Sie's glauben oder nicht – Opportunity: ›Gelegenheit‹! Ein verwanztes Kaff an der Grenze zwischen Idaho und Washington. Dort habe ich den Trucker kennen gelernt, Fat Boy. Ich hab nie erfahren, wie er wirklich hieß; ich glaube, selbst der Ausweis, den er bei sich hatte, war gefälscht.«

»Was stand denn im Ausweis für ein Name?«

Oakes ignorierte die Frage. »Fat Boy hatte so eine fixe Idee von wegen einer Regierungsverschwörung, erzählte mir, immer wenn er auf Fernfahrt ging, würde er sein Haus verminen. Er sagte, Trucker bekämen ein echt gutes Bild von der Welt – womit er die USA meinte – und davon ein echt gutes Bild von hinter dem Lenkrad eines Trucks. Er war davon überzeugt, dass ein Trucker einen verdammt guten Präsidenten abgeben würde.

Das war also Fat Boy. So hab ich ihn kennen gelernt. In Opportunity, Washington. Gibt 'n Haufen solcher Namen in den Staaten. Auch 'n Haufen Fat Boys. Wir plauderten so und kamen auf Mord zu sprechen. Das Radio lief, und jeder zweite Sender hatte irgendwas von einer ›ungesetzlichen Tötung‹ zu melden. Er sagte, ›ungesetzlich‹ sei eine unzutreffende Bezeichnung. Es gebe ›falsche‹ und ›richtige‹ Tötungen, und was jeweils was sei, liege ausschließlich am beteiligten Individuum, nicht am Gesetzgeber.«

»Und zu welcher Sorte gehörten *Ihre*?«

Oakes mochte es nicht, wenn man ihn in seinem Erzählfluss unterbrach. »Ich rede von Fat Boy, nicht von mir.«

»Wie lang waren Sie mit ihm unterwegs?« Stevens versuchte, die Chronologie auf die Reihe zu bekommen.

»Drei, vier Tage lang. Wir fuhren nach Süden, um was abzuliefern, dann wieder rauf zur I-90.«

»Was hatte er geladen?«

»Elektrogeräte. Er arbeitete für General Electric. War deswegen ständig auf Achse. Er sagte, das sei praktisch für sein Hobby. Sein Hobby war, Leute umzubringen.« Oakes sah Stevens an. »Das sollte mich mürbe machen, dass er mir so etwas erzählte, während wir mit fünfundfünfzig Meilen die Interstate langfuhren. Wenn's geklappt hätte, wär's das vielleicht gewesen: Er hätte versucht, mir die Haut abzuziehen. Aber ich hab ihn bloß angeguckt und gesagt, das wär interessant.« Lachen. »Die Untertreibung des Jahrhunderts, was? Da erzählt dir einer, er wär ein Serienmörder, und du sagst: ›Hm, interessant.‹«

»Aber Sie haben ihm geglaubt?«

»Nach einer Weile, ja. Und ich dachte: Bei all den Sachen, die er mir erzählt, lässt er mich nie wieder laufen. Jedes Mal, wenn wir anhielten, dachte ich, gleich haut er mir eine über die Rübe.«

»Sie waren auf einen Angriff gefasst?« Stevens starrte Oakes an, versuchte abzuschätzen, wie viel von der Geschichte der Wahrheit entsprach. Bestand da ein gewisser Zusammenhang zwischen der Geschichte und der jetzigen Situation, ihrem Verhältnis zueinander?

»Wissen Sie, was das Komische ist? Ich hab mich einfach damit abgefunden. Ich meine, ganz relaxt, so: Wenn er mich umbringen würde, okay, dann war's eben so. Als kümmerte es mich nicht; ich hätte in dem Moment sterben können, und es wäre höhere Gerechtigkeit gewesen oder was weiß ich.«

»Tötete er jemanden, solange sie zusammen unterwegs waren?«

»Nein.«

»Aber er überzeugte Sie davon, dass er nicht log?«

»Glauben *Sie*, dass er log, Jim?«

»Als Sie festgenommen wurden, haben Sie der Polizei von ihm berichtet?«

»Warum, zum Teufel, hätte ich das tun sollen?«

»Hätte Ihnen ein paar Pluspunkte einbringen können.«

»Um ehrlich zu sein, ich bin gar nicht auf die Idee gekommen.«

»Aber er brachte Sie dazu, übers Töten nachzudenken?«

»Er wusste, wovon er redete. Ich meine, man merkt's ja sofort, wenn jemand sich das nur aus den Fingern saugt, stimmt's?« Oakes lächelte den Reporter strahlend an. »Ich weiß noch, als ich ihm zuhörte, fragte ich mich: ›Kann es sein, dass die Welt wirklich so ist?‹ Und dann kam auch sofort die Antwort; Ja, natürlich. Warum sollte sie *anders* sein?«

»Sie sagen damit also, dass Sie dank Fat Boy begannen, das Töten als etwas ganz Normales anzusehen?«

»Sage ich das?«

»Was sagen Sie dann?«

»Ich erzähle Ihnen bloß meine Geschichte, Jim. Es ist ausschließlich *Ihre* Sache, wie Sie sie interpretieren.«

»Aber wie war's im Gefängnis, Cary? Die ganze Zeit für sich allein, mit all den Gedanken, die Ihnen durch den Kopf gingen …?«

»Jim, da hat man keine Zeit für sich. Ständig Lärm, Unterbrechungen, Alltagstrott. Man sitzt da und versucht nachzudenken, und da schicken die einen zur psychiatrischen Evaluation.« Oakes nahm einen letzten Schluck Orangensaft. »Aber ich versteh schon, worauf Sie hinauswollen.« Er betrachtete sein leeres Glas. »Apropos, wie läuft der Backgroundcheck? Haben Sie mit jemandem in Walla Walla gesprochen?« Drehte das leere Glas in der Hand. »Nimmt man den Saft und das Eis weg, hat man eine tödliche Waffe.« Er tat so, als zerschmetterte er das Glas an der Tischkante und stieß dann ein Lachen aus, das Jim Stevens einen Schauder über den Rücken jagte.

Während er die Salisbury Crags hinaufstieg, behielt Rebus die Hände in den Taschen und seine Gedanken für sich.

Er wusste, was der Farmer dachte. An dem Morgen war Darren Rough in Rebus' Wohnung gewesen. Soweit bekannt, hatte Rebus ihn als Letzter lebend gesehen.

Und Rebus war sein Peiniger gewesen, seine Nemesis. Der Farmer würde keinerlei Schlüsse daraus ziehen, aber andere möglicherweise schon: Jane Barbour; Roughs Sozialhelfer.

Radical Road war ein steiniger Fußweg, der rund um die Crags führte. Man konnte in der Nähe der Studentenwohnheime losgehen, bei Pollock Halls, und bis Holyrood wandern. Unterwegs leistete einem die Skyline der Stadt Gesellschaft, die sich von Süden und Westen her bis zum Zentrum und darüber hinaus erstreckte. Nichts als Türme und Zinnen. Manfred Mann: »Cubist Town«. Und fast direkt unter einem: Greenfield.

»Sie haben ihn hier aufgelesen, oder?«, fragte der Farmer.

Rebus schüttelte den Kopf. »Am St. Margaret's Loch.« Der hinter einer langen Biegung der unmöglich steil hinabfallenden Felswand lag. »Aber ich werd Ihnen was sagen«, fügte er hinzu. »Jim Margolies ist von da oben gesprungen.« Und er deutete mit dem Finger hinauf zu der Stelle, wo die Steilwand in einer Art Felsplateau endete. Die Leute führten ihre Hunde dort spazieren, ohne sich der Kante allzu sehr zu nähern. Edinburgh war wegen seiner plötzlichen bösartigen Windböen berüchtigt, die einen ohne weiteres über den Rand hätten fegen können.

Der Farmer kam allmählich ins Keuchen. »Sehen Sie noch immer einen Zusammenhang zwischen Rough und Jim Margolies?«

»Jetzt mehr denn je, Sir.«

Die Leiche lag ein Stück weiter den Pfad entlang, umgeben von einer Plastikbandabsperrung. Ein paar wetterfest eingepackte Spaziergänger hatten sich vor der Absperrung versammelt und machten lange Hälse in der Hoffnung, etwas zu sehen. Aber um die Leiche war eine Art Windschutz aus weißem Plastik aufgestellt worden, so dass nur Befugte sie zu sehen bekamen. Eine Frau mit einem schwarzen Spaniel wurde gerade vernommen. Sie war mit ihrem Hund Gassi gegangen – ein tägliches Ritual, auf das sich beide gefreut hatten. Von nun an würde sie eine andere Route wählen, möglichst weit weg von den Salisbury Crags.

»Kaum zu glauben, dass die unser Parlament da hinbauen«, kommentierte der Farmer mit einem Blick nach unten zur Holyrood Road. »Eine richtig steinalte Gasse. Wird verkehrstechnisch ein Albtraum werden.«

»Und liegt in unserem Revier.«

»Gott sei Dank nicht mein Problem.« Der Farmer schniefte. »Wenn's so weit ist, habe ich an der einen Hand meine goldene Uhr und an der anderen einen Golfhandschuh.«

Sie bückten sich unter der Absperrung durch. Die Beamten der Spurensicherung waren bei der Arbeit, sicherten den Tatort und sorgten für die Einhaltung seiner »Reinheit«, wie sie es nannten. Was bedeutete, dass Rebus und der Farmer Overalls und Überschuhe anziehen mussten, um keine neuen Spuren zu hinterlassen.

»Der Wind hier oben hat die alten wahrscheinlich sowieso schon sonst wohin geblasen«, sagte Rebus. Aber sein Genörgel war nicht ernst gemeint: Er wusste, was die Arbeit der Spurensicherung wert war, wusste, dass Kriminaltechnik und Gerichtsmedizin unschätzbare Hilfen darstellten. Ein Polizeiarzt hatte das Opfer für tot erklärt. Normalerweise war Dr. Curt der zuständige Rechtsmediziner, aber er weilte zurzeit in Miami, wo er auf irgendeiner Konferenz einen Vortrag halten sollte. Also war sein Vorgesetzter, Professor Gates, eingesprungen und untersuchte gerade den Leichnam *in situ*. Er war ein großer, kräftiger Mann mit dichtem braunem, pomadenglatt aus der Stirn gekämmtem Haar. Er hielt einen Minirekorder in der Hand und sprach hinein, während er auf und ab ging. Er musste sich mit den Ellbogen Platz machen: Ein Fotograf und ein Kameramann versuchten beide, die Leiche aufs Bild zu bannen.

DS George Silvers kam ihnen entgegen. Er nickte seinem Chief Superintendent zu, führte die Kopfbewegung aber weiter, so dass sie eher zu einer zeremoniellen Verbeugung wurde. Das war typisch für Silvers, den man auf der Wache – nach Jeff Becks unsäglichem Stück – nur »Hi-Ho« nannte. Er war Ende dreißig, immer wie aus dem Ei gepellt und ständig auf der Lauer nach möglichen Beförderungen, ohne dafür die notwendige harte Arbeit zu liefern. Sein schwarzes Haar und die tief liegenden Augen verliehen ihm eine gewisse Ähnlichkeit mit dem Fußballguru Alan Hansen.

»Wir glauben, wir haben die Tatwaffe, Sir. Ein Stein mit Blut- und Haarspuren daran.« Er deutete auf den Pfad. »Knapp vierzig Meter da lang.«

»Wer hat ihn gefunden?«

»Ein Hund, Sir.« Sein eines Auge zuckte. »Hatte schon den größten Teil des Blutes abgeleckt, bevor wir den Stein sichern konnten.«

Professor Gates sah von seiner Arbeit auf. »Wenn das Labor also eine DNA-Analyse macht«, erklärte er, »und zu dem Ergebnis kommt, dass das Opfer ein schönes glänzendes Fell hatte, dann wissen Sie, wo das Problem liegt.«

Er lachte, und Rebus lachte auch. Es war immer so bei Tatortuntersuchungen: Jeder benahm sich so, als wäre alles ganz normal, um eine Barriere zwischen sich und der augenfälligen Tatsache zu errichten, dass aber auch *gar nichts* normal war.

»Wie ich höre, könnten Sie eine inoffizielle Identifizierung vornehmen«, sagte Gates. Rebus nickte, atmete tief durch und trat vor. Der Leichnam lag da, wo er hingefallen war, mit zerschmettertem und blutverkrustetem Hinterkopf. Das Gesicht lag auf dem holprigen Pfad, ein Bein angewinkelt, das andere ausgestreckt. Ein Arm war unter dem Körper verborgen, der andere ausgestreckt, so dass die Finger sich in die feuchte Erde hatten krallen können. Rebus erkannte ihn schon an der Kleidung, hockte sich aber hin, um das, was vom Gesicht noch übrig war, zu betrachten. Gates hob den Kopf ein wenig an, um ihm die Sache zu erleichtern. Hinter den Augen war jegliches Licht erloschen; um den Dreitagebart würde sich der Leichenbestatter kümmern müssen. Rebus nickte.

»Darren Rough«, sagte er mit belegter Stimme.

Nachdem sie das Interview für eine Pause unterbrochen hatten, saß Jim Stevens nackt auf der Kante seines Bettes, umgeben von achtlos hingeworfenen Kleidungsstücken. Auf seinem Nachttisch standen zwei leere Miniwhiskyflaschen. Seine Hand umfasste das leere Glas, und er starrte es an und durch es hindurch, fixierte Dinge, die die Welt nicht sehen konnte …

Zweiter Teil

GEFUNDEN

Ich fordere Sie auf, sich der Verantwortung
Ihrem irdischen Beruf gegenüber
tiefer bewusst zu werden, weil diese uns nur
dunkel und unklar vorschwebt und weil wir kaum …

27

Einer von Roughs Schuhen hatte sich irgendwo – ungefähr auf halbem Weg zwischen der Stelle, wo sein Körper gestürzt war, und derjenigen, wo man den Stein aufgefunden hatte – selbstständig gemacht. Eine erste Theorie: Jemand hatte ihm mit Wucht eine draufgeknallt. Er war weitergetorkelt, hatte versucht, seinem Angreifer zu entkommen. Dabei hatte er einen Schuh verloren und liegen lassen. Schließlich war er zu Boden gestürzt und seinen Verletzungen erlegen. Das Gebell eines herankommenden Hundes hatte den Täter veranlasst, das Weite zu suchen.

Eine zweite Theorie: Nach dem Schlag war Rough auf der Stelle gestorben. Der Täter hatte ihn ein Stück weit den Pfad entlanggeschleift, wobei ein Schuh vom Fuß geglitten war. Vielleicht wollte der Täter den Anschein erwecken, Rough sei von den Crags gesprungen oder gestürzt. Aber dann war die Frau mit dem Hund aufgetaucht und hatte den Mörder vertrieben.

»Was hatte er hier überhaupt zu suchen?«, fragte jemand später auf der Wache.

»Ich glaube, er ging gern dahin«, antwortete Rebus. Er war jetzt der offizielle Darren-Rough-Experte in St. Leonard's. »Es stellte für ihn sowas wie ein Schutzgebiet dar, einen Ort, an dem er sich sicher fühlte. Und er konnte von da aus auf Greenfield runtergucken, sehen, was da passierte.«

»Dann ist ihm also jemand gefolgt? Hat sich an ihn rangepirscht?«

»Oder hat ihn überredet, da raufzugehen.«

»Wozu?«

»Damit es wie Selbstmord aussieht. Vielleicht hatte der Täter in der Zeitung über Jim Margolies gelesen.«

»Das wäre immerhin ein Gedanke ...«

Es gab jede Menge Gedanken, jede Menge Theorien. Ein Gedanke lautete: Gut, dass der Dreckskerl erledigt ist. Noch vor einer Woche wäre das auch Rebus' Meinung gewesen.

Das »Mordzimmer« wurde eingerichtet, und aus dem ganzen Haus schaffte man Computer herbei. Der Farmer übertrug Chief Inspector Gill Templer die Leitung der Sonderkommission. Rebus hatte eine Zeit lang eine Beziehung mit ihr gehabt, aber das war mittlerweile so lange her, dass es in einem anderen Leben hätte sein können. Ihr dunkel gesträhntes Haar war am Kopf kurz geschnitten und im Nacken lang. Ihre Augen leuchteten smaragdgrün. Sie ging selbstbewusst im Zimmer herum und überwachte die Vorbereitungen.

»Viel Glück«, sagte Rebus zu ihr.

»Ich möchte dich im Team dabeihaben«, sagte sie.

Rebus glaubte zu wissen, warum. Sie war dabei, die Wagenburg aufzubauen, und es war besser, ihn drinnen zu haben, so dass er nach draußen schoss und nicht umgekehrt.

»Und ich will einen Bericht auf meinem Schreibtisch haben: alles, was du mir über dich und den Toten sagen kannst.«

Rebus nickte, machte sich an einem der Computer an die Arbeit. *Alles, was du mir sagen kannst*: Rebus gefiel ihre Formulierung, sie lieferte ihm so etwas wie eine Vorbehaltsklausel – nicht unbedingt alles, was er *wusste*, sondern alles, was er seiner Meinung nach weitergeben konnte. Er sah hinüber zu Siobhan Clarke, die gerade einen an der Wand hängenden Dienstplan ausfüllte. Sie machte mit den Händen ein T-Zeichen. Er nickte, und fünf Minuten später war sie mit zwei brühheißen Bechern Tee zurück.

»Bitte schön.«

»Danke«, sagte er. Sie sah über seine Schulter hinweg auf den Bildschirm.

»Nichts als die Wahrheit?«, fragte sie.

»Was meinen Sie?«

Sie pustete in ihren Tee. »Irgendeine Idee, wer sich seinen Tod gewünscht haben könnte?«

»Die halbe Bevölkerung von Greenfield zum Beispiel.« Und da insbesondere Cal Brady, mit seinen Vorstrafen, und nicht zu vergessen seine Mutter...

»Ihn aus der Siedlung jagen und ihn umbringen sind nicht ganz dieselbe Preisklasse.«

»Nein, aber so was kann eskalieren. Vielleicht war Billy Horman der Tropfen, der das Fass zum Überlaufen brachte.«

Sie lehnte sich an die Ecke des Schreibtisches. »Mit einem Stein erschlagen... klingt nicht nach vorsätzlichem Mord, oder?«

Mit einem Stein erschlagen... Deirdre, Alan Archibalds Nichte, war auf ähnliche Weise getötet worden: mit einem Stein bewusstlos geschlagen und dann erdrosselt. Clarke las seine Gedanken.

»Cary Oakes?«

»Haben wir schon einen Todeszeitpunkt?«, fragte Rebus, während er nach dem Telefon griff.

»Nicht, dass ich wüsste. Die Leiche wurde um elf Uhr dreißig gefunden.«

»Und wir vermuten, dass der Täter jemanden kommen hörte und abgehauen ist.« Rebus hatte die Nummer eingetippt und wartete. Dann: »Hallo, könnten Sie mich bitte mit James Stevens verbinden?«

Clarke sah ihn an. Er legte die Hand auf die Sprechmuschel. »Ich will wissen, was nach dem Frühstück war.« Er hörte wieder zu, nahm die Hand weg. »Könnten Sie es dann mit Cary Oakes' Zimmer versuchen?« Teilte Clarke durch ein Kopfschütteln mit, dass sich Stevens nicht in seinem Zimmer befand. Diesmal nahm jemand ab.

»Oakes, sind Sie das? Hier ist Rebus, geben Sie mir Stevens.« Er wartete einen Augenblick. »Eine Frage: Was war nach dem Frühstück?« Hörte wieder zu. »War er zwischendurch weg? Sie waren den ganzen Vormittag da?« Hörte zu. »Nein, schon gut. Sie werden's noch früh genug erfahren.«

Legte wieder auf.

»Sie haben den ganzen Vormittag gearbeitet.«

»Dann kann Oakes es also nicht gewesen sein.« Sie sah auf den Computerbildschirm. »Was hätte er auch für ein Motiv gehabt?«

»Weiß der Geier. Aber er war in meiner Straße. Er hat den Streifenwagen gestohlen. Vielleicht hat er Rough weggehen sehen und sich ausgerechnet, dass er etwas mit mir zu tun hatte.«

»Können Sie das beweisen?«

»Nein.«

»Dann braucht er es lediglich abzuleugnen.«

Rebus atmete geräuschvoll aus. »Mit ihm sind's ständig nur solche Spielchen.«

Gill Templer starrte die beiden vom anderen Ende des Zimmers aus an.

»Ich mach mich besser wieder an die Arbeit«, sagte Clarke und entfernte sich mit ihrem Tee. Rebus schloss seinen Bericht ab, druckte ihn aus, übergab ihn persönlich Gill Templer.

»Wann ist die Obduktion?«

Sie sah auf ihre Uhr. »Ich wollte gerade rüberfahren.«

»Brauchst du einen Chauffeur?«

Sie musterte ihn. »Haben sich deine Fahrkünste in der Zwischenzeit verbessert?«

»Beurteilen Sie es selbst, Ma'am.«

Die städtische Leichenhalle war nicht in Betrieb: Umstrukturierungen im Gesundheitswesen. Solange benutzten sie das Western General Hospital. Da sich keine Angehörigen oder Freunde auftreiben ließen, hatte man Andy Davis gebeten, Rebus' Identifizierung zu bestätigen. Als Rebus und Gill Templer eintrafen, wartete der Sozialarbeiter bereits. Er identifizierte den Toten, sprach mit Rebus kein Wort, bedachte ihn jedoch mit einem kalten Blick, bevor er ging.

»Böses Blut?«, fragte Templer.

»Besser als gar keins, Gill.«

Bis sie ihren Kittel und Mundschutz anhatten, war Professor Gates schon bei der Arbeit. Während der amtlichen Identifikation war Roughs Leichnam mit einem Tuch bedeckt gewesen. Jetzt lag er nackt auf dem Tisch aus rostfreiem Stahl vor ihnen. Vorstehende Rippen, nahm Rebus zur Kenntnis. Er dachte an die Mahlzeit, die er für Rough zubereitet hatte. Widerwillig zubereitet hatte. Bohnen auf Toast. Wahrscheinlich seine letzte Mahlzeit überhaupt. Und schon bald würde Gates sie wieder zutage fördern. Rebus wandte das Gesicht halb ab.

»Seekrank, Inspector?«

»Kein Problem, solang wir nicht die Nase in den Stauraum stecken müssen.«

Gates schmunzelte. »Aber unter Deck ist es doch am interessantesten.« Er nahm allerlei Messungen vor, murmelte die Ergebnisse seinem Assistenten, einem jungen Mann mit solariumbraunem Teint, zu.

»Und wie fühlen Sie sich, Gill?«, fragte er endlich.

»Überarbeitet.«

Gates blickte zu ihr auf. »Ein hübsches Mädchen wie Sie sollte zu Hause sein und kräftige gesunde Kinder großziehen.«

»Danke für das Vertrauensvotum.«

Gates schmunzelte wieder. »Erzählen Sie mir nicht, es würde an Interessenten mangeln!«

Sie zog es vor, die Bemerkung zu überhören.

»Wie steht's mit Ihnen, John?«, bohrte Gates nach. »Liebesleben zufrieden stellend? Vielleicht sollte ich Amor spielen, Sie beide verkuppeln. Na, was würden Sie davon halten?«

Rebus und Templer warfen sich einen Blick zu.

»Für unsereins«, murmelte Gates weiter, »ist es nicht so, als wär man Anwalt oder Schriftsteller, hab ich Recht? Wir sind nicht direkt der Hit auf Partys.« Er nickte seinem Assistenten zu. »Vergessen Sie das nicht, Jerry. Wenn Sie Ihren Job nicht verschweigen, kriegen Sie keine ins Bett.« Gates' abschließendes Lachen artete in einen Anfall von bellendem Husten aus, bei dem er fast zusammenklappte. Hinterher wischte er sich die Augen.

»Zeit, mit dem Rauchen aufzuhören«, warnte ihn Templer.

»Kann ich nicht. Dann hätte ich die Wette ja gleich verloren.«

»Was denn für eine Wette?«

»Zwischen Curt und mir: Wer mit zwanzig am Tag länger lebt.«

»Das ist…« Templer hatte »abartig« sagen wollen, aber dann stellte sie fest, dass die Leiche geöffnet worden war, fast ohne dass sie es mitbekommen hatte, und sie begriff, warum Gates in einem fort plapperte: um die Anwesenden von seiner Arbeit abzulenken. Und vorübergehend war es ihm auch tatsächlich gelungen.

»Eins möchte ich Ihnen gleich sagen«, erklärte der Rechtsmediziner, »seine Kleider waren feucht, und das deutet meiner Ansicht nach auf Regen hin. Ich hab mich erkundigt: Wir hatten heute früh einen kurzen Schauer und seitdem nichts mehr.«

»Könnte er nicht davon nass geworden sein, dass er auf dem Pfad lag?«

»Er lag auf dem Bauch. Feucht war die Rückseite seiner Kleider. Also hat er diesen Schauer abbekommen, ob noch lebendig oder tot, kann ich nicht sagen. Aber sein Haar war auch nass. Wenn man von einem plötzlichen Wolkenbruch überrascht wird, würde man sich dann nicht das Jackett über den Kopf ziehen?«

»Hängt davon ab, in welcher Gemütsverfassung man ist«, erwiderte Rebus.

Gates zuckte die Achseln. »Ich spekuliere bloß. Eines weiß ich aber mit Sicherheit.« Er strich mit einem Finger über den Körper, fuhr bläulich violette Flecke ab. »*Livores mortis*. Waren schon am Fundort vorhanden. Ich bin fünfundvierzig Minuten nach Auffinden der Leiche eingetroffen.«

»Aber Totenflecke treten erst…?«

»Na ja, streng genommen beginnen sie sich bereits in dem Augenblick zu bilden, da die Herztätigkeit aussetzt, sichtbar werden sie allerdings erst irgendwann zwischen einer halben Stunde und anderthalb Stunden nach dem Tod. Als ich ankam, waren sie schon deutlich ausgebildet.«

»Wie steht's mit der Totenstarre?«

»Die Augenlider waren erstarrt, ebenso das Kiefergelenk. Ich werde eine Kaliumprobe vom Auge nehmen, um die Todeszeit genauer einzugrenzen, aber im Augenblick würde ich darauf tippen, dass der Leichnam seit drei Stunden da lag, vielleicht länger.«

Rebus trat einen Schritt näher. Wenn Gates Recht hatte – und das hatte er immer – konnte die Frau mit dem

Hund den Täter nicht verscheucht haben. Als Spaniel und Frauchen des Weges kamen, war der Mörder schon längst verschwunden. Darren Rough war gegen sieben oder acht Uhr morgens gestorben. Um fünf hatte er noch auf Rebus' Couch geschlafen; um sechs war er schon weg gewesen …

»Ist er am Fundort gestorben?«, fragte Rebus, um sicher zu gehen.

»Nach Form und Verteilung der Totenflecken zu urteilen, würde ich jede Wette darauf eingehen.« Der Rechtsmediziner schwieg einen Moment. »Natürlich habe ich im Laufe der Jahre *schon* ein paar Pfund auf der Rennbahn verloren.«

»Wir brauchen einen genaueren Todeszeitpunkt.«

»Das weiß ich, Inspector. Den brauchen Sie *immer*. Ich werde sämtliche Tests durchführen, die der Etat mir gestattet.«

»Und bitte so schnell wie möglich.«

Gates nickte. Gleich würde er anfangen, die inneren Organe zu entnehmen; Jerry hantierte schon mit den dazu notwendigen Instrumenten herum.

Rebus dachte: drei, vielleicht vier Stunden.

Dachte: Cary Oakes ist wieder im Rennen.

28

Sie holten ihn zur Vernehmung auf die Wache. Rebus hielt sich fern und hörte anschließend die Bänder ab. Stevens' Zeitung hatte ihrem Informanten einen Rechtsbeistand aus einer der besten Kanzleien der Stadt gestellt – trotz Templers Beteuerungen, dass sie lediglich ein paar Fragen hätten, die in kürzester Zeit geklärt werden könnten. Doch Oakes sagte nichts. Templer war gut, und sie hatte

Pryde dabei – ein gut eingespieltes Team –, aber Rebus hatte den Eindruck, dass Oakes das Spiel aus dem Effeff kannte. Er war befragt und ins Kreuzverhör genommen und immer wieder in den Zeugenstand gerufen worden; er hatte die ganze Chose in einem amerikanischen Gerichtssaal erlebt. Er saß einfach nur da und sagte, er wisse nichts vom Streifenwagen, habe keine Ahnung, wo Rebus wohnte, und über einen toten Pädophilen wäre ihm schon gleich gar nichts bekannt. Sein abschließender Kommentar: »Was soll eigentlich das ganze Theater wegen einem Kinderficker?«

Pryde, der sich das Band mit angehört hatte, verschränkte an dieser Stelle die Arme und schürzte die Lippen, sichtlich derselben Meinung. Als er Rebus fragte, ob er auf eine Kippe rauswolle, schüttelte Rebus wortlos den Kopf, obwohl er nach Nikotin lechzte. Später ging er allein auf den Parkplatz und sog gierig an einer Silk Cut, dann an einer zweiten. Zehn pro Tag, er beschränkte sich auf zehn pro Tag. Und wenn es heute zwölf wurden, dann bedeutete das für morgen nur acht. Acht war okay, damit kam er hin. Das ließ ihm für heute einen gewissen Spielraum, einen Spielraum, den er wahrscheinlich brauchen würde.

Das Problem war, dass er bereits sein Wochenquantum überzogen hatte – ja schon seine ganze Monatsration, um die Wahrheit zu sagen.

Tom Jackson kam heraus, zündete sich ebenfalls eine Zigarette an. Ein paar Minuten sprachen sie kein Wort. Dann scharrte Jackson mit den Sohlen auf dem Asphalt und unterbrach das Schweigen.

»Wie ich höre, haben Sie ihn aufgenommen.«

Rebus stieß Rauch aus der Nase aus. »Stimmt.«

»Rettungsaktion, ihm ein Bett gegeben.«

»Und?«

»Nicht jeder wäre so barmherzig gewesen.«

»Ich würde nicht beschwören, dass es Barmherzigkeit war.«

»Was sonst?«

Was sonst? Eine gute Frage.

»Das Komische ist«, fuhr Jackson fort, »dass Sie noch vor ein paar Tagen ganz versessen darauf waren, ihn hängen zu sehen.«

»Jetzt übertreiben Sie aber.«

»Sie haben diese Meute tollwütiger Hunde auf ihn gehetzt.«

»Meinen Sie die Zeitungsschmierer oder seine Nachbarn?«

»Beide.«

»Vorsicht, Tom. Sie sind der für Greenfield zuständige Beamte. Es sind *Ihre* Schäfchen, von denen Sie da reden.«

»Ich rede von *Ihnen*: Was ist passiert?«

»Er hat bloß auf meiner Couch geschlafen, Tom. Es ist nicht so, dass ich ihm einen geblasen hätte.« Rebus schnippte seine dritte Zigarette auf den Boden, trat sie aus. Nur zur Hälfte geraucht, also würde er nur zweieinhalb zählen: auf zwei abrunden.

»Den Jungen haben wir immer noch nicht gefunden.«

»Wie hält sich die Mutter?«

Jackson wusste, worauf die Frage abzielte, antwortete entsprechend. »Niemand scheint sie für verdächtig zu halten.«

»Was wissen Sie über sie?«

»Billy ist ihr einziges Kind. Hat ihn mit neunzehn gekriegt.«

»Gibt's auch einen Vater dazu?«

»Hat sich auf bewährte Weise noch vor Geburt des Babys in Luft aufgelöst. Ist nach Ulster abgehauen, um sich den Paramilitärs anzuschließen.«

»Dann dürfte er ja mittlerweile in die Politik gegangen sein.«

Jackson schnaubte. »Seitdem hat sie ein halbes Dutzend Macker gehabt; mit dem neuesten lebt sie seit ein paar Wochen zusammen.«

»Zu dritt in dieser Wohnung?«

Jackson nickte. »Wird gerade vernommen. Wir graben in seiner Vergangenheit.«

»Ein Fünfer, dass er vorbestraft ist.«

»Was? In *Greenfield?*« Jackson lächelte. »Behalten Sie Ihr Geld.« Er schwieg kurz. »Sie glauben wirklich nicht, dass die Sache was mit unserem verblichenen Freund zu tun hat?«

»Wär möglich, Tom. Aber vielleicht nicht so, wie wir uns das vorstellen.«

»Was meinen Sie damit?«

»Bis die Tage«, sagte Rebus und ging.

Und dachte an einen alten Gravy-Train-Song: »Won't Talk About It«.

Er teilte Patience mit, dass sie sich heute wohl nicht sehen würden. Sein Ton verriet ihn offenbar.

»Auf Kneiptour?«, fragte sie.

»Du kennst mich einfach zu gut.« Er legte auf, bevor sie noch etwas sagen konnte. Er machte den Anfang in The Maltings, zog dann weiter zum Swany's, fuhr anschließend mit dem Taxi zum Ox. Sein Auto stand bei St. Leonard's: Kein Problem, morgen konnte er zu Fuß zur Arbeit gehen. Salty Dougary, ein Stammgast der Oxford Bar, war gerade im Krankenhaus gewesen: Herzinfarkt. Sie hatten ihn operiert, Angioplastie oder was in der Art. Er ersparte seinem Publikum am Tresen kein einziges Detail. Aus einem für Rebus unerfindlichen Grund hatte der Eingriff offenbar in Dougarys Leistengegend angefangen.

»Der kürzeste Weg zum Herzen des Mannes«, kommentierte Rebus und kippte einen weiteren Whisky. Die Whiskys verdünnte er mit Wasser, aber ohne dabei zu übertreiben. Er fühlte sich prima – im Sinne von nicht betrunken; irgendwie heiter abgeklärt. Aber er wusste, dass er, wenn er aus der Bar gegangen wäre, sofort den Alkohol gespürt hätte. Eine gute Ausrede, um dazubleiben – wie dieser Typ in *Apocalypse Now* sagte: »Nie das Boot verlassen!« In Schwierigkeiten geriet man nur, wenn man das Boot verließ. Das Gleiche galt nach Rebus' Erfahrung auch für Pubs, was genau der Grund war, warum er sich eine halbe Stunde nach Mitternacht noch immer im Ox befand. Im Nebenzimmer hatten sich inzwischen Musiker niedergelassen, ein Dutzend und mehr; Gitarren hauptsächlich, Zwölf-Takt-Blues. Ein Typ mit Bart spielte die Mundharmonika, als hätte er den ausverkauften Madison Square Garden vor sich. Janis Joplin: »Buried Alive in the Blues«.

Rebus plauderte mit George Klasser, einem Arzt am Royal Infirmary. Klasser ging in der Regel früh, gegen sieben oder ein bisschen später. Wenn er lange blieb, dann war das ein Zeichen dafür, dass der Haussegen schief hing. Er hatte den Abend damit eröffnet, dass er Salty Dougary empfahl, seinen Alkoholkonsum zu drosseln.

»Ein Esel schimpft den anderen Langohr«, hatte Dougarys schlagfertige Erwiderung gelautet. Dougary sah so aus, als hätte er keine Herz-OP, sondern einen Urlaub im Süden hinter sich: das Gesicht gebräunt, der Kippenverbrauch von vierzig auf zehn pro Tag heruntergeschraubt. Klasser wiederum hatte dunkle Schatten unter den Augen und einen leichten Tatterich, wenn er sein Glas hob. Rebus konnte mit einem Onkel aufwarten, der zeit seines Lebens ein Päckchen pro Tag geraucht hatte und achtzig geworden war. Sein Vater war zwanzig Jahre nach seiner letzten Zigarette gestorben.

Da steckte man einfach nicht drin.

Sie waren im Schankraum nur zu fünft, wenn man Harry mitrechnete. Dougary, der schon jeden Pub in der Stadt getestet hatte, schätzte Harry als Edinburghs rüpelhaftesten Barkeeper ein, was eine reife Leistung war, wenn man die scharfe Konkurrenz berücksichtigte.

»Wenn ihr Penner euch nur endlich verpissen würdet«, sagte Harry, nicht zum ersten Mal an diesem Abend.

»Die Nacht ist noch jung, Harry«, meinte Dougary.

»Wie kommt's, dass man Sie schon aus der Intensivstation rausgelassen hat?«

Dougary zwinkerte. »Die Intensivpflege, die ich brauche, krieg ich hier.« Er prostete ihnen zu und führte das Glas zum Mund. Zwanzig Minuten zuvor hatte Rebus Klasser von Darren Rough erzählt. Jetzt wandte sich Klasser zu ihm; er konnte die Augen nicht mehr richtig aufhalten.

»Gab mal einen berühmten Mordfall. So Jahrhundertwende, glaub ich. Ein deutsches Pärchen kam in den Flitterwochen her, bloß, wie sich rausstellte, war er weniger auf ihr Herz als auf ihre Knete aus. Er plante, sie so umzubringen, dass es wie Selbstmord aussah. Also sind sie oben auf Arthur's Seat spazieren gegangen, und er hat sie von den Crags runtergeschubst.«

»Ist damit aber nicht durchgekommen?«

»Ist ja wohl klar, sonst gäb's jetzt keine Geschichte zu erzählen.«

»Und, wie haben sie ihn erwischt?«

Klasser starrte in sein Glas. »Fällt mir nicht mehr ein.«

Dougary lachte. »Lassen Sie sich bloß keine Witze von ihm erzählen, er vergisst immer die Pointe.«

»Passen Sie auf, dass Sie nicht gleich eine Pointe in der *Fresse* haben, Salty.«

»Na, dann hinten anstellen«, kommentierte Harry.

An manchen Abenden war es in der Oxford Bar einfach so. Als die Gitarrenspieler einpackten, zog Rebus seinen Mantel an. Draußen wehte eine steife Brise, und es hatte wieder geregnet. Die Straßen sahen schwarz und blank wie der Rücken eines Mistkäfers aus. Er hatte eigentlich Janice anrufen wollen, aber was hätte er ihr schon sagen können? Von Damon gab's nichts Neues zu berichten. Er ging die Princes Street entlang und sagte sich, dass ihm die Stadt *so* am besten gefiel: wenn alle Touristen brav in ihren Betten schliefen. Vor dem Balmoral Hotel standen etliche Jaguars und Rovers aufgereiht, während die dazugehörigen Chaffeure darauf warteten, dass irgendein Empfang zu Ende ging. Ein junges Paar schlenderte vorbei, trank abwechselnd aus einer Flasche billigen Cider. Der Mann trug ein Jackett mit einem Abzeichen. Darauf stand »Stockholm Film Festival«. Rebus hatte noch nie was davon gehört. Vielleicht war es der Name einer Band, heutzutage konnte man nie wissen.

Er ging die Bridges entlang, blieb an einem Geländer stehen und warf einen Blick hinunter auf die Cowgate. Da unten gab es Klubs, die jetzt noch geöffnet hatten; Teenager strömten daraus auf die Straße. Die Polizei hatte verschiedene interne Bezeichnungen für die Cowgate, wenn sie dieses bestimmte Stadium erreichte: Little Saigon; die Blutbank; Hölle auf Erden. Selbst die Streifenwagen trauten sich da nur paarweise hin. Gejohle und Gegröle: zwei Mädchen in kurzen Kleidern. Ein junger Typ kniete mitten auf der Straße, flehte um Aufmerksamkeit.

Pretty Things: »Cries from the Midnight Circus«.

Mitternacht konnte es in Edinburgh auch manchmal mitten am Tag sein …

Und er wusste nicht, wohin er eigentlich ging, was er eigentlich tat. Wenn er auf dem Heimweg war, dann auf Umwegen. Als ein Taxi auftauchte, winkte er es heran. Ohne nachzudenken, nannte er das Fahrtziel.

»Zum Shore.«

29

Die Idee war…

Die Idee war, sich in der Eiseskälte vor das Hotel zu stellen und per Handy Oakes aus dem Bett zu klingeln. Ihn dazu zu bringen runterzukommen… kein Schlag auf den Hinterkopf diesmal. Auge in Auge. Aber es war eine Schnapsidee, im wörtlichen Sinn. Rebus wusste, dass er es nicht tun würde; wusste, dass Oakes sowieso nicht darauf eingegangen wäre. Als er sich vom Shore aus zum Hafenbecken wandte, fiel ihm auf, dass auf dem Clipper Lichter brannten und ein Aufpasser vor der Tür stand. Also überquerte er die Brücke, stellte sich vor. Der Mann wischte sich Schweiß aus dem Gesicht. Von drinnen hörte man laute Stimmen und Gelächter.

»Party?«, fragte er.

»Erzählen Sie mir bloß nicht, dass es Klagen gegeben hat«, knurrte der Aufpasser. Dem Akzent nach aus Liverpool. Seinen Abmessungen nach zu urteilen, hätte Rebus wetten können, dass er aus einer Hafenarbeiterfamilie stammte. »Das hätt mir jetzt nämlich grade noch gefehlt.«

»Was ist los?«

»Die Scheißkerle wollen einfach nicht gehen.«

»Haben Sie versucht, sie höflich zu bitten?«

Der Mann schnaubte.

»Keiner da, der Ihnen helfen könnte?«

»Als wir die Musik abgestellt haben, sah es so aus, als würden die nicht mehr lang bleiben. Der DJ hat seinen Kram gepackt und sich verzogen. Mr. Frost ebenfalls – ist mein Boss. Meinte, ich bräuchte bloß die Lichter auszumachen und hinter mir abzuschließen.«

»Sie sind neu im Geschäft.«

Der Rausschmeißer lächelte. »Sieht man mir das an?«

»Ich geh davon aus, dass Sie ein Handy dabeihaben. Warum rufen Sie nicht einfach Mr. Frost an?«

»Ich hab seine Privatnummer nicht.«

Rebus rieb sich das Kinn. »Frost wie Archie Frost?«

»Genau.«

Rebus überlegte einen Augenblick. »Soll *ich* mal mit denen reden?« Er nickte in Richtung des Bootes. »Mal sehen, ob sie nicht doch ihren Kram packen?«

Der Aufpasser starrte ihn an. Man hatte ihm zweifellos beigebracht, welche Beziehung zwischen seinem und Rebus' Berufsstand idealerweise herrschen sollte: Eine jetzt erwiesene Gefälligkeit konnte eine Gefälligkeit bedeuten, die später wieder eingefordert wurde. Er drehte sich nach einem Geräusch um. Einer der Feiernden war auf Deck gekommen und schickte sich an, über die Reling zu urinieren. Er seufzte.

»Warum nicht?«, sagte er.

Und Rebus war drin.

Ein Typ lag weggetreten auf dem Deck, eine Champagnerflasche an die Brust gedrückt. Die Fliege hing ihm lose um den Hals; an seinem Handgelenk blinkte eine goldene Rolex. Der Gast, der das Albert Basin als sein Privatklosett benutzte, wippte auf den Fußballen vor und zurück. Er summte dazu den Refrain irgendeines Popsongs. Als er Rebus erblickte, lächelte er ihn strahlend an. Ohne ihn weiter zu beachten, stieg Rebus hinunter in die Hauptkabine. Sie war für eine Party eingerichtet: Stühle und Tische säumten eine lange schmale Tanzfläche. An dem einen Ende eine Bar, am anderen eine improvisierte Bühne. Eine Beleuchtungsanlage, über der Tanzfläche eine kreiselnde

Glitzerkugel. An der Bar war ein Rollladen heruntergezogen und mit einem Vorhängeschloss gesichert worden, das ein weiterer Betrunkener mit einem Plastikzahnstocher zu knacken versuchte. Ein paar Tische lagen umgeworfen am Boden, ebenso ein knappes Dutzend Stühle. Der Fußboden war mit Kleidungsstücken, Kartoffelchips, Erdnüssen, leeren Flaschen und Resten von Sandwiches und zermatschter Quiche übersät. Das Zentrum des Geschehens stellten jetzt zwei Tische dar, die man zusammengeschoben hatte. Um die saßen vierzehn, fünfzehn Leute. Frauen hockten Männern auf dem Schoß und steckten ihnen die Zunge in den Hals. Zwei, drei Paare waren in gedämpfte Konversation vertieft. Ein, zwei Partnerlose schliefen tief und fest. Ein fünfköpfiger harter Kern – drei Männer, zwei Frauen – rekapitulierte nuschelnd die Höhepunkte des Abends: Anekdoten, die sich größtenteils um Saufen, Kotzen und Knutschen drehten.

»Hallo mal wieder«, begrüßte Rebus Ama Petrie. »Das ist Ihre Fete, stimmt's?«

Ihr Kopf lag auf der Schulter des jungen Mannes, der neben ihr saß. Ihre Mascara war zerlaufen, was ihr ein müdes Aussehen verlieh. Ihr kurzes Kleid war ein Wirrwarr aus schwarzem Tüll. Ihre nackten Füße lagen auf dem Schoß des Mannes, der ihr gegenübersaß. Er spielte mit ihren Zehen.

»O Herrgott«, sagte der Mann, die Augen halb zu, »jetzt schicken die schon die Schlägerbrigade. Hören Sie, guter Mann, wir haben für diesen Abend bezahlt – cash und im Voraus. Also sind Sie so gut und verpissen Sie sich und –«

»Oscar, du Arsch, das ist ein Polizist«, erklärte Ama Petrie. Dann, zu Rebus gewandt: »Freut mich, Sie wiederzusehen.« Es war eine bedeutungslose stereotype Grußformel, doch ihr Blick sagte etwas ganz anderes, nämlich, dass sie alles andere als froh war, ihn zu sehen.

»Tja«, sagte Oscar mit einem Lächeln in die Runde, »in diesem Fall haben Sie uns in flagranti ertappt, Chef, aber schuld ist einzig und allein das System. Ich hab nie eine Chance gehabt.« Er schlüpfte mühelos in die Rolle, erntete dafür allseitiges Grinsen und Gelächter. Rebus betrachtete sich die Gesichter ringsum: die Gesichter der reichen jungen Schnösel von Edinburgh. Sie hatten sicher allesamt eigene Wohnungen in der Neustadt, Geschenke allzu nachgiebiger Eltern. Sie veranstalteten ihre Partys und machten die Nächte durch. Bei Tag gingen sie vielleicht shoppen oder lunchen oder hörten sich ein paar Vorlesungen in der Uni an. Vielleicht brausten sie auch mit ihren Sportwagen hinaus aufs Land. Ihre Zukunft stand schon fest: ein Job in Papas Geschäft oder irgendwas »Organisiertes« – ein Pöstchen, das sie würden ausfüllen können, etwas, das ihnen lediglich ein wenig von ihrem angeborenen Charme und ein Minimum an Anstrengung abverlangte. Alles würde ihnen zu gegebener Zeit in den Schoß fallen – einfach weil die Welt eben so war.

»Jammerschade, dass er nicht in Uniform ist, was, Nicky?«

»Was haben wir ausgefressen, Officer?«, fragte ein anderer Mann.

»Na ja, Sie sind dabei, die Geduld des Schiffseigners überzustrapazieren«, antwortete Rebus. »Aber das geht mich eigentlich nichts an. Dürfte ich fragen, wessen Party das ist?« Er sah dabei Ama an.

»Meine, um genau zu sein«, sagte der Mann mit dem Zahnstocher und wandte sich von der Bar ab. Er strich sich das dichte blonde Haar aus der Stirn. Ein schmales Gesicht, weiche Züge. »Ich bin Nicol Petrie, Amas Bruder.« Rebus vermutete, dass das »Nicky« war. *Jammerschade, dass er nicht in Uniform ist, was, Nicky?*

Er war Anfang zwanzig, modisch unrasiert, so dass sein Gesicht wie ein goldenes Stoppelfeld schimmerte. »Hören

Sie«, sagte er, »ich schaff diese Bagage vom Kahn runter, versprochen.« Und zu seinen Freunden: »Wir fahren zu mir. Da gibt's jede Menge zu trinken.«

»Ich will in ein Kasino«, quengelte eine Frau. »Das hast du *versprochen.*«

»Schätzchen, das hat er doch bloß gesagt, damit du ihm einen bläst.«

Wieherndes Gelächter, ausgestreckte Zeigefinger. Ama hatte die Augen geschlossen, aber sie schmunzelte, während ihre Füße den Unterleib ihres Platznachbarn massierten.

Alle schienen Rebus vergessen zu haben. Die Plaudereien kamen wieder in Gang. Rebus griff in seine Tasche, reichte Nicol Petrie zwei Fotos.

»Der Mann heißt Damon Mich. Er ist gesehen worden, wie er zusammen mit der Blondine einen Nachtklub verließ. Wir nehmen an, dass sie zu einer Party wollten, die Ihre Schwester an dem Abend auf diesem Schiff gab.«

»Ja«, sagte Nicol Petrie, »Ama hat mir davon erzählt.« Er betrachtete die Fotos, schüttelte den Kopf. »Tut mir Leid.« Gab sie zurück.

»Waren Sie auf der fraglichen Party?« Petrie nickte. »Sie alle?«

Sie schauten Ama an, die daraufhin erklärte, von welcher Party die Rede war. Ein paar waren nicht dabei gewesen – anderweitige Verpflichtungen. Rebus zeigte ihnen trotzdem die Fotos. Niemand sah sie sich besonders genau an; sie plauderten weiter miteinander, während sie die Bilder herumgehen ließen.

»Ich könnte jetzt einen Happen Räucherlachs vertragen.«

»Alisons Fete nächsten Freitag: Gehst du da hin?«

»Haarverlängerungen – da kriegt man gleich ein vollkommen anderes Gesicht …«

»Ich dachte, wir könnten ein Konsortium bilden, ein Rennpferd kaufen …«

Ama Petrie warf nicht einmal einen Blick auf die Fotos, reichte sie einfach weiter.

»Tut mir Leid«, sagte der Letzte der Gruppe und gab sie Rebus zurück, bevor er ein Gespräch fortsetzte. Nicol Petrie machte ein bedauerndes Gesicht.

»Ich verspreche, dass wir gehen, sobald wir ein paar Taxis zusammengetrommelt haben.«

»Gut, Sir.«

»Und tut mir Leid, dass wir Ihnen nicht helfen konnten.«

»Kein Problem.«

»Einmal bin ich von zu Hause weggelaufen …«

»Nick, da warst du erst *zwölf*«, sagte Ama Petrie mit gelangweilter Stimme.

»Trotzdem, ich weiß, wie sehr das unseren Eltern weh getan hat.«

Ama war anderer Meinung. »Die haben kaum gemerkt, dass du weg warst.« Sie sah zu ihm auf. »Ich war's, die die Polizei gerufen hat.«

»Was ist damals passiert?«, fragte Rebus.

»Ich habe bei einem Freund geschlafen«, erklärte Nicol Petrie. »Als seine Eltern hörten, dass ich angeblich vermisst wurde, haben sie mich nach Haus gefahren.« Er zuckte die Achseln. Ein paar seiner Freunde lachten.

»Schön«, sagte er mit etwas lauterer Stimme. »Auf zu mir. Die Nacht ist noch jung und wir ebenfalls!«

Das brachte ihm Beifallsrufe ein. Rebus hatte das Gefühl, dass Nicol schon zu anderen Gelegenheiten die Mannschaft auf ähnliche Weise wieder in Schwung gebracht hatte.

»Wo ist Alfie?«, fragte Ama.

»Pissen«, teilte man ihr mit.

Rebus wandte sich zum Gehen. »Trotzdem danke«, sagte er zu ihrem Bruder. Nicol Petrie schüttelte ihm die Hand.

Jammerschade, dass er nicht in Uniform ist... Was, zum Teufel, hatte das zu bedeuten? Irgendein Insiderwitz? Rebus stieg wieder hinaus in die frische Luft. Der Mann, der seine Blase erleichtert hatte – Alfie –, saß jetzt breitbeinig auf dem Schiffsdeck. Er hatte vergessen, seine Hose wieder zuzuknöpfen.

»Du gehst schon?«, fragte er.

»Jetzt geht's zu Nicky«, sagte Rebus, als sei er mit von der Partie.

»Der gute alte Nicky«, meinte Alfie.

»Du bist Alfie, stimmt's?«

Der junge Mann sah zu Rebus auf, versuchte, ihn irgendwie unterzubringen. »Tut mir Leid«, sagte er, »irgendwie komm ich nicht auf...«

»John«, sagte Rebus.

»John, klar.« Mit einem entschiedenen Nicken. »Gesichter vergess ich nie. Finanzsektor?«

»Sicherheiten und so.«

»Gesichter vergess ich nie.« Alfie versuchte aufzustehen. Rebus half ihm. Er hatte noch immer die Fotos in der Hand.

»Hier«, sagte er. »Wirf da mal einen Blick drauf.« Er reichte ihm die Bilder.

»Der Fotograf muss besoffen gewesen sein«, meinte Alfie.

»Nicht besonders gut, was?«

»Total beschissen. Ich hab'n Freund, der ist Fotograf. Ich geb dir seine Nummer.« Und steckte die Hand in sein Jackett.

»Aber das Gesicht erkennst du bestimmt«, sagte Rebus und tippte mit dem Finger auf den Urlaubsschnappschuss von Damon.

Alfie schielte auf das Bild, hielt es sich direkt vor die Nase, drehte es ins spärliche Licht.

»Ich darf von mir behaupten«, erklärte er, »dass ich ein Gesicht niemals vergesse. Aber im Fall dieses Burschen wäre ich zu einer Ausnahme bereit.« Und bedachte sein eigenes Witzchen mit einem schiefen Lächeln. »Andererseits, was die Lady angeht…«

»Alfie!« Ama Petrie stand am oberen Absatz des Niedergangs, die Arme fröstelnd vor der Brust verschränkt. »Komm schon, wir wollen gehen.«

»Super Idee, Ama.« Alfie blinzelte so langsam, dass Rebus dachte, er sei im Stehen eingeschlafen.

»Was die Blondine angeht…«, hakte Rebus nach.

Ama war jetzt bei ihnen, zog Alfie am Ärmel. Alfie tätschelte Rebus den Arm. »Wir sehen uns bei Nicky, alter Knabe.«

»Komm schon, Alfie.« Ama gab ihm ein Küsschen auf die Wange, lotste ihn zum Niedergang. Ein schneller Blick zurück zu Rebus. Mit einer… wütenden, erleichterten Miene? Einer Mischung von beidem. Als sie unter Deck verschwunden waren, ging Rebus von Bord.

»Sie packen ihre Sachen zusammen«, sagte er zu dem Aufpasser.

»Glückwunsch.«

»Ich hab was bei Ihnen gut«, sagte Rebus und wartete, bis der Aufpasser genickt hatte. »Zum Ausgleich möchte ich, dass Sie mir erzählen, was Archie Frost mit Billy Preston zu tun hat.«

»Er arbeitet für ihn, genauso wie ich.«

»Aber er führt doch für Charmer Mackenzie den Gaitano's.«

Der Aufpasser nickte. »Stimmt.«

»Keine Interessenskonflikte?«

»Sollte es welche geben?«

Rebus' Augen wurden schmal. »Der Kahn hier gehört Mackenzie?«

Der Aufpasser leckte sich die Lippen. »Mit. Die andere Hälfte gehört Mr. Preston.«

Charmer Mackenzie hielt einen Teil vom Clipper. Und ihm gehörte der Gaitano's, Damon war im Gaitano's gewesen, und man hatte ihn zuletzt in der Nähe des Clippers gesehen. Allmählich wurde Rebus neugierig...

»Damit sind wir quitt«, meinte der Aufpasser, während die Partygänger eine Polonaise in Richtung Gangway veranstalteten.

Er fuhr nach Hause, konnte aber nicht einschlafen. Die Decke, unter der Darren Rough geschlafen hatte, lag noch immer zusammengefaltet auf dem Sofa. Er brachte es nicht über sich, sie wegzuräumen. Stattdessen setzte er sich in seinen Sessel und wartete darauf, dass die Gespenster kämen. Vielleicht würde Darren Rough mit dabei sein, vielleicht hatte er aber auch andere Seelen zu quälen.

Aber es kamen keine Geister. Rebus döste ein, schreckte wieder aus dem Schlaf. Entschied, dass er draußen besser aufgehoben wäre. Er ging quer durch die Meadows, am Infirmary vorbei. Das Krankenhaus würde demnächst umziehen, raus aus der Stadt, südwärts, nach Little France. Es war davon die Rede, das alte Infirmary zu einem Luxusapartmenthaus umzubauen, vielleicht auch einem Hotel. Beste, zentrale Lage, aber wer würde schon eine Wohnung haben wollen, die früher eine Krankenhausstation gewesen war?

Beim Denkmal von Greyfriars Bobby, dem berühmten Skyeterrier, der nach dem Tod seines Herrchens (1858) vierzehn Jahre lang bei dessen Grab auf dem Friedhof Greyfriars Church blieb, legte er eine kurze Rast ein. Wenn man sich's recht überlegte, war Bobby einfach ein Hund gewesen, der nicht wusste, wo er sonst hinsollte, der nichts Besseres zu tun hatte. Rebus streckte die Hand aus und tätschelte der Statue den Kopf.

»Platz!«, sagte er, während er sich zur George IV. Bridge wandte. Ein paar leere Taxis verlangsamten ihr Tempo, als sie ihn passierten, aber er winkte sie weiter, stieg die Playfair Steps hinunter zur National Gallery und zur Royal Academy. Er kam an ein paar Leuten vorbei, die unter freiem Himmel schliefen, sah, wie die Silhouette des Schlosses allmählich Gestalt annahm, als die Nacht in den Morgen überging. Er dachte an seine Großväter, deren Namen irgendwo im Gedächtnisbuch des Schlosses begraben lagen. Er konnte sich nicht einmal mehr erinnern, in welchen Regimentern sie gedient hatten. Beide waren im Ersten Weltkrieg gestorben, lange bevor Rebus' Eltern sich kennen gelernt hatten.

Die Princes Street hatte ihr gewohnt zusammengeschustertes Aussehen. Die Bürgersteige wirkten breit, wenn sonst niemand unterwegs war. Er bog beim Burger King um die Ecke und ging ins Penny Black, das schon um fünf öffnete. Rebus war nicht mal der erste Gast. Er bestellte einen Whisky, gab ordentlich Wasser dazu.

»Mann, Sie ersäufen ihn ja«, meinte einer der Leute am Tresen.

Rebus lächelte, erklärte dem Mann nicht, dass das Wasser sein Sicherungsseil war. Auf der Theke lag eine Frühausgabe des *Scotsman*. Rebus blätterte sie durch. Ein Bericht über die gestrige Sitzung im Shiellion-Prozess, dann noch was über den »ungeklärten Tod« Darren Roughs und das Verschwinden Billy Hormans. Ein ungenannt bleibendes Mitglied des »Greenfield gegen Perverse« wurde dahingehend zitiert, man mache Darren Rough für das Verschwinden des Jungen verantwortlich.

»Und wir sind einfach froh und erleichtert, dass es eine

menschliche Kakerlake weniger auf dieser Welt gibt. Mögen ihr alle übrigen folgen.«

Van Brady in Predigerstimmung. Es war von einem Nachbarschaftskomitee die Rede, davon, dass neu Zugezogene in Greenfield von ihren Nachbarn genauestens unter die Lupe genommen werden sollten. Man wollte über Bürgerwehren, Stichproben und sogar die Errichtung einer irgendwie gearteten Absperrung diskutieren, die »unerwünschte Subjekte« daran hindern sollte, Greenfield zu betreten und zu »beschmutzen«.

Rebus wusste, dass Schottland sich auf die Selbstverwaltung einrichtete, aber *das* ging denn doch ein bisschen zu weit.

»Wir haben im Gemeindezentrum einen Computer«, hieß es weiter aus Greenfield, »und jetzt wollen wir einen Internetanschluss, so dass wir die Guardian Angels um Rat bitten können. Wir hoffen, durch eine Lotteriespende die nötige Software finanzieren zu können. Diese Gemeinde verdient es einfach.«

Wenn es in Greenfield bald eine Privatpolizei geben sollte, stellte sich die Frage, wer am besten dazu qualifiziert gewesen wäre, ihre Leitung zu übernehmen. Irgendwie drängte sich Rebus da der Name Cal Brady auf…

Er trank aus und beschloss, in Leith zu frühstücken, wo es ein Café gab, das schon um sechs aufmachte und riesige Portionen ohne viel Firlefanz anbot. Er lief den ganzen Weg zu Fuß, fand das Lokal und nahm an einem Tisch Platz. Da er die Zeitung schon gelesen hatte, blieb ihm nichts anderes zu tun, als an einer halben Scheibe getoastetem Brot zu knabbern und aus dem Fenster zu starren. Als ein Taxi an der Ampel vor dem Café hielt, erhaschte Rebus einen flüchtigen Blick auf den Fahrgast. Er versuchte, genauer hinzusehen, aber da war das Taxi schon wieder losgefahren und beförderte Oakes zu seinem Hotel. Rebus schaffte es noch, sich die Zulassungsnummer auf den Handrücken zu kritzeln. Mithilfe eines Schlucks brühheißem Tee gelang es ihm, das Brot runterzuspülen, dann fragte er den Besitzer, ob er das Telefon benutzen dürfe. Rief ein Taxiunternehmen an und erkundigte sich nach dem Kennzeichen.

»Machen Sie Witze? Haben Sie eine Ahnung, wie viele Taxis wir haben?«

»Tun Sie Ihr Bestes, okay?« Er gab der Zentrale seine Handynummer, dann versuchte er sein Glück noch bei den übrigen Taxiunternehmen in der Stadt. Sie schienen alle zu meinen, dass er ganz schön hohe Ansprüche habe, doch als er in St. Leonard's ankam, lag schon ein Resultat vor. Der fragliche Fahrer hatte gerade seine Schicht beendet. Rebus ließ sich mit ihm verbinden.

»Sie haben einen Fahrgast nach Leith rausgefahren, ich vermute mal zum Shore. Vor einer knappen Stunde.«

»Ja, war meine letzte Fuhre.«

»Wo genau haben Sie ihn aufgelesen?«

»Drüben in Corstorphine, direkt vor dem Maybury-Kreisel. Was hat er angestellt?«

Corstorphine: wo Alan Archibald wohnte. Rebus bedankte sich und legte auf. Er ging auf die Toilette, wusch und rasierte sich, schluckte zwei Paracetamol mit etwas Kaffee. Das Mordzimmer war leer, noch niemand da. Er betrachtete die Fotos, die an der Wand hingen. Archibalds Nichte war auf einem Hügel ermordet worden; Darren Rough war auf einem Hügel ermordet worden. Bestand da ein Zusammenhang? Er dachte an Cary Oakes, der unbehelligt durch die Stadt streunte. Ging an ein Telefon und rief Patience an.

»Morgen«, sagte sie verschlafen.

»Das ist Ihr Weckruf.«

Er hörte, wie sie sich reckte, sich im Bett aufsetzte. »Wie spät ist es?«

Er sagte es ihr. »Zum Frühstück hätte ich es nicht mehr geschafft, da dachte ich mir, ich ruf stattdessen an.«

»Wo bist du?«

»St. Leonard's.«

»Hast du in der Arden Street geschlafen?«

»Ein Nickerchen gemacht.«

»Ich weiß nicht, wie du das schaffst.« Sie strich sich wahrscheinlich die Haare aus den Augen. »Ich brauch mindestens acht Stunden Schlaf.«

»Soll ein Zeichen für ein reines Gewissen sein.«

»Was folgt daraus in Bezug auf dich?« Sie wusste, dass sie darauf keine Antwort bekommen würde, also fragte sie lieber, ob sie sich zum Abendessen sehen würden.

»Klar«, sagte er. »Es sei denn, es kommt was dazwischen.«

»Natürlich«, sagte sie. Dann: »Was macht der Kopf?«

»Keine Probleme.«

»Du Lügner. Versuch doch mal, einen Tag lang nichts zu trinken, John, mir zuliebe. Einen Tag, und sag mir dann, ob du dich am nächsten Morgen nicht besser fühlst.«

»Ich *weiß*, dass ich mich am nächsten Morgen besser fühlen würde. Das Problem ist, dass ich es nach dem ersten Glas schon wieder vergessen hab.«

»Tschüs, John.«

»Tschüs, Patience.«

Patience – *wenn* eine Frau ihren Namen verdiente …

30

Rebus und Gill Templer mit Cal Brady in Vernehmungsraum B.

Vernehmungsraum B: das Zimmer, in das Rebus mit Darren Rough gegangen war. Das Zimmer, in dem er während der Ermittlung im Shiellion-Fall Harold Ince zum ersten Mal gesehen hatte. Cal Brady war hier, weil Templer ein paar Punkte klären wollte.

»Sie haben den Brand gelegt«, sagte sie.

»Wirklich?« Brady sah sich mit weit aufgerissenen Augen um. »Dann sollten wir vielleicht besser einen Anwalt rufen.«

»Versuchen Sie nicht, witzig zu sein, Mr. Brady.«

»Die einzigen Komiker, die ich hier sehe, seid ihr Bullen.«

»Billy Horman wird als vermisst gemeldet, das Nächste, was passiert, Sie fackeln Darren Roughs Wohnung ab. Man könnte meinen, dass *Sie* irgendetwas davon hatten.« Sie schwieg einen Moment, schob die Papiere auf dem Tisch zurecht. »Oder etwas zu *verbergen* hatten.«

»Zum Beispiel?« Brady verschränkte die Arme und lehnte sich auf seinem Stuhl zurück.

»Genau das frage ich mich.«

Brady schnaubte, sah zu Rebus, der an der Wand lehnte. »Na, stumm geworden oder was?«

Rebus ließ sich nicht provozieren. Gill Templer konnte mit Typen wie Cal Brady durchaus allein fertig werden.

»Alle haben sich auf die Suche nach Billy gemacht«, fuhr sie fort, »nur Sie nicht. Wie kommt's, Mr. Brady?«

Brady rutschte auf seinem Stuhl herum. »Hab Billy Boys Mum Gesellschaft geleistet.«

Templer tat so, als müsste sie in ihren Notizen nachsehen. »Joanna Horman?« Sie wartete, bis Brady bejahend nickte. »Das ist doch Frauenarbeit, oder, Calumn? Der Mutter die Hand halten, ihr ein bisschen Mitgefühl und Coke mit Rum anbieten... Ich dachte, Sie wären eher ein Mann der Tat.«

»Irgendjemand musste es ja tun.«

»Aber warum gerade *Sie*? Das ist ja meine Frage. Vielleicht hatten Sie was für sie übrig. Vielleicht kennen Sie sich beide näher...?« Kurze Pause. »Oder könnte es sein, dass Sie schon wussten, dass es keinen Sinn hatte, nach Billy Horman zu suchen?«

Brady schlug mit der Faust auf den Tisch. »Kommen Sie mir nicht so!« Hitziger Junge. »Alle wissen, was mit Billy Boy passiert ist. Den hat sich Rough oder einer seiner Kumpels geschnappt.«

»Wo ist er dann?«

»Woher, zum Teufel, soll ich das wissen?«

»Und wer hat Darren Rough getötet?«

»Wenn ich es gewesen wäre, dann hätten ihm ein paar Teile gefehlt.«

»Und wer sagt, dass es nicht so ist?« Templer, die Spielchenspielerin.

Brady sah überrascht aus. »War es so? Keiner hat was...«

Templer sah in ihre Notizen. Dann: »DI Rebus, ich glaube, Sie haben noch ein paar Fragen an Mr. Brady.«

Da Rebus zuvor mit ihr gesprochen und erklärt hatte, was sein spezielles Interesse war. Er kam an den Tisch, stützte sich mit den Handknöcheln darauf.

»Woher kennen Sie Archie Frost?«

»Archie?« Brady zu Templer. »Was hat denn *das* jetzt mit der Sache zu tun?«

»Eine andere Ermittlung, Mr. Brady. Die in keinerlei Zusammenhang mit den anderen beiden steht – außer vielleicht durch Sie.«

»Kapier ich nicht.«

»Brauchen Sie dazu einen Anwalt?«

Er dachte darüber nach, zuckte die Schultern. »Ich arbeite gelegentlich für ihn.«

»Für Mr. Frost?«

»Genau. An manchen Abenden steh ich an der Tür.«

»Sie sind Rausschmeißer?«

»Ich halt die Augen auf, dass es keinen Ärger gibt.«

Rebus holte wieder einmal die Fotos hervor. Sie waren mittlerweile an den Ecken eingerollt, geknickt und mit Fingerabdrücken übersät.

»Erinnern Sie sich, wie ich nach diesen Leuten gefragt habe?«

Brady schaute die Fotos an, nickte. »In der Nacht stand ich nicht an der Tür.«

»Und welche Nacht war das?« Brady sah von den Fotos auf. Rebus lächelte. »Ich kann mich nicht erinnern, Mr. Frost gegenüber von einer bestimmten Nacht gesprochen zu haben.«

»Wenn ich in der Nacht gearbeitet hätte, dann wäre er mir aufgefallen. Ich hatte schon mal einen kleinen Zusammenstoß mit ihm. Mit *mir* an der Tür wär er nicht reingekommen.«

Rebus kniff die Augen ein wenig zusammen. »Was für einen Zusammenstoß?«

Brady zuckte die Schultern. »Nichts Aufregendes. Er war bloß ein bisschen blau, wurde zu laut. Ich hab ihm gesagt, er soll sich beruhigen, und das hat er nicht getan, also hab ich ihn zusammen mit ein paar Kollegen hinausbegleitet.«

Brady gefiel dieser letzte Halbsatz. Er klang so schön professionell: »Kollegen«, »hinausbegleitet«.

»Stehen Sie manchmal auch am Clipper an der Tür?«

Brady schüttelte den Kopf.

»Aber Sie arbeiten für den Besitzer.«

»Mr. Mackenzie ist am Boot beteiligt, das ist alles.«

»Aber er stellt auch die Rausschmeißer.«

»Ich hab's einmal probiert, hat mir nicht gefallen.«

»Warum nicht?«

»Diese ganzen aufgeblasenen Nutten und Papisöhnchen, die sich einbilden, die können einen wie Scheiße behandeln, bloß weil sie mehr Knete haben.«

»Ich weiß, was Sie meinen.« Brady sah ihn an. »Nein, im Ernst, die hab ich selbst erlebt.« Rebus dachte noch immer an Bradys Zusammenstoß mit Damon Mich. Er war davon ausgegangen, dass Damon an dem fraglichen Abend zum ersten Mal im Gaitano's gewesen war. Niemand hatte ihm bislang etwas Gegenteiliges gesagt. »Das Problem ist, Cal, dass Damon vermisst wird, und ich komm mir ein bisschen vor wie Gulliver beim Pinkeln in einem Liliputanerklo.«

»Hä?«

»Ich hab nicht viel in der Hand.« Gill Templer stöhnte über den Kalauer, während Rebus anfing, an seinen Fingern abzuzählen. »Ich hab den verschwundenen Damon, zuletzt zusammen mit einer Blondine gesichtet, wie er von einem Taxi vor dem Clipper abgesetzt wurde. Der Kahn gehört anteilig Charmer Mackenzie, der auch Besitzer des Guiser's ist, wo sich Damon und die Blondine kennen gelernt zu haben scheinen. Sehen Sie, da hätten wir eine Verbindung. Im Augenblick ist sie das Einzige, was ich habe, und das ist auch der Grund, warum ich nicht lockerlassen werde, bis ich ein paar Antworten bekomme.« Er schwieg kurz. »Bloß dass *Sie* keine haben, stimmt's?«

Brady starrte ihn an. Rebus wandte sich zu Templer.

»Keine weiteren Fragen, Euer Ehren.«

»In Ordnung, Mr. Brady«, sagte sie. »Sie können jetzt gehen.«

Brady ging zur Tür, öffnete sie, sah zurück zu Rebus.

»Gulliver«, sagte er. »Ist das der in dem Comic mit den Zwergen?«

»Genau«, bestätigte Rebus.

Brady nickte nachdenklich. »Ich kapier's trotzdem nicht«, sagte er und zog die Tür hinter sich zu.

In der Mittagszeit setzte sich Rebus in sein Auto und schlief eine halbe Stunde, bevor er mit einem Becher Tomatensuppe und einem Käse-und-Chutney-Sandwich ins Büro zurückging.

»Wir haben was«, teilte ihm Roy Frazer mit. »Weiße Limousine, dabei beobachtet, wie sie den Holyrood Park zur Dalkeith Road hin verließ. Ein Wartungsmensch vom Commonwealth-Schwimmbad hat sie gesehen. Früh am Morgen, null Verkehr. Das Auto hatte einen ganz schönen Zahn drauf, ist bei Rot über eine Ampel. Der Zeuge ist Radfahrer, achtet auf solche Dinge.«

»Und ein vorbildlicher Bürger dazu, möchte ich wetten. Radelt nie über eine rote Ampel, wenn grad keiner hinguckt.« Rebus dachte kurz nach. »Irgendwelche Überwachungskameras, die das aufgenommen haben könnten?«

»Ich kümmer mich darum.«

»Klären Sie das erst mit DCI Templer ab. Sie leitet die Ermittlung.«

»Ja, Sir.« Frazer eilte davon, auf der Suche nach ihr. Er erinnerte Rebus an einen Cockerspaniel, immer auf Lob und Bestätigung aus. Weiße Limousine ... Irgendetwas ließ Rebus keine Ruhe. Er rief Bobby Hogan im Revier Leith an.

»Was fällt Ihnen zum Stichwort ›weiße Limousine‹ ein?«

»Ich würde sagen, dass mein Bruder eine hat, einen Ford Orion.«

»Ich dachte eher an Jim Margolies.«

»Was in den Notizen?«

»Ja. Ich bin sicher, dass da eine weiße Limousine vorkam.«

»Kann ich Sie zurückrufen?«

»So schnell wie möglich.« Er legte auf, kritzelte konzentrische Kreise auf seinen Block, zeichnete dann vom Mittelpunkt ringsum ausstrahlende Linien. War sich nicht schlüssig, ob das eher wie ein Spinnennetz oder eine Dartscheibe aussah, entschied dann: weder noch. Das Zielfernrohr eines Jagdbombers vielleicht? Oder ein Schnitt durch einen Baumstamm? Alles denkbare Möglichkeiten, aber letzten Endes doch nur ein sinnloses Gekritzel. Und als er noch ein paarmal mit dem Stift darüber gefahren war, entzog es sich überhaupt jeglicher Deutung.

Sein Telefon klingelte, und er nahm ab.

»Ist es wichtig?«, fragte Bobby Hogan.

»Ich weiß nicht. Könnte mit was anderem in Zusammenhang stehen.«

»Verraten Sie mir, womit?«

»Erst sind Sie dran.«

Er schien sich das Angebot durch den Kopf gehen zu lassen, dann las er aus den Ermittlungsunterlagen vor: »Helle Limousine, möglicherweise weiß oder cremefarben. Gesehen worden, wie sie auf dem Queen's Drive parkte.«

»Wo auf dem Queen's Drive?« Der Queen's Drive war die Straße, die rund um den Holyrood Park verlief.

»The Hawse ein Begriff?«

»Der Name jedenfalls nicht.«

»Liegt am Fuß der Crags, direkt da, wo der Wanderweg beginnt. Dort stand der fragliche Wagen: Scheinwerfer an, soweit erkennbar, niemand drin. Ein Zeuge meldete sich, als er vom Selbstmord erfuhr. Aber das Timing passte nicht. Gesehen worden war er an dem Abend gegen halb elf. Als eine Streife um Mitternacht vorbeifuhr, stand er nicht mehr da. Margolies ist erst später da hochgewandert.«

»Laut Aussage seiner Witwe.«

»Na ja, sie müsste es eigentlich wissen, oder? Also, verraten Sie mir jetzt, was los ist?«

»Es ist wieder eine weiße Limousine gesichtet worden, an dem Morgen von Darren Roughs Ermordung. Dabei beobachtet worden, wie sie aus dem Holyrood Park sauste.«

»Und was hat das mit Jims Selbstmord zu tun?«

»Wahrscheinlich nichts«, erwiderte Rebus und dachte wieder an seine Kritzeleien. »Vielleicht sehe ich auch bloß Gespenster.« Er sah den Farmer in der Tür stehen, ihn zu sich winken. »Trotzdem danke«, sagte er.

»Wenn Sie häufiger solche Probleme haben – heutzutage gibt's dafür spezielle Telefonnummern.«

Rebus legte auf, ging zur Tür.

»In mein Büro«, erwiderte der Farmer und entfernte sich, noch bevor Rebus etwas sagen konnte. Auf dem Schreibtisch des Farmers stand bereits ein Becher Kaffee. Watson schenkte einen weiteren ein, reichte ihn Rebus.

»Was habe ich diesmal angestellt?«, fragte Rebus.

Der Farmer bedeutete ihm, sich zu setzen. »Es geht um Darren Roughs Sozialhelfer. Er hat eine offizielle Beschwerde eingereicht.«

»Gegen mich?«

»Er meint, dass Sie seinen Schützling ›geoutet‹ und die ganze Sache überhaupt ins Rollen gebracht haben. Er fragt, wie viel Sie mit Roughs Tod eigentlich zu tun haben.«

Rebus rieb sich die Augen, brachte ein müdes Lächeln zustande. »Des Menschen Glaube ist sein Himmelreich.«

»Keine Gefahr, dass er den durch Fakten, Fakten, Fakten untermauern kann?«

»Nicht ums Verrecken, Sir.«

»Wird trotzdem nicht gut aussehen. Sie waren der Letzte, der etwas mit Rough zu tun hatte.«

»Wenn man vom Mörder absieht. Hat die Spurensicherung was rausgefunden?«

»Nur, dass der Täter wahrscheinlich etwas von Roughs Blut abbekommen hat.«

»Dürfte ich vielleicht einen Vorschlag machen?«

Der Farmer nahm einen Stift in die Hand, betrachtete ihn. »Was für einen Vorschlag?«

»Dass wir Cary wieder herbestellen. Ich bin sicher, dass er mein Auto geklaut hat, was bedeutet, dass er um die Zeit, als Darren Rough bei mir aus dem Haus gegangen ist, in der Arden Street war. Erste Frage: Was trieb er da überhaupt? Meine Wohnung beobachten? In dem Fall hielt er sich wohl eine ganze Weile lang da auf, hat uns vielleicht kommen sehen, hat Rough vielleicht für einen Freund von mir gehalten ...«

Der Farmer schüttelte den Kopf. »Wir können Oakes nicht vorladen. Nicht ohne etwas in der Hand zu haben.«

»Wie wär's mit einem Schlagring?«

Jetzt war's an Watson, zu lächeln. »Stevens' Zeitung hat Anwälte, John. Und Sie haben es selbst gesagt: Oakes ist ein Profi. Er wird einfach hier rumsitzen und keinen Piep sagen, bis die ihn rausholen. Worauf die Käseblätter wieder eine Story über schikanöse Polizeimaßnahmen hätten.«

»Ich dachte, wir *wollten* ihn schikanieren?«

Der Farmer ließ den Stift fallen, bückte sich danach. »Das haben wir alles schon durchgekaut.«

»Ich weiß.«

»Also drehen wir uns jetzt nur im Kreis. Unterm Strich haben wir eine Beschwerde vom Sozialamt, der man nachgehen muss.«

»Und derweil kann ich die Ermittlung nicht weiterführen.«

»Würde unter den gegebenen Umständen verdammt komisch aussehen. Was haben Sie momentan sonst noch am Laufen?«

»Offiziell nicht viel.«

»Ich hab gehört, Sie hätten einen Vermissten.«

»Den hab ich eigentlich in meiner Freizeit bearbeitet.«

»Dann investieren Sie eben ein bisschen *mehr* Zeit da hinein. Aber – und wohlgemerkt, das ist jetzt inoffiziell – halten Sie engen Kontakt zu Gill und dem Team. Sie scheinen über Rough und Greenfield mehr als die meisten zu wissen.«

»Mit anderen Worten: Sie brauchen mich, können sich aber nicht leisten, zusammen mit mir gesehen zu werden?«

»Sie konnten sich immer schon gut ausdrücken, John. Jetzt verziehen Sie sich. Heute ist Freitag, Wochenende steht vor der Tür. Gehen Sie sich amüsieren.«

31

In Ermangelung einer sinnvollen Tätigkeit ging Janice Mich in die Arden Street. Sie hatte jede Menge Zeit zur Verfügung, und drüben in Fife kam sie sich völlig nutzlos vor. Wenn sie zu Hause herumsaß, fingen die Muster auf der Tapete an zu tanzen, und das Ticken der Uhr schien unerträglich laut zu werden. Aber wenn sie aus dem Haus ging, galt es, Fragen von Nachbarn und Passanten – »Ist er noch nicht zurück?«; »Was glauben Sie, wo er hin sein könnte?« – zu beantworten und kluge Ratschläge abzublocken, die sich in der Regel auf die Empfehlung beschränkten, Geduld zu haben oder das Beste zu hoffen. Außerdem hatte sie jedes Mal, wenn sie auf dem Waverley-Bahnhof aus dem Zug stieg, das Gefühl, dass Damon ganz in der Nähe war. Der sechste Sinn war kein Hirngespinst: Man spürte zum Beispiel, wenn sich einem jemand von hinten näherte. Und immer, wenn sie vom Zug auf den Bahnsteig trat und da stehen blieb, während sich die Pendler und Shopper an ihr vorbeidrängten, war es, als hörte ihre Welt auf, sich zu drehen, und alles wurde still und friedlich. In diesen Augenblicken, in denen die Großstadt ausgeblendet war und das Blut in ihrem Herzen sang, konnte sie ihn fast hören, riechen – als bräuchte sie nur die Hand auszustrecken, um seinen Arm zu berühren. Sie sah sich, wie sie ihn an sich drückte, ihn ausschimpfte, während sie sein Gesicht mit Küssen bedeckte, ihn, der ganz erwachsen tat und sich zu sträuben versuchte, aber gleichzeitig glücklich war, so geliebt zu werden, auf eine Weise geliebt zu werden, wie ihn niemand sonst jemals lieben würde.

Seit er verschwunden war, schlief sie in seinem Zimmer. Anfangs hatte sie das Brian gegenüber damit begründet, dass Damon sich nachts hineinschleichen könnte, um seine Sachen zu holen. Dann wäre sie da gewesen und hätte ihn zur Rede stellen, ihn zurückhalten können. Daraufhin hatte Brian gemeint, er würde ebenfalls in das Zimmer ziehen. Sie hatte eingewandt, dass da nur das Einzelbett stand, worauf er sagte, er würde auf dem Fußboden schlafen. Endlos war die Diskussion hin und her gegangen, bis sie die Beherrschung verloren und ihm unumwunden gesagt hatte, dass sie lieber allein wäre.

Das erste Mal, dass sie die Worte ausgesprochen hatte.

»Offen gesagt, Brian, wäre ich viel lieber allein …«

Sein Gesicht war in sich zusammengefallen, und ihr war ganz übel geworden. Aber es war richtig gewesen, die Worte auszusprechen, falsch, sie all die Monate und Jahre zurückzuhalten.

»Es ist wegen Johnny, stimmt's?«, hatte Brian, mit abgewandtem Gesicht, geschafft zu fragen.

Und irgendwie *war* es seinetwegen, obwohl nicht ganz

in dem Sinn, wie Brian es meinte. Es war so, dass Johnny ihr einen anderen Weg gezeigt hatte, den sie hätte gehen können, und indem er dies tat, ihr die Möglichkeit aller anderen Wege offenbart hatte, die sie nicht gegangen, aller Orte, an denen sie nie gewesen war. Orte wie »Emotion«, »Erregung« und »Hochgefühl«. Orte wie »Ich« und »Frei« und »Selbstbewusst«. Sie wusste, dass sie diese Dinge nie vor wem auch immer ausgesprochen hätte; dazu klangen sie viel zu sehr nach Frauenillustrierte. Aber das änderte nichts an ihrem Gefühl, dass sie *real* waren. In der Kleinstadt geboren und aufgewachsen, bislang so gut wie nie woanders gewesen: Wollte sie wirklich auch dort sterben? Wollte sie sich damit abfinden, dass sich über dreißig Jahre ihres Lebens einem Freund gegenüber, den sie seit der Mittelschule nicht mehr gesehen hatte, in fünf Minuten zusammenfassen ließen?

Sie wollte mehr.

Sie wollte weg.

Natürlich wusste sie, was die Leute gesagt hätten: Die Gefühle gehen mit dir durch, Schätzchen. Es ist doch klar, dass so etwas einen mitnimmt. Und das tat's. Herrgott, das *tat's* wirklich. Und dennoch fühlte sie sich so hilflos und ohne Ziel wie noch nie zuvor. Sie hatte sämtlichen Wohltätigkeitsorganisationen ihre Geschichte erzählt, hatte mit zahllosen Taxifahrern gesprochen, aber was nun? Es musste doch etwas geben, das sie noch nicht versucht hatte, aber sie kam einfach nicht darauf, was es sein könnte. Sie wusste nur eins: *Das* war der Ort, an dem sie hätte sein müssen.

Jetzt, wo sie mit der Stadt etwas vertrauter war, genoss sie den Spaziergang nach Marchmont. Die steile Cockburn Street hinauf, mit ihren vielen »alternativen« Läden. Dann die High Street hinauf zur George IV. Bridge und wieder hinunter an Bibliotheken und Buchläden vorbei zu Greyfriars Bobby. Vorüber an der Universität und dem

Gewimmel von Studenten, die Bücher unter dem Arm trugen oder ihre Fahrräder schoben. Dann die Meadows, eben und grün, und fern im Hintergrund Marchmont. Ihr gefielen die Geschäfte in der Nähe von Johnnys Wohnung; das Haus fand sie hübsch und ebenso alle Straßen in der näheren Umgebung. Die Dächer erschienen ihr wie die Türme von Burgen. Johnny hatte gesagt, das Viertel sei voll von Studenten. Sie hatte immer gedacht, Studenten würden in ärmlicheren Gegenden wohnen.

Sie öffnete die Haustür und stieg die Treppe hinauf zu Johnnys Wohnung. Hinter seiner Tür lag Post auf dem Boden. Sie hob sie auf, nahm sie mit ins Wohnzimmer. Schienen nur Rechnungen und Reklamesendungen zu sein; keine eigentlichen Briefe. Keinerlei Fotos in seinem Wohnzimmer; zwischen Regalen und Schränken Lücken, die sie mit etwas Dekorativem ausgefüllt hätte. Säuberlich gestapelte Bücher; bevor sie sie eingesammelt hatte, waren sie im ganzen Zimmer verstreut herumgelegen. Es gab mal eine Zeit, da hätte Brian es nicht geduldet, wenn sie seine Sachen umgeräumt hätte; mittlerweile würde er es wahrscheinlich nicht einmal mehr merken. Johnny war es aufgefallen, dass sie aufgeräumt hatte, aber ob es ihm recht gewesen war, hätte sie nicht sagen können – auch wenn er sich bedankt hatte.

Sie trug Becher, Teller und Aschenbecher in die Küche. Nahm eine Decke vom Sofa und legte sie auf das Bett im Gästezimmer. Als alles zu ihrer Zufriedenheit aussah, überlegte sie, was sie als Nächstes tun könnte. Die Fenster putzen? Womit? Sich irgendwas kochen? Sich eine Platte anhören? Wann hatte sie sich zuletzt einfach hingesetzt und Musik gehört? Wann zuletzt Zeit dazu gehabt? Sie sah Johnnys Plattensammlung durch. Zog ein Album heraus – eins der ersten von den Rolling Stones. Vielleicht war es sogar dasselbe, das er damals besessen hatte, als sie miteinander gingen. Auf der Rückseite entdeckte sie eine verschnörkelte Kritzelei in Tinte: JLJ – Janice Liebt Johnny. Sie hatte das eines Abends da draufgeschrieben, neugierig, ob es ihm auffallen würde. Er sah sich immer gern die Hüllen seiner LPs an. Und als er es entdeckt hatte, war er überhaupt nicht begeistert gewesen, hatte versucht, es wieder wegzuradieren. Man sah noch immer die Spuren…

Die Sommer im Café, die langen Abende mit dem Cola-Automaten und der Jukebox. Dann eine Tüte Fritten, mit Salz und Essig. An manchen Abenden vielleicht ein Film oder einfach nur ein Spaziergang im Park. Der Jugendklub wurde von der Kirche geleitet. Johnny hatte das nicht gefallen; mit der Kirche hatte er nichts am Hut gehabt. Trotzdem stand da jetzt eine Bibel, ganz allein, auf dem Kaminsims. Und es gab noch andere Bücher, die irgendwie religiös aussahen: *Die Bekenntnisse des heiligen Augustinus; Die Wolke des Nichtwissens*. Das klang gut: »Die Wolke des Nichtwissens«. Haufenweise Bücher, trotzdem wirkte er nicht gerade wie eine Leseratte, und die Bände sahen wie neu aus, die meisten jedenfalls.

Sein Schlafzimmer… sie hatte einen Blick riskiert. Nicht gerade einladend: Matratze auf dem Boden, in einer Ecke ein Haufen Klamotten, die darauf warteten, in die Kommode verfrachtet zu werden. Einzelne Socken: Was hatten Männer bloß immer für ein Problem mit ihren Socken? Die ganze Wohnung wirkte irgendwie lieblos, ungeliebt, trotz der frisch gestrichenen Tapeten im Wohnzimmer. Sein Sessel am Erkerfenster, daneben auf dem Fußboden das Telefon – die ganze Wohnung schien sich um diesen einen Bereich zu zentrieren. Küchenschränke voller Flaschen: Whisky und Brandy und Wodka und Gin. Noch mehr Wodka im Eisfach; im Kühlschrank Bier, dann Käse, Margarine und eine leicht abschreckend wirkende Viertelpfunddose Cornedbeef. Rote Bete und Himbeermarmelade auf der Arbeitsfläche, im Brotkasten zwei trockene Brötchen und ein Kanten Brot.

Es hieß, die Wohnung eines Mannes verrate viel über ihren Bewohner. Sie hatte den Eindruck, dass Johnny einsam war, aber wie konnte das sein, wo er doch mit dieser Ärztin zusammen war, dieser Patience Soundso?

Es klingelte. Sie fragte sich, wer das sein konnte. Ging zur Tür und öffnete, ohne auch nur einen Blick durch den Spion zu werfen. Ein Mann stand da und lächelte.

»Hallihallo«, sagte er. »Ist John da?«

»Nein, tut mir Leid.«

Das Lächeln verschwand; der Mann sah auf seine Uhr. »Ich will nicht hoffen, dass er mich schon wieder versetzt.«

»Na ja, bei seinem Beruf ...«

»Da haben Sie natürlich Recht. Sie können ja wahrscheinlich ein Lied davon singen.«

Sie spürte, wie sie unter seinem direkten Blick errötete. »Ich bin nicht seine Freundin oder so.«

»Nein? Und ich dachte schon, der alte Satansbraten hat's ja mal richtig getroffen.«

»Nein, wir sind lediglich Freunde.«

»Nur gute Freunde, hm?« Er tippte sich seitlich an die Nase. »Sie können mir vertrauen, ich werde Patience nichts verraten.«

Ihre Röte vertiefte sich. »Wir waren zusammen auf der Schule, Johnny und ich. Haben uns vor kurzem wiedergetroffen.« Sie quasselte wie ein hirnloses Huhn, was sie auch wusste, aber irgendwie konnte sie nichts dagegen tun.

»Das ist nett, wenn sich alte Freunde wiedersehen. Da hat man sich eine Menge zu erzählen, hm?«

»Stimmt.«

»Ich kenne das. Ich hatte auch jahrelang den Kontakt zu John verloren.«

»Wirklich?«

»In den Staaten gearbeitet.«

»Wie interessant. Sind Sie da lang …?« Sie unterbrach sich. »Entschuldigung, ich lass Sie da die ganze Zeit auf der Türmatte stehen …«

»So langsam fiel mir das auch auf.«

Sie zog die Tür weiter auf, trat einen Schritt zurück. »Kommen Sie bitte rein. Ich heiße übrigens Janice.«

»Sie werden lachen, wenn Sie meinen Namen hören. Ich kann dazu nur sagen: *Mich* hat keiner gefragt.«

»Warum, wie heißen Sie?« Lachte jetzt, als er an ihr vorbei in die Diele trat.

»Cary«, antwortete er. »Nach dem Schauspieler. Seinen öligen Schmelz habe ich mir allerdings nie so richtig aneignen können.«

Als sie die Tür schloss, zwinkerte er ihr zu.

Als Rebus nach Hause kam, war die Wohnung leer, aber er spürte, dass jemand da gewesen war, aufgeräumt und sauber gemacht hatte. Wieder Janice. Er sah sich nach einem Zettel um, aber sie hatte nichts hinterlassen. Er holte sich ein Bier aus dem Kühlschrank, schaltete dann die Hi-Fi-Anlage an. Die Stones: »Goat's Head Soup«. David Bailey hatte sie mit irgendeinem durchscheinenden Material über den geschminkten Gesichtern fotografiert, wodurch Jagger femininer denn je aussah. Rebus wählte Alan Archibalds Nummer. Niemand daheim außer dem AB. Archibalds Stimme klang abgehackt und fern.

»Hier ist John Rebus. Kurz und bündig: Aufpassen! Oakes hat in der Nähe Ihrer Wohnung ein Taxi angehalten. Ich kann mir keinen anderen Grund denken, warum er in der Gegend gewesen sein sollte. In meiner Straße war er auch. Keine Ahnung, was er sich denkt. Vielleicht will er uns nur nervös machen. Wie auch immer, betrachten Sie das als Vorwarnung.«

Er legte den Hörer auf. Gefahr erkannt, Gefahr gebannt, dachte er und fragte sich, wie Archibald die Gefahr wohl bannen würde.

Er drehte die Lautstärke wieder auf, setzte sich ans Fenster und starrte auf das gegenüberliegende Mietshaus. Die Kinder waren von der Schule zurück und spielten am Wohnzimmertisch, soweit erkennbar, irgendein Kartenspiel. Vielleicht Quartett. Rebus war darin nie sonderlich gut gewesen. Als er sich vom Fenster abwandte, sah er eine Gestalt in der Tür stehen.

»Herrgott«, sagte er und griff sich ans Herz, »hast du mich erschreckt!«

»Tut mir Leid«, sagte Janice lächelnd. Sie hielt eine Packung Milch hoch. »War fast nichts mehr da.«

»Danke.« Er folgte ihr in die Küche, beobachtete, wie sie die Milch in den Kühlschrank tat.

»Hast du deine Verabredung vergessen?«

»Verabredung?« Rebus überlegte: Arzt? Zahnarzt?

»Du hast deinen Freund versetzt. Er war vor einer Stunde hier. Ich bin mit ihm einen Kaffee trinken gegangen.« Sie machte missbilligende Geräusche.

»Da komm ich nicht mit«, sagte er.

»Cary«, erklärte sie. »Ihr beide wolltet irgendwo was trinken gehen.«

Rebus lief es eiskalt über den Rücken. »Er war hier?«

»Hat nach dir gefragt, ja.«

»Und du bist mit ihm gegangen?«

Sie war gerade dabei gewesen, die Arbeitsfläche abzuwischen, drehte sich jetzt aber um, sah den Ausdruck in seinem Gesicht.

»Was ist los?«, fragte sie.

Er öffnete einen der Hängeschränke und tat so, als suchte er darin etwas. Er konnte es ihr nicht sagen. Sie wäre ausgerastet. Er machte den Schrank wieder zu.

»Nett geplaudert, ihr beiden?«

»Er hat mir von seinem Job in den Staaten erzählt.«

»Welchem? Ich glaube, er hatte mehrere.«

»Ach ja?« Sie runzelte die Stirn. »Na ja, der einzige, von dem er mir erzählt hat, war der als Gefängniswärter.«

»Ach ja, stimmt.« Rebus nickte. »Ich nehme an, du hast ihm von uns erzählt?«

Sie sah ihn verschmitzt an. Sie hatte rote Flecken auf den Wangen. »Was gibt's da zu erzählen?«

»Ich meine, du hast ihm sicher von dir erzählt, woher wir uns kennen ...?«

»Ach so, ja, das ja.«

»Und von Fife?«

»Er schien sich für Cardenden wirklich zu interessieren. Ich hab ihn ausgeschimpft, ich dachte, er würde mich nur veräppeln.«

»Nein, Cary interessiert sich immer für Leute.«

»Genau das hat er auch gesagt.« Sie schwieg kurz. »Ist mit dir auch wirklich alles in Ordnung?«

»Bestens. Es sind bloß ... berufliche Probleme.« Nämlich Cary Oakes, der jetzt auch Janice ins Spiel hineingezogen hatte. Und Rebus stand mitten auf dem Spielbrett, ohne dass ihm jemand die Regeln erklärt hätte.

»Möchtest du einen Kaffee oder so?«

Rebus schüttelte den Kopf. »Wir fahren weg.« Wir? Wenn Cary Oakes Fife besucht hatte, war es für Janice besser, in Edinburgh zu bleiben. Aber wo? Wie sich immer deutlicher zeigte, bot Rebus' Wohnung keinen Schutz. Janice konnte sich sicherer fühlen, wenn sie bei Rebus blieb, und Rebus musste unbedingt irgendwohin.

»Wohin?«

»Nach Fife. Ich muss Damons Freunden noch ein paar Fragen stellen.« Und das Terrain checken, nach etwaigen Schleimspuren von Oakes suchen.

Sie starrte ihn an. »Hast du… bist du auf irgendwas gestoßen?«

»Schwer zu sagen.«

»Versuch's –«

Er schüttelte den Kopf. »Ich will dir keine falschen Hoffnungen machen. Könnte sich als eine Niete erweisen.« Er wandte sich zur Tür. »Wart einen Moment, muss nur grad was packen.«

»Packen?«

»Morgen ist Wochenende, Janice. Ich dachte, ich bleib über Nacht. Gibt's noch ein Hotel im Ort?«

Sie zögerte einen Augenblick. »Du kannst bei uns wohnen.«

»Hotel reicht mir völlig.«

Sie schüttelte den Kopf. »Du wirst verstehen, dass ich dir nicht Damons Zimmer geben kann, aber es gibt immer noch die Couch.«

Rebus tat so, als würde er mit sich ringen. »Na gut«, sagte er schließlich und dachte: Ich will über Nacht da sein; ich will in ihrer Nähe sein. Nicht aus irgendwelchen nahe liegenden Gründen – Gründen, die er sich vielleicht noch vor ein paar Tagen eingeredet hätte –, sondern weil er wissen wollte, ob Cary Oakes nach Cardenden kommen, ihr Haus beobachten würde. Was immer Oakes planen mochte, machte rasche Fortschritte. Wenn er sich Janice vornehmen wollte, würde dies wahrscheinlich am Wochenende geschehen.

Falls irgendetwas passierte, musste Rebus da sein.

»Ich pack nur grad ein paar Klamotten ein«, sagte er und verschwand in seinem Schlafzimmer.

32

Als Erstes fuhr Rebus mit Janice zu Sammy. Er wollte einfach nach ihr sehen. Sie machte gerade Klimmzüge am Barren, zog sich in eine stehende Position, drückte die Knie durch und ließ sich dann wieder in ihren Rollstuhl hinunter. Die Haustür stand offen: Sie schloss sie nie ab, wenn Ned nicht da war. Rebus hatte sich Sorgen gemacht, bis sie ihm ihre Überlegung erklärte.

»Ich musste das Pro und Kontra abwägen, Dad; einerseits dass ich Hilfe brauchen, andererseits dass jemand einbrechen könnte. Wenn ich gelähmt auf dem Rücken liege, möchte ich, dass jeder etwaige gute Samariter ins Haus kann.«

Sie trug ein graues ärmelloses T-Shirt, das auf dem Rücken verschwitzt war. Ein Handtuch hing ihr um den Nacken, und das Haar klebte strähnig an ihrer Stirn.

»Weiß der Himmel, ob das meinen Beinen etwas nutzt«, sagte sie, »aber Bizepse kriege ich wie eine Kugelstoßerin.«

»Und nirgendwo Anabolika zu sehen«, meinte er und gab ihr einen Kuss. »Das ist Janice, eine alte Schulfreundin von mir.«

»Hallo, Janice«, sagte Sammy. Als sie sich wieder zu ihrem Vater wandte, verspürte er eine gewisse Befangenheit und wusste nicht genau, warum.

»Ihr Sohn ist verschwunden«, erklärte er. »Ich versuche, ihr behilflich zu sein.«

Sammy wischte sich mit dem Handtuch das Gesicht ab.

»Tut mir Leid«, sagte sie. Janice lächelte und zuckte die Achseln.

»Janice wohnt noch immer in Cardenden«, fuhr Rebus fort. »Wir fahren da jetzt hin, für den Fall, dass du mich heute Abend anrufen wolltest.«

»Okay«, sagte Sammy, noch immer mit dem Handtuch beschäftigt. Jetzt, wo er da war, wusste er, dass er einen Fehler begangen hatte, wusste, dass Sammy dabei war, falsche Schlussfolgerungen zu ziehen, und kam beim besten Willen nicht darauf, wie er die Sache aufklären könnte, ohne Janice in Verlegenheit zu bringen.

»Wir sehen uns dann«, sagte er.

»Ich lauf schon nicht weg.« Sie war mit dem Handtuch fertig; jetzt musterte sie die zwei Holme, die Grenzen ihres derzeitigen Universums.

»Einmal muss ich dich da mal rumführen. Ich kann dir meine einstigen Jagdgründe zeigen.«

Sie nickte. »Patience können wir auch mitnehmen. Es würde ihr bestimmt nicht gefallen, ausgeschlossen zu werden.«

»Ich wünsch dir ein schönes Wochenende, Sammy«, sagte er und wandte sich zur Tür.

Sie verkniff es sich, ihm das Gleiche zu wünschen.

»Ich ruf nur grad Patience an«, sagte er und fischte das Handy aus seiner Tasche. Sie waren wieder im Auto, unterwegs zur A90. Patience ging freitagabends meist mit Freundinnen aus. Es war ein Jour fixe mit Drinks und Essen, dann vielleicht einem Theater oder Konzert. Drei weitere Ärztinnen: zwei davon geschieden, eine offenbar noch immer glücklich verheiratet. Sie nahm beim vierten Rufton ab.

»Ich bin's«, meldete er sich.

»Was sage ich dir immer über Handys beim Autofahren?«

»Ich steh grad an einer Ampel«, log er und zwinkerte Janice verschwörerisch zu. Ihr schien nicht wohl in ihrer Haut zu sein.

»Irgendwas vor?«

»Ich muss nach Fife, ein paar Befragungen, die ich mir vom Hals schaffen will. Ich bleib wahrscheinlich über Nacht. Gehst du aus?«

»In rund zwanzig Minuten.«

»Grüß die Mädels von mir.«

»John … wann sehen wir uns?«

»Bald.«

»Dieses Wochenende?«

»Neunundneunzig Prozent.«

»Morgen bin ich bei Sammy.«

»Gut«, sagte er. Sammy würde Patience von Janice erzählen. Patience würde wissen, dass Janice im Auto gewesen war, während er mit ihr telefoniert hatte. »Ich übernachte bei Freunden: Janice und Brian.«

»Die du von der Schule her kennst?«

»Genau. Ich wusste gar nicht, dass ich dir von ihnen erzählt hatte.«

»Hast du auch nicht. Bloß soweit mir bekannt ist, *hast* du seit der Schule keine anderen Freundschaften geschlossen.«

»Tschüs, Patience«, sagte er, während er auf die Außenspur bog und Gas gab.

Dr. Patience Aitken hatte ein Taxi bestellt. Als es kam, öffnete der Fahrer das Tor und stieg die lange gewundene Steintreppe hinunter, die zu ihrer Gartenwohnung führte. Er klingelte und wartete, scharrte mit den Füßen auf den Steinplatten. Ihm gefielen die Wohnungen der Neustadt, die mit ihren Fronten weit unter dem Straßenniveau lagen, aber nach hinten raus Gärten besaßen. Und vorne hatten sie diese kleinen Höfe mit den alten Kellergewölben, die in die gegenüberliegende Mauer hineingebaut waren. Nicht dass die Keller gut zu gebrauchen gewesen wären; viel zu feucht. Jedenfalls nichts, um darin Wein zu lagern. Er war den Sommer zuvor mit seiner Frau an der Loire gewesen und hatte alles über die verschiedenen Weine gelernt. Er verfügte jetzt über drei gemischte Kästen, im Schrank unter seiner Treppe. Alles andere als ideale Bedingungen: Neubau, zweigeschossige Doppelhaushälfte draußen in Fairmilehead. Zu trocken, zu warm. Was er gebraucht hätte, war eine Wohnung wie diese – jede Wette, dass es da drin Schränke gab, wie geschaffen, um Wein liegend zu lagern, kühl und nicht zu trocken, mit dicken Steinwänden.

Ihm fiel auf, dass die Frau Doktor sich bemüht hatte, auf dem Hof ein gewisses Gartenfeeling zu erzeugen: Blumenampeln, Terrakottatöpfe. Nur dass die Pflanzen hier unten nicht viel Licht bekamen, das war das Problem. Das Erste, was *er* getan hätte, wenn er hier eingezogen wäre: den größten Teil des vorderen Gartens gepflastert, nur ein quadratisches Beet in der Mitte gelassen, ein paar Rosensträucher reingesetzt. Kaum Arbeit damit.

Die Tür öffnete sich, und die Ärztin kam heraus, schlang sich einen Schal um die Schultern. Eine Parfümwolke folgte ihr nach draußen: nichts Aufdringliches.

»Tut mir Leid, dass Sie warten mussten«, sagte sie, zog die Tür hinter sich zu und schickte sich an, zur Treppe zu gehen.

»An Ihrer Stelle würde ich richtig abschließen«, riet er.

»Was?«

»So'n Schnappschloss«, erklärte er kopfschüttelnd, »kriegt jedes Kind in zehn Sekunden auf.«

Sie dachte darüber nach, zuckte die Schultern. »Was ist schon das Leben ohne ein bisschen Risiko?«

»Solang Sie versichert sind…«, meinte er und betrachtete ihre Fesseln, während sie vor ihm die Stufen hinaufstieg.

Jim Stevens lag auf seinem Bett, hielt sich mit einer Hand die Augen zu und mit der anderen den Telefonhörer ans Ohr. Er war mit Matt Lewin verbunden, der ihm gerade erzählte, was für tolles Wetter sie in Seattle hätten. Stevens hatte ihm Auszüge aus Cary Oakes' Bekenntnissen zugefaxt, und Lewin gab jetzt seine Meinung dazu ab.

»Tja, Jim, Teile davon scheinen schon zu stimmen. Die Trucker-Geschichte ist mir neu, und offen gesagt glaube ich nicht, dass es sich lohnen würde, da nachzugraben.«

»Sie meinen, er hat sie sich ausgedacht?«

»Ist Gott sei Dank nicht mein Problem. Aber ich sag Ihnen was, Jim – nicht persönlich nehmen –, aber *ich* würde diesem Mistkerl grundsätzlich nicht ein Wort glauben, und ganz bestimmt würde ich den Teufel tun und ihm die Befriedigung verschaffen, sein Gewäsch in der Zeitung abgedruckt zu sehen.«

Was auch die Einstellung von Stevens' Chef zu sein schien. Die anfangs geplanten acht Artikel waren auf magere fünf zusammengestrichen worden.

»Ich bin verdammt froh, dass er jetzt *Ihr* Problem ist und nicht mehr unseres«, fuhr Lewin fort.

»Danke.«

»Macht er Ihnen Ärger?«

Stevens sah keinen Grund, Lewin auf die Nase zu binden, dass Oakes sich von Tag zu Tag als schwieriger erwies. Er war an dem Nachmittag wieder aus dem Hotel entwischt, fast drei Stunden weggeblieben und wollte nicht sagen, wo er gewesen war.

»Ich hab's sowieso bald hinter mir«, meinte Stevens und rieb sich mit der Hand über die Stirn.

»Na, dann seien Sie doch froh.«

»Ja.« Aber Stevens machte sich trotzdem Sorgen. Und zwar darüber, was Oakes anschließend anfangen würde, wenn er erst wieder auf der Straße stand. Dass Stevens'

Zeitung für die paar Krümel, die Oakes geliefert hatte, zehn Riesen zahlen würde, kam überhaupt nicht in Betracht. Das musste Stevens Oakes aber erst noch beibringen.

Um sich selbst machte er sich auch Sorgen. Jetzt gehörte er zu Oakes' Einflussbereich und konnte nur hoffen, dass Oakes ihn ziehen lassen würde.

Aber irgendwie, Gott steh ihm bei, hatte er das Gefühl, dass es da Schwierigkeiten geben könnte…

Cary Oakes sah dem Taxi nach. Dr. P., wie er vermutete. Nicht mehr die Jüngste, aber so wie Rebus aussah, konnte er wohl kaum allzu große Ansprüche stellen. Und Souterrainwohnung – ideal für sein Vorhaben. Er trat hinter dem parkenden Auto hervor und sah die Straße entlang. Die Gegend war wie ausgestorben. Halb Edinburgh kam ihm wie ausgestorben vor: Man konnte da ewig kreuz und quer laufen, ohne bemerkt zu werden, geschweige denn, Verdacht zu erregen.

Jim Stevens war mies drauf gewesen, als er mit ansehen musste, dass die Cary-Oakes-Story zugunsten eines Specials über Bürgerwehren nach hinten geschoben wurde. Stevens machte dafür den Pädomord verantwortlich.

»Schon wieder dieser verdammte Rebus«, hatte er geknurrt, und Oakes hatte um eine Erklärung gebeten.

Stevens' Theorie: Rebus hatte Darren Rough geoutet, den Pöbel gegen ihn aufgehetzt. Und jetzt hatte es einer zu doll getrieben. Alles, was Oakes über Rebus erfuhr, ließ ihm den Detective interessanter, komplizierter erscheinen.

»Wie tickt er wohl, was glauben Sie?«, hatte er gefragt.

Stevens hatte geschnaubt. »Von mir aus wie 'ne Kuckkucksuhr oder 'n Geigerzähler, was weiß ich.«

»Manche Menschen leben nach ihren eigenen Regeln«, hatte Oakes nachdenklich gesagt.

»Sie meinen, wie der Serienmörder?«

»Hm?«

»Der, der Sie in seinem Truck mitgenommen hat.«

»Ach so, der … Na ja, klar, natürlich.«

Stevens hatte ihn angesehen. Und Cary Oakes hatte zurückgestarrt.

Jetzt überquerte er die Straße. Keinerlei Häuser gegenüber der Stelle, wo er arbeiten würde, bloß ein schmiedeeiserner Zaun, dahinter ein Grünstreifen. Keine Nachbarn, die ihn beobachten könnten, während er seine Sache erledigte.

Es war mit keinerlei Störungen zu rechnen.

Dem Akku, sagte sich Rebus, ging sowieso bald der Saft aus, und er hatte das Ladegerät nicht dabei. Also schaltete er sein Handy aus.

»Hier fängt das Wochenende an«, sagte er, als sie die Forth Road Bridge nach Fife überquert hatten.

Später: »Die Straßen sind nicht mehr so wie früher«, als sie außerhalb von Kirkcaldy die zweispurige Schnellstraße verließen. Aber die alte Straße von Kirkcaldy nach Cardenden war noch weitgehend dieselbe: dieselben Kurven und Kehren, Schlaglöcher und Querrinnen.

»Weißt du noch, wie wir einmal nach Kirkcaldy gelaufen sind, um einen Film zu sehen?«, fragte Janice.

Rebus lächelte. »Hatte ich ganz vergessen. Warum haben wir nicht einfach den Bus genommen?«

»Ich glaube, dafür reichte unser Geld nicht.«

Er runzelte die Stirn. »Waren's nur wir beide?«

»Mitch und seine Freundin waren auch dabei. Weiß nicht mehr, welche es damals gerade war.«

»Er hat sie wirklich wie die Unterhosen gewechselt.«

»Vielleicht bekamen auch *sie* mit der Zeit genug von *ihm*.«

»Vielleicht.« Sie schwiegen eine Weile. »Was war das für ein Film?«

»Welcher Film?«

»Der, für den wir zehn Kilometer weit gelaufen sind.«

»Ich kann mich nicht erinnern, viel davon mitbekommen zu haben.«

Sie sahen sich an, lachten laut los.

Brian Mich hörte den Wagen kommen, kam ihnen draußen entgegen.

»Das ist ja eine Überraschung«, sagte er und schüttelte Rebus die Hand.

»Ich muss mich mit Damons Freunden unterhalten«, erklärte Rebus.

Janice legte ihrem Mann eine Hand auf den Arm. »Er wollte ins Hotel.«

»Blödsinn, du kannst bei uns schlafen. Damons Zimmer ...«

»Ich dachte, vielleicht auf dem Sofa«, warf Janice ein.

Brian fing sich schnell. »Ja, klar, so alt ist es noch nicht. Und bequem. Ich muss es ja wissen, ich nick fast jeden Abend darauf ein.«

»Dann wär das also erledigt«, sagte Janice. Einen Mann an jedem Arm, ging sie den Plattenweg entlang zum Haus.

Sie ließen sich vom Chinesen was kommen, machten ein paar Flaschen Wein auf. Alte Geschichten, wieder aufgewärmte Erinnerungen. Halb erinnerte Namen; die Heldentaten der im Städtchen alt Gewordenen; Veränderungen innerhalb der Gemeinde. Rebus hatte Damons Freunde – diejenigen, die mit ihm im Gaitano's gewesen waren – angerufen, aber keinen von ihnen erreicht. Er hatte ihnen ausrichten lassen, dass er sie am nächsten Morgen sprechen müsse.

»Wir könnten noch was trinken gehen«, schlug er seinen Gastgebern vor. Während er sprach, ruhte sein Blick auf Janice. »Wär das erste Mal, dass wir uns im Goth zusammen einen genehmigen, ohne gegen das Jugendschutzgesetz zu verstoßen.«

»Das Goth gibt's nicht mehr, John«, sagte Brian.

»Seit wann?«

»Sie machen daraus ein Arbeitslosenzentrum.«

»War's das nicht schon immer?«

Sie lächelten. Das Goth – die Abfüllstelle seines Dads – geschlossen; das erste Lokal, in dem John Rebus je eine Runde ausgegeben hatte.

»Die Bahnhofskneipe gibt's noch«, fügte Brian hinzu. »Wir gehen morgen Abend zur Karaokeparty hin.«

»Du kommst doch auch mit, oder?«, fragte Janice.

»Gegen Karaoke habe ich irgendwie eine Allergie.« Rebus saß wieder im »Sessel am Kamin«, wie seinerzeit bei seinem ersten Besuch. Der Fernseher lief ohne Ton. Er wirkte wie ein Magnet: Während der ganzen Konversation schweiften ihre Augen immer wieder zu ihm ab. Janice räumte ab – sie hatten mit den Tellern auf dem Schoß gegessen. Er half ihr, das Geschirr in die Küche zu tragen, sah, dass sie zu klein war, als dass drei Personen darin hätten essen können. Am Wohnzimmerfenster stand ein ausziehbarer Esstisch, aber er war nicht ausgezogen und mit allerlei Nippes voll gestellt. Aufgeklappt hätte er fast den ganzen Raum eingenommen. Sie nahmen alle ihre Mahlzeiten so ein: vor dem Fernseher, mit den Tellern auf dem Schoß. Er stellte sich die drei vor – Mutter, Vater, Sohn –, wie sie auf den Bildschirm starrten und das als Ausrede benutzten, um die Gesprächspausen immer länger auszudehnen.

Nach dem Kaffee sagte Janice, sie wolle jetzt ins Bett gehen. Brian meinte, er würde noch eine Weile aufbleiben. Sie brachte Rebus Decken und ein Kissen, erklärte ihm, wo das Bad und der Lichtschalter für den Flur war. Sagte ihm, es gebe mehr als genug heißes Wasser, falls er in die Wanne wollte.

»Bis morgen dann.«

Brian griff nach der Fernbedienung, schaltete den Fernseher aus, hielt dann inne.

»Oder wolltest du irgendwas Bestimmtes …?«

Rebus schüttelte den Kopf. »Ich mach mir nicht viel draus.«

»Und was würdest du zu einem Tröpfchen Whisky sagen?«

»Schon eher mein Geschmack«, erwiderte Rebus mit einem Lächeln.

Sie tranken den Whisky schweigend. Es war kein Malt, vielleicht Teacher's oder Grant's oder sonst eine Plörre. Brian hatte einen ordentlichen Schluck Wasser in sein Glas gekippt, doch Rebus hielt dies nicht für nötig.

»Was glaubst du, wo er ist?«, fragte Brian schließlich, während er den Drink im Glas kreisen ließ. »Ganz unter uns, sozusagen.«

Als ob Janice das nicht verkraften könnte; als sei *er* der Stärkere von beiden.

»Ich weiß es nicht, Brian. Ich wollte, ich könnt's dir sagen.«

»Aber normalerweise fahren sie nach London, nicht?«

»Ja.«

»Und die meisten von ihnen kommen ganz gut alleine klar?«

Rebus nickte und wünschte sich plötzlich, er wäre ganz woanders, bei sich zu Hause, bei seinem eigenen Whisky, seiner Musik und seinen Büchern. Aber Brian hatte das Bedürfnis zu reden.

»Ich geb uns die Schuld an der Sache, weißt du.«

»Das tun vermutlich die meisten Eltern.«

»Ich glaube, er hat die Atmosphäre gespürt, und die hat

ihn aus dem Haus getrieben.« Er saß auf der Sofakante, die Hände um das Glas gekrampft. Während er redete, starrte er auf den Fußboden. »Ich hatte mehr und mehr das Gefühl, dass Janice nur darauf wartete, dass Damon ging. Du weißt schon, sich eine eigene Wohnung nahm. Darauf wartete sie bloß.«

»Und was wär dann gewesen?«

Brian sah kurz zu ihm hoch. »Dann hätte sie keinen Grund mehr gehabt zu bleiben. Jedes Mal, wenn sie nach Edinburgh fährt, denke ich, das war's: Sie kommt nicht wieder.«

»Aber sie *kommt* doch immer wieder.«

Er nickte. »Aber jetzt ist es anders. Sie kommt zurück für den Fall, dass Damon hier sein könnte. Mit mir hat das nichts zu tun.« Er hustete, räusperte sich, leerte seinen Whisky. »Noch einen Schluck?« Rebus schüttelte den Kopf. »Nein, das reicht wohl. Zeit zu pennen, hm?« Brian stand auf, brachte ein Lächeln zustande. »Wie in der Schulzeit, was, Johnny?«

»Wie in der Schulzeit, Brian«, bestätigte Rebus. Er sah, wie etwas hinter Brian Michs Augen aufleuchtete, dann wieder erlosch.

Rebus putzte sich die Zähne in der Küche – wollte oben nicht stören. Er breitete die Decken auf dem Sofa aus. Saß da im Dunkeln, stand dann auf und ging ans Fenster. Spähte zwischen den Vorhängen hindurch. Draußen warfen die Straßenlaternen ein mattes orangefarbenes Licht. Die Straße lag wie ausgestorben da. Er schlich in den Flur, öffnete leise die Haustür und ließ sie hinter sich zuschnappen. Ein fünfminütiger Rundgang überzeugte ihn davon, dass Cary Oakes nicht in der Nähe war. Er ging wieder ins Haus, musste mal. Die Küchenspüle wäre wohl nicht das Rechte gewesen, also lauschte er am Fuß der Treppe und ging dann nach oben. Er fand das Bad, ging hinein und erledigte sein Geschäft. Eine Schlafzimmertür war geschlossen, die andere stand einen Spalt breit auf. An der offenen Tür waren ein Fußballschal und ein halbes Dutzend alte Konzertkarten angepinnt. Rebus streckte den Kopf durch die Tür: sah die Umrisse von Postern, einen Kleiderschrank und eine Kommode. Sah das Fenster mit den zugezogenen Vorhängen. Sah das schmale Bett und darin Janice, die ruhig atmend schlief.

Schlich sich wieder nach unten und fühlte sich wie ein Einbrecher.

33

Am nächsten Morgen nach dem Frühstück hatte er eine Verabredung mit Damons Freunden.

Sie kamen zu Janice' und Brians Haus, während die beiden einkaufen waren. Joey Haldane war groß und mager, hatte kurz geschorenes gebleichtes Haar und dunkle, buschige Augenbrauen. Ganz in Denim – Jeans, Hemd, Jacke –, dazu schwarze Doc Martens. Rebus fiel auf, dass er fast ununterbrochen den Mund offen hatte, so als hätte er Schwierigkeiten, durch die Nase zu atmen.

Pete Mathieson war genauso groß wie Joey, aber erheblich breiter gebaut, die Sorte Sohn, auf die ein Bauer stolz gewesen wäre. Er trug eine rote Jogginghose, ein blaues Sweatshirt und Nike-Turnschuhe mit fast vollständig abgelaufener Sohle. Sie saßen auf dem Sofa. Rebus' Decken und Kissen waren schon vor dem Frühstück, während er in der Badewanne lag, wieder nach oben geräumt worden.

»Danke, dass ihr gekommen seid«, begann Rebus. Statt sich in einem der weichen Sessel niederzulassen, hatte er einen Stuhl vom Esstisch mitten ins Zimmer gezogen, rittlings darauf Platz genommen und sich mit den Armen auf die Rückenlehne gestützt.

»Ich weiß, dass wir uns schon unterhalten haben, Joey, aber ich habe ein paar Rückfragen. So genannt, weil sich mir immer die Rückenhaare sträuben, wenn ich das Gefühl habe, dass mir jemand Märchen auftischt.«

Joey fuhr sich mit der Zunge über die Lippen, Pete zuckte mit einer Schulter, legte den Kopf schief und versuchte, gelangweilt dreinzuschauen.

»Also«, fuhr Rebus fort, »es hieß, ihr drei wärt bloß dieses eine Mal auf Sauftour nach Edinburgh gefahren. Aber inzwischen glaube ich, dass das nicht stimmt. Ich bin mir sicher, dass ihr schon früher da gewesen seid. Wahrscheinlich habt ihr das sogar regelmäßig getan, und da frage ich mich, warum ihr mich anlügt. Was genau versucht ihr zu verheimlichen? Vergesst nicht, das hier ist eine polizeiliche Ermittlung, es geht um einen Vermissten. Wir kommen euch so oder so auf die Schliche.«

»Wir ha'm nie nix getan«, sagte Joey, im rauen örtlichen Tonfall: ein Geräusch wie eine Zimmermannssäge.

»Weißt du, was eine doppelte Verneinung ist, Joey?«

»Sollt ich das?« Er hielt Rebus' Blick gut und gern eine Viertelsekunde lang stand.

»Wenn du sagst, du hast nie nichts getan, dann heißt das, dass du immer *irgendwas* getan hast.«

»Ich hab's Ihnen gesagt, wir ha'm nie nix getan.«

»Ihr habt, was diese Nacht anging, *nicht* gelogen? Ihr wart vorher noch nie auf Sauftour in Edinburgh …?«

»Doch, waren wir«, antwortete Pete Mathieson.

»Hallo, Pete«, sagte Rebus. »Ich dachte schon, es hätte dir die Sprache verschlagen.«

»Pete«, fauchte Joey, »Kacke verdammte, was –«

Mathieson warf seinem Freund einen Blick zu, aber als er sprach, richtete er seine Worte an Rebus.

»Wir waren schon früher da.«

»Im Guiser's?«

»Auch in anderen Lokalen – Pubs, Klubs.«

»Wie oft?«

»Vier-, fünfmal.«

»Ohne euren Freundinnen was zu erzählen?«

»Die dachten, wir wären in Kirkcaldy, so wie immer.«

»Warum habt ihr ihnen nichts erzählt?«

»Da wär der Spaß hin gewesen«, sagte Joey und verschränkte die Arme.

Rebus glaubte zu wissen, was er meinte. Ein Abenteuer war es nur, wenn es heimlich geschah. Männer hatten gern ihre kleinen Geheimnisse, erzählten gern ihre kleinen Lügengeschichten. Sie liebten das Gefühl, etwas Verbotenes zu tun. Trotzdem glaubte er, dass da noch mehr dahintersteckte. Er schloss es daraus, wie sich Joey jetzt im Sofa zurücklehnte und dabei ein Bein über das andere schlug. Er dachte offensichtlich an etwas, das mit den Nächten in der Stadt zusammenhing, und der Gedanke verschaffte ihm ein tolles Gefühl …

»Bist nur du fremdgegangen, Joey, oder habt ihr das alle drei getan?«

Joeys Gesicht verfinsterte sich. Er wandte sich zu seinem Freund.

»Ich hab nie nix gesagt!«, stieß Pete hervor.

»Brauchte er auch gar nicht, Joey«, sagte Rebus. »Das steht dir klar und deutlich ins Gesicht geschrieben.«

Joey setzte sich unruhig um, zusehends weniger mit sich zufrieden. Schließlich beugte er sich nach vorn, die Unterarme auf die Knie gestützt. »Wenn Alice das hört, bringt sie mich um.«

So viel zum Kick des Verbotenen.

»Dein Geheimnis ist bei mir gut aufgehoben, Joey. Ich muss nur wissen, was an dem Abend passiert ist.«

Joey warf Pete einen Blick zu, als erteilte er ihm die Erlaubnis, das Reden zu übernehmen.

»Joey hatte ein Mädchen kennen gelernt«, fing Pete an. »Drei Wochen vorher. Deswegen war der immer, wenn wir rübergefahren sind, mit ihr zusammen.«

»Ihr wart nicht im Guiser's?«

Joey schüttelte den Kopf. »Ich bin für 'ne Stunde mit in ihre Wohnung.«

»Geplant war«, erklärte Pete, »dass wir uns später alle im Guiser's treffen würden.«

»Du warst also auch nicht da?«

Pete schüttelte den Kopf. »Wir waren zuerst noch in so 'nem Pub, ich hab so 'ne Puppe angequatscht, da hat sich Damon glaub ich ein bisschen gelangweilt.«

»Wohl eher geärgert, dass *er* bloß zugucken konnte«, fügte Joey hinzu.

»Also ist er schon mal allein zum Guiser's?«, fragte Rebus.

»Wie ich da eingetrudelt bin, war von ihm nix zu sehen.«

»Er war also nicht an die Bar gegangen, um Getränke zu holen? Das habt ihr erfunden, damit nicht rauskam, dass ihr anderweitig beschäftigt wart?« Er sah dabei Joey an.

»So in etwa«, antwortete Pete. »Wir dachten, das ändert ja doch nix an der Sache.«

Rebus dachte nach. »Wie steht's mit Damon? Hat er jemals eine abgeschleppt?«

»Der kam irgendwie nie zum Stich.«

»Lag's nicht daran, dass er an Helen dachte?«

Joey schüttelte den Kopf. »Der hatte es mit Weibern einfach nicht drauf.«

Und war allein ins Guiser's ... Was mochte er dabei gedacht haben? Dass von den dreien er der Einzige war, der es nicht schaffte, ein Mädchen für die Nacht abzuschleppen. Dass er es »einfach nicht draufhatte«. Trotzdem hatte es damit geendet, dass er mit der geheimnisvollen Blondine im Taxi weggefahren war...

»Ist das irgendwie wichtig?«, fragte Pete.

»Wär möglich. Ich muss darüber nachdenken.« Es war insofern wichtig, als Damon sich allein dort aufgehalten hatte. Es war insofern wichtig, als Rebus jetzt nicht wusste, was Damon – zwischen dem Augenblick im Pub, wo er sich von Pete getrennt, und dem Zeitpunkt, als er, eine Blondine an seiner Seite, im Guiser's am Tresen gestanden und darauf gewartet hatte, bedient zu werden – getan oder erlebt hatte. Er und die Blondine konnten sich unterwegs kennen gelernt haben. Es konnte irgendetwas passiert sein. Aber Rebus wusste es nicht. Gerade als das Bild hätte deutlicher werden sollen, war es entzweigerissen worden.

Als Janice und Brian vorfuhren und Einkaufstüten ins Haus zu schleppen begannen, entließ Rebus Pete und Joey. Noch etwas, was sie gesagt hatten: Damon hätte nichts dagegen gehabt, ein Mädchen für die Nacht zu finden. Was sagte das über seine Beziehung zu Helen aus?

»Alles klar, John?«, fragte Janice lächelnd.

»Bestens«, erwiderte er.

Nach dem Lunch lud ihn Brian in den Pub ein. Das war ein Jour fixe – Samstagnachmittag, Fußballbericht im Radio oder Fernsehen. Ein paar Bierchen mit den Jungs. Aber Rebus lehnte dankend ab. Er hatte die Ausrede, dass Janice angeboten hatte, mit ihm einen Spaziergang durch den Ort zu machen. Rebus wollte nicht mit Brian am Tresen stehen – eine Situation, in der Männerfreundschaften entstehen oder gefestigt werden, Geheimnisse »ganz im Vertrauen« heraussickern konnten. Jetzt, wo er Janice in einem eigenen Zimmer hatte schlafen sehen, meinte Rebus, Dinge zu wissen, die er nicht hätte wissen dürfen.

Natürlich konnte es sein, dass sie wegen Damon da schlief, weil sie ihn vermisste. Aber Rebus glaubte nicht, dass das der Grund war.

Also ging Brian in den Pub, und Janice und Rebus gingen spazieren. Es regnete leicht. Sie trug einen roten Dufflecoat mit Kapuze und bot Rebus einen Schirm an. Er lehnte ab mit der Erklärung, seitdem er auf der Princes Street jemanden gesehen habe, dem mit so einem Ding beinahe ein Auge ausgestochen worden sei, betrachte er Schirme als gemeingefährliche Waffen.

»Wo wir langgehen, sind nicht ganz so viel Leute unterwegs«, sagte sie.

Und das stimmte. Die Straßen waren menschenleer. Die Einheimischen erledigten ihre Einkäufe in Kirkcaldy oder Edinburgh. Als Rebus ein Junge gewesen war, besaß seine Familie kein Auto. Die Läden auf der Hauptstraße hatten für sämtliche Bedürfnisse ausgereicht. Mittlerweile schien da nur noch Bedarf an Videos und Fastfood zu bestehen. Das Goth war tatsächlich zu, die Fenster mit Brettern vernagelt, was Rebus an Darren Roughs Wohnung erinnerte. Die Mietshäuser auf der Craigside Road hatte man abgerissen und durch neue Gebäude ersetzt. Einige davon gehörten der örtlichen Wohnungsbaugesellschaft, andere waren in Privatbesitz.

»In unserer Jugend wohnte niemand im eigenen Haus«, stellte Janice fest. Dann lachte sie. »Ich klinge bestimmt wie achtundsiebzig.«

»Die gute alte Zeit«, bestätigte Rebus. »Aber die Dinge ändern sich nun mal.«

»Ja.«

»Und Menschen dürfen sich auch ändern.«

Sie sah ihn an, aber ohne ihn zu fragen, was er meinte. Vielleicht wusste sie es schon.

Sie stiegen hinauf zu den Craigs, einem brachliegenden

Hügelgrat oberhalb Auchterderran, und spazierten darauf entlang, bis sie die alte Schule sehen konnten.

»Nicht dass die noch als Schule genutzt würde«, erklärte Janice. »Die Kinder gehen heutzutage nach Lochgelly. Erinnerst du dich an das Schulwappen?«

»Klar.« Auchterderran Secondary School: ASS, »Esel«. Die Kinder aus anderen Schulen hatten ihnen immer »i-aah« hinterhergerufen, sich auch sonst über sie lustig gemacht.

»Warum siehst du dich eigentlich immer um?«, fragte sie. »Hast du Angst, dass uns jemand folgt?«

»Nein.«

»Brian ist nicht so, falls du das meinst.«

»Nein, nein, es ist nichts –«

»Manchmal wünschte ich mir, er *wär* so.« Sie schritt schneller aus. Er ließ sich Zeit, sie wieder einzuholen.

Sie gingen am Auld Hoose Pub vorbei wieder hinunter in den Ort. Was heute Cardenden hieß, waren früher vier eigenständige, als ABCD bekannte Gemeinden gewesen: Auchterderran, Bowhill, Cardenden und Dundonald. Zu der Zeit, als sie miteinander gegangen waren, hatte Rebus in Bowhill gewohnt, Janice in Dundonald. Wenn er sie nach Haus begleitete, dann immer hier entlang: den längsten Weg, den es gab. Sie überquerten den Fluss Ore an der alten buckligen Brücke – die inzwischen längst durch eine Asphaltstraße ersetzt worden war. Manchmal, im Sommer etwa, schlenderten sie durch den Park und überquerten den Fluss ein Stück weiter stromaufwärts, über eines der dicken Rohre. Diese Rohre boten den Kindern Gelegenheit zu einer beliebt-berüchtigten Mutprobe. Rebus hatte Jungen erlebt, die in der Mitte erstarrten, bis schließlich ihre Eltern geholt werden mussten. Ein Junge hatte vor Angst in die Hose gepinkelt, sich aber zentimeterweise weiter über die Röhre vorwärts getastet, während der Fluss unter ihm rauschte. Andere marschierten locker hinüber, Hände in den Hosentaschen und ohne mit den Armen zu balancieren.

Rebus zählte zu den Vorsichtigeren.

Dasselbe Rohr führte weiter durch den ganzen Park, bevor es jenseits davon im Gestrüpp verschwand. Man konnte ihm bis zum *bing* folgen, der hügelhohen Halde von Schlacke und Kohlengrus, die die örtliche Zeche nach und nach dort abgelagert hatte. Wenn man auf der Halde ein Feuer entzündete, konnte es noch monatelang weiterschwelen, so dass dünne Rauchschwaden wie aus einem Vulkan aufstiegen. Mit der Zeit waren auf den Hängen Bäume und Gras gewachsen, wodurch die Halde wie ein natürlicher Hügel wirkte. Aber wenn man bis ganz hinaufstieg, gelangte man auf eine Art Plateau, eine Mondlandschaft, die zur Sicherheit mit Draht abgesperrt war. Es sah aus wie ein kleiner *loch* mit einer öligen Oberfläche, dickflüssig und schwarz. Man hielt ehrfürchtig Abstand, warf Steine hinein und beobachtete, wie sie verschluckt wurden und langsam versanken.

Jungen und Mädchen suchten sich jenseits des Parks im Dickicht oder auf verlassenen Wiesenstücken Verstecke, die sie als ihr geheimes Revier betrachteten. Auch Janice und Rebus hatten das getan, vor langer, langer Zeit…

Die Kinks: »Young and Innocent Days«.

Jetzt hatte sich alles verändert. Die Halde war verschwunden, die ganze Gegend begrünt und zur Parklandschaft gestaltet worden. Die Zeche existierte nicht mehr. Cardenden war rund um die Kohle entstanden: hastig aus dem Boden gestampfte Häuserzeilen für die von außerhalb zuziehenden Bergleute. Diese Straßen hatten nicht einmal Namen erhalten, lediglich Nummern. Rebus' Familie wohnte in der 13th Street. Später war sie in ein Fertighaus umgesiedelt worden und schließlich in ein Reihenhaus in einer Sackgasse in Bowhill. Als Rebus auf die Oberschule kam, war der Abbau schon zunehmend schwieriger geworden: die Flöze verworfen, so dass ein Streb mitunter sehr wenig Kohle abwerfen konnte. Die Zeche wurde unrentabel. Die Sirene, die den täglichen Schichtwechsel signalisierte, war schließlich verstummt. Schulfreunde von Rebus, Jungen, deren Väter und Großväter schon unter Tag gearbeitet hatten, wussten mit einem Mal nicht, was aus ihnen werden sollte.

Und auch Rebus hatte sich Fragen wegen seiner Zukunft gestellt. Aber mit Mitchs Hilfe war er zu einer Entscheidung gelangt. Sie würden beide zur Army gehen. Damals schien das noch so einfach zu sein…

»Ist Mickey noch in der Gegend?«, fragte Janice.

»Wohnt in Kirkcaldy.«

»Das war eine richtige Pest, dein kleiner Bruder. Weißt du noch, wie er ins Schlafzimmer gestürmt kam? Oder das *bowley-hole* ganz plötzlich aufriss, um uns in flagranti zu ertappen?«

Rebus lachte. *Bowley-hole* – ein Wort, das er seit Jahren nicht mehr gehört hatte: die Durchreiche zwischen Küche und Wohnzimmer. Er sah jetzt Mickey vor seinem geistigen Auge, wie er auf der Arbeitsfläche in der Küche kauerte und versuchte, Rebus und Janice zu beobachten, während sie allein im Wohnzimmer waren.

Rebus schaute sich wieder um. Er glaubte nicht, dass sich Cary Oakes in der Stadt aufhielt. In einem Ort wie diesem, wo jeder jeden kannte, war es schwer, nicht aufzufallen. Schon in der kurzen Zeit die er hier war, hatten ihn ein paar Leute angesprochen und gegrüßt, so als wäre er nie Jahre fort gewesen. Und Janice war von Nachbarn oder Neugierigen angehalten und nach Damon gefragt worden. Sein Bild schien an jeder Wand, jedem Laternenmast und jedem Fenster zu kleben.

»Ich bin vor ein paar Jahren mal hier gewesen«, sagte er zu Janice. »Hutchys Wettbüro.«

»Du warst hinter Tommy Greenwood her?«

Er nickte. »Und hab Cranny wiedergesehen.« Ihr alter Spitzname für Heather Cranston.

»Sie wohnt noch immer hier. Ihr Sohn auch.«

Rebus kramte im Kopf nach dem Namen. »Shug?«

»Genau«, sagte Janice. »Mit ein bisschen Glück siehst du Heather heute Abend.«

»Wie das?«

»Sie kommt oft zum Karaoke.«

Rebus fragte Janice, ob sie umkehren könnten. »Ich möchte gern auf den Friedhof«, erklärte er. Und denselben Weg zurückgehen, hätte er hinzufügen können, was, wie er bei der Army gelernt hatte, eine gute Methode war, um festzustellen, ob einem jemand folgte. Also wanderten sie durch Bowhill zurück und dann den Friedhofshügel hinauf. Er dachte an all die Geschichten, die dort begraben lagen: Bergwerkstragödien; ein Mädchen, das man ertrunken aus dem Ore gefischt, ein Verkehrsunfall, der eine ganze Urlauberfamilie ausgelöscht hatte. Dann war da noch Johnny Thomson, Torwart bei Celtic, bei einem Old-Firm-Derby tödlich verletzt, erst um die zwanzig, als er starb.

Rebus' Mutter war eingeäschert worden, aber sein Vater hatte auf einem »anständigen Begräbnis« bestanden. Sein Grab befand sich an der hinteren Umfassungsmauer. Liebender Gatte von … und Vater von … Und ganz unten die Worte *Nicht tot, sondern geborgen in den Armen des Herrn.* Als sie näher kamen, sah Rebus, dass etwas nicht stimmte.

»Oh, John«, keuchte Janice.

Man hatte über den Grabstein weiße Farbe gegossen, so dass der größte Teil der Inschrift darunter verschwunden war.

»Verdammte Kinder«, schimpfte Janice.

Rebus entdeckte Farbspritzer im Gras, aber keine Spur von der leeren Dose.

»Das waren keine Kinder«, sagte er. Wär zu viel des Zufalls gewesen.

»Wer dann?«

Er berührte den Grabstein mit einem Finger – die Farbe war noch feucht. Oakes *war* in der Stadt gewesen. Janice umklammerte seinen Arm.

»Es tut mir furchtbar Leid.«

»Das ist bloß ein Stück Stein«, sagte er ruhig. »Lässt sich wieder in Ordnung bringen.«

Sie tranken Tee im Wohnzimmer. Rebus hatte in Oakes' Hotel angerufen, es in Stevens' Zimmer probiert und in der Bar – niemand da.

»Wir haben Anrufe bekommen«, sagte Janice.

»Spinner?«, tippte er.

Sie nickte. »Damon wär tot, oder wir hätten ihn umgebracht. Das Komische ist, die Anrufer… die Stimmen klangen wie von hier.«

»Dann waren sie das wahrscheinlich auch.«

Sie bot ihm eine Zigarette an. »Ziemlich abartig, nicht?«

Rebus sah sich um, nickte dabei.

Sie saßen noch immer im Wohnzimmer, als Brian vom Pub zurückkam.

»Geh nur mal eben unter die Dusche«, sagte er.

Janice erklärte, dass er das immer tat. »Klamotten in den Wäschekorb, und dann ordentlich abgeschrubbt. Ich glaube, es ist der Zigarettenrauch.«

»Stört er ihn?«

»Er kann ihn nicht ausstehen«, antwortete sie. »Vielleicht habe ich nur deswegen angefangen.« Die Haustür war wieder zu hören. Es war Janice' Mutter. »Ich hol dir eine Tasse«, sagte Janice und stand auf.

Mrs. Playfair nickte Rebus zu und nahm ihm gegenüber Platz.

»Sie haben ihn noch nicht gefunden?«

»Liegt nicht daran, dass ich's nicht versucht hätte, Mrs. Playfair.«

»Ach, ich bin sicher, dass Sie Ihr Bestes tun, mein Sohn. Er ist unser einziger Enkel, wissen Sie.«

Rebus nickte.

»Ein guter Junge, würde keiner Fliege was zuleide tun. Ich kann gar nicht glauben, dass er in Schwierigkeiten geraten ist.«

»Wie kommen Sie darauf, dass er in Schwierigkeiten steckt?«

»Sonst würde er uns das nicht antun.« Sie sah ihn aufmerksam an. »Und wie ist es Ihnen so ergangen, mein Sohn?«

»Wie meinen Sie das?« Ob sie seine Gedanken lesen konnte?

»Ich weiß nicht… Wie so Ihr Leben gelaufen ist. Sind Sie halbwegs glücklich?«

»Darüber denke ich eigentlich nie nach.«

»Warum nicht?«

Er zuckte die Schultern. »Ich sehe mir gern anderer Leute Leben an. Darin besteht Polizeiarbeit.«

»Mit der Army hat's nicht geklappt?«

»Nein«, sagte er schlicht.

»Manchmal klappt's einfach nicht«, meinte sie, als Janice ins Zimmer zurückkam. Sie beobachtete, wie ihre Tochter ihr Tee einschenkte. »Eine Menge Ehen gehen hier in die Brüche.«

»Glauben Sie, mit Damon und Helen hätte es geklappt?«

Sie dachte lange darüber nach, nahm von Janice die Tasse entgegen. »Sie sind jung, wer weiß?«

»Was für Chancen würden Sie ihnen einräumen?«

»Du redest mit Damons Oma, John«, sagte Janice. »Kein Mädchen auf der Welt ist gut genug für Damon, stimmt's, Mum?« Sie lächelte, um ihm zu zeigen, dass sie es halb scherzhaft meinte. Dann, wieder zu ihrer Mutter gewandt: »Johnny hat vorhin einen Schreck gekriegt«, und beschrieb das geschändete Grab. Brian kam herein, rieb sich die Haare trocken. Er hatte sich umgezogen. Janice erzählte die Geschichte seinetwegen noch einmal.

»Die kleinen Dreckskerle«, wetterte Brian. »Ist schon mal passiert. Sie werfen die Grabsteine um, zerschlagen sie.«

»Ich hol dir einen Becher«, sagte sie und machte Anstalten aufzustehen.

»Nein, danke«, erwiderte Brian und sah Rebus an. »Dann hast du jetzt wohl keine Lust, essen zu gehen, was? Wir wollten dich einladen.«

Nach kurzem Nachdenken sagte Rebus: »Ich würde gern ausgehen. Aber *ich* möchte zahlen.«

»Das kannst du nächstes Mal«, meinte Brian.

»Wenn man nach dem *vorigen* Mal hochrechnet«, sagte Rebus, »dann wär das also in rund dreißig Jahren.«

Rebus trank zu seinem Curry lediglich Mineralwasser. Brian blieb beim Bier, und Janice leerte zwei große Gläser Weißwein. Mr. und Mrs. Playfair waren eingeladen worden, hatten aber abgelehnt.

Von Zeit zu Zeit, wenn Janice nicht hinsah, warf Brian ihr einen verstohlenen Blick zu. Rebus hatte den Eindruck, dass er sich Sorgen machte; Angst davor hatte, dass seine Frau ihn verlassen könnte, und sich fragte, was er eigentlich falsch machte. Sein Leben brach auseinander, und er suchte nach möglichen Gründen.

Rebus betrachtete sich als einen ziemlichen Experten in Sachen Trennungen. Er wusste, dass sich manchmal eine Perspektive verschieben konnte, dass einer der Partner anfing, Dinge zu wollen, die, solange sie verheiratet blieben, unerreichbar zu sein schienen. In seiner Ehe war es nicht so gewesen. Da hatte das Problem ganz einfach darin bestanden, dass er gar nicht erst hätte heiraten dürfen. Als die Arbeit ihn zu vereinnahmen begann, war kaum noch etwas übrig geblieben, woran Rhona sich hätte klammern können.

»Woran denkst du?«, fragte Janice irgendwann, während sie einen Nan-Fladen auseinander riss.

»Ich fragte mich gerade, wie ich den Grabstein wieder sauber bekomme.«

Brian meinte, er wüsste den richtigen Mann dafür: arbeitete für die Gemeinde, entfernte Graffiti von den Wänden.

»Ich schick dir das Geld«, sagte Rebus. Brian nickte.

Nach dem Essen fuhren sie in Rebus' Auto zurück nach Cardenden. Die Karaokenacht fand in einem Nebenraum der Railway Tavern statt. Das Equipment stand auf der Bühne, aber die Sänger blieben unten auf der Tanzfläche, die Augen auf den Monitor gerichtet, auf dem die zuckersüßen Videos mit dem Text des jeweiligen Songs abliefen. Man schrieb seinen Wunschtitel auf einen Zettel und gab ihn dem Showmaster. Ein Skinhead stand auf und performte »My Way«. Eine Frau mittleren Alters versuchte sich an »You to Me are Everything«. Janice sagte, sie nehme immer »Baker Street«. Brian wechselte je nach Stimmung zwischen »Satisfaction« und »Space Oddity« ab.

»Dann singen die meisten Leute also jede Woche dasselbe Stück?«, fragte Rebus.

»Der Typ, der jetzt aufsteht«, sagte sie und deutete mit dem Kopf in die Ecke des Raums, wo die Leute gerade ihre Stühle auseinander rückten, um jemanden durchzulassen, »der wählt immer REM.«

»Dann hat er die wohl inzwischen ziemlich gut drauf, was?«

»Nicht schlecht«, räumte sie ein. Der ausgewählte Song war »Losing My Religion«.

Leute kamen mit ihren Gläsern von der vorderen Bar angeschlendert, blieben in der Tür stehen und sahen zu. Der Karaokeraum hatte eine eigene kleine Bar: eigentlich eine bloße Durchreiche, an der ein Jüngelchen bediente, das hauptsächlich mit der Akne an seinen Wangen beschäftigt war. Die Leute schienen alle ihre festen Tische zu haben. Rebus, Janice und Brian saßen dicht vor einer der Lautsprecherboxen. Brians Mutter war ebenfalls da, neben ihr das Ehepaar Playfair. Ein älterer Mann kam an ihren Tisch und wechselte ein paar Worte mit ihnen. Brian lehnte sich zu Rebus hinüber.

»Das ist Alec Chisholms Dad«, erklärte er.

»Hätte ich nicht wiedererkannt«, gab Rebus zu.

»Keiner redet gern mit ihm. Er hat kein anderes Thema als das, wie lang Alec schon weg ist.«

Tatsächlich verzogen die Playfairs und Mrs. Mich keine Miene, während sie Chisholm zuhörten. Rebus stand auf, um eine Runde Getränke zu holen. Er fühlte sich ganz benommen, der Anblick auf dem Friedhof wollte ihm nicht aus dem Kopf gehen. Oakes signalisierte damit, dass er ihm einen Schritt voraus war, dass die Sache *persönlich* wurde. Rebus betrachtete es als einen weiteren Teil des Tests, wusste, dass Oakes versuchte, ihn fertig zu machen. Rebus war mehr denn je entschlossen, ihm den Erfolg nicht zu gönnen.

Janice' Mutter trank Bacardi Breezer, ein Alcopop mit Wassermelonengeschmack. Rebus bezweifelte, dass sie in ihrem ganzen Leben je eine Wassermelone zu Gesicht bekommen hatte. Er sah Helen Cousins mit ein paar Freundinnen in der Tür stehen und ging hallo sagen.

»Irgendwelche Neuigkeiten?«, fragte sie.

Er schüttelte den Kopf, und sie zuckte lediglich die Schultern, als habe sie Damon schon aufgegeben. So viel zum Thema große Liebe. Sie hielt eine Flasche Hooch mit Lemon-Geschmack in der Hand. All diese pappsüßen Drinks, passend für Schottland: Zucker und Fusel. Er stellte fest, dass in der Schankstube die Flaschen mit den Verdünnern – Limo und Irn Bru – einfach so auf dem Tresen standen. Da konnten sich die Gäste umsonst bedienen. Das gab's nicht mehr in vielen Pubs. Und das Bier war billig. Einfache Lektion in Ökonomie: Wo es viele Arbeitslose gab, musste das Bier erschwinglich sein. Er hatte Heather Cranston auf einem Hocker an der Theke entdeckt, die Augen halb unter schweren Lidern verborgen, während ein Mann ihr ins Ohr flüsterte und den Nacken streichelte.

Helen drückte einer ihrer Freundinnen ihre Flasche in die Hand und sagte, sie müsse mal eben. Rebus blieb da. Die zwei Mädchen starrten ihn an, fragten sich offensichtlich, wer er sei.

»Das muss ziemlich schlimm für sie sein«, sagte er.

»Was?«, fragte die Kaugummikauende und machte ein ratloses Gesicht.

»Dass Damon verschwunden ist.«

Das Mädchen zuckte die Achseln.

»Eher peinlich«, bemerkte ihre Freundin. »Baut einen nicht gerade auf, wenn der Verlobte die Flatter macht, oder?«

»Wohl kaum«, antwortete Rebus. »Ich bin übrigens John.«

»Corinne«, sagte die Kaugummikauerin. Sie hatte langes schwarzes, mit der Brennschere gekräuseltes Haar. Ihre Freundin hieß Jacky und war ein Knirps mit platinblond gefärbtem Haar.

»Also, was denken Sie über Damon?«, fragte er. Er meinte, über Damons Verschwinden, aber sie verstanden es anders.

»Och, der ist schon okay«, sagte Jacky.

»Bloß okay?«

»Na, Sie wissen schon«, erwiderte Corinne, »Damon hat das Herz am rechten Fleck, aber der Hellste ist er nicht. So, ein bisschen langsam im Kopf.«

Rebus nickte, als sei das auch sein Eindruck. Aber die Angehörigen hatten von Damon eher so gesprochen, als sei er ein mittleres Genie. Plötzlich wurde Rebus bewusst, wie oberflächlich sein Bild von Damon war. Bislang hatte er lediglich die eine Seite der Geschichte gehört.

»Aber Helen mag ihn doch, oder?«, fragte er.

»Ich denk schon.«

»Sie sind verlobt.«

»Ach, das kommt vor«, sagte Jacky. »Ich kenn Freundinnen, die haben sich bloß verlobt, damit sie eine Party schmeißen konnten.« Sie warf ihrer Genossin einen Bestätigung heischenden Blick zu, lehnte sich dann vertraulich zu Rebus hinüber. »Die haben manchmal echte Megakräche.«

»Weswegen?«

»Eifersucht, nehm ich an.« Sie wartete, bis Corinne genickt hatte. »*Sie* hatte gesehen, wie er eine abgecheckt hatte, oder *er* sagte, sie hätte sich von irgendeinem Typ anquatschen lassen. Das Übliche eben.« Sie sah ihn an. »Glauben Sie, er ist mit einer durchgebrannt?« Rebus erkannte hinter der dicken Schminke ihren scharfen Verstand.

»Wär möglich«, sagte er.

Aber Corinne schüttelte den Kopf. »Der hätte gar nicht die Traute dazu gehabt.«

Als er den Korridor entlangsah, stellte Rebus fest, dass

Helen es gar nicht bis zu den Toiletten geschafft hatte. Sie stand an die Wand gelehnt, die Hände hinter dem Rücken verschränkt, und plauderte mit irgendeinem Typ. Rebus fragte Corinne und Jacky, was sie trinken wollten. Zwei Bacardi-Cola. Er setzte sie auf seine Bestellliste.

Als er wieder an den Tisch zurückkehrte, stellte sich Janice gerade auf die Tanzfläche. Sie sang »Baker Street«, mit viel Gefühl und geschlossenen Augen, wusste den Text auswendig. Brian beobachtete sie, aber sein Gesichtsausdruck blieb unergründlich. Ihm war nicht bewusst, dass er, solang der Song dauerte, einen Bierdeckel in immer winzigere Fetzchen zerriss, die er auf dem Tisch aufhäufte, bevor er sie, als das Stück endete, mit einer Handbewegung auf den Boden fegte.

Rebus ging nach draußen, atmete tief die eiskalte Nachtluft ein. Er hatte sich die ganze Zeit an stark mit Wasser verdünntem Whisky gehalten. In der Ferne war das Gegröle von Fußballfans zu hören. An der Seitenwand des Pubs Graffiti von der irisch-protestantischen Ulster Volunteer Force. Davor stand ein Mann und pisste. Anschließend kam er auf Rebus zugetorkelt und fragte, ob er wohl eine Kippe für ihn hätte. Rebus gab ihm eine, dazu Feuer.

»Tschüs, Jimmy«, sagte der Betrunkene. Dann starrte er Rebus an. »Ich kannte deinen Vater«, sagte er und verschwand, bevor Rebus ihm weitere Fragen stellen konnte.

Rebus stand da. Er gehörte nicht hierher, das wusste er inzwischen. Die Vergangenheit war ein Ort, dem man höchstens eine Stippvisite abstatten konnte; länger bleiben war nicht zu empfehlen. Fahren konnte er nicht mehr, er hatte zu viel getrunken, aber morgen ... morgen würde er in aller Frühe aufbrechen. Cary Oakes war nicht hier und eben nur lang genug da gewesen, um eine Botschaft zu hinterlassen. Rebus taten Janice und Brian Leid, es tat ihm

Leid, wie es für sie gelaufen war. Aber im Augenblick waren sie das Geringste seiner vielen Probleme. Er hatte zugelassen, dass seine Perspektive sich verzerrte, und Oakes hatte schon viel zu viel Kapital daraus geschlagen.

Als er wieder hineinging, versuchte niemand, ihm das Mikrofon aufzudrängen. Mittlerweile wussten sie alle, wer er war, wussten von der Grabschändung. In einem Städtchen von der Größe Cardendens sprachen sich Neuigkeiten schnell herum. Und aus nichts anderem – aus Geschichten – bestand schließlich Geschichte.

34

Als er aufwachte, war es noch dunkel. Er zog sich an und faltete die Decken zusammen. Ließ eine Notiz auf dem Esstisch liegen, bevor er zu seinem Wagen ging und durch den schlafenden Ort fuhr. Er erreichte die Schnellstraße und trieb den Saab südwärts in Richtung Edinburgh: Morgengymnastik für den Motor.

Er fand eine Parklücke in einer Querstraße der Oxford Terrace und machte sich auf den Weg zu Patience' Wohnung. Im Flur war es dunkel. Er ging auf Zehenspitzen in die Küche, ließ Wasser in den Kocher laufen. Als er sich umdrehte, stand Patience in der Tür.

»Wo, zum Teufel, bist du gewesen?«, erkundigte sie sich in scharfem Tonfall.

»In Fife.«

»Du hast nicht angerufen.«

»Ich hatte dir doch gesagt, dass ich dahinfahre.«

»Ich hab dich auf dem Handy angerufen.«

Er schaltete den Wasserkocher ein. »Es war ausgeschaltet.« Er sah, wie sich ihr Gesicht plötzlich schmerzlich verzog. Fasste sie an den Armen. »Was ist los, Patience?«

Sie schüttelte den Kopf, hatte Tränen in den Augen, schniefte, nahm ihn bei der Hand und zog ihn in den Flur, schaltete dort das Licht ein. Er erkannte Fußabdrücke auf dem Fußboden, eine Spur, die bis zur Haustür führte.

»Was ist passiert?«, fragte er.

»Farbe«, sagte sie. »Es war dunkel, ich hab nicht gesehen, dass ich da reingetreten bin. Ich hab versucht, sie wegzuwischen.«

Eine weiße Schneckenspur von Fußabdrücken ... Rebus dachte an die weiße Farbe auf dem Grabstein seines Vaters. Er starrte Patience an, ging dann zur Haustür und öffnete sie. Sie schaltete das Licht auf dem Vorplatz ein. Rebus sah die Farbe. In armlangen Buchstaben auf den Steinplatten hingeschmierte Wörter. Er hielt den Kopf schief, um sie lesen zu können.

DEIN BULLENLOVER HAT DARREN GEKILLT.

Das Ganze unterstrichen.

»Scheiße«, keuchte er.

»Ist das alles, was du dazu sagen kannst?« Ihre Stimme zitterte. »Ich hab das ganze Wochenende lang versucht, dich zu erreichen!«

»Ich war ... Wann ist das passiert?« Er ging um die Inschrift herum.

»Freitagnacht. Ich bin spät heimgekommen und gleich ins Bett gegangen. Gegen drei wachte ich mit Kopfschmerzen auf. Wollte mir ein Glas Wasser holen, hab das Licht im Flur eingeschaltet ...« Sie strich sich die Haare aus dem Gesicht, das immer angespannter wurde. »Ich hab die Farbe gesehen, bin hier raus und ...«

»Es tut mir Leid, Patience.«

»Was bedeutet das?«

»Ich weiß es auch nicht.« Wieder Oakes. Während Rebus sich in Fife befand, war Oakes *hier* gewesen und hatte seinen nächsten Zug gemacht. Er wusste nicht nur von

Janice, sondern auch von Patience. Und er hatte Rebus gesagt, dass er sich glücklich schätzen könne, eine Ärztin zu kennen.

Er hatte den Zug angekündigt, doch Rebus hatte die Warnung nicht verstanden.

»Du lügst«, sagte Patience. »Du weißt es verdammt genau. *Er* ist es, nicht?«

Rebus versuchte, sie in die Arme zu nehmen, aber sie stieß ihn weg.

»Ich hab in St. Leonard's angerufen«, fuhr sie fort. »Die haben jemanden vorbeigeschickt. Zwei Grünschnäbel in Uniform. Am Morgen ist Siobhan gekommen.« Sie lächelte. »Sie hat mich zum Frühstück eingeladen. Ich glaube, sie wusste, dass ich nicht geschlafen hatte. Da ist mir bewusst geworden, wie gefährdet diese Wohnung ist. Hinten der Garten: Jeder könnte über die Mauer steigen, durch den Wintergarten reinkommen. Oder die Haustür aufbrechen. Wer würde das schon merken?« Sie sah ihn an. »Wen könnte ich rufen?«

Er versuchte wieder, sie in die Arme zu schließen. Diesmal gelang es ihm, aber er spürte weiterhin Widerstand.

»Es tut mir Leid«, wiederholte er. »Wenn ich's geahnt ... wenn's eine Möglichkeit gegeben hätte ...« Freitagnacht hatte er sein Handy ausgeschaltet. Warum? Um den Akku zu schonen? Das war jedenfalls die Begründung, die er sich in dem Moment gegeben hatte, aber vielleicht hatte er lediglich versucht, Fife vom Rest seines Lebens auszuschließen; war so sehr damit beschäftigt gewesen, an Janice zu denken, dass er Oakes' mehr als offensichtlichen Schachzug ignoriert hatte. Er küsste Patience auf das Haar. Verzerrte Perspektive, Unfähigkeit, geradlinig zu denken. Oakes gewann jede gottverdammte Runde. Die Bindung, die Rebus zwischen sich und Janice spürte, war unbestreitbar, aber letztlich bestand sie doch nur aus einer Reihe verpasster Gelegenheiten. Im Hier und Jetzt war *Patience* seine Geliebte. Patience war diejenige, die er in den Armen hielt und küsste.

»Hab keine Angst«, sagte er zu ihr. »Es wird alles gut werden.«

Sie rückte von ihm ab, wischte sich mit dem Ärmel ihres Morgenmantels über die Augen. »Mit deiner Stimme stimmt was nicht. Du klingst auf einmal total nach Fife.«

Er lächelte. »Ich mach uns einen Tee. Du gehst wieder ins Bett. Wenn du mich brauchst, weißt du ja, wo ich bin.«

»Nämlich?«

»In der Kombüse, Deern.«

»Es kann nur Oakes sein«, erklärte er.

Er hatte Siobhan angerufen, um ihr zu danken. Patience hatte ihm gesagt, er solle sie zum Lunch einladen. Also saßen sie jetzt, in der Sonne, am Tisch im Wintergarten. Die Sonntagsblätter stapelten sich ungelesen in einer Ecke. Sie aßen Fleischsuppe, Schinken und Salat. Ein paar Flaschen Wein hatten sie auch schon geköpft.

»Weißt du, was sie letzte Nacht gemacht hat?«, hatte Patience gesagt – und Siobhan gemeint. Dann an Rebus gewandt: »Hat angerufen, um zu hören, ob mit mir alles in Ordnung sei. Sagte, falls nicht, könne ich bei ihr übernachten.« Ein kleines, ein wenig beschwipstes Lächeln, und sie stand auf, um den Kaffee zu kochen. Da hatte Rebus die Gelegenheit genutzt, um seinen Verdacht auszusprechen.

»Beweise?«, entgegnete sie, bevor sie ihr Glas leerte: bloß die zwei Gläser, sie musste fahren.

»Nur so ein Gefühl. Er hat meine Wohnung beobachtet. Er weiß, dass ich der Letzte war, der Rough lebend gesehen hat. Er ist mit Janice ausgegangen, und jetzt ist Patience dran.«

»Was hat er denn gegen Sie?«

»Ich weiß es nicht. Vielleicht hätte es jeden von uns treffen können; ich hab lediglich den schwarzen Peter gezogen.«

»Nach dem, was Sie sagen, geht er nicht so planlos vor.«

»Stimmt.« Rebus schob eine Cocktailtomate auf seinem Teller herum. »Patience hat vor kurzem gemeint, das könnte alles bloß ein Manöver sein, um uns von seinem eigentlichen Vorhaben abzulenken.«

»Und was könnte das sein?«

Rebus seufzte. »Ich wünschte, ich wüsste es.« Er betrachtete wieder die Tomate. »Erinnern Sie sich noch an die Zeit, als es nur eine einzige Sorte Tomaten gab?«

»Dazu bin ich zu jung.«

Rebus nickte nachdenklich. »Glauben Sie, Patience kommt klar?«

»Bestimmt.«

»Ich hätte hier sein sollen.«

»Sie sagte, Sie wären in Fife gewesen. Was haben Sie da gemacht?«

»In der Vergangenheit gelebt«, antwortete er und spießte die Tomate endlich mit der Gabel auf.

Er verbrachte den Rest des Tages zusammen mit Patience. Sie schlenderten erst durch den botanischen Garten, dann schauten sie bei Sammy vorbei. Patience hatte sie am Samstag dann doch nicht besucht, hatte nur angerufen und gesagt, es sei was dazwischengekommen, ohne ins Detail zu gehen. Jetzt hatte sie sich eine Lüge zurechtgelegt und Rebus entsprechend instruiert. Ein weiterer Spaziergang; diesmal mit Sammy im Rollstuhl. Für Rebus war es immer noch ein komisches Gefühl, mit ihr draußen unterwegs zu sein. Sie zog ihn deswegen auf.

»Ist es dir peinlich, in Gesellschaft eines Krüppels gesehen zu werden?«

»Red nicht so.«

»Was ist es dann?«

Aber er hatte keine Antwort für sie parat. Was war es? Er wusste es selbst nicht. Vielleicht waren es die Leute, wie sie alle gafften. Er verspürte den Drang, ihnen zu sagen: Sie wird wieder, sie wird nicht ewig in diesem Ding sitzen. Den Drang, ihnen zu erklären, wie es passiert war und wie gut sie damit klarkam. Ihnen zu erklären, dass sie *normal* war.

»Dad«, sagte sie nach einer Weile, »wie stehen wohl die Chancen, dass ich noch einmal angefahren werde?«

»Vergiss nicht, vor der Schlacht von Culloden hatten die Buchmacher zehn zu eins auf uns Schotten gewettet.«

Sie lachte.

Ihr Freund Ned, der sie begleitete, musste ebenfalls lachen. Patience nahm Rebus' Hand.

Ein Sonntagnachmittagsspaziergang wie aus dem Bilderbuch.

Und anschließend gab's bei Sammy Sahneschnitten und Darjeelingtee und bei abgeschaltetem Ton im Fernsehen die Highlights des Fußballnachmittags. Sammy berichtete Patience von ihren neusten Rehaübungen. Ned unterhielt sich mit Rebus. Doch der hörte nicht zu, sah halb zum Fenster hinüber, fragte sich, ob Cary Oakes da draußen war …

An diesem Abend sagte er zu Patience: »Ich muss nach Hause, ein paar Dinge holen. Ich komm später zurück.« Er küsste sie. »Bleibst du hier, oder möchtest du mit?«

»Ich bleib hier«, gab sie zur Antwort.

Also setzte Rebus sich ins Auto und fuhr los. Nicht in die Arden Street, sondern nach Leith. Er ging ins Hotel und fragte nach Cary Oakes. Die Rezeption versuchte es in seinem Zimmer: keine Antwort.

»Vielleicht ist er an der Bar«, meinte die Frau.

Aber Cary Oakes war nicht an der Bar, dafür Jim Stevens.

»Ich geb Ihnen einen aus«, sagte er. Rebus schüttelte den Kopf, sah, dass Stevens sich große Gin Tonics reinzog.

»Wo ist Ihr Schützling?«

Stevens zuckte die Achseln.

»Ich dachte, Sie wollten ihn im Auge behalten«, sagte Rebus, bemüht, seine Wut zu zügeln.

»Das tu ich, glauben Sie mir. Aber er ist ein aalglattes kleines Arschloch.«

»Wie viel können Sie noch aus ihm rausquetschen?«

Stevens lächelte kopfschüttelnd. »Es ist etwas Seltsames und Erstaunliches passiert. Sie kennen mich, Rebus, ich bin ein alter Profi, was bedeutet: Ich bin taff, ich geb niemals auf, und ich lass mir keine Scheiße auftischen.«

»Und?«

»Und ich glaube, er *hat* mir Scheiße aufgetischt.« Stevens zuckte wieder die Achseln. »Ist kein übler Stoff, verstehen Sie mich nicht falsch. Aber lässt sich irgendwas davon beweisen?«

»Seit wann ist das für Sie ein Kriterium?«

Stevens beugte den Kopf, erkannte das Argument an. »Zur Befriedigung meiner Neugier«, fügte er hinzu, »wüsste ich es doch gern. Und en passant hat der liebe alte Cary es irgendwie geschafft, mir fast ebenso viele Storys aus dem Kreuz zu leiern, wie ich aus ihm rausgeholt hab.«

»Und dabei waren Sie von jeher berühmt für Ihre Verschwiegenheit...«

»Ich hab nichts dagegen, Geschichten zu erzählen... verbaler Schlagabtausch am Tresen und so. Aber Oakes... ich weiß nicht. Es sind nicht so sehr die Geschichten an sich, die ihn interessieren, als das, was sie über die jeweiligen Beteiligten verraten.« Er griff nach seinem Drink. Daneben standen schon drei leere Gläser. Er hatte sämtliche Zitronenscheiben in das aktuelle Glas umgefüllt. »Das ergibt wahrscheinlich keinen Sinn. Ist mir auch egal, hab Feierabend.«

»Dann sind Sie also mit ihm fertig?«

Stevens schmatzte mit den Lippen. »Ich würde sagen, es dauert nicht mehr lang. Die Frage ist aber: Ist *er* mit *mir* fertig?«

Rebus holte eine Zigarette heraus und steckte sie sich an, dann bot er auch dem Reporter eine an. »Er beschattet mich und Leute, die ich kenne.«

»Wozu?«

»Vielleicht möchte er Ihnen noch eine weitere Story liefern.« Rebus rückte näher heran. »Hören Sie, ganz inoffiziell jetzt: nur zwei alte Suffköppe, die miteinander plaudern …«

Stevens blinzelte. »Ja?«

»Hat er *irgendetwas* über Deirdre Campbell verlauten lassen?« Der Name sagte Steven nichts. »Alan Archibalds Nichte.«

»Ja, klar.« Ein übertriebenes Nicken, dann ein konzentriertes Stirnrunzeln. »Er sagte was von Aufklärungsquoten. Er sagte, das wär's, was passiert, wenn die Bullen einen wegen irgendwas am Arsch kriegen: dann versuchen sie immer, zusätzlich noch ein paar unaufgeklärte Fälle dadurch abzuschließen, dass sie die einem ebenfalls in die Akte schaufeln.«

Rebus setzte sich auf einen Barhocker. »Konkreter hat er sich nicht geäußert?«

»Sie meinen, ich könnte was überhört haben?«

Rebus machte ein nachdenkliches Gesicht. »Sie sagten, Sie haben das Gefühl, dass er Sie benutzt.«

»Indem er Hinweise in seiner Geschichte platziert, die

ich dann nicht mitbekomme? Nun machen Sie mal halblang.«

»Er steht auf *Spielchen*«, zischte Rebus. »Mehr sind wir für ihn gar nicht.«

»Ich schon. Ich halt ihn aus: Ich bin sein *Sugar Daddy*.«

»*Sugar Daddys* sind dazu da, dass man sie betrügt.«

»John ...« Stevens richtete sich auf, holte tief Luft. »Diese Story hat mich wieder ins Rennen gebracht. *Ich* hab ihn an Land gezogen. Ich, der abgehalfterte alte Jim Stevens, Anwärter auf die nächste goldene Uhr. Selbst wenn er heute Nacht die Flatter machen sollte, hätte ich schon beinah genügend Material für ein ganzes Buch zusammen.« Er nickte vor sich hin, die Augen starr auf das Glas gerichtet, das er jetzt vom Tresen nahm. Rebus glaubte dem Reporter irgendwie nicht. »Wissen Sie, *wenn* ich heutzutage auf jemanden trinke«, fuhr Stevens fort und hob sein Glas, »dann nur auf mich selbst. Wenn's nach mir geht, Kumpel, können alle anderen, Anwesende eingeschlossen, zum Teufel gehen, und zwar achtkantig und endgültig.« Er leerte das Glas in einem Zug.

Als Rebus zur Tür ging, war Stevens schon dabei, das nächste zu bestellen.

35

Als Rebus am nächsten Morgen das Haus verließ, stand Patience draußen auf der Terrasse und besprach gerade mit zwei Handwerkern, wie sich die Farbe am besten von den Steinplatten entfernen ließe. Kaum hatte er die St.-Leonard's-Wache betreten, spürte er auch schon, dass etwas passiert war. Rings um ihn herrschte Hektik, und die Luft stand förmlich unter Strom. Siobhan Clarke war die Erste, die ihn informierte.

»Joanna Hormans Lover.« Sie reichte Rebus einen Bericht. »Er hat Dreck am Stecken.«

Rebus überflog das Blatt. Der Lover hieß Ray Heggie. Mehrere Vorstrafen wegen Einbruchs und allerlei Gewalttaten unter Alkoholeinfluss. Er war zehn Jahre älter als Joanna und lebte seit sechs Wochen mit ihr zusammen.

»Roy Frazer sitzt mit ihm im Vernehmungszimmer.«

»Wie kommt's?« Rebus gab ihr den Bericht zurück.

»Eine frühere Freundin Heggies. Sie hat in der Zeitung über den vermissten Jungen gelesen, hat uns angerufen und angegeben, er hätte ihre kleine Tochter missbraucht. Deswegen hätte sie sich von ihm getrennt.«

»Auf die Idee, uns das früher zu erzählen, war sie nicht gekommen?«

Clarke zuckte die Schultern. »Sie hat's uns jetzt erzählt.«

Rebus rümpfte die Nase. »Wie alt ist das Mädchen?«

»Elf. Jemand von der Sitte befragt sie momentan zu Haus.« Sie sah ihn an. »Sie kaufen ihr das nicht ab, was?«

»Vorsicht ist besser als Nachsicht, Siobhan. Ich werde mich nach der Probefahrt entscheiden.« Er zwinkerte ihr zu, ging weiter. Eine frühere Freundin, die ihm etwas nachtrug, mehr war wahrscheinlich nicht dran. Jetzt sah sie ihre Chance gekommen, es ihm heimzuzahlen. Aber egal, wenn Heggie ein Kinderschänder war, dann hatte er möglicherweise Darren Rough gekannt. Rebus klopfte an die Tür des Vernehmungszimmers.

»Detective Inspector Rebus betritt den Raum«, sagte Frazer für das Bandprotokoll. Er hielt sich streng an die Vorschriften: Ton- *und* Videoaufzeichnung. »Hi-Ho« Silvers hatte neben ihm auf der einen Seite des Tisches Platz genommen, die Arme verschränkt, eine Miene, als glaubte er kein Wort von dem, was er gehört hatte. Das war Silvers' Rolle: keinen Ton sagen, aber den Verdächtigen nervös machen. Auf der anderen Seite des Tisches saß ein Mann in den Vierzigern: lockige schwarze Haare mit einem kahlen Fleck in der Mitte. Er hatte sich seit ein paar Tagen nicht rasiert und dunkle Ringe unter den Augen. Er trug ein schwarzes T-Shirt und rieb sich mit den Händen die dicht behaarten Unterarme.

»Immer nur hereinspaziert«, war sein Kommentar zu Rebus' Erscheinen. Der Raum war so klein, dass Rebus an der Wand stehen bleiben musste; er verschränkte ebenfalls die Arme und richtete sich aufs Zuhören ein.

»Die Greenfielder haben einen Suchtrupp organisiert«, fuhr Frazer fort, »Sie waren nicht dabei. Wie kommt's?«

»Ich war nicht da.«

»Wo waren Sie?«

»Glasgow. Ich bin mit einem Kumpel was trinken gegangen und hab dann bei ihm übernachtet. Fragen Sie ihn, er wird's bestätigen.«

»Na klar. Dazu sind Kumpels doch da, oder?«

»Ist die reine Wahrheit.«

Frazer notierte sich etwas. »Sie sind was trinken gegangen, also wird's Zeugen dafür geben.« Er sah von seinem Notizblock auf. »Nennen Sie mir ein paar.«

»Jetzt machen Sie mal halblang. Hören Sie, in den Pubs war absolut tote Hose, also haben wir uns was einpacken lassen und sind wieder zu ihm nach Haus. Haben uns ein paar Videos reingezogen.«

»Irgendwas Gutes?«

»Aus der Erwachsenenecke.« Heggie zwinkerte. Frazer starrte streng zurück.

»Pornos?«

»Hab ich doch gesagt.«

»Hetero?«

»Ich bin keine Schwuchtel, he.« Heggie hörte auf, sich die Arme zu reiben.

»Ich meine, waren da auch Lesbenszenen dabei?«

»Kann sein.«

»SM? Tiere? Kinder?«

Heggie merkte, worauf die Sache hinauslief. »Ich steh auf so was nicht, hab ich Ihnen doch gesagt.«

»Ihre Ex erzählt da was anderes.«

»Die Fotze würde sonst was erzählen. Warten Sie nur ab, bis ich ein paar Takte mit der geredet hab …«

»Wenn ihr *irgendetwas* zustößt, Mr. Heggie, wenn sie auch nur einen Schnupfen kriegt, sehen wir uns hier umgehend wieder. Kapiert?«

»Ich hab nichts weiter damit gemeint. Wie man eben so redet, stimmt's? Aber die macht mich die ganze Zeit mies, erzählt überall, ich hätt AIDS oder weiß der Geier. Rachsüchtig ist die. Ob wohl'n Tee drin wär?«

Frazer sah demonstrativ auf seine Uhr. »In fünf Minuten machen wir eine Pause.« Rebus musste sich ein Lächeln verkneifen. Er wusste, dass es eine Pause erst dann geben würde, wenn Frazer alle seine Fragen losgeworden wäre. »Sie sind wegen verschiedener Gewaltdelikte vorbestraft, Mr. Heggie. Ich sehe die Sache so: Ihnen ist der Geduldsfaden gerissen, Sie wollten dem Jungen eigentlich nicht weh tun, aber eine Sicherung ist durchgebrannt, und eh Sie sich's versahen, war er tot.«

»Nein.«

»Also mussten Sie ihn irgendwo verstecken.«

»Nein. Ich sag Ihnen doch –«

»Wo ist er dann? Wie kommt's, dass ein Kind verschwindet, und gleichzeitig erfahren wir, dass Sie ein notorischer Kinderschänder sind?«

»Dafür haben Sie doch bloß Belindas Aussage!« Belinda: die Ex. »Ich sag Ihnen, lassen Sie Fliss von einem Arzt untersuchen.« Fliss: die Tochter der Ex. »Und selbst wenn sich rausstellen sollte, dass einer sie angestochen hat – *ich* war's nicht! Null Chance! Fragen Sie die doch.«

»Das tun wir, Mr. Heggie.«

»Und wenn die behauptet, ich hätt ihr was getan, dann hat ihre Alte sie dazu angestiftet.« Er wurde zunehmend erregter. »Ich glaub das alles nicht, echt nicht.« Er schüttelte den Kopf. »Sie haben Joanna von der Sache erzählt. Was wird die jetzt wohl denken?«

»Warum tun Sie sich eigentlich immer nur mit allein erziehenden Müttern zusammen?«

Heggie richtete die Augen zur Decke. »Sagen Sie mir, dass das alles bloß ein übler Traum ist.«

Frazer hatte sich die ganze Zeit mit den Unterarmen auf den Tisch gestützt; jetzt lehnte er sich zurück und warf Rebus einen Blick zu. Das war das Signal, auf das Rebus gewartet hatte. Es bedeutete, dass Frazer fürs Erste fertig war.

»Kannten Sie Darren Rough, Mr. Heggie?«, fragte Rebus.

»Ist das der, den die umgelegt haben?« Er wartete, bis Rebus nickte. »Nö, kenn ich nicht.«

»Nie auch nur ein Wort mit ihm geredet?«

»Wir haben nicht im selben Block gewohnt.«

»Dann wussten Sie also, wo er wohnte?«

»Stand doch in sämtlichen Zeitungen. Mieser kleiner Perverser, wer's auch getan hat, sollte'n Orden dafür kriegen.«

»Warum sagen Sie, dass er ›klein‹ war? Zufällig war er das nämlich wirklich. Jedenfalls nicht groß. Aber in der *Zeitung* stand nichts davon.«

»Das ist bloß... na, wie man das eben so sagt, oder?«

»Jedenfalls haben *Sie* das gesagt. Klingt für meine Begriffe so, als hätten Sie ihn doch gesehen.«

»Kann sein. So groß ist die Siedlung ja auch wieder nicht.«

»Nein, da haben Sie Recht«, meinte Rebus leise. »Da kennt jeder jeden.«

»Bis die Stadt da irgendwelche Wichser einquartiert, die sie sonst nirgendwo unterbringen kann.«

Rebus nickte. »Dann *könnten* Sie Darren Rough also doch gelegentlich gesehen haben.«

»Was spielt das schon für 'ne Rolle?«

»Es ist eben so, dass er *auch* auf kleine Kinder stand. Pädophile scheinen einen Blick für Gleichgesinnte zu haben.«

»Ich bin kein Pädophiler!« Er verlor endgültig die Beherrschung und sprang auf. Seine Stimme bebte. »Ich würd das Kinderfickerpack bis zum letzten Mann umlegen!«

»Haben Sie mit Darren den Anfang gemacht?«

»Was?«

»Ihn zu beseitigen, hätte Sie zum Helden gemacht.«

Ein plötzliches nervöses Lachen. »Dann hab ich also nicht nur Billy um die Ecke gebracht, sondern auch noch den Perversen umgelegt?«

»Ist das ein Geständnis?«

»Ich hab keinen umgebracht!«

»Wie kamen Sie übrigens mit Billy klar? Muss doch irgendwie nervig gewesen sein, das Balg da ständig um sich zu haben, während Sie lieber mit Joanna allein gewesen wären.«

»Er ist ein netter Junge.«

»Setzen Sie sich hin, Mr. Heggie!«, befahl Frazer.

Heggie gehorchte, sprang dann aber wieder auf und deutete mit dem Finger auf Rebus. »Der versucht, mir was anzuhängen!«

Rebus schüttelte den Kopf, lächelte schief und stieß sich mit den Schultern von der Wand ab.

»Mir geht's nur um die Wahrheit«, sagte er und öffnete die Tür.

»Inspector Rebus verlässt den Vernehmungsraum«, hörte er hinter sich Frazer sagen.

Später kam Frazer an Rebus' Schreibtisch. »Sie haben ihn nicht ernsthaft wegen Darren Rough im Auge, oder?«

Rebus zuckte die Achseln. »Haben *Sie* ihn wegen dem kleinen Mädchen im Auge?«

»Vielleicht, wenn die Sitte was ausgräbt. Soweit ich weiß, klebt die Mama an ihr wie eine Klette, antwortet für sie, legt ihr die Worte in den Mund.«

»Was noch nicht heißt, dass sie lügt.«

»Nein.« Frazer dachte nach. »Heggie schert sich einen Dreck um Billy Horman. Das Einzige, was ihm Kopfzerbrechen bereitet, ist, dass Joanna ihn vor die Tür setzen könnte.« Er schüttelte langsam den Kopf. »An Leute wie den kommt man nie ran, stimmt's?«

»Nein.«

»Und ändern kann man die auch nicht.« Er sah Rebus an. »Das ist doch Ihre Meinung, oder?«

»Willkommen in meiner Welt, Roy«, gab Rebus zur Antwort und griff nach dem Telefon.

Er musste weiterarbeiten, durfte nicht zulassen, dass Cary Oakes sein Denken noch weiter mit Beschlag belegte. Also rief Rebus Phyllida Hawes in der Gayfield-Wache an.

»Ist Ihr Vermisster inzwischen wieder aufgetaucht?«, fragte sie.

»Nicht die geringste Spur von ihm.«

»Na ja, das könnte auch ein positives Zeichen sein, oder? Wahrscheinlich ist er noch am Leben.«

»Oder man hat die Leiche gut versteckt.«

»Geht doch nichts über Optimismus.«

Zu einem anderen Zeitpunkt wäre Rebus auf das Geplänkel eingegangen. »Kennen Sie den Gaitano's?«, fragte er stattdessen ohne weitere Umschweife.

»Ja«, antwortete sie mit leicht neugierigem Unterton.

»Eigentümer Charmer Mackenzie?«

»Genau.«

»Was wissen Sie über ihn?«

Kurzes Schweigen. »Hat er was mit Ihrem Vermissten zu tun?«

»Ich bin mir nicht sicher.« Rebus erzählte ihr vom Schiff.

»Ja, ich weiß davon«, sagte sie. »Aber es ist eine reine Geldsache. Ich meine, Mackenzie ist daran beteiligt, aber er mischt sich nicht in die Geschäfte ein. Haben Sie Billy Preston kennen gelernt?« Rebus bejahte. »Charmer überlässt ihm die ganze Organisation.«

»Nicht ganz. Der Vizemanager vom Gaitano's, ein junger Typ namens Archie Frost, kümmert sich ebenfalls um den Clipper. Und stellt die Rausschmeißer an die Gangway.«

»Tatsächlich?« Rebus hörte, wie sie sich offenbar etwas notierte.

»Hat er noch anderweitige Geschäftsinteressen?«, fragte er.

»Darüber sollten Sie sich vielleicht besser mit dem NCIS unterhalten.«

NCIS: National Criminal Intelligence Service. Rebus lehnte sich in seinem Stuhl nach vorn. »Die haben was über Mackenzie?«

»Sie führen eine Akte, ja.«

»Dann hat er also Dreck am Stecken: Was ist es genau?«

»Kuhmist? Hühnerscheiße? Da bin ich überfragt. Reden Sie mit dem NCIS.«

»Mach ich.« Rebus legte auf, loggte sich auf einem der Terminals ein und gab Mackenzies Personalien ein. Auf dem unteren Bildschirmrand erschienen ein Aktenzeichen und der Name eines Beamten. Rebus wählte die Nummer des NCIS und bat, mit dem Beamten – einem Detective Sergeant Paul Carnett – verbunden zu werden.

»Das ist ein Schreibfehler«, erklärte ihm die Zentrale. »Es

sollte nicht Paul, sondern Pauline heißen.« Aber er wurde trotzdem durchgestellt. Eine männliche Stimme teilte Rebus mit, DS Carnett sei für die nächste Stunde, vielleicht auch anderthalb Stunden, in einer Besprechung. Rebus sah auf seine Uhr.

»Hat sie anschließend noch etwas vor?«

»Soweit ich weiß, nicht.«

»Dann möchte ich gern eine Reservierung vornehmen: ein Tisch für zwei auf den Namen DI Rebus.«

36

Die schottische Zentrale des NCIS hatte ihren Sitz im Osprey House, Paisley, nicht weit von der M8. Zuletzt war Rebus in dieser Gegend gewesen, als er seine Exfrau zum Glasgow Airport gefahren hatte. Sie war wegen Sammy aus London gekommen, und sämtliche Flüge von Edinburgh waren ausgebucht gewesen. Er konnte sich nicht erinnern, worüber sie während der Fahrt gesprochen hatten.

Als Sitz nicht nur des NCIS und des Scottish Criminal Intelligence Office, sondern auch des Scottish Crime Squad und der Zollfahndung sollte Osprey House zur Crème de la Crème in Sachen polizeilicher Ermittlungsarbeit in Schottland werden. Seine Aufgabe war das Sammeln von Informationen. Nachdem man mit lediglich zwei Beamten angefangen hatte, beschäftigte das NCIS mittlerweile zehn Mitarbeiter. Die Eröffnung des Büros hatte nicht wenig böses Blut erzeugt, da das schottische NCIS keinem schottischen Polizeipräsidenten unterstellt war, sondern der Londoner Direktion der gesamtbritischen Behörde, die wiederum dem Minister für Schottland Bericht erstattete. Das NCIS befasste sich mit Falschmünzerei, Geldwäsche, organisiertem Drogen- und Autoschmuggel und, wenn Rebus sich recht erinnerte, bandenmäßig organisiertem Kindesmissbrauch. Rebus hatte von den Beamten des NCIS als von »Parkatypen« und »Computerfreaks« reden hören – allerdings von niemandem, der schon welche von ihnen persönlich kennen gelernt hatte.

»Das ist ziemlich unüblich«, sagte Pauline Carnett, als Rebus erklärte, warum er da sei.

Sie saßen in einem Großraumbüro, umgeben vom unablässigen Summen von Computerventilatoren und gedämpften Telefongesprächen. Gelegentliche Salven von Tastengeklapper. Junge Männer in Hemdsärmeln und Schlips; zwei Frauen, beide in Kostüm. Paulines Schreibtisch und derjenige der anderen Beamtin befanden sich an den entgegengesetzten Enden des Büros. Rebus fragte sich, ob eine tiefere Bedeutung dahintersteckte.

Pauline Carnett war eine Mittdreißigerin mit kurzem blonden, in der Mitte gescheiteltem Haar. Groß und breitschultrig, hatte sie einen Handschlag, dessen sich die meisten Freimaurer nicht hätten zu schämen brauchen. Ihre oberen Schneidezähne standen weit auseinander. Sie schien sich dieser Tatsache sehr bewusst zu sein, was in Rebus den Wunsch weckte, sie zum Lächeln zu bringen.

Ihr Schreibtisch war, wie alle anderen, L-förmig – eine Fläche für den Computer, die andere für Papierkram. Es gab einen einzigen Drucker für das ganze Büro. Er spuckte unentwegt Papier aus, während ein junger Mann mit gelangweilter Miene daneben stand.

»Das ist also das Herz der Maschine«, hatte Rebus' Kommentar beim Betreten des Raums gelautet.

Carnett hatte ihre Tasse auf einem Mauspad platziert, auf dem schon unzählige Kaffeeringe prangten. Rebus stellte seine Tasse auf die Arbeitsfläche.

»Unüblich«, wiederholte sie, als könnte sie ihn dadurch bewegen, wieder zu verschwinden. Er begnügte sich mit einem Achselzucken. »Informationen werden üblicherweise telefonisch oder per Fax angefordert.«

»Ich hab von jeher viel fürs Persönliche übrig gehabt«, entgegnete Rebus. Er reichte ihr den Zettel, auf den er die Nummer von Charmer Mackenzies Akte gekritzelt hatte. Sie rutschte mit ihrem Stuhl näher an den Schreibtisch heran und hämmerte auf die Tasten ein, als wollte sie der Tastatur Gewalt antun. Dann schob sie, die Kaffeetasse geübt umfahrend, die Maus auf ihrem Pad herum und doppelklickte.

Charmer Mackenzies Akte wurde heruntergeladen. Rebus sah auf den ersten Blick, dass es da einiges an Material gab. Er rutschte mit seinem Stuhl näher an Carnett heran.

»Aufmerksam«, erklärte sie, »sind wir auf ihn deswegen geworden, weil das Crime Squad festgestellt hatte, dass er Privatpartys für einen gewissen Thomas Telford organisierte.«

»Ich kenne Telford«, sagte Rebus. »Ich habe mitgeholfen, ihn aus dem Verkehr zu ziehen.«

»Schön für Sie. Telford benutzte Mackenzies Klub für Meetings, und er mietete auch gelegentlich ein Boot, dessen Miteigentümer Mackenzie ist. Das Boot wurde für Partys verwendet. Das Crime Squad hat es observiert, weil man nicht wissen konnte, wer da vielleicht aufkreuzen würde. Hat aber nicht viel gebracht: Operation eingestellt.« Sie tippte auf die Enter-Taste und rief die nächste Seite ab. »Ah, jetzt geht's los«, sagte sie und beugte sich zum Bildschirm vor. »Geldverleih.«

»Mackenzie?«

Sie nickte. Rebus sah ihr über die Schulter und las mit. Das NCIS hatte Mackenzie im Verdacht, sich nebenher ein bisschen dazuzuverdienen, indem er kriminelle Projekte vorfinanzierte – bei garantierter Rückzahlung, so oder so –, außerdem aber auch Geld an Personen verlieh, die anderweitig nicht an welches herankamen oder aber gute Gründe hatten, sich in Banken oder sonstigen Geldinstituten nicht blicken zu lassen.

»Wie stichhaltig ist das?«, fragte Rebus.

»Hundertprozentig, sonst wäre es nicht hier.«

»Trotzdem …«

»Trotzdem ist es nicht stichhaltig *genug*, sonst hätten wir ihn vor Gericht gebracht.« Sie zeigte auf ein Icon in der Fußleiste. »Die Ermittlungsnotizen sind an den Staatsanwalt gegangen, und er hat entschieden, dass für eine Anklageerhebung nicht genug Material vorliegt.«

»Dann arbeiten Sie an dem Fall also weiter?«

Sie schüttelte den Kopf. »Wir haben Geduld, wir können warten. Wir werden sehen, was uns sonst noch so ins Netz geht, und dann entscheiden, wann ein zweiter Versuch Erfolg versprechend sein könnte.«

Rebus betrachtete noch immer die Bildschirmseite. »Haben Sie irgendwelche Namen?«

»Sie meinen, von Leuten, denen er was geliehen hat?«

»Ja.«

»Moment.« Sie tippte auf ein paar weitere Tasten, las die Rückmeldung, die daraufhin auf dem Bildschirm erschien. »Hardcopys«, murmelte sie schließlich. Dann stand sie auf und bedeutete ihm mitzukommen. Sie gingen in einen Raum voller Aktenschränke.

»So viel zum Thema virtuelles Büro«, sagte Rebus.

»Sie sprechen mir aus der Seele.« Sie fand den Aktenschrank, den sie suchte, zog die oberste Lade heraus, fing an, die Hängeregister durchzublättern, fand schließlich das Gesuchte und nahm es heraus.

In der grünen Mappe lagen rund drei Dutzend Blätter, zwei davon enthielten eine Liste »mutmaßlicher« Kunden von Charmer Mackenzies privater Darlehenskasse.

»Keine Aussagen«, sagte Rebus, während er die Blätter überflog.

»Wahrscheinlich sind die Ermittlungen nicht so weit gediehen.«

»Ich dachte, das wäre Ihr Fall.«

Sie zuckte die Achseln. »Wir bekommen jede Menge Material vom Crime Squad, der Zollfahndung und wer weiß wem herein. Es wird alles in den Computer gepackt und dann in eine Schublade – das ist mein Job.«

»Sie sind also Registraturtippse?«, meinte Rebus. Ihre Augen wurden zu schmalen Schlitzen. »Sorry«, sagte er, »sollte ein Witz sein.« Er nahm sich wieder die Akte vor. »Also, wie sind Sie nun an diese Namen gekommen?«

»Wahrscheinlich haben ein, zwei Leute geplaudert.«

»Aber keine verlässlichen Zeugen abgegeben?«

Sie nickte. »Wir reden hier von Leuten, die sich an einen Kredithai wenden müssen – nicht von pflichtbewussten Bürgern.«

Rebus erkannte ein paar Namen wieder – aktenkundige Einbrecher, die vielleicht einen größeren Bruch finanzieren wollten.

»Andere auf der Liste«, fuhr Carnett fort, »könnten einfach von Mackenzie oder seinen Männern eins auf die Schnauze gekriegt haben, und das Crime Squad hat davon Wind bekommen.«

»Und keiner wollte reden?«, fragte Rebus. Wieder nickte sie. Das kannte er zur Genüge. Sie ebenfalls. Es war völlig in Ordnung, von Schuldeneintreibern zusammengeschlagen zu werden, aber eine Schande, sich darüber bei den Bullen auszuweinen. Dann bekam man »SPITZEL« an die Haustür gesprüht und die Leute grüßten nicht mehr. Rebus fing an, sich Namen und Adressen zu notieren, obwohl er wusste, dass ihm das nichts nutzen würde. Aber wenn er schon mal da war…

»Ich könnte Ihnen Kopien machen«, schlug Carnett vor.

Rebus nickte. »Ich bin ein bisschen vorsintflutlich, muss alles in meinem Büchlein stehen haben.« Er tippte mit dem Finger auf eine Eintragung. Keinerlei Name, nur eine Reihe von Ziffern. »Ist das die Bezeichnung, die wir neuerdings auf Prince anwenden sollen?«

Sie lächelte, hielt sich rasch eine Hand vor den Mund. »Sieht aus wie ein Verweis auf eine andere Akte«, sagte sie. »Ich werd's bei mir am Schreibtisch checken.«

Also gingen sie wieder zurück, und während er seinen kalten Kaffee austrank, sah ihr Rebus bei der Arbeit zu.

»Interessant«, sagte sie schließlich und lehnte sich zurück. »Das ist eine interne Methode, bestimmte Namen aus dem Spiel zu halten. Computer sind nicht immer vor Spannern sicher.«

«Hackern.«

Sie sah ihn an. »Doch nicht so vorsintflutlich«, kommentierte sie. »Warten Sie hier einen Augenblick.«

Tatsächlich blieb sie immerhin so lange weg, dass sich ihr Bildschirmschoner aktivierte. Als sie zurückkam, hatte sie ein einzelnes Blatt in der Hand, das sie Rebus reichte.

»Wir benutzen Zahlencodes, wenn ein Name als zu heiß eingestuft wird: das heißt, wenn es sich dabei um jemanden handelt, den wir lieber aus dem Blickfeld der Öffentlichkeit halten möchten. Haben Sie eine Ahnung, wer das sein könnte?«

Rebus starrte auf den Namen. Sonst stand auf dem Blatt nichts.

»Ja«, sagte er schließlich. »Das ist der Sohn eines Richters.«

»Das würde die Sache dann ja erklären«, meinte Pauline Carnett und führte ihre Tasse an die Lippen.

Der Name auf dem Blatt war Nicol Petrie.

Als sie ein wenig tiefer buddelten, stießen sie auf einen Bericht vom Crime Squad über einen tätlichen Angriff. Man hatte Nicol Petrie in einer dunklen Nebengasse der Rose Street – keine hundert Meter vom Gaitano's entfernt – bewusstlos aufgefunden und ihn von einem Rettungswagen ins Krankenhaus schaffen lassen. Ein uniformierter Beamter war bei ihm geblieben und hatte darauf gewartet, ihm Fragen stellen zu können. Doch als er wieder zu sich gekommen war, wusste er nichts zu erzählen.

»Ich kann mich an nichts erinnern«, hatte er nur immer wieder behauptet. Er könne nicht einmal angeben, ob ihm etwas gestohlen worden sei. Augenzeugen hatten allerdings zwei Männer beschrieben, die etwa um die Tatzeit aus der Gasse herausgekommen seien. Sie hätten gelacht und sich Zigaretten angezündet. Einer der beiden habe sogar über aufgeschürfte Fingerknöchel geklagt. Die Polizei kriegte immerhin eine Gegenüberstellung hin, aber mittlerweile waren die Augenzeugen längst wieder nüchtern und wollten mit der Sache nichts mehr zu tun haben, niemanden identifizieren.

Zur Gegenüberstellung waren unter anderem zwei Rausschmeißer aus dem Gaitano's vorgeladen worden, darunter ein gewisser Calumn Brady.

Rebus las die Zeugenaussagen durch. Die Personenbeschreibungen der mutmaßlichen Angreifer waren recht vage. In dem einen – dem kleineren – von beiden konnte er mit etwas Phantasie Cal Brady wiedererkennen. Aber es spielte keine Rolle, Nicol Petrie würde nichts sagen. Und die Zeugen waren entweder gewarnt oder geschmiert worden oder hatten sich eines Besseren besonnen.

Das Crime Squad stufte die Sache als eine »Warnung« seitens Mackenzies ein und ließ es dabei bewenden.

Natürlich alles reine Spekulation. Und trotzdem … etwas wollte einfach nicht ins Bild passen.

»Nicols Vater ist Richter, hat Geld wie Heu. Warum hat er nicht einfach *ihn* angepumpt?«

Pauline Carnett wusste darauf keine Antwort.

Später bat er, jemanden aus der Abteilung Kindesmissbrauch sprechen zu können, und wurde zu einer Beamtin namens DS Whyte geführt. Er erkundigte sich nach Darren Rough. Sie holte sich die Akte auf den Bildschirm.

»Was über ihn genau?«

»Persönliches Umfeld.«

Sie hackte in die Tasten, schüttelte den Kopf. »Er war ein Einzelgänger.«

Rebus kratzte sich am Kinn. »Wie ist es mit Ray Heggie?«

Sie tippte wieder. »Kein Eintrag«, sagte sie schließlich. »Ist das jemand, den ich kennen sollte?«

Rebus zuckte die Achseln.

»In dem Fall …«, sagte sie und trug den Namen in ihre Datei ein. Rebus' Name kam auch mit dazu. »Nur damit ich weiß, wer mir zum ersten Mal von ihm erzählt hat.«

Rebus nickte. »Haben Sie den Shiellion-Fall verfolgt?«

»Wie ich höre, beraten sich die Geschworenen. Und es spricht viel für einen Schuldspruch.«

»Aber nicht, wenn Richie Cordover da noch ein Wort mitzureden hat.«

»Er ist gut, aber ich habe Lord Justice Petrie schon zu anderen Gelegenheiten erlebt, und wenn es etwas gibt, was er auf den Tod nicht ausstehen kann, dann sind es Pädophile. Nach Petries Zusammenfassung der Beweisergebnisse zu urteilen, würde ich sagen, Ince und Marshall sind im Arsch.«

»Was auch Zeit wäre«, fügte Rebus hinzu und verabschiedete sich.

37

Kaum zurück in Edinburgh, wurde in Fettes nach ihm verlangt – von keinem Geringeren als dem ACC, dem Assistant Chief Constable.

Der stellvertretende Polizeipräsident galt als gewissenhaft, fair und jeglichem Umgang mit Dummköpfen abgeneigt. Er hatte eine schöne dicke Akte über Rebus, aus der hervorging, dass der Beamte »schwierig, aber brauchbar« war. Rebus stand im Ruf, sich ständig Feinde zu machen. Der ACC – er hieß Colin Carswell – schmeichelte sich, nicht zu ihnen zu gehören.

An der Tür war ein Namensschild befestigt, unter dem die Zimmernummer 278 prangte. Ein großer Raum, Teppichboden und Vorhänge 08/15-Behördenware, auf der Fensterbank eine Blumenvase. Abgesehen davon so gut wie keine Dekoration. Carswell, groß und schlank, volles grau meliertes Haar und dazu passender Schnauzbart, erhob sich gerade lang genug von seinem Stuhl, um Rebus die Hand zu reichen. Bei Besprechungen saß er normalerweise nicht an seinem Schreibtisch, sondern benutzte dafür zwei Sessel am Fenster. Es waren Drehsessel mit Rollen, weshalb es ahnungslosen Beamten durchaus passieren konnte, dass sie plötzlich eine Drehung von hundertachtzig Grad vollführten oder rückwärts auf Carswells Schreibtisch zurollten. Nach einer solchen Besprechung erklärten die meisten, dass ihnen Sitzgelegenheiten altmodischer Art denn doch lieber gewesen wären.

Was, wie der ACC ihnen hätte bestätigen können, genau der Sinn der Übung war.

Die dunklen Augen wirkten müde. Trotz seines etwas fortgeschrittenen Alters war der ACC kürzlich zum vierten Mal Vater geworden. Da seine übrigen Kinder schon alle erwachsen waren, handelte es sich nach einhelliger Ansicht sämtlicher Revierwachen der Stadt bei dem Neuzugang offenbar um einen Unfall, wodurch er praktisch das Einzige im Leben des ACC gewesen wäre, das dieser nicht zu planen oder nach seinem Willen zu steuern geschafft hatte.

»Wie geht es Ihnen, John?«, fragte er.

»Nicht schlecht, Sir. Wie geht's dem Kleinen?«

»Prächtig. Hören Sie, John...« Carswell verplemperte nie Zeit mit einleitenden Floskeln. »Man hat mich gebeten, diesen Mordfall unter die Lupe zu nehmen.«

»Darren Rough?«

»Genau.«

»Kam vom Sozialamt, stimmt's, Sir?« Rebus legte die Hände flach auf die Armlehnen.

»Ein gewisser Andrew Davies. Hat eine Art Beschwerde eingereicht.«

»Eine Art?«

»War nicht ganz eindeutig formuliert.«

»Er hat wahrscheinlich nicht Unrecht, Sir.«

Der ACC hielt einen Augenblick lang die Luft an. »Habe ich richtig gehört?«

»Ich habe Rough ohne stichhaltigen Verdachtsgrund durch den halben Zoo gehetzt, wodurch unser Giftmörder Gelegenheit hatte, wieder zuzuschlagen. Als ich dann erfuhr, dass Rough in einer Wohnung mit Blick auf einen Kinderspielplatz lebte, habe ich dafür gesorgt, dass es allgemein bekannt wurde.«

Carswell faltete die Hände wie zum Gebet. Da er Rebus' Ruf kannte, war ein Geständnis das Letzte, was er von ihm erwartet hatte. »Sie haben ihn geoutet?«

»Ja, Sir. Ich wollte ihn aus meinem Revier raushaben. Zu dem Zeitpunkt...« Rebus stockte. »Ich hab mir die Konsequenzen nicht überlegt, ihm später aber geholfen, aus

Greenfield zu entkommen. Zumindest war das mein Plan. Nur dass er sich aus meiner Wohnung geschlichen hat und seinem Mörder in die Hände gelaufen ist. Aber ganz zum Schluss … da habe ich versucht, es wieder gutzumachen.«

»Ich verstehe. Soll ich *das* dem Sozialamt melden?«

»Das ist Ihre Entscheidung, Sir.«

»Und was hätten *Sie* gern?«

Rebus sah ihn an. Draußen war es hell, eine weitere List des ACC – bei sonnigem Wetter griff er gern zum Stuhltrick. Alles, was Rebus von seinem Vorgesetzten sah, war eine lichtumstrahlte schwarze Silhouette.

»Eine Zeit lang glaubte ich, ich wollte raus, Sir. Vielleicht hatte ich das im Hinterkopf, als ich auf Rough losgegangen bin: Wenn ich ihm nur hart genug zusetzte, würde ich am Ende vielleicht rausfliegen, aber trotzdem das Gefühl haben, meine Pflicht getan zu haben.«

»Aber dazu ist es nicht gekommen.«

»Noch nicht, Sir, nein.«

Carswell dachte nach. »Wie fühlen Sie sich jetzt?«

Rebus blinzelte ins Licht. »Ich weiß nicht genau. Müde hauptsächlich.« Er brachte ein Lächeln zustande.

»Vor langer Zeit, John – ich weiß, ihr stellt euch alle gern vor, ich hätte mein ganzes Leben hinter einem Schreibtisch zugebracht –, aber vor langer, langer Zeit, da hat so ein Mann drüben in Leith eine Prügelei vom Zaun gebrochen. Gepflegter Typ, Anzug und Schlips. Zu Hause Frau und Kinder. Und er war in eine Hafenkneipe reinspaziert, hatte sich den vierschrötigsten, am gefährlichsten aussehenden Burschen ausgeguckt und war auf ihn losgegangen. Ich war damals jung und wurde ins Krankenhaus geschickt, um seine Aussage aufzunehmen. Wie sich herausstellte, hatte er vorher versucht, Selbstmord zu begehen, und nicht den Mut dazu aufgebracht. Also war er losgezogen und hatte jemanden gesucht, der ihm die Arbeit abnehmen würde. Ein bisschen was in der Art scheinen Sie von Darren Rough gewollt zu haben: Beihilfe zum beruflichen Selbstmord.«

Rebus lächelte wieder, aber er dachte dabei: *Wieder Selbstmord… wie bei Jim Margolies. Beihilfe zum beruflichen Selbstmord…*

»Ich glaube nicht, dass ich das an unsere Freunde vom Sozialamt weitergeben werde«, erklärte der ACC schließlich. »Ich denke, ich werde es noch ein Weilchen für mich behalten. Vielleicht ist irgendeine Form von Entschuldigung möglich… das wird dann *Ihre* Sache sein.«

»Danke, Sir.«

»Und John« – er stand jetzt auf und reichte Rebus noch einmal die Hand – »ich weiß es zu schätzen, dass Sie nicht versucht haben, mir irgendeinen Bären aufzubinden.«

»Ja, Sir.« Rebus war ebenfalls aufgestanden. »Und vielleicht, Sir, bei allem Respekt, gäbe es eine Möglichkeit, dieser Ihrer Dankbarkeit konkreten Ausdruck zu verleihen…«

Nicol Petrie wohnte im West End, in den zwei obersten Stockwerken eines großen georgianischen Hauses. Es gab eine gemeinsame Einhangshalle mit dezent verteilten Tischen und Teppichen. Auf den Tischen standen allerlei Vasen und Nippes. Das Ganze hatte nur entfernte Ähnlichkeit mit den Mietshausfluren, an die Rebus gewöhnt war.

Und es gab einen Fahrstuhl, dessen Interieur ganz aus blank polierten Spiegeln und einer schimmernden Holzvertäfelung bestand. Neben den Knöpfen für die einzelnen Etagen waren gedruckte Schildchen mit den Namen der jeweiligen Bewohner angebracht. Zwei Petries: N. und A. Rebus schätzte, dass A. für Amanda stand.

Der Fahrstuhl entließ Rebus auf einen geräumigen Flur,

über den sich eine Glaskuppel wölbte. Topfpflanzen ringsum und wieder Teppiche. Nicol Petrie öffnete die Tür, grüßte mit einem leichten Nicken und ließ Rebus eintreten.

Rebus hatte Antiquitäten erwartet, wurde aber enttäuscht. Die Wände der Wohnung waren buchstäblich strahlend weiß gestrichen und vollkommen kahl – keinerlei Bilder oder Poster – die Fußböden abgeschliffen und lackiert. Man kam sich fast wie in einem IKEA-Katalog vor. Eine Innentreppe führte hinauf ins Obergeschoss, aber Nicol ging daran vorbei und ins zehn Meter lange und vier Meter hohe Wohnzimmer, dessen doppelte Schiebefenster einen freien Ausblick auf Dean Valley und den Water of Leith gewährten. In der Ferne war die Küste von Fife zu erkennen. Ganz in die Betrachtung des Raums versunken, übersah Rebus beim Eintreten die Puppe, die auf dem Boden lag, und verpasste ihr unabsichtlich einen Tritt, wodurch sie auf ihre Besitzerin zuschlitterte.

»Jessica!«, schrie das kleine Mädchen auf und krabbelte auf Händen und Knien auf die Puppe zu, um sie an ihre Brust zu drücken. Rebus entschuldigte sich, aber Hannah Margolies schenkte ihm keine Beachtung.

»Schön, Sie wiederzusehen«, sagte Hannahs Mutter. Sie saß auf einem weißen Sofa. »Tut mir Leid. Hannah macht sich überall mit ihren Spielsachen breit.« Sie klang müde. Rebus fiel auf, dass sie noch immer Schwarz trug, wenngleich ein kurzes kleines Schwarzes mit schwarzer Strumpfhose. Modebewusste Trauer.

»Tut mir Leid«, entschuldigte er sich bei Nicol Petrie. »Ich wusste nicht, dass Sie Besuch haben.«

»Sie kennen sich?« Petrie schüttelte den Kopf angesichts der Dummheit seiner Frage. »Durch Jim, natürlich. Verzeihung.«

Rebus hatte den Eindruck, dass man bislang nichts

anderes getan hatte, als sich zu entschuldigen. Katherine Margolies erhob sich mit einer plötzlichen eleganten Bewegung.

»Komm, Han-Han. Zeit zu gehen.«

Ohne irgendwelche Klagen oder Einwände zu erheben, stand Hannah auf und ging zu ihrer Mutter.

»Nicky«, sagte Katherine und küsste ihn auf beide Wangen, »danke wie immer fürs Zuhören.«

Nicol Petrie umarmte sie, ging dann in die Knie und ließ sich von Hannah einen Kuss geben. Katherine Margolies nahm Hannahs Mantel von der Rückenlehne des Sofas.

»Auf Wiedersehen, Inspector.«

»Wiedersehen, Mrs. Margolies. Wiedersehen, Hannah.«

Hannah warf ihm einen Blick zu. »Sie meinen doch auch, dass *ich* hätte gewinnen sollen, oder?«

Katherine strich ihrer Tochter übers Haar. »Jeder weiß, dass man dir übel mitgespielt hat, Schätzchen.«

Hannah sah immer noch Rebus an. »Jemand hat mir meinen Papa gestohlen«, sagte sie.

Nicol Petrie machte viel Aufhebens um die Kleine, während er Mutter und Tochter zur Tür begleitete. Als er ins Zimmer zurückkam, stand Rebus an einem der Fenster und blickte hinunter auf die Straße. Petrie fing an, die Spielsachen in einen Pappkarton zu räumen.

»Noch einmal, tut mir Leid, wenn ich Sie gestört habe, Sir«, sagte Rebus, ohne allzu viel Überzeugungskraft in seine Worte zu legen.

»Schon gut. Katy kommt oft unangemeldet vorbei. Besonders seit… na ja, Sie wissen schon.«

»Sind Sie ein guter Zuhörer, Mr. Petrie?«

»Auch nicht besser als die meisten, vermute ich. Normalerweise ist es einfach so, dass mir keine konstruktiven Beiträge zur Unterhaltung einfallen, also fülle ich lediglich die Gesprächspausen mit Fragen.«

»Dann würden Sie einen guten Detective abgeben.«

Petrie lachte. »Da habe ich meine Zweifel, Inspector.« Er öffnete eine der Türen, die vom Wohnzimmer abgingen. Sie führte in einen begehbaren Schrank voller Regale. Er stellte den Karton mit den Spielsachen auf eines der Bretter. Alles säuberlich weggeräumt. Rebus hätte wetten können, dass der Karton immer auf dasselbe Regalbrett, immer an dieselbe Stelle kam. Er kannte noch andere Leute dieses Schlags, Leute, die ihr Leben nach Schubfächern organisierten. Siobhan Clarke gehörte zu ihnen. Wenn man sie ärgern wollte, brauchte man bloß etwas von einer in die andere Schublade ihres Schreibtisches zu räumen.

Unten kamen Katherine Margolies und ihre Tochter gerade aus dem Haus. Ihre Mercedes-Limousine hatte eine ferngesteuerte Zentralverriegelung und sah neu aus. Die Zulassungsnummer war dieselbe, die eine der Nutten mit Lippenstift auf die Hauswand in Leith geschrieben hatte.

Es war ein weißer Mercedes.

Weiß...

»War es ein schwerer Schlag für sie?«, fragte er, den Blick weiterhin auf die Straße gerichtet.

»Vernichtend, könnte ich mir vorstellen.«

»Und für die Kleine?«

»Ich bezweifle, dass Han-Han es tatsächlich schon begriffen hat. Sie haben es ja selbst gehört, sie glaubt, dass man ihn ihr gestohlen hat.«

»Womit sie ja in gewisser Weise Recht hat.«

»Wahrscheinlich, ja.« Petrie trat ebenfalls ans Fenster, schaute zusammen mit Rebus dem abfahrenden Wagen nach. »Niemand kann von etwas Derartigem unberührt bleiben.«

»Was glauben Sie, warum er es getan hat?«

Petrie sah ihn an. »Ich habe nicht die leiseste Ahnung.«

»Seine Witwe hat nichts gesagt?«

»Das geht nur sie und mich etwas an.«

»Verzeihung«, sagte Rebus. »Reine Neugier. Ich meine, jemand wie Jim Margolies... da kann man sich schon wundern, finden Sie nicht?«

»Ich glaube, ich weiß, was Sie meinen.« Petrie wandte sich vom Fenster ab. »Wenn man alles hat und trotzdem unglücklich ist – was hat dann alles überhaupt für einen Sinn?« Er ließ sich in einen Sessel fallen. »Vielleicht ist es etwas typisch Schottisches.«

Rebus setzte sich auf das Sofa. »Was?«

»Es ist uns einfach nicht *bestimmt*, alles zu haben. Unsere Bestimmung ist, glorreich zu scheitern. Alles, was uns gelingt, übergehen wir am liebsten mit Schweigen. Es sind unsere Misserfolge, die wir ausposaunen dürfen.«

Rebus lächelte. »Da könnte was dran sein.«

»Das lässt sich durch unsere ganze Geschichte hindurch verfolgen.«

»Bis hin in die Gegenwart und zu unserer Fußballnationalmannschaft.«

Jetzt war es an Petrie zu lächeln. »Ich bin sehr unhöflich gewesen: Darf ich Ihnen etwas zu trinken anbieten?«

»Was trinken Sie?«

»Ich dachte, vielleicht ein Glas Wein. Ich hatte eine Flasche für Katy aufgemacht, weil ich dachte, sie sei mit dem Taxi gekommen. Die Parksituation hier in der Gegend ist katastrophal.« Er ging, von Rebus gefolgt, aus dem Zimmer. Die Küche war lang und schmal und makellos. Das Kochfeld sah so aus, als sei es noch nie benutzt worden. Petrie öffnete den Kühlschrank, nahm eine Flasche Sancerre heraus.

»Schöne Wohnung«, sagte Rebus, als Petrie zwei Gläser aus einem Schrank holte.

»Danke. Mir gefällt sie.«

»Was arbeiten Sie so, Mr. Petrie?«

Petrie warf ihm einen Blick zu. »Ich bin Student, noch anderthalb Jahre bis zur Promotion.«

»Haben Sie Ihren ersten Abschluss in Edinburgh gemacht?«

»Nein, St. Andrews.« Schenkte jetzt ein.

»Gibt nicht viele Studenten mit so luxuriösen Wohnungen – oder bin ich da nicht auf dem Laufenden?«

»Die gehört nicht mir.«

»Ihrem Vater?«, tippte Rebus.

»Genau.« Und schenkte das zweite Glas ein; jetzt eine Spur weniger gelassen.

»Er muss Sie gern haben.«

»Er liebt seine Kinder, Inspector. Die meisten Eltern dürften das tun.«

Rebus dachte an sich und Sammy. »Beruht allerdings nicht immer auf Gegenseitigkeit, stimmt's?«

»Ich weiß nicht, was Sie meinen.«

Rebus zuckte die Achseln, nahm das ihm angebotene Glas. »Cheers!« Er trank einen Schluck. Petrie stand am Ende der schmalen Küche; der einzige Weg hinaus führte an Rebus vorbei. Und Rebus rührte sich nicht von der Stelle. »Also, wenn *ich* einen Vater hätte, der mich liebt, der meinetwegen ein Vermögen für eine Wohnung ausgegeben hat... da würde ich mich doch, wenn ich in Schwierigkeiten steckte, wahrscheinlich jedes Mal an ihn wenden, damit er mich rauspaukt.«

»Hören Sie, ich –«

»Wenn ich beispielsweise Geld bräuchte, würde *ich* nicht zu einem Kredithai gehen.« Rebus verstummte, nahm einen weiteren Schluck. »Und Sie, Mr. Petrie?«

»Herrgott, *darum* geht's also? Um diese zwei Schläger, die mich vermöbelt haben?«

»Vielleicht ging's dabei gar nicht um Geld. Vielleicht gefiel denen Ihr Gesicht einfach nicht.« Nicol Petrie: makelloses Gesicht, schmale dunkle Augenbrauen, hohe Wangenknochen. Ein Gesicht, so vollkommen, dass man vielleicht nur den Wunsch verspüren konnte, es zu verunstalten.

»Ich weiß nicht, was die wollten.«

Rebus lächelte. »O doch. Ihre ach so praktische Amnesie ist Ihnen irgendwie abhanden gekommen. Sie dürften gar nicht wissen, dass es zwei waren.«

»Die Polizei hat das damals erwähnt.«

»Zwei Männer, die für Charmer Mackenzie arbeiteten. Wir nennen solche Typen ›Einschüchterer‹, und glauben Sie mir, *ich* wäre da auch eingeschüchtert gewesen. Das ist ein knallharter Dreckskerl, der Cal Brady, hab ich Recht?«

»Wer?«

»Cal Brady. Sie haben doch bestimmt schon seine Bekanntschaft gemacht.«

Petrie schüttelte den Kopf. »Nicht, dass ich wüsste.«

»Auf wie viel belief sich Ihre Schuld? Ich geh mal davon aus, dass Sie sie inzwischen beglichen haben. Und warum haben Sie nicht einfach gleich Ihren Papa angepumpt? Sehen Sie, Mr. Petrie, ich bin ein neugieriger Mensch, und wenn ich erst einmal anfange, Fragen zu stellen, lasse ich in der Regel nicht mehr locker, bis ich Antworten bekomme.«

Petrie stellte sein Glas auf die Arbeitsfläche. Als er sprach, sah er Rebus nicht an. »Das bleibt auch bestimmt unter uns? Ich werde es vor niemandem sonst wiederholen.«

»Einverstanden«, sagte Rebus.

Petrie schlang die Arme um sich, wodurch er noch schmächtiger wirkte. »Ich *habe* mir von Mackenzie Geld geliehen. Wir wussten … diejenigen von uns, die den Clipper frequentierten, wussten, dass er Geld verlieh. Und ich geriet in die Situation, welches zu benötigen. Wenn es ihm passt, kann mein Vater großzügig sein, Inspector, aber ich hatte es schon geschafft, eine beträchtliche Menge seines Geldes zu verjubeln. Ich wollte nicht, dass er von der Sache Wind bekam. Also habe ich mich stattdessen an Mackenzie gewandt.«

»Sie hätten doch bestimmt einen Überziehungskredit bekommen.«

»Vermutlich, ja.« Petrie wandte den Blick ab. »Aber es hatte irgendwie etwas … die Vorstellung, mit Mackenzie zu verhandeln, war ungleich verlockender.«

»Wieso?«

»Die Gefahr, die Faszination des Verbotenen.« Er wandte sich wieder zu Rebus. »Sie wissen doch selbst, dass die Edinburgher Gesellschaft derlei *liebt*. Deacon Brodie hatte es nicht nötig, in anderer Leute Häuser einzubrechen, aber das hielt ihn nicht davon ab, es trotzdem zu tun. Es ist eine puritanische alte Stadt – wo sonst sollten wir unsere Kicks herbekommen?«

Rebus starrte ihn an. »Wissen Sie was, Nicky? Ich glaube Ihnen fast. *Fast*, aber nicht ganz.« Er streckte eine Hand nach Petrie aus, der erschrocken zusammenzuckte. Doch Rebus legte nur eine Fingerspitze an die Schläfe des jungen Mannes. Als er sie wieder zurückzog, haftete daran eine Schweißperle. Das Tröpfchen fiel und zerplatzte auf der Arbeitsfläche.

»Das sollten Sie besser aufwischen«, sagte Rebus und wandte sich ab. »Sie möchten doch bestimmt nicht, dass irgendetwas an Ihrer makellosen Oberfläche kleben bleibt, oder?«

38

Es gab weiterhin keine Spur von Billy Horman.

Seine Mutter Joanna hatte während der Pressekonferenz fernsehwirksam geweint. Ray Heggie, Joannas Liebhaber, der neben ihr saß und kein Wort sagte, hatte versucht, sie zu trösten. Doch sie hatte ihn von sich gestoßen. Rebus wusste, dass er früher oder später von der Bildfläche verschwinden würde – falls er unschuldig war.

Das GGP war unvermindert aktiv. Als die Geschworenen sich zurückzogen, um über den Shiellion-Fall zu beraten, hielten die Aktivisten eine Mahnwache vor dem Gebäude des Obersten Gerichts ab. Sie hatten Kerzen angezündet und Plakate am Geländer befestigt. Auf den Plakaten waren Fotos und Personalien von Kindermördern und Kinderschändern samt ihren Opfern abgebildet. Die Polizei bekam Anweisung, die Demonstration nicht aufzulösen. Derweil berichteten die Medien von weiteren Pädophilen, die gerade aus der Haft entlassen wurden. Das GGP entsandte Mitglieder in die jeweiligen Städte. Aus der Bürgerinitiative war eine regelrechte Bewegung geworden, mit Van Brady als überraschende Galionsfigur. Sie veranstaltete mittlerweile eigene Pressekonferenzen, bei denen an der Wand hinter ihr stark vergrößerte Fotos von Billy Horman und Darren Rough prangten.

»Die Welt«, hatte sie auf einer Versammlung verkündet, »sollte ein grünes Feld ohne Grenzen sein, auf dem unsere Kinder ungefährdet spielen und Eltern ihre Kinder unbesorgt sich selbst überlassen können. Das ist Zweck und Zielsetzung des Green Field Project.«

Rebus fragte sich, wer ihr wohl die Reden schrieb. Das Green Field Project stellte für das GGP eine Neuerung dar: eine Tochterorganisation zur Beschaffung von Mitteln für die Einrichtung von Hochsicherheitsspielplätzen mit Überwachungskameras und Ähnlichem mehr. Rebus erinnerte das weniger an ein »grünes Feld« als an ein Gefangenenlager. Die Organisation bewarb sich um die Zuteilung von Geldern aus der staatlichen Lotterie und der EU. Andere Wohnsiedlungen hatten früher mit ähnlichen Anträgen bereits Erfolg gehabt und unterstützten Greenfield jetzt mit Rat und Tat. Die Greenfielder wollten etwas in der Größenordnung von zwei Millionen Pfund. Rebus lief es eiskalt über den Rücken, wenn er sich eine solche Summe in den Händen von Van und Cal Brady vorstellte.

Aber schließlich war das ja nicht sein Problem.

Sein vordringlichstes Problem war – wie ihm klar wurde, als er den Hörer abnahm – Cary Oakes.

Alan Archibalds Stimme. »Er ist einverstanden.«

»Womit einverstanden?«

»Mit mir nach Hillend rauszufahren. Einen Spaziergang durch die Hügel zu machen.«

»Hat er gestanden?«

»So gut wie.« Archibalds Stimme zitterte vor Erregung.

»Aber *Konkretes* hat er nicht gesagt?«

»Wenn wir erst mal da draußen sind, John, *bringe* ich ihn zum Reden – so oder so.«

»Sie wollen ihn foltern, ja?«

»So meine ich das nicht. Ich meine, wenn wir erst mal da sind, am Schauplatz des Verbrechens, wird er wohl zusammenbrechen.«

»Ich wär mir da nicht so sicher. Was, wenn es eine Falle ist?«

»John, das haben wir alles schon etliche Male durchgekaut.«

»Ich weiß.« Rebus schwieg kurz. »Und trotzdem fahren Sie hin.«

Die Stimme war jetzt leise, ruhig. »Ich muss – was immer auch passieren mag.«

»Ja«, sagte Rebus. Natürlich würde Archibald da hinfahren. Es war sein Schicksal. »Schön, ich bin dabei.«

»Ich werde ihn fragen –«

»Nein, Alan, Sie werden es ihm *sagen*. Entweder wir beide, oder es läuft nicht.«

»Was, wenn er –«

»Er wird schon nicht. Vertrauen Sie mir. Ich glaube, ihm liegt selbst daran, mich auch dabeizuhaben.«

Das Band lief noch, aber Cary Oakes hatte seit ein paar Minuten nichts mehr gesagt. Jim Stevens kannte das mittlerweile, war an die langen Pausen gewöhnt, die Oakes sich nahm, um seine Gedanken zu sammeln. Er ließ weitere sechzig Sekunden Band durchlaufen, ehe er fragte: »Sonst noch etwas, Cary?«

Oakes machte ein überraschtes Gesicht. »Sollte noch was kommen?«

»Das war's also?« Das Band lief noch immer. Oakes nickte nur und verschränkte die Hände hinter dem Kopf: Job erledigt. Stevens sah auf seine Uhr, sprach die Uhrzeit ins Mikrofon, drückte dann auf die Stopptaste. Er steckte den Rekorder in die Brusttasche seines blasslilafarbenen Hemds. Blass war das Hemd deswegen, weil es in den fünf Jahren, seitdem Stevens es besaß, an die dreihundertmal gewaschen worden war. Stevens wusste, dass seine Reporterkollegen meinten, er habe in den letzten paar Jahren zugenommen. Das Hemd hätte sie leicht widerlegen können, gleichzeitig aber auch bewiesen, wie selten er sich neue Sachen anschaffte.

»Zufrieden?«, fragte Oakes und stand auf. Dann streckte er sich, als hätte er einen langen Tag in der Kohlengrube hinter sich.

»Nicht so richtig. Das sind wir Journalisten nie.«

»Wieso das?«

»Weil egal, wie viel man uns erzählt, wir *wissen*, dass man uns etwas vorenthält.«

Oakes breitete die Arme aus. »Ich habe Ihnen Blut gegeben, Jim. Ich fühl mich so, als hätten Sie eine Transfusion von mir bekommen.« Wieder dieses entnervende, vollkommen freudlose Grinsen. Stevens schrieb Datum und Uhrzeit auf ein Klebeetikett, zog es von der Folie ab und pappte es auf eine Schmalseite der Kassettenbox. Nummer elf. Elf Stunden Cary Oakes. Es reichte nicht für ein Buch, aber einen Vertrag hätte er dafür schon bekommen können, und der Rest des Buches ließe sich mit Füllmaterial auspolstern: Verhandlungsberichten, Interviews, Fotos.

Das Problem war bloß, dass er nicht ernsthaft damit rechnete, einen Verlag zu finden. Er würde es nicht einmal versuchen.

»Woran denken Sie, Boss?«, fragte Oakes. Er nannte Stevens neuerdings »Boss«. Stevens war nicht so naiv, das als Kompliment aufzufassen; bestenfalls war es ironisch gemeint.

»Ich ... denke eigentlich gar nichts.« Stevens zuckte die Schultern. »Nur, dass es erledigt ist, das ist alles.«

»Was bedeutet, dass heute für den alten Cary Zahltag ist.«

»Sie werden Ihren Scheck bekommen.«

»Was soll ich mit einem Scheck? Ich hatte Cash gesagt.«

Stevens schüttelte den Kopf. »Ein Scheck, muss sein, sonst würde unsere Buchhaltung einen Nervenzusammenbruch kriegen. Sie können ja damit ein Bankkonto eröffnen.«

»Und dann wie lange warten, bis der Wisch gutgeschrieben wird?« Oakes war im Zimmer auf und ab gegangen. Jetzt blieb er beim Sessel, auf dem Stevens saß, stehen, beugte sich zu ihm hinunter und starrte ihn an. Stevens musste als Erster blinzeln, was Oakes als Sieg zu genügen schien. Er stieß sich an den Armlehnen ab, warf den Kopf in den Nacken und ließ ein wieherndes Gelächter ertönen. Dann neigte er sich wieder hinunter und tätschelte Stevens' gummiweiche Backe.

»Ist schon okay, Jim, ehrlich. Ich war nie wirklich auf das Geld aus. Sie sollten lediglich das Gefühl haben können, Sie hätten mich in der Hand.«

»Das habe ich nie gedacht, Oakes.«

»Schluss mit Vornamen? Habe ich Sie irgendwie verärgert?«

Stevens schüttelte die Kassettenbox. »Wie viel davon ist Bockmist?«

Oakes grinste wieder. »Was glauben *Sie*, Partner?«

»Ich weiß nicht. Deswegen frage ich Sie ja.« Er bemerkte, dass Oakes einen Blick auf die Nachttischuhr warf. »Wollen Sie noch irgendwohin?«

»Mein Job ist erledigt. Was hält mich noch hier?«

»Wo gehen Sie hin?« Stevens wusste selbst nicht warum, aber während Oakes gelacht hatte, hatte er den Kassettenrekorder wieder eingeschaltet. Da das Gerät noch in seiner Hemdtasche steckte, wusste er nicht, wie viel es aufnehmen würde. Er hörte das Motörchen arbeiten, spürte, wie es an seiner Brust surrte.

»Wieso interessiert Sie das?«

»Ich bin Reporter. Sie sind noch immer eine Story.«

»Das Beste haben Sie noch gar nicht, Jimmy-Baby.«

Stevens fuhr sich mit seiner trockenen Zunge über die Lippen.

»Mach ich Ihnen Angst, Jim?«

»Manchmal«, gab Stevens zu.

»Sie sind kräftiger als ich, jedenfalls schwerer. Sie könnten doch mit mir fertig werden, oder?«

»Es ist nicht immer nur eine Frage der Körpergröße.«

»Wie wahr, wie wahr. Manchmal geht's bloß darum, wie wahnsinnig und gemeingefährlich der Gegner ist. Erkennen Sie einen Hauch von Wahnsinn in mir, Jimbo?«

Stevens nickte langsam. »Und von Gemeingefährlichkeit auch«, fügte er hinzu.

»Das können Sie laut sagen.« Oakes betrachtete sich im Wandspiegel, strich sich mit einer Hand über das kurz geschorene Haar. »Und es ist ein hungriger Wahnsinn, Jim. Er verlangt von mir, dass ich Menschen auffresse.« Ein langsamer Blick zur Seite. »Nicht Sie, natürlich, in dem Punkt brauchen Sie sich keine Sorgen zu machen.«

»In welchem Punkt *sollte* ich mir denn welche machen?«

»Das werden Sie schon noch früh genug erfahren.« Er musterte sich noch einmal im Spiegel. »Ich habe eine Verabredung mit meiner Vergangenheit, Jim. Ein Date mit dem Schicksal, wie Sie und Ihre Schmierfinkkollegen es vielleicht formulieren würden. Mit jemandem, der nie auf mich hören wollte.« Jetzt zum Journalisten gewandt: »Als ich rauskam, wusste ich, dass ich meine Geschichte erzählen würde. Ich hatte genügend Zeit gehabt, sie mir zurechtzulegen.«

»Das klingt nicht gerade nach einer *wahren* Geschichte.«

»Sie haben mehr Grips, als man Ihnen ansieht, Jimbo.« Oakes lachte.

Stevens' Herz schlug ein bisschen schneller. Er hatte das schon seit einigen Tagen geargwöhnt, aber das machte es nicht leichter, es jetzt im Klartext zu hören.

»*Irgendwas* davon wird doch wohl stimmen«, stieß er mühsam hervor.

»Die Schotten sind geborene Geschichtenerzähler, Jim, habe ich Recht?« Er tätschelte Stevens noch einmal die Backe, dann wandte er sich zur Tür. »Es war alles gequirlte Scheiße, Jim. Vergessen Sie das nie, solang Sie leben.«

Nachdem sich die Tür hinter Oakes geschlossen hatte, legte Stevens den Kopf in die Hände und blieb ein paar Augenblicke lang so sitzen, erleichtert darüber, dass die Sache vorbei war… was immer das Resultat auch sein mochte. Als sein Telefon klingelte, fiel ihm wieder der Rekorder in seiner Brusttasche ein. Er fischte ihn heraus und schaltete ihn aus, ließ das Band zurücklaufen und drückte auf PLAY.

Oakes' Stimme klang jetzt leise und blechern, aber deswegen nicht minder dämonisch. *Es war alles gequirlte Scheiße, Jim.* Er schaltete das Gerät aus und ging ans Telefon. Räusperte sich erst und setzte sich auf die Bettkante.

»Hallo?«, sagte er in die Sprechmuschel.

»Jim, sind Sie das? Peter Barclay hier.«

Barclay schrieb für ein Konkurrenzblatt. »Was wollen Sie, Peter?«

»Im schlechten Augenblick erwischt?« Barclay schmunzelte. Er sprach immer mit einer Zigarette im Mund. Er klang dadurch wie ein schlechter Bauchredner.

»Könnte man sagen.«

»Ich *sag*'s auch. Ihr Junge hat aus der Schule geplaudert.«

»Was?« Stevens hörte auf, sich den Nacken zu reiben.

»Er hat einen Rundbrief an alle Ihre lieben Kollegen von der Konkurrenz geschickt, in dem es heißt, seine ›Autobiographie‹ sei totaler Bockmist. Möchten Sie dazu einen Kommentar abgeben, Jim? Ganz in-inoffiziell, natürlich.«

Stevens knallte den Hörer wieder auf die Gabel, fegte dann den Apparat vom Nachttisch.

»Teilnehmer nicht erreichbar«, sagte er und verpasste dem Ding zur Sicherheit noch einen Fußtritt.

39

Nebel lag auf den Pentland Hills, bleichte alle Farbe aus der Landschaft und drohte, Hillend und Swanston von der unmittelbar nördlich davon gelegenen Stadt abzuschneiden.

»Das gefällt mir nicht«, sagte Rebus, als sie parkten.

»Angst, dass wir verschütt gehen?« Cary Oakes lächelte. »Wär das nicht ein schwerer Verlust für die Menschheit?«

Er saß auf dem Beifahrersitz, Alan Archibald im Fond. Rebus hatte Oakes nicht hinter sich haben wollen, sondern da, wo er ihn sehen konnte. Bevor sie aufbrachen, hatte er darauf bestanden, Oakes zu durchsuchen. Oakes hatte gefragt, ob er hinterher auch mal dürfte.

»Ich bin hier nicht der Mörder«, hatte Rebus gesagt.

»Ich fasse das als ›Nein‹ auf.« Oakes hatte sich zu Archibald gewandt. »Ich hatte gedacht, wir würden unter uns sein. Wär doch irgendwie netter gewesen.« Mit einem Nicken in Richtung Rebus. »Wir brauchen keine Außenstehenden, Mr. Archibald.«

»Sie gehen nirgendwohin ohne mich«, hatte Rebus gesagt.

Und da waren sie nun. Archibald wirkte unruhig. Als er aus dem Auto stieg, ließ er sein Messtischblatt fallen. Oakes hob es wieder auf.

»Vielleicht sollten wir eine Spur von Brotkrumen legen«, schlug er vor.

»Bringen wir es einfach hinter uns«, antwortete Archibald mit vor Nervosität brüchiger Stimme.

Rebus sah sich um. Keine anderen Autos in der Nähe; keine Wanderer; kein Gebell von Hunden, die spazieren geführt wurden.

»Gruselig, nicht?«, meinte Oakes. Er trug einen billigen grünen Parka.

Rebus' Jacke hatte eine im Kragen integrierte Kapuze. Er rollte sie auf, streifte sie sich aber nicht über. Er wusste, dass sie sein Gesichtsfeld stark eingeengt hätte, und Scheuklappen waren das Letzte, was er im Augenblick gebrauchen konnte. Archibald trug eine flache Tweedmütze und Wanderschuhe. Mütze und Schuhe sahen brandneu aus; sie hatten wohl schon eine ganze Weile auf diesen Tag gewartet.

»Jemand ein Schlückchen?«, fragte Oakes und zog einen Flachmann aus der Tasche. Rebus starrte ihn an. »Wollen Sie den ganzen Tag mit so einer finsteren Miene rumlaufen?« Oakes lachte. »Haben Sie vielleicht was auf dem Herzen, was Sie gern loswerden würden?«

»Eine Menge.« Rebus hatte die Fäuste geballt.

»Nicht hier, John«, flehte Archibald. »Nicht jetzt.«

Die Augen auf Rebus gerichtet, reichte Oakes den Flachmann Archibald, doch der schüttelte den Kopf. Oakes hielt sich die Flasche über den Mund und ließ die Flüssigkeit in seine Gurgel rinnen. Er schluckte geräuschvoll.

»Sehen Sie?«, sagte er. »Ist nicht vergiftet.« Er bot die Flasche noch einmal an, und diesmal nahm Archibald einen Schluck. »Ich hab die mir in der Hotelbar auffüllen lassen.« Er nahm den Flachmann wieder an sich. »Und Sie, Inspector?«

Rebus nahm den Flachmann, schnüffelte daran. O Gott, roch das gut! Aber er gab die Flasche zurück, ohne daraus zu trinken.

»Balvenie«, sagte er. »Wenn ich mich nicht irre.«

Oakes lachte wieder. Archibald rang sich ein Lächeln ab.

»Ich dachte, Sie trinken nicht«, sagte Rebus.

»Tu ich auch nicht, aber das ist doch schließlich ein besonderer Anlass, nicht...?«

Dann faltete Archibald die Karte auseinander, und es wurde ernst: Oakes musterte das Blatt konzentriert, während ihm Rebus über die Schulter schaute, und sagte schließlich: »Ich glaube nicht, dass die viel nützen wird.« Er sah sich um. »Ich fürchte, ich werd mich auf meine Nase verlassen müssen.« Er warf Archibald einen Blick zu. »Tut mir Leid.«

»Führen Sie mich einfach zu der Stelle, wo sie getötet wurde«, sagte der ältere Mann.

»Vielleicht sollten Sie dann besser vorgehen«, meinte Oakes. »Schließlich bin ich noch nie hier gewesen.« Und zwinkerte.

Sie marschierten los.

Nach einer Weile sagte Rebus: »Wieder ein Spielchen, Oakes?«

Oakes blieb stehen, verschnaufte. »Sie wissen doch, wie es bei Elvis heißt, Inspector: *We can't go on together with suspicious minds*. Ohne Vertrauen kommen wir nicht weiter. Was mich betrifft, schnappen wir hier bloß ein bisschen frische Landluft. Außerdem bin ich einfach neugierig, wo die Leiche gefunden wurde.«

»Sie wissen verdammt genau, wo die Leiche gefunden wurde!«, gab Archibald scharf zurück.

Oakes formte die Lippen zu einem Schmollmund. Rebus lechzte danach, dort Blut zu sehen, ausgeschlagene Zähne und eine gebrochene Nase. Ersatzweise bohrte er die Fingernägel noch tiefer in seine Handflächen.

»Haben Sie sie getötet?«, fragte er.

»Sie wann getötet?«

Rebus spürte, wie seine Stimme lauter wurde. »Haben Sie sie getötet?«

Oakes wedelte mit einem Finger. »Vielleicht bin ich

noch nicht lang genug draußen, aber ich glaube *schon* zu wissen, wie die Sache läuft. Sie sind zu zweit. Gebe ich etwas zu, haben Sie einen Zeugen und was in der Hand.«

»Das bleibt unter uns«, sagte Alan Archibald. »Das ist längst nichts mehr, womit ich zur Polizei gehen würde.«

Oakes lächelte. »Wie lange jagen Sie schon Gespenstern nach? Wenn ich sage, ich hab sie getötet, werden Sie dann *künftig* ruhig schlafen können?« Archibald gab keine Antwort. »Und wie steht's mit Ihnen, Inspector? Haben *Sie* irgendwelche Gespenster, die Sie nachts am Einschlafen hindern?«

Als hätte er es gewusst… Rebus versuchte, sich nichts anmerken zu lassen, aber Oakes nickte, lächelte in sich hinein. »Leichen pflastern Ihren beruflichen Weg, Mann«, fuhr Oakes fort, »aber *mich* buchten die ein.« Er schwieg kurz. »Verraten Sie mir eins«, fuhr er fort und verschränkte die Arme, die Augen jetzt auf Archibald gerichtet, »wie hat der Mörder sie eigentlich hier raufbekommen? Nicht leicht, ein Opfer ein so weites Stück mitzuschleppen.«

»Sie war vor Angst gelähmt.«

»Und was, wenn nicht? Was, wenn sie bereitwillig mitging? Sie hatte getrunken, richtig? War ein bisschen scharf…«

»Halten Sie den Mund, Oakes.«

»Ich dachte, Sie *wollten*, dass ich rede?« Er breitete die Arme aus. »Das mag jetzt reine Spekulation sein, aber angenommen, er hat sie irgendwo aufgelesen und ist mit ihr hier rausgefahren. Angenommen, es war genau das, was sie wollte. Ich meine, sie sitzt bei einem wildfremden Mann im Auto, aber heute Nacht ist sie eben in der *Stimmung*. Sie ist auf *Gefahr aus*. Sie ist *leichtsinnig*. Wer weiß, vielleicht *will* sie sogar, dass es passiert.«

Archibald wandte sich zu ihm, reckte drohend die Faust. »Reden Sie nicht so über sie!«

»Ich mein ja bloß –«

»Sie haben sie entführt, bewusstlos geschlagen und hier hinaufgeschleift.«

»Irgendwelche Anzeichen eines Kampfes, Al? Hm? Hat die Obduktion ergeben, dass sie irgendwohin *geschleift* wurde?«

Archibald sah ihn an. »Sie wissen genau, dass es nicht so war.«

Wieder Lachen. »Nein, Al, einen Scheißdreck weiß ich. Ich stelle nur Vermutungen an. Genau wie Sie.«

Oakes setzte sich erneut in Bewegung. Allmählich kam Wind auf, trieb ihnen Nieselregen ins Gesicht, der sie schon bald völlig durchweichen würde. Rebus blickte zurück. Vom Auto war schon nichts mehr zu sehen.

»Keine Sorge«, beruhigte ihn Archibald. »Ich markiere unsere Route.« Er hatte das Messtischblatt zurechtgefaltet, tippte mit dem Stift auf eine Höhenlinie.

Rebus nahm ihm die Karte ab, um sich zu vergewissern. Er hatte beim Militär Kartenlesen gelernt. Offenbar wusste Archibald, was er tat. Rebus nickte und gab ihm die Karte zurück. Aber der Ausdruck in Archibalds Augen, diese Mischung aus Angst und Erwartung ... Rebus klopfte ihm auf die Schulter.

»Kommt schon, ihr lahmen Enten!«, rief Oakes und wartete, bis sie aufgeholt hatten.

»Sie haben es zu weit getrieben«, sagte Rebus zu ihm.

»Hm?«

»Ihr kleiner Spaß mit dem Müllcontainer, der hat mir nicht so viel ausgemacht. Aber der Friedhof, die Terrasse ... dafür werden Sie büßen.«

»Sie vergessen Ihre alte Flamme.« Oakes wandte sich zu ihm. Sie standen höchstens einen halben Meter auseinander. »Ich hab mit ihr geredet, schon vergessen? Wie kommt's, dass *sie* nicht auf Ihrer kleinen Beschwerdeliste steht? Sie hat mir erzählt, dass vielleicht wieder was aus Ihnen beiden werden könnte.« Er schnalzte missbilligend mit der Zunge. »Erzählen Sie mir bloß nicht, dass Sie sie hängen lassen wollen! Weiß sie Bescheid?«

Rebus schlug zu. Seine Faust streifte die Wange lediglich, da Oakes sich auf den Fußballen abrollte und mit dem Oberkörper auspendelte. Schnell, er war verdammt schnell. Wich keinen Finger breit von der Stelle, so sicher war er sich seiner Reaktionen, seines Gegners. Archibald schlang seine Arme um Rebus, aber Rebus schüttelte ihn ab.

»Ist alles in Ordnung«, sagte er mit emotionsloser Stimme.

»Noch'n Versuch?« Oakes breitete die Arme aus. »Hier bin ich, Mann.« Seine Wange war aufgeschürft, aber er achtete nicht weiter darauf.

Rebus *wusste*, dass er es sich nicht leisten konnte, die Selbstbeherrschung zu verlieren; dass er ruhig bleiben musste. Aber Oakes war ihm regelrecht unter die Haut gekrochen. Lachte ihn jetzt an, fasste sich theatralisch an die Wange.

»Au! Das *brennt.*« Und lachte die ganze Zeit. Dann wandte er sich ab und ging. Jetzt war es Archibald, der Rebus auf die Schulter klopfte.

»Alles okay«, sagte Rebus und folgte Oakes.

Kurze Zeit später blieb Oakes stehen. Die Sichtweite betrug mittlerweile höchstens hundert Meter. »Wo liegt Swanston Village, von hier aus gesehen?«, fragte er. Er schien Rebus völlig vergessen zu haben. Archibald orientierte sich anhand der Landkarte, zeigte in eine Richtung. Er deutete in wirbelnde Dunstschwaden, deutete ins Nichts.

»Mann, das ist ja echt wie in *Brigadoon*«, sagte Rebus und steckte sich eine Zigarette an. Oakes zog eine Tafel Schokolade aus der Tasche und reichte sie herum.

»Wissen Sie«, sagte er, »es wundert mich richtig, dass Sie mir vertrauen. Nicht Sie, Mr. Archibald, Sie haben keine andere Wahl. Aber der Inspector hier.« Oakes fixierte Rebus mit seinen dunklen, forschenden Augen. »Sie sind schwer zu durchschauen.«

»Und Sie sind ein Sack voll Scheiße.«

»Bitte, John…« Archibald legte Rebus eine Hand auf die Schulter. Trotz seiner zünftigen Kleidung sah er durchfroren und müde und plötzlich sehr alt aus. Rebus begriff, was er sich von dieser Aktion versprach: eine Antwort, so oder so. Entweder *hatte* Oakes seine Nichte getötet – in welchem Fall er seine Trauer endlich zulassen konnte –, oder es war jemand anders gewesen, in welchem Fall er all die Jahre mit seiner Theorie vergeudet hatte und der Mörder noch immer frei herumlief…

»Okay, Alan«, sagte Rebus. Die drei im Nirgendwo: ein alter Mann, ein durchgeknallter Typ mit kurz geschorenen Haaren und stechenden Augen und John der verfluchte Rebus. Wobei Oakes sichtlich jeden Augenblick genoss und Archibalds Nerven zum Zerreißen gespannt waren.

Und Rebus? Rebus gab sich alle Mühe, dem Hügel keine weitere Leiche hinzuzufügen.

Oakes bot Archibald seinen Flachmann an, und Archibald nahm dankbar einen Schluck. Rebus lehnte ab, und Oakes schraubte den Deckel wieder zu.

»Sie auch nicht?«, fragte Rebus.

Ohne darauf einzugehen, bot ihm Oakes eine Tafel Schokolade an. Wieder lehnte Rebus ab.

»Also, wo gehen wir nun genau hin?«, fragte Oakes.

»Ist nicht mehr weit«, antwortete ihm Archibald.

Oakes bemerkte, dass Rebus ihn musterte. »Haben Sie Ihrerseits Fragen, John? Irgendwelche ungelösten Fälle, die Sie mir gern anhängen würden?«

»Schwebt Ihnen da eine bestimmte Frage vor?«

»Hübsch formuliert, Sir. Wie man hört, hat jemand Darren Rough getötet.«

»Sie waren in der betreffenden Nacht draußen vor meinem Haus.«

»Ach ja?«

»Sie haben den Wagen gestohlen.« Rebus hielt kurz inne. »Sie haben Rough gehen sehen.«

»Mann, ich hatte in der Nacht alle Hände voll zu tun, oder?« Rebus starrte ihn an. Oakes trat näher heran, beugte sich vor, als wollte er ihm etwas im Vertrauen sagen. Rebus wich zurück. »Ich werd Sie schon nicht beißen«, sagte Oakes.

»Spucken Sie schon aus, was Sie sagen wollten.«

Oakes setzte eine verletzte Miene auf. »Ich weiß nicht, ob ich jetzt noch will.« Dann grinste er. »Aber ich tu's trotzdem. Ich habe ihn aus Ihrem Haus kommen sehen, bin ihm sogar eine Zeit lang gefolgt. Hab mich gefragt, wer er sein mochte, hab's erst am nächsten Tag erfahren, als ich sein Bild in der Zeitung sah.«

»Was ist passiert?«

»Sagen *Sie*'s mir – ich hab ihn aus den Augen verloren.« Oakes zuckte die Achseln. »Er ist durch die Meadows. Unmöglich, ihm da mit dem Auto zu folgen.« Er zwinkerte.

»Das ist doch alles bloß wieder eins Ihrer kleinen –«

»Sprechen Sie's nicht aus!«, kreischte Alan Archibald. »Sagen Sie nicht, das wär alles nur ein Spiel! Das *ist* kein Spiel, nicht für mich!« Er zitterte am ganzen Leib.

Rebus deutete auf Oakes, sprach aber zu Archibald. »Das ist genau das, was er will. Sie dachten, wenn Sie ihn herbringen, würden Sie die Oberhand gewinnen. Glauben Sie nicht, dass er das *wusste*, dass er nur darauf *spekulierte*? Sehen Sie ihn sich doch an, Alan, er lacht Sie aus. Er lacht uns alle aus!«

»Ich lache nicht.« Und es stimmte: Oakes sah Archibald mit steinerner Miene an. Er ging auf ihn zu, berührte seinen Arm. »Tut mir Leid«, sagte er. »Kommen Sie, Sie haben Recht – wir haben etwas zu erledigen.«

Er setzte sich wieder in Bewegung. Archibald wollte sich bei Rebus entschuldigen, aber Rebus winkte ab. Oakes entfernte sich mit forschem Schritt, als sei er fest entschlossen, die Sache endlich zum Abschluss zu bringen. Dieser Ausdruck in seinem Gesicht… Rebus hatte ihn nicht deuten können. Da *war* etwas wie ein Hauch von Mitgefühl gewesen. Aber dahinter meinte er, etwas Wildes, Grausames entdeckt zu haben, aber wiederum gemischt mit etwas wie Neugier – der Neugier des Wissenschaftlers, der sich mit einem unerwarteten Resultat konfrontiert sieht.

Je höher sie stiegen, desto weniger konnten sie sehen.

»Sie haben doch *selbst* ein Spielchen mit mir gespielt, nicht wahr, Alan?«

»Was meinen Sie damit?«

»Kommen Sie schon, Al, so, wie Sie uns geführt haben – wir sind an der Stelle, wo sie getötet wurde, doch schon längst vorbei. Ich wette, Sie hatten es sich so zurechtgelegt, dass wir im Kreis drum herumlaufen würden. Sie möchten, dass ich die Nerven verliere, stimmt's, Al? Aber das werden Sie nicht schaffen.«

»Woher wissen Sie, wo sie getötet wurde?«, fragte Rebus.

»Ich hab damals sämtliche Zeitungen bekommen. Außerdem schickte mir Al andauernd irgendwelches Material, stimmt's, Al?«

»Sie haben behauptet, Sie hätten nie was davon gelesen«, sagte Archibald kurzatmig.

»Dann habe ich eben gelogen. Die Sache ist die – allmählich bekomme ich ein Bild von der Sache –, sie haben's miteinander getrieben, irgendwo höher am Hang. Dann ist sie in Panik geraten, ist wieder runtergerannt. Und da hat er sie niedergeschlagen. Aber da, wo sie es getrieben haben… da hat er was liegen lassen.«

»Was?«

»Versteckt.«

»Was?«

»Alan, er –«

Archibald fuhr herum. »Schnauze!«, zischte er Rebus an.

»Ich sehe drei Anhöhen!«, rief Oakes. »Wenn's hier irgendwo in der Nähe etwas wie eine kleine Hügelkette gibt, würde ich sie gern sehen.«

»Anhöhen…?« Archibald marschierte los, versuchte, Oakes wieder einzuholen. Er hielt sich die Landkarte dicht vor das Gesicht, suchte nach den entsprechenden Höhenlinien. »Vielleicht direkt westlich.«

Rebus hatte ihn seit einer ganzen Weile nichts mehr in die Karte eintragen sehen.

»Wie ist unsere Position, Alan?«

Aber Archibald hörte nicht zu, hörte *ihm* nicht zu.

»Vielleicht auf dreiviertel Höhe des Hangs«, erklärte Oakes. »Eine Reihe von drei… vielleicht vier… aber jedenfalls drei deutlich ausgeprägten Erhebungen, etwa gleich hoch.«

»Warten Sie einen Moment«, sagte Archibald. Sein Finger fuhr über die Karte. Er faltete sie kleiner zusammen, hielt sie sich näher ans Gesicht, kniff die Augen angestrengt zusammen. »Ja, direkt westlich von hier. Da lang, knapp hundert Meter weiter.«

Er machte sich an den Aufstieg. Oakes war schon losgegangen, Rebus bildete die Nachhut. Er drehte sich um, sah nicht das Geringste. Es war eine urzeitliche Landschaft. Krieger in Kilts hätten aus diesem Nebel auftauchen können, und er wäre nicht überrascht gewesen. Er umrundete ein Dickicht von Adlerfarn und stieg weiter, mit schmerzenden Gelenken, einem leichten Brennen in der Brust.

Archibald schritt schneller aus, getrieben vom Eifer des Besessenen.

Rebus wollte ihm sagen: *Sie* haben eine Landkarte, wer sagt uns, dass Oakes sich nicht ebenfalls eine besorgt hat? Wer sagt uns, dass er sie nicht genau studiert, sich nicht irgendwelche Landschaftsmerkmale eingeprägt hat? Er könnte sogar schon vorher hier gewesen sein, um das Gelände zu erkunden – er war seinen Aufpassern schließlich oft genug entwischt.

»Warten Sie!«, rief er und beschleunigte seinen Schritt.

»John!«, rief Archibald zurück, eine gespenstische Gestalt am Hang. »Sie probieren's da lang, wir nehmen die anderen zwei!« Rebus sollte sich also die östlichste Kuppe näher ansehen.

»Werde ich graben müssen?«, fragte er. Und erntete dafür einen Lacher von Oakes. Umso beunruhigender, als der Lachende selbst kaum zu sehen war.

»Werden wir graben müssen?«, hörte er Archibald Oakes fragen.

»Och, ich glaub nicht«, antwortete Oakes. »Wir werden die Leichen einfach da liegen lassen, wo sie hinfallen.«

Rebus fragte sich noch, ob er sich verhört hatte, als er einen dumpfen Schlag und ein gedämpftes Stöhnen vernahm.

»Oakes!«, schrie er und rannte los. Er konnte die verschwommene Silhouette ausmachen: Oakes, stehend über dem gefallenen Archibald, in der Hand einen Stein, zu einem zweiten Schlag erhoben.

»Oakes!«, wiederholte er.

»Ich hör Sie!«, schrie Oakes zurück und ließ den Stein auf Archibalds Kopf krachen.

Inzwischen war Rebus fast da. Als er ihn erreichte, warf Oakes den Stein auf den Boden und leckte sich die Lippen. »Sie werden nie wissen, was das für ein Gefühl ist«, sagte er. »Ein Floh hatte mich jahrelang gebissen, und jetzt habe ich ihn zerquetscht.« Er steckte die Hand in den Hosenbund und zog ein Klappmesser heraus.

»Erstaunlich, was der menschliche Körper nicht alles an sich verbergen kann«, sagte Oakes und grinste jetzt. »Für den Alten war ein Stein gut genug, aber Sie, dachte ich, Sie würden schon etwas mit ein bisschen mehr *Biss* verdienen.« Er stach zu. Rebus machte einen Satz zurück, rutschte aus und kullerte den Hang hinunter. Er sah, wie ihm Oakes mit den weiten Sprüngen einer Bergziege nachsetzte.

»Ich werd meinen Spaß haben!«, rief Oakes. »Sie haben gar keine Ahnung, *was* für einen Spaß!«

Rebus ließ sich weiterrollen, bis eine Farnstaude ihn anhielt. Er rappelte sich hoch, hob einen Stein auf und schleuderte ihn in Richtung Oakes. Der wich dem Geschoss mühelos aus und verlangsamte, jetzt keine zehn Meter mehr von ihm entfernt, seine Schritte.

»Schon mal ein Kaninchen gehäutet?«, fragte Oakes heftig atmend. Sein Schädel glänzte vor Schweiß.

»Sie sind genau da, wo ich Sie haben wollte«, zischte Rebus.

Oakes produzierte eine gekünstelt erstaunte Miene. »Und das wäre?«

»Bei der Verübung einer Straftat. Jetzt kann ich Sie festnehmen, und die Sache ist klar.«

»*Festnehmen* wollen Sie mich?« Schallendes Gelächter. Er war jetzt so nah, dass Rebus seinen Speichel im Gesicht spürte. »Mann, Sie haben Humor.« Bewegte das Messer. »Freuen Sie sich daran, solang Sie noch können.«

»All diese Spielchen«, redete Rebus weiter. »Da steckt doch noch was anderes dahinter, stimmt's? Etwas, das wir nicht wissen dürfen. Sie haben uns beschäftigt, damit wir nicht weitersuchen.«

»Echt?«

»Was ist es?«

Aber Oakes schüttelte den Kopf, fuchtelte mit dem Messer herum. Rebus machte kehrt und rannte los. Oakes johlend hinterher. Rebus warf einen Blick über die Schulter, sah nichts als Hügellandschaft und einen Killer mit einem Messer. Er stolperte, blieb stehen und wandte sich wieder zu Oakes um.

»Erwischt!«, rief Oakes.

Völlig atemlos, nickte Rebus bloß.

»Wissen Sie, was Sie sind, Mann?«, fragte Oakes. »Sie sind mein bisschen Fronturlaub, das ist alles.«

Rückwärts vor ihm zurückweichend, begann Rebus, sein Hemd aus dem Hosenbund zu ziehen. Oakes sah ihm verwundert zu, bis Rebus das Hemd über die Brust hochzog und ein mit Heftpflaster befestigtes winziges Mikrofon zum Vorschein kam. Oakes starrte ihn an. Rebus erwiderte den Blick. Sah sich dann um, hielt nach irgendwas Ausschau.

Stimmen, rasch näher kommend.

»Herzlichen Dank für das ganze Gebrüll«, sagte Rebus. »Allemal besser als eine Spur von Brotkrumen.«

Mit einem Schrei stieß Oakes noch ein letztes Mal zu. Rebus wich der Klinge aus, und Oakes schoss an ihm vorbei. Rannte zunächst hangabwärts, überlegte es sich dann anders und beschrieb einen Bogen, jetzt wieder bergauf, weiter in die Hügel hinein. Die ersten Uniformierten tauchten aus dem Nebel auf. Rebus zeigte auf Oakes.

»Festhalten!«, rief er. Dann machte er sich ebenfalls an den Aufstieg, dorthin, wo Alan Archibald lag, noch immer bei Bewusstsein, aber blutend. Rebus hockte sich neben ihn, während weitere Uniformierte an ihm vorbeirannten.

»Hilfe per Funk anfordern!«, rief Rebus ihnen nach. Einer der Beamten drehte sich um.

»Nicht nötig, Sir. Das haben Sie schon selbst erledigt.«

Rebus warf einen Blick auf das Mikrofon an seiner Brust und begriff, dass der Mann Recht hatte.

»Wo kommt die Kavallerie auf einmal her?«, fragte Archibald mit matter Stimme.

»Die habe ich vom ACC«, erklärte ihm Rebus. »Einen Heli hatte er mir auch versprochen, aber der hätte bei dem Nebel schon Röntgenaugen gebraucht.«

Archibald brachte ein Lächeln zustande. »Glauben Sie ...?«

»Tut mir Leid, Alan«, sagte Rebus. »Es war alles Bockmist, wenn Sie mich fragen. Er wollte lediglich noch ein paar Skalps.«

Archibald fasste sich mit zitternden Fingern an den Kopf. »Einen hätte er auch fast gekriegt«, sagte er und schloss erschöpft die Augen.

Alan Archibald kam ins Krankenhaus, und Rebus machte sich auf die Suche nach Jim Stevens. Er hatte schon im Hotel angerufen, und in der Redaktion war er auch nicht. Schließlich spürte er ihn in The Hebrides auf, einer verschwiegenen kleinen Kneipe hinter der Waverley Station. Stevens saß in einer Ecke; seine einzige Gesellschaft waren ein voller Aschenbecher und ein Glas Whisky.

Rebus holte sich einen Whisky mit Wasser, kippte ihn im Stehen hinunter, bestellte einen zweiten und ging damit zu dem Journalisten.

»Na, ein bisschen Häme ablassen?«, fragte Stevens.

»Weswegen?«

»Dieser kleine Scheißer hat mich gelinkt.« Er erzählte Rebus, was passiert war.

»Dann bin ich ein Engel des Herrn«, sagte Rebus.

Stevens blinzelte. »Wie das?«

»Ich überbringe frohe Botschaft. Oder genauer gesagt,

eine heiße Story, und ich würde sagen, Sie sind der Meute ein ganzes Stück voraus.«

Rebus hatte noch nie einen Mann so schnell wieder nüchtern werden sehen. Stevens zog einen Notizblock aus der Tasche und klappte ihn auf. Den Stift gezückt, sah er zu Rebus auf.

»Aber das wird Sie was kosten«, stellte Rebus klar.

»Ich brauch die Story«, sagte Stevens.

Rebus nickte, erzählte sie ihm. »Und wenn's nach ihm gegangen wär, wäre ich der Nächste gewesen.«

»Heiliger Herrgott.« Stevens atmete aus, nahm einen Schluck Whisky. »Wahrscheinlich gibt es Dutzende von Fragen, die ich Ihnen jetzt stellen müsste, aber momentan fällt mir keine einzige ein.« Er zog ein Handy aus der Tasche. »Was dagegen, wenn ich die Redaktion anrufe?«

Rebus schüttelte den Kopf. »Und dann reden wir«, sagte er.

Während Stevens seine Notizen las und sie in fertige Sätze und Absätze umformte, hörte Rebus zu und nickte bei Bedarf bestätigend. Dann ließ Stevens sich den Artikel noch einmal vorlesen. Er änderte hier und da noch ein bisschen, beendete dann das Gespräch.

»Ich schulde Ihnen was«, erklärte er und legte das Handy auf den Tisch. »Was darf's sein?«

»Noch ein Whisky«, sagte Rebus, »und die Antworten auf ein paar Fragen.«

Eine halbe Stunde später hatte Rebus Kopfhörer auf und hörte die Aufzeichnung des letzten Interviews mit Oakes ab.

»›Eine Verabredung mit meiner Vergangenheit‹«, wiederholte er und streifte sich die Kopfhörer ab. »›Ein Date mit dem Schicksal.‹«

»Damit ist doch Archibald gemeint, oder? Archibald hatte ihm jahrelang zugesetzt.«

Rebus dachte an Alan Archibald... an sein Gesicht, als die Sanitäter ihn in den Rettungswagen hoben. Er hatte erschöpft und wie betäubt ausgesehen, als sei ihm sein kostbarster Besitz geraubt worden. Es war nicht schwer, jemandem einen Traum, eine Hoffnung zunichte zu machen... Oakes hatte das getan.

Und war entkommen.

»Dann haben die ihn also nicht erwischt?«, fragte Stevens, nicht zum ersten Mal.

»Er ist in die Hügel gelaufen, könnte sonstwo sein.«

»Ist ein verdammt großes Gebiet zum Durchkämmen«, räumte Stevens ein. »Was hat Sie dazu bewogen, Verstärkung mitzunehmen?«

Rebus zuckte die Achseln.

»Wissen Sie, John, es gab mal eine Zeit, da hätten Sie das nicht für nötig gehalten.«

»Ich weiß, Jim. Man ändert sich.«

Stevens nickte. »Ich weiß.«

Rebus spulte das Band zurück, hörte sich die zweite Hälfte noch einmal an. *»Ein Date mit dem Schicksal, wie Sie und Ihre Schmierfinkkollegen es vielleicht formulieren würden. Mit jemandem, der nie auf mich hören wollte...«* Als er diesmal das Gerät abstellte, runzelte er die Stirn.

»Wissen Sie«, sagte er, »ich bin mir nicht so sicher, ob er tatsächlich Archibald und mich meint. Er bezeichnete uns als sein ›bisschen Fronturlaub‹.«

Stevens hatte sein Glas geleert. »Was könnte es sonst sein?«

Rebus schüttelte langsam den Kopf. »Er hatte einen bestimmten Grund, hierher zurückzukommen.«

»Ja, mich und mein Scheckheft.«

»Es ist mehr als das. Mehr als lediglich die Gelegenheit, mit Alan Archibald Spielchen zu spielen...«

»Was?«

»Ich weiß es nicht.« Er sah Stevens an. »Sie könnten es herausfinden.«

»Ich?«

»Sie kennen die Stadt in- und auswendig. Es muss etwas aus seiner Vergangenheit sein, etwas aus der Zeit, bevor er nach Amerika ging.«

»Ich bin kein Archäologe.«

»Nein? Denken Sie an all die Jahre, die Sie damit zugebracht haben, im Dreck zu wühlen. Und Alan Archibald hat eine Menge Material über Oakes, und besseres als alles, was der Scheißkerl Ihnen geliefert hat.«

Stevens schnaubte, lächelte dann. »Vielleicht...«, sagte er wie zu sich selbst. »Wär immerhin eine Möglichkeit, es ihm heimzuzahlen...«

Rebus nickte. »Er hat Ihnen ein einziges Lügengebäude vorgesetzt – Sie kontern mit einer Abrissbirne aus Wahrheit.«

»Die Wahrheit über Cary Oakes«, sagte Stevens, als wäre es schon eine Schlagzeile. »Ich mach's«, meinte er schließlich.

»Und was immer Sie ausgraben, teilen Sie es mir mit.« Rebus griff sich Stevens' Notizblock. »Ich geb Ihnen meine Handynummer.«

»Jim Stevens und John Rebus arbeiten zusammen.« Stevens grinste.

»Behalten Sie's für sich, dann erzähl ich's auch keinem.«

40

Es gab Nachrichten für Rebus. Janice hatte dreimal angerufen, der Filialleiter von Damons Bank einmal. Rebus rief zunächst den Filialleiter zurück.

»Wir haben eine Kontobewegung«, sagte der Mann.

»Was, wann und wo?« Rebus griff nach Papier und Stift.

»Edinburgh. Ein Bankautomat auf der George Street. Abhebung von einhundert Pfund.«

»Heute?«

»Gestern um Punkt dreizehn Uhr vierzig. Das ist doch eine gute Nachricht, oder?«

»Ich hoffe.«

»Ich meine, das beweist doch, dass er noch am Leben ist.«

»Es beweist, dass jemand seine Karte benutzt hat. Nicht ganz dasselbe.«

»Ich verstehe.« Der Filialleiter klang leicht entmutigt. »Sie müssen vermutlich vorsichtig sein.«

Rebus kam ein Gedanke. »Dieser Bankautomat wird nicht zufällig überwacht?«

»Ich kann mich erkundigen.«

»Wenn's Ihnen nichts ausmacht.« Rebus beendete das Gespräch und rief Janice an.

»Was gibt's?«, fragte er.

»Nichts.« Sie schwieg kurz. »Es ist bloß, dass du an dem Morgen so früh abgehauen bist. Ich hab mich gefragt, ob es an irgendetwas lag, das wir …«

»Hatte nichts mit dir zu tun, Janice.«

»Nein?«

»Ich musste nur wieder in die Stadt zurück.«

»Ah.« Eine weitere Pause. »Tja, ich hab mir einfach Sorgen gemacht.«

»Meinetwegen?«

»Dass du vielleicht dabei wärst, wieder aus meinem Leben zu verschwinden.«

»Würde ich das tun?«

»Ich weiß nicht, John: Würdest du?«

»Janice, ich weiß, dass es zwischen dir und Brian ein bisschen kriselt …«

»Ja?«

Er lächelte mit geschlossenen Augen. »Das ist es auch eigentlich schon. Ich bin nicht gerade ein Fachmann in Sachen Eheberatung.«

»Habe ich gesagt, dass ich einen suche?«

»Hör mal«, sagte er und rieb sich die Augen, »es gibt Neuigkeiten in Sachen Damon.«

Eine längere Pause. »Hattest du vorgehabt, mir das mitzuteilen?«

»Das habe ich doch gerade.«

»Aber nur, um das Thema zu wechseln.«

Rebus hatte das Gefühl, im Ring zu stehen, den Rücken an den Seilen. »Es ist nur, dass seine Bank eine Kontobewegung gemeldet hat.«

»Er hat was abgehoben?«

»Irgendjemand hat seine Karte benutzt.«

Ihre Stimme wurde kräftiger, hoffnungsvoller. »Aber außer ihm kennt ja niemand seine Geheimnummer. Das *muss* er sein.«

»Es gibt Mittel und Wege, Bankcards zu knacken...«

»John, wag es *ja* nicht, mir das wegzunehmen!«

»Ich möchte dir lediglich eine mögliche Enttäuschung ersparen.« Er hatte wieder Alan Archibalds Bild vor Augen, diesen Ausdruck endgültigen Besiegtseins.

»Wann war das?«, fragte Janice; sie hörte ihm kaum noch zu.

»Gestern Nachmittag. Ich habe selbst erst vor etwa zehn Minuten davon erfahren. Es war eine Bank auf der George Street.«

»Er ist noch in Edinburgh.«

»Janice...«

»Ich kann es spüren, John. Er ist noch da, ich weiß, dass er noch da ist. Um wie viel Uhr geht der nächste Zug?«

»Ich glaube kaum, dass er noch immer in der George

Street ist. Abgehoben wurden hundert Pfund. Könnte Reisegeld gewesen sein.«

»Ich komm trotzdem.«

»Ich kann's dir nicht verbieten.«

»Stimmt, kannst du nicht.« Sie legte auf. Sekunden später klingelte das Telefon. Der Filialleiter von Damons Bank.

»Ja«, sagte er, »es gibt eine Überwachungskamera.«

»Auf den Automaten gerichtet?«

»Ja. Ich habe auch schon gefragt: Das Band liegt für Sie bereit. Fragen Sie nach einer Miss Georgeson.«

Als Rebus auflegte, brachte ihm George Silvers eine Tasse Kaffee. »Ich hatte eigentlich gedacht, dass Sie nach Hause gehen würden«, sagte er: Hi-Hos Art, Anteilnahme zu bekunden.

»Danke, George. Noch immer keine Spur von ihm?«

Silvers schüttelte den Kopf. Rebus starrte auf den Papierkram, der sich auf seinem Schreibtisch türmte. Ermittlungsnotizen zu Fällen, an die er sich kaum noch erinnerte. Namen, die ihm vor den Augen tanzten. Und allesamt nach einem Abschluss verlangten.

»Wir werden ihn schnappen«, sagte Silvers. »Machen Sie sich darum keine Sorgen.«

»Sie sind mir immer schon eine Stütze gewesen, George«, sagte Rebus. Er gab ihm die Tasse zurück. »Und irgendwann werden Sie sich auch merken, dass ich keinen Zucker nehme.«

Er fragte nach Miss Georgeson. Sie war füllig, um die Fünfzig und erinnerte ihn an eine Schulmensamamsell, mit der er mal eine Zeit lang ausgegangen war. Sie hatte das Videoband schon für ihn bereit liegen.

»Möchten Sie es sich hier ansehen?«, fragte sie.

Rebus schüttelte den Kopf. »Ich nehm es mit aufs Revier, wenn Sie nichts dagegen haben.«

»Na ja, in dem Fall müsste ich Ihnen eine Kopie ziehen…«

»Ich habe nicht vor, das Band zu verlieren, Miss Georgeson. Und ich *werde* es zurückbringen.«

Als er die Bank verließ, hielt er die Kassette fest in der Hand. Sah auf die Uhr, machte sich dann auf den Weg zur Waverley Station. Er setzte sich auf eine Bank in der Bahnhofshalle, trank einen Milchkaffee – oder *caffé latte*, wie der Verkäufer dazu sagte – und hielt die Augen offen. Die Kassette steckte in der Tasche seines Regenmantels; im Auto hätte er sie nie im Leben liegen lassen. Er blätterte die Abendzeitung durch. Kein Wort über Cary Oakes – darüber würde Stevens' Zeitung am nächsten Morgen exklusiv berichten, und Stevens hätte damit seinen Kritikern mit zwei mächtigen Stinkefingern geantwortet.

Ein Date mit dem Schicksal…

Was, zum Teufel, bedeutete das? Hatte Oakes lediglich eine weitere falsche Fährte gelegt? Rebus hätte ihm diesbezüglich alles zugetraut. Er hatte Stevens, Archibald und ihn selbst so gekonnt angetäuscht, als wäre er George Best in seiner Glanzzeit und sie eine abgehalfterte Seniorenmannschaft.

Endlich entdeckte er sie. Am Spätnachmittag waren die Züge nach Edinburgh eher spärlich besetzt; der Verkehr floss praktisch ausschließlich in die andere Richtung. Sie schwamm gegen den dichten Menschenstrom, und er ging schon neben ihr her, noch bevor sie ihn überhaupt bemerkt hatte.

»Taxi, die Dame?«, fragte er.

Sie sah erst überrascht aus, dann verwirrt. »John«, sagte sie. »Was führt dich her?«

Anstelle einer Antwort holte er das Band heraus und hielt es ihr vor die Nase. »Ein Friedensangebot«, sagte er dann und führte sie zu seinem Wagen.

Sie saßen im CID-Büro. Auch da war wenig los. Die meisten Beamten waren schon heimgegangen. Die wenigen Verbliebenen versuchten, überfällige Berichte zu bewältigen oder Liegengelassenes aufzuarbeiten. Der Videomonitor stand in einer Ecke. Rebus hatte zwei Stühle herangezogen und zwei Becher Kaffee geholt. Janice sah gleichzeitig aufgeregt und ängstlich aus. Wieder fühlte er sich an Alan Archibald erinnert.

»Hör mal, Janice«, warnte er sie, »wenn's nicht er ist …«

Sie zuckte die Achseln. »Wenn's nicht er ist, ist er's eben nicht. Ich werd's dir nicht übel nehmen.« Sie lächelte ihm kurz zu. Er schaltete das Gerät ein. Miss Georgeson hatte erklärt, die Kamera sei mit einem Bewegungssensor gekoppelt und zeichne erst dann auf, wenn jemand sich dem Automaten nähere. Vorhin an der Bank hatte sich Rebus den Automaten angesehen. Die Kamera war schräg darüber, hinter einem Fenster der Bank, angebracht. Als das erste Gesicht auf dem Band erschien, sahen Rebus und Janice es von oben. Laut digitaler Zeitanzeige war es 8.10 Uhr. Rebus nahm die Fernbedienung und schaltete den Schnellvorlauf ein.

»Uns geht's um ein Uhr vierzig«, erklärte er. Janice saß auf der Kante ihres Stuhls und umklammerte mit beiden Händen die Kaffeetasse.

So, dachte Rebus, hatte das Ganze angefangen: mit einem Überwachungsvideo, mit grobkörnigen Bildern. Am späteren Vormittag benutzten mehr Leute den Automaten. Da musste viel Band vorgespult werden. Mittägliche Schlangen bauten sich auf, aber gegen halb zwei wurde es etwas ruhiger.

Dann 13.40 Uhr.

»O mein Gott, das ist er«, sagte Janice. Sie hatte ihre Tasse auf den Boden gestellt, legte ihre Hände an die Wangen.

Rebus sah genau hin. Das Gesicht war nach unten auf die Tastatur des Automaten gerichtet. Dann wandte es sich ab, als starrte es die Straße entlang. Finger trommelten ungeduldig gegen den Bildschirm des Automaten. Die Karte wurde wieder herausgenommen, eine Hand zog die Banknoten aus dem Ausgabeschlitz. Dann war der Mann sofort weg, ohne auf eine Quittung zu warten. Der nächste Kunde rückte schon nach.

»Bist du dir sicher?«, fragte er.

Eine Träne rollte über Janice' Wange. »Hundert Prozent.« Sie nickte bestätigend.

Rebus fand das schon schwerer zu beurteilen. Alles, was er zum Vergleich hatte, waren ein paar Fotos und die Bandaufzeichnung aus dem Gaitano's; persönlich hatte er Damon noch nie gesehen. Das Haar sah ähnlich aus... vielleicht auch die Nase, die Form des Kinns. Aber nichts davon war besonders ungewöhnlich. Der Mann, der jetzt im Bild war, sah dem Kunden, der gerade eben gegangen war, sehr ähnlich. Aber Janice war überzeugt.

»Das ist er, ich könnte es beschwören.« Sie sah Zweifel in seiner Miene. »Ich würde es nicht sagen, wenn es nicht so wäre.«

»Natürlich nicht.«

»Es ist nicht nur das Gesicht oder das Haar oder die Kleidung... auch seine ganze Haltung, wie er da stand. Und dieses ungeduldige Zappeln.« Sie wischte sich die Augen mit einem Zipfel des Taschentuchs. »Das war er, John. Das war er.«

»Okay«, sagte Rebus. Er spulte das Band zurück, ließ die letzten Minuten vor 13.40 Uhr noch einmal ablaufen. Er konzentrierte sich auf den Hintergrund, um festzustellen, ob er Damon auf dem Weg zum Automaten sehen konnte. Er wollte wissen, ob er allein gewesen war. Aber er trat unvermittelt von der Seite ins Bild. Wieder dieser Blick zurück, dorthin, wo er gerade hergekommen war. War da ein leichtes Nicken gewesen ... ein Signal an eine andere Person, an jemanden außerhalb des Bildausschnitts ...? Rebus spulte erneut zurück und sah es sich noch einmal an.

»Wonach suchst du?«, fragte Janice.

»Nach jemandem, der vielleicht bei ihm war.«

Aber da war nichts. Also ließ er das Band weiterlaufen und wurde ein, zwei Minuten später durch ein paar Beine belohnt, die oben durchs Bild spazierten, direkt hinter dem Kunden am Automaten. Zwei Beinpaare, ein männliches, ein weibliches. Rebus drückte auf die Standbildtaste, schaffte es aber nicht, ein wirklich ruhiges, scharfes Bild zu bekommen. Also spulte er das Band zurück und spielte es noch einmal ab, wobei er den Füßen mit dem Finger folgte.

»Kommen dir die Hosen, die Schuhe bekannt vor?«

Doch Janice schüttelte den Kopf. »Sind ja ganz verschwommen.«

Sie hatte Recht.

»Könnte sonst wer sein«, fügte sie hinzu.

Sie hatte Recht.

Sie stand auf. »Ich geh in die George Street.« Er wollte etwas sagen, aber sie schnitt ihm das Wort ab. »Mir ist klar, dass er nicht da sein wird, aber da sind Geschäfte, Pubs – ich kann wenigstens sein Foto herumzeigen.«

Rebus nickte. Sie packte ihn am Arm.

»Er ist noch immer hier, John. Das *ist* doch immerhin etwas!«

Als sie den Raum verließ, hielt sie jemandem die Tür auf, der gerade hereinkam: Siobhan Clarke.

»Was Neues von ihm?«, fragte Rebus.

Siobhan ließ sich auf einen Stuhl plumpsen. »Billy Horman?«

Rebus schüttelte den Kopf. »Cary Oakes.«

Sie reckte den Hals. Er hörte es knacken. »Wieder ein Tag rum«, sagte er.

Sie nickte. »Ich arbeite nicht an Oakes. Ich bin an Billy Boy dran.«

»Keine Fortschritte?«

Sie schüttelte den Kopf. »Wir bräuchten ein Dutzend zusätzliche Beamte. Vielleicht sogar ein *paar* Dutzend.«

»Ich versuche mir gerade vorzustellen, wo das Budget dafür herkommt.«

»Vielleicht, wenn wir ein paar Erbsenzähler abstoßen.«

»Vorsicht, Siobhan. Sie outen sich als Anarchistin.«

Sie lächelte. »Und wie geht's Ihnen? Ich hab gehört, Oakes war drauf und dran, Sie beide umzulegen.«

»Der Tatterich hat inzwischen aufgehört«, sagte er. »Wie wär's mit einem Drink?«

»Nicht heute Abend. Ich hab ein Date mit einem heißen Bad, und dann lass ich mir was zu essen kommen. Und Sie?«

»Schnurstracks nach Haus, genau wie Sie.«

»Na dann...« Sie stand auf, als ob es sie einige Mühe kostete. »Bis morgen.«

»Nacht, Siobhan.«

Im Weggehen wedelte sie mit den Fingern über ihre Schulter.

Rebus hielt beinah Wort – vorher nur noch den einen Zwischenstopp. Greenfield, Cragside Court. Die Dunkelheit brach allmählich herein, aber es waren noch immer Kinder auf dem Spielplatz, wenn auch unter der Aufsicht eines GGP-Mitglieds. Die trugen neuerdings T-Shirts mit einem Logo vorne drauf, waren von Tag zu Tag besser organisiert. Die Frau in dem T-Shirt hatte Rebus eingehend gemustert. Sie wusste, dass sie ihn schon mal gesehen hatte, erkannte ihn aber nicht als Anwohner.

Oben blieb er an der Brüstung stehen und sah hinaus über Greenfield. Auf der einen Seite Holyrood Park, auf der anderen die Altstadt und die Baustelle des neuen schottischen Parlaments. Er fragte sich, ob man der Siedlung gestatten würde, weiterzubestehen. Er wusste, wenn die Stadtverwaltung wollte, dass sie vor die Hunde ging, dann würde sie das auch schaffen. Reparaturen würden nicht mehr oder extrem schlampig durchgeführt, immer mehr Wohnungen als unbewohnbar eingestuft, deren Mieter umgesiedelt, Fenster und Türen vernagelt und verrammelt werden. Alles würde nach und nach verkommen und dadurch die Anwohner veranlassen, es sich noch einmal zu überlegen. Weitere von ihnen würden ausziehen. Der Zustand der Hochhäuser würde mit der Zeit »Anlass zur Besorgnis« geben. Die Medien würden sich unisono über die menschenunwürdigen Bedingungen empören. Das Rathaus würde mit Hilfsangeboten kommen – im Klartext, Umquartierungen vornehmen, was billiger war, als die Siedlung zu sanieren. Und schließlich würde Greenfield nicht mehr als ein verlassenes Abbruchgelände sein, aus dem neue Gebäude entstehen konnten. Kostspielige Zweitwohnungen für Parlamentarier vielleicht. Oder Büros und exklusive Geschäfte. Die Lage war erstklassig, gar keine Frage.

Und was die Salisbury Crags betraf ... er zweifelte nicht daran, dass es Leute gab, die auch *da* gebaut hätten. Aber es würde noch eine ganze Weile dauern, bis sie die Gelegenheit dazu bekämen. So viele Jahrhunderte, so viele Umwälzungen, und der Park war noch weitgehend derselbe wie früher. Er kümmerte sich nicht darum, was um ihn herum geschah, war über alles erhaben.

Rebus stand jetzt vor Darren Roughs Wohnung. Darren war heimgekehrt, um gegen zwei böse Menschen Zeugnis abzulegen. Zum Lohn wurde er drangsaliert, verdammt und zuletzt ermordet. Rebus war nicht stolz darauf, der erste Akteur in diesem Spiel gewesen zu sein. Er hoffte, dass Darren ihm eines Tages verzeihen würde. Das hätte er fast laut zu der geisterhaften Gestalt am Ende der Galerie gesagt, aber als sie näher kam, sah er, dass sie aus Fleisch und Blut war, durch und durch lebendig.

Es war Cal Brady, mit wütend verzerrtem Gesicht.

»Was wollen Sie?«

»Seh mich nur ein wenig um.«

»Ich dachte, Sie wären wieder so'n Perverser.«

Rebus deutete mit einer Kopfbewegung auf das Handy, das Brady in der Hand hielt. »Hat dir das die Spielplatzwache erzählt?« Er nickte vor sich hin. »Nette Organisation, die ihr da habt, Cal. Fällt da auch für dich was ab?«

»Ich tu nur meine Bürgerpflicht«, antwortete Brady und warf sich in die Brust.

Rebus trat einen Schritt näher, die Hände in den Manteltaschen. »Cal, an dem Tag, wo Leute wie du entscheiden, was richtig und was falsch ist, da sitzen wir ernsthaft in Schwulitäten.«

»Sie behaupten, ich wär 'ne Tunte?«, schrie Cal Brady, aber Rebus war schon an ihm vorbeigegangen, auf die Treppe zu.

41

»Erzähl mir von Janice«, sagte Patience.

Sie befanden sich im Wohnzimmer, eine offene Flasche Rotwein zwischen sich auf dem Teppich. Patience lag ausgestreckt auf dem Sofa. Auf ihrer Brust ein aufgeschlagenes Taschenbuch. Sie hatte es vor einer ganzen Weile da abgelegt und seitdem ins Leere gestarrt, der Musik aus der Stereoanlage gelauscht. Nick Drake, »Pink Moon«. Rebus saß quer im Sessel und ließ die Beine baumeln. Er hatte Schuhe und Strümpfe ausgezogen und las in der Zeitung nach, was er an Fußballnachrichten des Tages verpasst hatte.

»Was?«

»Janice – ich möchte mehr über sie wissen.«

»Wir waren zusammen auf der Schule.« Rebus hörte auf zu lesen. »Sie ist verheiratet und hat nur den einen Sohn. Sie war früher Lehrerin. Ihren Mann kenne ich auch von der Schule her. Er heißt Brian.«

»Bist du mit ihr gegangen?«

»Auf der Schule, ja.«

»Hast du mit ihr geschlafen?«

Rebus sah sie an. »Bin nicht ganz so weit gekommen.«

Sie nickte. »Bist du neugierig, wie es wohl gewesen wäre?«

Er zuckte die Achseln.

»Ich glaube, *ich* wär's«, fuhr sie fort. Ihr Glas war leer, und sie beugte sich hinunter, um sich nachzuschenken. Das Buch rutschte auf den Boden, aber sie achtete nicht darauf. Rebus war noch immer bei seinem ersten Glas Rioja. Die Flasche war fast leer.

»Man könnte glatt meinen, *du* wärst diejenige mit dem Alkoholproblem«, sagte er und achtete wohlweislich darauf, dabei zu lächeln.

Sie machte es sich wieder bequem. Etwas Wein schwappte ihr auf den Handrücken, und sie lutschte ihn ab.

»Nein, ich trink nur ab und an ein bisschen zu viel. Also, hast du schon mal mit dem Gedanken gespielt, mit ihr zu schlafen?«

»Herrje, Patience …«

»Ich bin neugierig, das ist alles. Sammy meint, Janice hätte so einen gewissen Blick gehabt.«

»Was für einen Blick?«

Patience runzelte die Stirn, als versuchte sie, sich an die genauen Worte zu erinnern. »Hungrig. Hungrig und ein bisschen verzweifelt, glaube ich. Wie ist ihre Ehe?«

»Wackelig«, gab Rebus zu.

»Und dass du nach Fife bist… hat das geholfen?«

»Ich habe nicht mit ihr geschlafen.«

Patience wedelte mit dem Zeigefinger. »Verteidige dich nie, bevor man dir nicht etwas vorgeworfen hat. Du bist Detective, du solltest wissen, wie das wirkt.«

Er funkelte sie an. »Bin ich verdächtig?«

»Nein, John, du bist ein Mann. Das ist alles.« Sie trank noch einen Schluck Wein.

»Ich würde dir nie weh tun, Patience.«

Sie lächelte, streckte eine Hand aus, wie um seine zu drücken, aber er war zu weit entfernt. »Das weiß ich, Schatz. Das Problem ist nur, du würdest in dem Moment überhaupt nicht an mich denken, dadurch würde sich die Frage ›weh tun oder nicht weh tun‹ für dich erst gar nicht stellen.«

»Du scheinst dir ja ganz schön sicher zu sein.«

»John, das krieg ich Tag für Tag mit. Ehefrauen, die in die Praxis kommen und Antidepressiva wollen. *Irgendwas* wollen, was auch immer ihnen hilft, die beschissenen Ehen durchzustehen, in die sie reingeraten sind. Sie erzählen mir alles Mögliche. Es sprudelt nur so raus. Manche von ihnen greifen zu Alkohol oder Drogen, manche schneiden sich die Pulsadern auf. Es ist komisch, wie selten sie auf die Idee kommen, einfach abzuhauen. Und die wenigen, *die* abhauen, sind in der Regel solche, die mit gewalttätigen Männern verheiratet sind.« Sie sah ihn an. »Weißt du, was *die* tun?«

»Kehren zu guter Letzt zurück?«, riet er.

Sie sah ihn an. »Woher weißt du das?«

»Ich krieg die auch mit, Patience. Die Hausangestellten, die Nachbarn, die sich über Schreie und Prügeleien beschweren. Dieselben Ehefrauen, die bei dir auftauchen, nur schon ein Stück weiter heruntergekommen. Sie weigern sich, Anzeige zu erstatten. Sie kommen in ein Frauenhaus. Und später kehren sie zu dem einzigen Leben zurück, das sie wirklich kennen.«

Sie blinzelte eine Träne aus den Wimpern. »Warum muss es nur so sein, John?«

»Ich wünschte, ich wüsste es.«

»Warum müssen *wir* uns damit beschäftigen?«

Er lächelte. »Wir leben davon.«

Sie hob ihr Buch vom Fußboden auf, stellte ihr Weinglas hin. »Der Mann, von dem diese Schmiererei stammt ... Was wollte er damit erreichen?«

»Ich weiß es nicht. Vielleicht sollte ich lediglich erfahren, dass er hier gewesen war.«

Sie hatte die richtige Seite wiedergefunden, starrte auf den Text, ohne die Augen zu bewegen. »Wo ist er jetzt?«

»Irgendwo in den Hügeln und friert sich zu Tod.«

»Glaubst du wirklich?«

»Nein«, gab er zu. »Bei jemandem wie Oakes ... das wär zu schön, um wahr zu sein.«

»Wird er Jagd auf dich machen?«

»Ich stehe auf seiner Liste nicht an erster Stelle.« Nein, weil Alan Archibald noch am Leben war. Röntgenaufnahmen hatten eine Schädelfraktur ergeben. Archibald würde noch eine Weile im Krankenhaus bleiben. Ein Polizist hielt an seinem Bett Wache.

»Wird er herkommen?«, fragte Patience.

Die CD war zu Ende; Stille im Zimmer. »Keine Ahnung.«

»Wenn er versucht, meine Steinplatten noch einmal voll zu schmieren, trete ich ihm ganz gewaltig in den Arsch.«

Rebus sah sie an, begann dann zu lachen.

»Was ist da so komisch?«, fragte sie.

Rebus schüttelte den Kopf. »Gar nichts eigentlich, ich bin bloß froh, dass du auf meiner Seite bist, das ist alles.«

Sie führte das Weinglas wieder an die Lippen. »Was macht Sie da so sicher, Inspector?«

Rebus prostete ihr mit seinem Glas zu und freute sich darüber, dass er den ganzen Abend lang, bis Patience das Thema anschnitt, nicht ein einziges Mal an Janice Mich gedacht hatte. Er nahm die Fernbedienung des CD-Players und drückte noch einmal auf die Abspieltaste. »Der Typ klingt so, als ob er Hilfe bräuchte«, sagte Patience.

»Hätte er auch gebraucht«, erklärte er. »Überdosis.« Sie sah ihn an, und er zuckte die Achseln. »Ein Todesopfer von vielen«, meinte er.

Später ging er zum Rauchen auf die Terrasse. Dort prangte noch immer die Botschaft: DEIN BULLENLOVER HAT DARREN GEKILLT. Die Arbeiter würden sich am nächsten Tag daranmachen, sie zu beseitigen. Oakes hatte gesagt, er wäre Darren gefolgt, hätte ihn dann aber aus den Augen verloren. Tja, irgendjemand hatte ihn dann gefunden. *Dafür* würde Rebus nicht die Schuld auf sich nehmen. Als die Zigarette brannte, stieg er die Stufen hinauf. Direkt am Straßenrand parkte ein Streifenwagen: eine deutliche Botschaft an Cary Oakes, falls ihm einfallen sollte, wieder vorbeizuschauen. Rebus wechselte ein paar Worte mit den zwei Beamten im Wagen, rauchte seinen Glimmstängel zu Ende und ging wieder ins Haus.

42

»Lust auf ein bisschen frische Luft?«, fragte Siobhan Clarke.

»Sie meinen hoffentlich, durch ein offenes Autofenster?«

»Keine Sorge, ich hab Sie noch nie für den Joggertyp gehalten.«

»Bewundernswerter Scharfblick. Wo soll's hin?«

Es war Vormittag in St. Leonard's. In den Pentlands hatte das Wetter aufgeklart, und Rebus hatte sich vergewissert, dass der Hubschrauber das Gebiet nach Spuren von Cary Oakes absuchen würde. Alle Dörfer und Höfe im Umkreis waren benachrichtigt und um erhöhte Wachsamkeit gebeten worden.

»Versuchen Sie auf keinen Fall, ihn zu stellen«, hatte es geheißen. »Teilen Sie uns nur mit, wenn Sie ihn sehen.«

Bislang hatte sich niemand gemeldet.

Rebus kam sich völlig überflüssig vor. Er hatte Patience das Frühstück ans Bett gebracht – Orangensaft und zwei Beutelchen Alka-Seltzer – und war sowohl seines Weitblicks als auch seiner Fürsorglichkeit wegen gelobt worden. Sie hatte gemeint, sie würde die Sprechstunde schon schaffen.

»Ich hoff nur, heute nicht auch noch meine Kummerkastentantennummer abziehen zu müssen.«

Und jetzt saß er im CID-Büro mit seinem Kaffee und einem Mars-Riegel.

»Infarktfrühstück«, sagte er, als er Siobhans angewiderte Miene bemerkte.

»Wir haben eine Billy-Boy-Sichtung reinbekommen. Wird sich wahrscheinlich als reine Zeitvergeudung erweisen ...«

»Und es wäre Ihnen lieber, wenn ich Ihnen beim Vergeuden Gesellschaft leiste?« Rebus lächelte. »*Ist* das nicht nett?«

»Schon gut«, sagte sie und wandte sich ab.

»Ho-hoo, Moment. Sind Sie heute mit dem falschen Fuß aufgestanden oder was?«

»Ich hab's gestern Abend gar nicht erst bis ins Bett geschafft«, gab sie sauer zurück. Aber dann wurde ihre Laune ein wenig besser. »Ist eine lange Geschichte.«

»Genau das Richtige für eine Autofahrt also«, sagte er. »Kommen Sie, Sie haben mich neugierig gemacht.«

Die Geschichte bestand darin, dass die Waschmaschine der Leute im Stock über ihr ausgelaufen war. Da sie sich nicht zu Hause aufgehalten hatten, wussten sie nichts davon. Und *sie* hatte es erst gemerkt, als sie in ihr Schlafzimmer gegangen war.

»Die haben die Waschmaschine über Ihrem Schlafzimmer?«, fragte Rebus.

»Das ist einer unter verschiedenen anderen Streitpunkten. Wie auch immer, ich hab diesen Fleck an der Decke gesehen, und als ich das Bett angefasst habe, war es völlig nass. Also habe ich auf der Couch geschlafen, in einem stinkigen alten Schlafsack.«

»Sie Arme.« Rebus dachte an die unzähligen Nächte, die er in seinem Sessel verbracht hatte – aber das war schließlich immer freiwillig gewesen. Er schaute in den Seitenspiegel, während sie in westlicher Richtung aus der Stadt krochen. »Verraten Sie mir eins: Warum fahren wir nach Grangemouth? Hätten das nicht die Dortigen erledigen können?«

»Ich delegiere nicht gern.«

Rebus lächelte: Den Spruch hatte sie von ihm. »Was Sie meinen, ist: Sie trauen niemandem zu, den Job gründlich zu erledigen.«

»Was in der Art«, sagte sie mit einem kurzen Blick in seine Richtung. »Ich hatte eben einen guten Lehrer.«

»Siobhan, es ist eine ganze Weile her, dass ich Ihnen etwas beibringen konnte.«

»Danke.«

»Aber das liegt daran, dass Sie seit langem nicht mehr zuhören.«

»*Sehr* witzig.« Sie sah über die Schulter zurück. »Was ist mit dem Verkehr eigentlich los?«

Die Fahrzeuge vor ihnen bewegten sich kaum von der Stelle.

»Das gehört zur neuen Strategie unserer Stadtväter: Macht den Autofahrern das Leben möglichst schwer, dann kommen sie auch nicht mehr in die Stadt und machen alles dreckig.«

»Was ihnen vorschwebt, ist ein Freiluftmuseum.«

Rebus nickte. »Und darin bloß die halbe Million Statisten.«

Schließlich setzte sich die Blechlawine in Bewegung. Grangemouth lag westlich von Edinburgh an der Mündung des Forth. Rebus war seit Jahren nicht mehr dort gewesen. Als sie sich dem Ort näherten, meinte Rebus, sich in das Set von *Blade Runner* verirrt zu haben. Ein riesiger petrochemischer Komplex beherrschte mit hoch aufragenden Schornsteinen und absurden Röhrengebilden den Horizont. Die Anlage sah wie ein gigantisches außerirdisches Wesen aus, das dabei war, seine vielen mechanischen Arme um die Stadt zu schlingen und alles Leben aus ihr zu quetschen.

Tatsächlich war das Gegenteil der Fall: Die Fabrikanlage und die verschiedenen Zulieferbetriebe hatten Arbeitsplätze nach Grangemouth gebracht. Die Straßen, durch die sie schließlich fuhren, waren dunkel und eng, von Gebäuden gesäumt, die schon etliche Jahrzehnte auf dem Buckel hatten.

»Zwei Welten geraten aneinander«, murmelte Rebus, während er das alles in sich aufnahm.

»Ich fürchte, ihre Chancen, zum Freiluftmuseum zu avancieren, hat sich die Stadt gründlich verscherzt.«

»Was die Einheimischen zweifellos zutiefst schmerzt.« Er sah nach den Straßenschildern. »Da wären wir.« Sie parkten vor einer Reihe von cottageartigen Häuschen mit durchweg ausgebauten Dachgeschossen.

»Nummer elf«, sagte Siobhan. »Die Frau heißt Wilkie.«

Mrs. Wilkie erwartete sie schon. Sie schien die Sorte Nachbarin zu sein, wie jede Straße eine aufweist: schamlos neugierig. Das konnte durchaus seine Vorzüge haben, aber Rebus wäre jede Wette eingegangen, dass manche ihrer Nachbarn das ganz anders sahen.

Ihr Wohnzimmer war ein überheizter Schuhkarton, in dem ein großes kunstvoll gestaltetes Puppenhaus den Ehrenplatz einnahm. Als Siobhan aus Höflichkeit Interesse daran bekundete, hielt Mrs. Wilkie einen zehnminütigen Vortrag über dessen Geschichte. Rebus hätte schwören können, dass sie dabei nicht einmal Luft holte und dadurch keinem ihrer zwei Gefangenen die geringste Gelegenheit gab, das Gespräch in andere Bahnen zu lenken.

»Na, ist das nicht wunderschön?«, sagte Siobhan und warf Rebus einen Blick zu. Als sie seine Miene sah, musste sie sich sehr beherrschen, um nicht laut loszuprusten. »Also, was diesen Jungen angeht, Mrs. Wilkie …?«

Sie nahmen alle Platz, und Mrs. Wilkie erzählte ihre Geschichte. Sie kannte das Foto des Knirpses aus der Zeitung, und wie sie gegen zwei vom Einkaufen zurückkam, hatte sie ihn auf der Straße Fußball spielen sehen.

»Kickte den Ball gegen die Mauer von Montefiores Autowerkstatt. Da ist so eine niedrige Steinmauer rund um den …« Sie machte entsprechende Gesten. »Wie heißt das noch mal?«

»Tankbereich?«, schlug Siobhan vor.

»Das ist das Wort.« Sie lächelte Siobhan zu. »Sie sind bestimmt ganz groß im Kreuzworträtsellösen, bei *Ihrem* Verstand!«

»Haben Sie den Jungen angesprochen, Mrs. Wilkie?«

»Eigentlich *Miss* Wilkie. Ich habe nie geheiratet.«

»*Wirklich* nicht?« Rebus brachte eine überraschte Miene zustande. Siobhan hustete in ihre Hand, reichte dann Miss Wilkie ein paar Schnappschüsse von Billy Horman.

»Nun, die sehen ihm ähnlich, keine Frage«, sagte die alte Frau, während sie die Bilder durchging. Eins davon hielt sie hoch. »Abgesehen von diesem hier.«

Siobhan nahm ihr das aussortierte Foto ab. Rebus wusste, dass sie das Bild eines anderen Jungen hineingeschmuggelt hatte, um die Zuverlässigkeit der Zeugin zu überprüfen. Miss Wilkie hatte den Test bestanden.

»Um Ihre Frage zu beantworten«, sagte Miss Wilkie, »nein, ich habe nichts gesagt. Ich bin nach Hause und habe mir das Bild in der Zeitung noch einmal angesehen. Dann habe ich die Nummer angerufen, die da angegeben war und mit einem sehr netten jungen Mann von der Polizei gesprochen.«

»Und das war gestern?«

»Richtig, und heute habe ich das Jungchen nicht gesehen.«

»Sie haben ihn also nur das eine Mal zu Gesicht bekommen?«

Miss Wilkie nickte. »Wie er ganz allein spielte. Er sah so einsam aus.« Sie hatte die Fotos zurückgegeben und war aufgestanden, um aus dem Fenster zu sehen. »In einer Straße wie dieser fallen Fremde auf.«

»Ich bin sicher, dass Ihnen nicht viel entgeht«, meinte Rebus.

»Die ganzen Autos heutzutage … es wundert mich, dass Sie überhaupt einen Parkplatz gefunden haben.«

Rebus und Siobhan sahen einander an, dankten Miss Wilkie dafür, dass sie sich die Zeit genommen hatte, und gingen.

Draußen blickten sie sich nach allen Seiten hin um. Am hinteren Ende der Straße gab es eine Autowerkstatt. Sie gingen in deren Richtung.

»Wie meinte sie das mit den Autos?«, fragte Siobhan.

»Ich schätze, dass ständig jemand vor ihrem Fenster parkt. Dadurch wird es für sie schwerer, alles zu beobachten, was draußen so vor sich geht.«

»Ich bin beeindruckt.«

»Nicht dass ich aus eigener Erfahrung sprechen würde …«

Aber in Miss Wilkies' Häuschen hatte Rebus eine plötzliche Niedergeschlagenheit verspürt. Auch er war ein Beobachter, ein Zuschauer. All die Nächte, die er in seiner Wohnung bei ausgeschaltetem Licht verbrachte, aus dem Fenster schaute … Würde er mit zunehmendem Alter ebenfalls zu einer Miss Wilkie mutieren: dem neugierigen Nachbarn der Straße?

Montefiores Autowerkstatt bestand aus einer einzigen Reihe von Zapfsäulen, einem Shop und einer Werkstatt mit zwei einzelnen Hallen. In der einen Werkshalle ragte ein Mann in blauem Overall knapp aus der Grube, über der ein blauer VW Polo schwebte. Rebus und Siobhan blieben draußen auf dem Bürgersteig stehen.

»Wenn wir schon mal da sind, könnten wir ja nachfragen, ob ihn jemand gesehen hat«, sagte Siobhan.

»Könnten wir wohl«, erwiderte Rebus ohne viel Begeisterung.

»Ich hatte Ihnen ja gesagt, dass die Sache nicht sehr viel versprechend klang.«

»Könnte auch ein Kind aus der Nachbarschaft gewesen sein. Familie ist neu zugezogen, hatte noch keine Gelegenheit, Freunde zu finden.«

»Gesehen hat sie ihn um zwei. Da hätte er in der Schule sein müssen.«

»Stimmt«, sagte Rebus. »Sie schien sich ihrer Sache ziemlich sicher zu sein, nicht?«

»Es gibt so Leute. Sie möchten unbedingt helfen – selbst wenn sie sich dazu eine Geschichte ausdenken müssen.«

Rebus schnalzte missbilligend mit der Zunge. »Von *mir* haben Sie diesen Zynismus aber nicht.« Er sah die völlig zugeparkte Straße entlang. »Ich frag mich …«

»Was?«

»Er kickte den Ball gegen die Hofmauer.«

»Ja.«

»Kann nicht allzu spaßig gewesen sein, wenn die ganzen Autos da standen. Der Bürgersteig ist nicht breit genug.«

Siobhan betrachtete die Mauer, dann den Bürgersteig. »Vielleicht standen da grad keine.«

»Das wäre nach dem, was Miss Wilkie sagte, aber ungewöhnlich.«

»Ich versteh nicht, worauf Sie hinauswollen.«

Rebus deutete auf den ummauerten Hof. »Was, wenn er da *drin* war? Jede Menge Platz, solange keine Autos an den Zapfsäulen stehen.«

»Die hätten ihn doch bestimmt rausgescheucht.« Sie sah ihn an. »Oder nicht?«

»Fragen wir doch einfach mal.«

Sie gingen zuerst in den Shop und wiesen sich beim Mann an der Kasse aus.

»Ich bin nicht der Besitzer«, sagte er. »Ich bin sein Bruder.«

»Waren Sie gestern hier?«

»Schon die ganzen letzten zehn Tage. Eddie und Flo sind im Urlaub.«

»Wo denn so?«, fragte Siobhan in einem Ton, als seien sie bloß zum Plaudern da.

»Jamaika.«

»Erinnern Sie sich an einen kleinen Jungen?«, fragte Rebus. Siobhan hielt eines der Fotos hoch. »Der auf dem Vorhof gekickt hat?«

Der Bruder des Besitzers nickte. »Gordons Neffe.«

Rebus versuchte, ruhig weiterzusprechen. »Gordon wer?«

Der Mann lachte. »Eigentlich Gordon *wie*. Howe heißt er.« Er buchstabierte ihnen den Namen, und sie stimmten in sein Lachen ein.

»Na, der muss sich bestimmt eine Menge Witze anhören«, meinte Siobhan und wischte sich eine imaginäre Träne aus dem Auge. »Haben Sie eine Ahnung, wo wir Mr. Howe finden könnten?«

»Jock dürfte es wissen.«

Siobhan nickte. »Und wer ist Jock?«

»'tschuldigung«, sagte der Mann. »Jock ist der andere Mechaniker.«

»Der unter dem Polo?«, fragte Rebus. Der Mann nickte.

»Mr. Howe arbeitet also hier in der Werkstatt?«

»Ja, er ist Kfz-Mechaniker. Heute hat er sich freigenommen. Na ja, nicht viel Betrieb, und wo er sich doch um den kleinen Billy kümmern muss…« Er deutete auf das Foto von Billy Horman.

»Billy?«, fragte Siobhan.

Eine halbe Minute später standen sie wieder draußen auf dem Vorplatz, und Siobhan hielt sich Rebus' Handy ans Ohr. St. Leonard's meldete sich, und sie fragte, ob Billy Horman einen Onkel namens Gordon Howe habe. Während sie zuhörte, sah sie Rebus an und schüttelte den Kopf. Fehlanzeige. Sie gingen zur Werkstatt.

»Könnten wir Sie kurz sprechen?«, rief Rebus hinein. Als der Mechaniker Jock unter dem Polo hervorkletterte und sich die Hände an einem ölgeschwärzten Lappen abwischte, hielten sie schon ihre Dienstausweise bereit.

»Was habe ich angestellt?« Er hatte rostbraunes Haar, das sich im Nacken kringelte, und einen einzelnen großen Ohrring. Seine Handrücken waren tätowiert, und Rebus fiel auf, dass ihm an der linken Hand der kleine Finger fehlte.

»Wo können wir Gordon Howe finden?«, fragte Siobhan.

»Wohnt in der Adamson Street. Worum geht's?«

»Was meinen Sie, ob er jetzt zu Haus ist?«

»Woher soll ich das wissen?«

»Er hat sich heute frei genommen«, sagte Rebus und trat einen Schritt näher. »Vielleicht hat er Ihnen erzählt, wie er den Tag verbringen wollte?«

»Wollte mit Billy irgendwohin.« Die Augen des Mechanikers huschten zwischen den zwei Beamten hin und her.

»Und Billy ist …?«

»Der Sohn von seiner Schwester. Der ging's in letzter Zeit ziemlich mies, allein erziehend und so. Da hätte Billy entweder vorübergehend ins Heim gemusst oder Gordon springt ein. Geht's um Billy? Hat er was angestellt?«

»Wäre er Ihrer Meinung nach der Typ dafür?«

»Überhaupt nicht.« Der Mechaniker lächelte. »Ein sehr ruhiger Junge sogar. Wollte über seine Mum nichts sagen …«

»Wollte über seine Mum nichts sagen«, wiederholte Siobhan, während sie den Plattenweg entlang auf das Haus in der Adamson Street zugingen. Es war eine Doppelhaushälfte aus den Sechzigern in einer Siedlung am Stadtrand. Größtenteils sozialer Wohnungsbau. Man sah auf den ersten Blick, welche Mieter ihr jeweiliges Haus gekauft hatten: neue Fenster und bessere Türen. Aber der graue Rauputz war überall der gleiche.

»Bestimmt Onkel Gordons Anweisung.«

Sie klingelten und warteten. Rebus meinte, hinter einem Fenster im Obergeschoss eine Bewegung zu erkennen. Trat einen Schritt zurück und legte den Kopf in den Nacken, sah aber nichts.

»Probieren Sie's noch mal«, sagte er und spähte durch den Briefschlitz, während Siobhan noch einmal auf die Klingel drückte. Ein Korridor, am Ende eine halb offene Tür, dahinter sich bewegende Schatten; er ließ die Briefklappe wieder zufallen.

»Hintertür«, sagte er und bog schon um die Ecke. Als sie den rückwärtigen Garten erreichten, schwang sich ein Mann gerade über einen hohen Borkenleistenzaun.

»Mr. Howe!«, rief Rebus.

»Nichts wie weg!«, schrie der Mann dem Jungen, der bei ihm war, zu. Rebus überließ es Siobhan, über den Zaun zu klettern. Er ging wieder um das Haus herum, lief die Straße entlang und fragte sich, wo die beiden wohl wieder auftauchen würden.

Plötzlich standen sie vor ihm. Howe humpelte, die Hand an ein Bein gepresst. Der Junge flitzte, von Howe angespornt, davon. Aber als der Junge einen Blick über die Schulter warf und sah, dass der Abstand zwischen ihm und Howe immer größer wurde, verlangsamte er seine Schritte.

»Nein! Lauf weiter, Billy! Lauf weiter!«

Aber der Junge hörte nicht auf Howe. Jetzt blieb er stehen und wartete darauf, dass der Mann aufholte. Siobhan kam in Sicht, ihre Hose am Knie aufgerissen. Howe erkannte, dass er keine Chance hatte, und hob die Hände.

»Okay«, sagte er, »okay.«

Er warf Billy, der jetzt auf ihn zukam, einen traurigen Blick zu.

»Billy, kannst du denn nie hören?«

Als Gordon Howe in die Knie ging, schlang ihm der Junge die Arme um den Hals, und beide umarmten sich.

»Ich sag's denen«, heulte Billy. »Ich sag's denen, dass alles okay ist.«

Rebus sah auf die beiden hinunter, sah die Tätowierungen auf Gordon Howes nackten Armen: *No Surrender*, »Keine Kapitulation«; UDA; die Rote Hand von Ulster. Er erinnerte sich daran, was Tom Jackson erzählt hatte: *ist nach Ulster abgehauen, um sich den Paramilitärs anzuschließen...*

»Dann sind Sie also Billys Dad«, riet Rebus. »Willkommen daheim in Schottland.«

43

Während der Rückfahrt nach Edinburgh saß Rebus mit Howe im Fond und Billy vorn neben Siobhan.

»Sie haben in der Zeitung über Greenfield gelesen?«, fragte Rebus. Howe nickte. »Wie heißen Sie wirklich?«

»Eddie Mearn.«

»Wie lang sind Sie schon aus Nordirland zurück?«, fragte Siobhan.

»Drei Monate.« Er streckte die Hand aus und zerstrubbelte seinem Sohn die Haare. »Ich wollte Billy wiederhaben.«

»Wusste seine Mutter Bescheid?«

»Das Weibsstück? Das war unser Geheimnis, stimmt's, Billy?«

»Ja, Dad«, sagte Billy.

Mearn wandte sich zu Rebus. »Ich hab ihn immer heimlich besucht. Wenn seine Mum das rausgekriegt hätte, wär damit Schluss gewesen. Aber wir haben's streng geheim gehalten.«

»Und dann haben Sie über Darren Rough gelesen?«, fügte Rebus hinzu.

Mearn nickte. »War fast zu schön, um wahr zu sein. Ich wusste, wenn ich Billy zu mir holte, würden alle glauben, dieser Wichser hätte ihn sich geschnappt – zumindest eine Zeit lang. Hätte uns die Chance gegeben, uns irgendwo einzurichten. Wir kamen prima klar, stimmt's, Billy?«

»Total«, pflichtete ihm sein Sohn bei.

»Deine Mum ist ganz krank vor Sorge, Billy«, erklärte Siobhan.

»Ich hasse Ray«, sagte Billy und drückte das Kinn störrisch auf die Brust. Ray Heggie: Joanna Hormans Freund. »Er verprügelt sie immer.«

»Was glauben Sie, warum ich Billy da rausholen wollte?«, fragte Mearn. »Das ist nicht richtig, dass ein Kind so was mitkriegen muss. Das ist nicht richtig.« Er beugte sich vor und küsste seinen Sohn auf den Scheitel. »Wir hatten uns prima eingerichtet, stimmt's, Billy Boy? Wir wären zurechtgekommen.«

Billy drehte sich nach hinten um, versuchte, vom Sicherheitsgurt behindert, seinen Vater zu umarmen. Siobhan starrte Rebus im Rückspiegel an. Beide wussten, was passieren würde: Billy würde man nach Greenfield zurückverfrachten, und gegen Mearn würde wahrscheinlich Anklage erhoben. Keiner der Beamten fühlte sich bei der Vorstellung besonders wohl in seiner Haut.

Als sie das Zentrum von Edinburgh erreichten, bat Rebus Siobhan, einen Umweg über die George Street zu machen. Von Janice weit und breit nichts zu sehen …

»Wissen Sie was?«, fragte Rebus Mearn.

Sie befanden sich in einem Vernehmungsraum in St. Leonard's. Mearn hatte eine Tasse Tee vor sich stehen. Ein Arzt hatte sich sein Bein angesehen: bloß verstaucht.

»Was?«

»Sie sagten, Ihnen wäre klar gewesen, dass man Darren Rough für Billys Verschwinden verantwortlich machen würde, und dass Ihnen das ein bisschen Zeit verschafft hätte, sich einzurichten.«

»Das stimmt.«

»Aber ich kann mir eine bessere Möglichkeit vorstellen, einen Plan, der sichergestellt hätte, dass man die Suche nach Billy *ganz* aufgeben würde.«

Mearn machte ein interessiertes Gesicht. »Nämlich?«

»Wenn Rough gestorben wäre«, antwortete Rebus leise. »Ich meine, wir hätten schon eine Zeit lang weiter nach Billy gesucht, auch wenn wir alle erwarteten, bestenfalls eine Leiche zu finden, irgendwo versteckt. Aber früher oder später hätten wir den Fall zu den Akten gelegt.«

»Ich hab an die Möglichkeit gedacht.«

Rebus setzte sich. »Tatsächlich?«

Mearn nickte. »Ja, nachdem ich von dem Mord an ihm gelesen hatte. Ich dachte, das wäre die Antwort auf unsere Gebete.«

Rebus nickte. »Und *deswegen* haben Sie es getan?«

Mearn runzelte die Stirn. »Was getan?«

»Darren Rough getötet.«

Die zwei Männer starrten einander an. Dann breitete sich auf Mearns Gesicht ein Ausdruck des Entsetzens aus. »N-n-nein«, stotterte er. »Nix da, nix da …« Seine Hände krampften sich um die Tischkante. »Ich nicht, das war ich nicht!«

»Nein?« Rebus setzte eine überraschte Miene auf. »Aber Sie haben doch das perfekte Motiv.«

»Herrgott, ich wollte ein *neues Leben* anfangen. Wie hätte ich *das* hoffen können, wenn ich jemand umgelegt hätte?«

»Viele Leute tun das, Eddie. Ich krieg jedes Jahr mehrere von der Sorte hier rein. Ich hätte eigentlich gedacht, dass es für jemanden mit paramilitärischer Ausbildung kein größeres Problem darstellen würde.«

Mearn lachte. »Wo haben Sie denn *das* her?«

»Das erzählt man sich jedenfalls in der Siedlung. Als Joanna mit Billy schwanger wurde, sind Sie abgehauen, um sich den Terroristen anzuschließen.«

Mearn beruhigte sich, blickte sich um. »Ich glaube, ich will einen Anwalt«, sagte er leise.

»Ist schon unterwegs«, erklärte Rebus.

»Was ist mit Billy?«

»Man hat seine Mutter angerufen. Sie ist ebenfalls unterwegs. Wahrscheinlich schon entsprechend aufgetakelt für die Pressekonferenz.«

Mearn kniff die Augen zusammen. »Scheiße«, flüsterte er. Dann: »Tut mir Leid, Billy.« Als er Rebus ansah, hatte er Tränen in den Augen. »Was hat Sie auf unsere Spur gebracht?«

Eine alte Schnüfflerin und eine zugeparkte Straße, hätte Rebus antworten können. Aber er brachte es nicht übers Herz.

Draußen vor St. Leonard's waren Kameras und Mikrofone aufgefahren; in solcher Zahl, dass der Bürgersteig überquoll und auch die Fahrbahn von Journalisten wimmelte. Autos und Lieferwagen hupten und übertönten fast Joanna Hormans emotionale Schilderung von ihrer Wiedervereinigung mit ihrem Sohn. Von Ray Heggie weit und breit nichts zu sehen; Rebus fragte sich, ob sie ihn vor die Tür gesetzt hatte. Und bei klein Billy Boy war nicht allzu viel Gefühlsseligkeit zu bemerken. Seine Mutter hörte nicht auf, ihn an sich zu drücken, ihn beinah zu zerquetschen, während die Fotoreporter sie anfeuerten, um weitere Bilder zu schießen. Sein Gesicht war über und über mit Lippenstiftabdrücken bedeckt. Als sie im Begriff war, eine weitere Frage zu beantworten, bemerkte Rebus, dass Billy versuchte, sich das Gesicht sauber zu wischen.

Inmitten der Reporter waren auch allerlei Zivilisten auszumachen: Passanten und Gaffer. Eine Frau in einem GGP-T-Shirt – Van Brady – versuchte, Flugblätter zu verteilen. Auf der anderen Straßenseite saß ein Junge auf seinem Fahrrad, die Füße auf den Pedalen und eine Hand an einem Laternenmast, um die Balance zu halten. Rebus erkannte ihn: Vans Jüngster. Keine Flugblätter, kein T-Shirt – das fand Rebus seltsam. Ließ sich dieser Junge weniger leicht beeinflussen als die erwachsenen Bewohner von Greenfield?

»Und ich möchte der Polizei für ihre Bemühungen danken«, tönte Joanna Horman gerade. Keine Ursache, dachte Rebus, während er sich durch das Gedränge schob und die Straße überquerte. »Aber ganz besonders möchte ich allen Freunden und Freundinnen vom GGP für ihre Unterstützung danken.«

Van Brady stieß ein lautes Beifallsgeheul aus…

»Du heißt Jamie, stimmt's?«

Der Junge auf dem Fahrrad nickte. »Und Sie sind der Bulle, der nach Darren gefragt hat.«

Darren: nur der Vorname. Rebus holte eine Zigarette heraus, bot eine weitere Jamie an, der aber ablehnte. Rebus zündete sich die seine an, atmete Rauch aus.

»Du hast Darren wohl ziemlich oft gesehen, hm?«

»Er ist tot.«

»Aber vorher. Bevor die ganze Sache anfing.«

Jamie nickte mit lauerndem Blick.

»Hat er jemals irgendwas versucht?«

Jetzt schüttelte Jamie den Kopf. »Er hat bloß hallo gesagt, mehr nicht.«

»Trieb er sich in der Nähe des Spielplatzes herum?«

»Hab ich jedenfalls nie gesehen.« Er starrte zur anderen Straßenseite hinunter.

»Sieht so aus, als wär Billy jetzt die Hauptperson, hm?« Rebus hatte plötzlich das Gefühl, dass Jamie eifersüchtig war, sich aber bemühte, es nicht zu zeigen.

»Tja.«

»Du bist bestimmt froh, dass er wieder da ist.«

Jamie sah ihn an. »Cal ist bei seiner Mum eingezogen.«

Rebus zog wieder an seiner Zigarette. »Dann hat sie also Ray rausgeschmissen?« Wieder nickte Jamie.

»Und sich dafür deinen Bruder ins Haus geholt?« Rebus machte ein beeindrucktes Gesicht. »Das nenne ich schnelle Arbeit.«

Jamie knurrte nur. Rebus sah eine Chance.

»Du siehst ja nicht gerade begeistert aus: Wird er dir fehlen?«

Jamie zuckte die Achseln. »Mir doch egal.« Aber das war's nicht. Sein Bruder war ausgezogen, seine Mutter ging ganz im GGP auf, und jetzt stand Billy Boy Horman im Mittelpunkt der allgemeinen Aufmerksamkeit.

»Hast du Darren jemals zusammen mit anderen gesehen? Ich meine nicht Kinder, sondern Fremde, Erwachsene.«

»Eigentlich nicht.«

Rebus hielt sein Gesicht so, dass Jamie kaum eine andere Wahl hatte, als ihn anzusehen. »So richtig sicher klingst du aber nicht.«

»Einer hat mal nach ihm gefragt.«

»Wann?«

»Als der ganze Scheiß mit dem GGP angefangen hat.«

»Ein Freund von Darren?«

Wieder ein Achselzucken. »Hat er nicht gesagt.«

»Na, was *hat* er denn gesagt, Jamie?«

»Dass er den Typ aus der Zeitung sucht. Er hatte die Zeitung dabei.« Die Zeitung: der Artikel, in dem Darren Rough geoutet wurde.

»Waren das seine genauen Worte: ›den Typ aus der Zeitung‹?«

Jamie lächelte. »Ich glaub, er hat ›Bursche‹ gesagt.«

»Bursche?«

Jamie setzte einen affektierten Upper-Class-Ton auf. »›Den Burschen, der in der Zeitung stand.‹«

»Also keiner aus der Siedlung?«

Jetzt stieß Jamie ein meckerndes Lachen aus.

»Wie sah er aus?«

»Alt, ganz schön groß. Er hatte einen Schnurrbart. Seine Haare waren grau, aber der Schnurrbart war schwarz.«

»Du gäbst einen guten Detective ab, Jamie.«

Jamie rümpfte angewidert die Nase. Seine Mutter hatte mitbekommen, dass sie sich unterhielten, und machte Anstalten, von der anderen Straßenseite herüberzukommen.

»Jamie!«, rief sie, während sie versuchte, sich zwischen den fahrenden Autos hindurchzuschlängeln.

»Was hast du ihm gesagt, Jamie?«

»Ich hab ihm gezeigt, wo Darren wohnte. Und ihm gesagt, dass ich wusste, dass Darren nicht da war.«

»Was hat der Mann dann gemacht?«

»Mir ’n Fünfer gegeben.« Er sah sich fast verstohlen um. »Ich bin ihm nachgegangen, bis zu seiner Karre.«

Rebus lächelte. »Du würdest *wirklich* einen guten Detective abgeben.«

Wieder ein Achselzucken. »War ein großer weißer Schlitten. Ich glaub, es war ein Benz.«

Als Van Brady ankam, trat Rebus ein paar Schritte zurück.

»Was hat der zu dir gesagt, Jamie?«, fragte sie und erdolchte dabei Rebus mit Blicken. Aber Jamie sah sie herausfordernd an.

»Nichts«, erwiderte er.

Sie sah zu Rebus, der lediglich die Achseln zuckte. Als sie sich wieder ihrem Sohn zuwandte, zwinkerte Rebus ihm zu. Über Jamies Gesicht huschte ein flüchtiges Lächeln. Ein paar Augenblicke lang hatte *er* im Mittelpunkt von jemandes Aufmerksamkeit gestanden.

»Ich hatte mich bloß nach Cal erkundigt«, sagte Rebus zu Van Brady. »Ich hab gehört, er zieht bei Joanna ein.«

Sie fuhr herum. »Was geht *Sie* das an?«

Er deutete mit einem Kopfnicken auf das Flugblatt in ihrer Hand. »Hätten Sie auch eins davon für mich?«

»Wenn Sie Ihren Job richtig machen würden, bräuchten wir kein GGP.«

»Wie kommen Sie darauf, dass wir es überhaupt brauchen?«, erkundigte sich Rebus, wandte sich ab und ging.

Rebus setzte sich an den Computer und beschloss, mit den örtlichen Benz-Vertretungen zu sprechen, um seine Vermutungen ein wenig mit Fakten zu untermauern. Jemanden, der einen weißen Benz fuhr, kannte er bereits; die Witwe Margolies. Rebus klopfte mit dem Stift auf seinen Schreibtisch, fing an zu wählen. Er hatte gleich bei der ersten Nummer Glück.

»O ja, Dr. Margolies ist bei uns Stammkunde. Er kauft seit Ewigkeiten nichts als Mercedes.«

»Verzeihung, ich rede von einer *Mrs.* Margolies.«

»Ja, seine Schwiegertochter. *Den* Wagen hat Dr. Margolies ebenfalls gekauft.«

Dr. Joseph Margolies. »Er hat für seinen Sohn und seine Schwiegertochter einen gekauft?«

»Genau. Letztes Jahr, glaube ich.«

»Und für sich?«

»Er gibt gern in Zahlung, behält ein Modell ein, zwei Jahre lang, tauscht es dann gegen etwas Brandneues ein. Auf diese Weise fällt die Wertminderung nicht so hoch aus.«

»Und was fährt er momentan?«

Der Verkäufer wurde plötzlich vorsichtig. »Warum fragen Sie ihn das nicht selbst?«

»Vielleicht tu ich das auch«, antwortete Rebus. »Und ich werde nicht vergessen, ihm zu sagen, dass Sie mir die Mühe hätten ersparen können.«

Aus dem Telefonhörer drang ein lauter Seufzer, dann: »Einen Moment.« Rebus hörte Finger auf einer Tastatur klappern. Eine Pause. Dann: »Einen E 200, vor sechs Monaten gekauft. Zufrieden?«

»Wie ein Kind an Heiligabend.« Rebus machte sich Notizen. »Und welche Farbe?«

Ein weiterer Seufzer. »Weiß, Inspector. Dr. Margolies kauft immer nur Weiß.«

Als Rebus auflegte, kam Siobhan Clarke herüber. Sie lehnte sich an den Schreibtisch.

»Sieht so aus, als hätte jemand gepennt«, sagte sie.

»Wie meinen Sie das?«

»Eddie Mearn. Laut Stand der Ermittlungen hält er sich noch immer in Nordirland auf. Jemand hat in Lisburn angerufen, und als man ihm sagte, Mearn wär noch immer im Land, hat er es widerspruchslos geschluckt.«

»Wer war's, der angerufen hat?«

»Roy Frazer, so Leid's mir tut.«

»Auf die Art wird er's endlich lernen.«

»Klar, so, wie Sie aus *Ihren* Fehlern gelernt haben.«

Er lächelte. »Deswegen mache ich ja auch nie zweimal denselben.«

Sie verschränkte die Arme. »Sie glauben, Mearn hatte das von langer Hand geplant?«

Rebus nickte langsam. »Klingt zumindest plausibel. Ist von Lisburn wieder rüber. Vielleicht hat er tatsächlich keinem was davon gesagt, dass er das Land verlassen wollte. Lässt sich mit einer neuen Identität in Grangemouth nieder – in strategisch günstiger Entfernung von Edinburgh. Warum sollte er seine wahre Identität verheimlichen? Der einzige Grund, den ich mir denken kann: Er wollte sich Billy schnappen. Ein neues Leben für beide.«

»Wäre das so schlimm gewesen?«, fragte Siobhan.

»Nicht schlimmer als das, was Billy jetzt hat«, räumte Rebus ein. Er sah sie an. »Vorsicht, Siobhan! Sie laufen jetzt Gefahr zu glauben, das Gesetz sei das Produkt von Hornochsen. Das ist nur ein Schritt weit davon entfernt, sich seine eigenen Regeln zu machen.«

»So, wie Sie das getan haben.« Keine Frage, eine Feststellung.

»So, wie ich das getan habe«, musste Rebus wohl oder übel zugeben. »Und da sehen Sie, was mir das eingebracht hat.«

»Nämlich?«

Er tippte auf das Blatt mit seinen Notizen. »Dass ich überall weiße Autos sehe.«

44

Ein weißes Auto war in der Nacht beobachtet worden, als Jim Margolies von den Salisbury Crags sprang. Nicht weiter aufregend, da Jim selbst ein weißes Auto besaß, aber nach Aussage seiner Frau war dieses in der Nacht in der Garage geblieben. Jim war den ganzen Weg bis zu den Crags zu Fuß gelaufen. Wie glaubwürdig war das? Rebus wusste es nicht.

Ein weiteres weißes Auto war etwa um die Zeit, als man

Darren Rough zu Tode knüppelte, im Holyrood Park beobachtet worden.

Und davor hatte sich der Fahrer eines weißen Autos nach Darren erkundigt.

Rebus erzählte Siobhan die Geschichte, und sie zog sich einen Stuhl heran, um mit ihm ein paar Theorien durchzuspielen.

»Sie glauben, das war in allen Fällen derselbe Wagen?«, fragte sie.

»Ich weiß lediglich, dass zwei davon im Park gesichtet werden, während zwei soweit bekannt nicht miteinander in Zusammenhang stehende Todesfälle eintreten.«

Sie kratzte sich am Kopf. »Ich kann da nichts erkennen. Sonst noch weitere Besitzer von weißen Mercedes-Wagen?«

»Sie meinen: Hat irgendein aktenkundiger Serienmörder in letzter Zeit einen gekauft oder gemietet?« Sie lächelte.

»Ich arbeite gerade dran«, fuhr Rebus fort. »Bislang ist der einzige Name, den ich habe, Margolies.« Er dachte gleichzeitig, Kollegin Jane Barbour fuhr einen cremefarbenen Wagen, einen Ford Mondeo…

»Aber es sind doch wohl mehr weiße Mercedesse in Umlauf?«

Rebus nickte. »Aber Jamies Beschreibung des Mannes klingt ganz verdammt nach Jims Vater.«

»Sie haben ihn auf der Beerdigung gesehen?«

Rebus nickte. Und auf einem Kinderschönheitswettbewerb, hätte er hinzufügen können. »Er ist pensionierter Arzt.«

»Vom Schmerz über den Selbstmord seines Sohnes überwältigt, beschließt er, das Gesetz selbst in die Hand zu nehmen?«

»Alles Böse auszumerzen, um gegen die Ungerechtigkeit des Lebens zu protestieren.«

Sie lächelte breit. »Das können Sie sich auch nicht vorstellen, oder?«

»Nein, kann ich nicht.« Er warf seinen Stift auf den Schreibtisch. »Um ehrlich zu sein, kann ich mir überhaupt nichts vorstellen. Und das heißt: Zeit für eine Pause.«

»Kaffee?«, schlug sie vor.

»Ich hatte eigentlich an etwas Stärkeres gedacht.« Er sah ihren Blick. »Aber fürs Erste wird's auch ein Kaffee tun.«

Er ging auf den Parkplatz, um eine Zigarette zu rauchen, aber das endete dann damit, dass er in den Saab sprang und losfuhr: die Pleasance lang, quer über die High Street und an der Waverley Station vorbei. Er suchte die George Street in westlicher Richtung ab, wendete dann über den durchgezogenen Strich und fuhr in östlicher Richtung wieder zurück. Janice saß auf dem Bordstein, den Kopf in die Hände gestützt. Die Passanten sahen sich nach ihr um, aber niemand blieb stehen, um sie zu fragen, ob sie Hilfe brauche. Rebus fuhr an den Straßenrand, damit sie einsteigen konnte.

»Ich weiß, dass er hier ist«, wiederholte sie ständig. »Ich *weiß* es.«

»Janice, das nützt keinem von euch beiden etwas.«

Ihre Augen waren blutunterlaufen, wie wund vom vielen Weinen. »Was weißt *du* schon davon? Hast du jemals ein Kind verloren?«

»Sammy hätte ich beinah verloren.«

»Hast du aber nicht!« Sie wandte sich von ihm ab. »Du hast nie was getaugt, John. Herrgott, du konntest nicht mal Mitch helfen, und dabei war er angeblich dein bester Freund. Die haben ihn damals beinah zum Krüppel geschlagen!«

Sie hatte noch jede Menge zu sagen, jede Menge Gift zu verspritzen. Er ließ sie reden, seine Hände lagen dabei auf dem Lenkrad. Irgendwann versuchte sie auszusteigen, aber er zog sie ins Auto zurück.

»Komm schon«, sagte er. »Hau mir mehr um die Ohren. Ich hör dir zu.«

»Nein!«, stieß sie hervor. »Und weißt du, warum? Weil ich felsenfest davon überzeugt bin, dass es dir Spaß macht!« Als sie diesmal die Tür öffnete, unternahm er keinen Versuch, sie aufzuhalten. Sie bog um die nächste Ecke und verschwand in Richtung Neustadt. Rebus wendete den Wagen, bog nach rechts in die Castle und dann nach links in die Young Street. Hielt vor der Oxford Bar und ging hinein. Doc Klasser stand an seinem üblichen Platz. Die Nachmittagstrinker hatten gerade Schicht: Die meisten von ihnen würden gegen fünf, sechs verschwinden, wenn das Lokal sich mit Büroangestellten zu füllen begann. Barkeeper Harry erkannte Rebus und hielt ein Pintglas in die Höhe. Rebus schüttelte den Kopf.

»Einen Kurzen, Harry«, sagte er. »Und messen Sie ihn möglichst christlich ab.«

Er setzte sich ins Nebenzimmer. Kein Mensch da außer dem Schriftsteller – dem mit der Tasche voller Bücher. Er schien das Lokal als Arbeitszimmer zu benutzen. Ein paarmal hatte Rebus ihn gefragt, welche Bücher er lesen solle. Er hatte sich die empfohlenen Titel besorgt, sie aber nicht gelesen. Heute schien keiner von ihnen beiden auf Gesellschaft aus zu sein. Rebus hockte allein da mit seinem Drink und seinen Gedanken. Er dachte an das letzte Schulfest, vor mehr als dreißig Jahren. An seine eigene Version der Geschichte …

Mitch und Johnny hatten einen Plan. Sie würden zum Militär gehen, ein bisschen was erleben. Mitch hatte sich Informationsmaterial zuschicken lassen, war dann nach Kirkcaldy ins Rekrutierungsbüro gefahren. Die Woche darauf hatte er Johnny mitgenommen. Der Werbesergeant erzählte ihnen Witze und Geschichten aus seiner Zeit »im Feld«. Er erklärte ihnen, die Grundausbildung würden sie mit links schaffen. Er hatte einen Schnauzer und eine Wampe und erzählte ihnen, sie würden »jede Menge zu ficken und zu saufen kriegen«: »Zwei gut aussehende Burschen wie ihr, da wird's euch bald aus den Ohren rauslaufen.«

Johnny Rebus war nicht ganz klar gewesen, was Letzteres genau bedeutete, aber Mitch hatte sich die Hände gerieben und war in das verschwörerische Lachen des Sergeants eingefallen.

Damit war's also erledigt gewesen. Johnny brauchte es jetzt nur noch seinem Dad und Janice zu erzählen.

Wie sich herausstellte, war sein Dad überhaupt nicht begeistert. Er hatte im Zweiten Weltkrieg eine Zeit lang im Fernen Osten gedient. Er besaß ein paar Fotos und einen schwarzen Seidenschal mit dem eingestickten Taj Mahal. Er hatte eine Narbe am Knie, die in Wirklichkeit nicht von einer Schussverletzung stammte, obwohl er das immer behauptete.

»Das ist nichts für dich«, sagte Johnnys Vater. »Was du brauchst, ist ein richtiger Job.« Das ging eine ganze Weile so hin und her. Dann hatte sein Dad den entscheidenden Satz ausgesprochen: »Was wird Janice dazu sagen?«

Janice sagte nichts. Rebus schob die Aussprache immer weiter hinaus. Und dann erfuhr sie es eines Tages von ihrer Mum, die mit Johnnys Dad geredet und erfahren hatte, dass Johnny mit dem Gedanken spielte, wegzugehen.

»Das ist ja schließlich nicht für immer«, argumentierte er. »Ich werde jede Menge Urlaub haben.«

Sie verschränkte die Arme, so, wie das ihre Mutter immer tat, wenn sie das Recht auf ihrer Seite wähnte. »Und ich darf dann so lange auf dich warten?«

»Mach doch, was du willst«, sagte Johnny und kickte gegen einen Stein.

»Das hab ich auch vor«, sagte sie und ließ ihn stehen.

Später vertrugen sie sich wieder. Er ging zu ihr nach Haus und hinauf in ihr Zimmer. Dies war der einzige Ort, an dem sie reden konnten. Ihre Mum brachte ihnen Saft und Kekse; ließ ihnen zehn Minuten Zeit und tauchte dann wieder auf, um nachzusehen, ob sie noch etwas bräuchten. Johnny sagte, es täte ihm Leid.

»Heißt das, du hast es dir anders überlegt?«, fragte Janice.

Er zuckte die Achseln. Er wusste es selbst nicht. Wen sollte er hängen lassen: Janice oder Mitch?

Als der Tag der Abschlussfete kam, hatte er sich entschieden. Mitch konnte allein gehen. Johnny würde dableiben, sich irgendeinen Job suchen und Janice heiraten. Das würde kein schlechtes Leben werden. Viele hatten schon vor ihm das Gleiche getan. Er würde es Janice beim Fest sagen. Und Mitch natürlich auch.

Aber zuerst füllten sie sich noch ein bisschen ab. Mitch hatte ein paar Flaschen und einen Öffner organisiert. Sie schlichen sich auf den Friedhof, der direkt neben der Schule lag, zischten jeder ein paar, lagen dann im Gras, inmitten von Grabsteinen. Und es war angenehm, *gemütlich*. Johnny schluckte sein Geständnis wieder hinunter. Das musste noch warten; er konnte unmöglich diesen Augenblick verderben. Mitch sprach über die Länder, die sie besuchen, die Dinge, die sie sehen und tun würden.

»Und die werden sich alle in den Arsch beißen, wart's nur ab.« Womit er all diejenigen meinte, die in Bowhill blieben, alle ihre Freunde, die aufs College, in die Zeche oder auf die Werft gehen wollten. »Kacke, wir werden in der ganzen Welt herumkommen, Johnny, *die* aber nie was anderes zu sehen kriegen als das hier.« Und Mitch breitete die

Arme aus, bis seine Fingerspitzen die raue Oberfläche zweier Grabsteine berührten. »Und *das* wird alles sein, was sie je zu erwarten haben …«

Als sie auf den Schulhof zurückmarschierten, fühlten sie sich unangreifbar. Ein Lehrer und der Konrex standen an der Tür und rissen Eintrittskarten ab.

»Ich rieche Bier«, sagte der Konrex. Erwischt! Dann zwinkerte er. »Ihr hättet mir ruhig eins übrig lassen können.«

Johnny und Mitch lachten noch immer, als sie, jetzt total erwachsen, in die Aula spazierten. Musik spielte, Leute tanzten. Im Speisesaal Klapptische, mit Softdrinks und Sandwiches beladen. In der Aula ringsum an den Wänden aufgereihte Stühle; Getuschel, Blicke. Es fühlte sich – nur einen Moment lang – so an, als ob alle die beiden Neuankömmlinge ansähen … sie ansähen und *beneideten*. Mitch gab Johnny einen Klaps auf den Arm und steuerte auf seine Freundin Myra zu. Johnny wusste, dass er es ihm am Ende des Festes sagen würde.

Er schaute sich nach Janice um, konnte sie aber nirgendwo entdecken. Er musste es ihr sagen … musste die Worte finden. Dann sagte ihm jemand, auf der Toilette gebe es Whisky, und er beschloss, erst einmal dort Zwischenstation zu machen. Zwei Klokabinen nebeneinander. In jeder drei Jungs, die die Flasche über die Trennwand hin und her gehen ließen. Mucksmäuschenstill, um nicht erwischt zu werden. Das Zeug schmeckte wie Feuer. Johnny war betrunken, in Hochstimmung, durch nichts aufzuhalten.

Als er wieder in die Aula kam, war Damenwahl angesagt. Ein Mädchen namens Mary McCutcheon forderte ihn auf. Sie tanzten gut zusammen. Aber der Reel machte Johnny ganz schwindlig im Kopf. Er musste sich hinsetzen. Er hatte ein paar Neuankömmlinge nicht bemerkt –

drei Jungen aus seinem Jahrgang, die im Lauf der Zeit zu Mitchs erbitterten Feinden geworden waren. Der Anführer der drei, Alan Protheroe, hatte sich mit Mitch mal einen Zweikampf geliefert, aus dem Mitch als Sieger hervorging. Johnny bekam nicht mit, wie sie Mitch heimlich beobachteten. Kam nicht auf den Gedanken, dass das letzte Fest ihrer Schulzeit eine Gelegenheit sein könnte, alte Rechnungen zu begleichen – Dinge zu Ende zu bringen und neue anzufangen.

Denn jetzt war Janice da, saß neben ihm. Und sie küssten sich, selbst noch als Miss Dysart vor ihnen stand und sich laut und vernehmlich räusperte. Als sich Janice schließlich von ihm losmachte, stand Johnny auf und zog sie mit hoch.

»Ich muss dir etwas sagen«, erklärte er. »Aber nicht hier. Komm mit.«

Und sie gingen nach draußen, zur Rückseite des alten Schulgebäudes, da, wo noch immer die mittlerweile kaum mehr benutzten Fahrradschuppen standen. »Die Raucherecke« nannten sie das. Aber es war auch ein Treffpunkt für Verliebte, für Knutschquickies während der Mittagspause. Sie setzten sich auf eine Bank.

»Willst du mir nicht endlich sagen, dass ich wunderhübsch aussehe?«

Er verschlang sie mit Blicken. Sie sah wirklich wunderhübsch aus. Im Licht, das aus den Fenstern der Schule drang, schien ihre Haut zu leuchten. Ihre dunklen Augen glänzten. Er küsste sie noch einmal. Sie versuchte, sich loszumachen, wollte wissen, was er ihr zu sagen hatte. Aber er fand, dass das warten konnte. Er war beschwipst und voller Verlangen, berührte ihren bloßen Nacken, ihre Schulter. Ließ die Hand tiefer hinuntergleiten, schob sie hinten in den Halsausschnitt. Das Kleid hatte ihre Mutter genäht. Als er fester drückte, spürte er, dass die Nähte am

Reißverschluss nachzugeben begannen. Janice zog den Atem scharf ein und stieß ihn von sich weg.

»Johnny...«, sie verdrehte den Hals, um das Ausmaß des Schadens abzuschätzen, »du Idiot, jetzt schau, was du angerichtet hast!«

Seine Hände lagen jetzt auf ihren Beinen, schoben das Kleid über die Knie. »Janice.«

Als sie aufstand, erhob auch er sich, drängte sich an sie, um sie noch einmal zu küssen. Sie wandte das Gesicht ab. Er schien nur noch aus Greifarmen zu bestehen, die an ihren Schenkeln hinaufglitten, sich um ihren Nacken und Rücken schlangen... Er wusste, dass er nach Bier und Whisky roch. Wusste, dass sie das nicht mochte. Als sie spürte, wie seine Hand sich zwischen ihre Schenkel zu zwängen versuchte, stieß sie ihn erneut von sich. Er taumelte, fing sich, fand das Gleichgewicht und wollte sich ihr wieder nähern. Aus seinem Lächeln war ein geiles Grinsen geworden.

Sie ballte die Hand zur Faust, holte aus und verpasste ihm einen ordentlichen Schwinger. Renkte sich dabei fast das Handgelenk aus, rieb sich die Knöchel, fluchte vor Schmerz in sich hinein. Er lag flach auf dem Boden – k.o. Sie ließ sich wieder auf der Bank nieder und wartete, dass er aufstand. Hörte dann etwas, das nach einer Auseinandersetzung klang, und fand, dass sie besser nachsehen sollte, anstatt hier weiter herumzusitzen...

Es war eine Schlägerei, »Gemetzel« hätte es vielleicht eher getroffen. Die Dreierbande hatte Mitch irgendwie allein erwischt. Sie standen am Rand des Sportplatzes, vor dem Hintergrund der Craigs. Der Himmel war dunkelblau. Vielleicht hatte Mitch gedacht, heute, an diesem besonderen Abend, mit allen dreien gleichzeitig fertig werden zu können. Vielleicht hatten sie ihm eine Revanche angeboten, jeweils einer gegen ihn. Aber dann waren sie alle drei gleichzeitig über ihn hergefallen. Mitch kauerte jetzt auf Händen und Knien, während sie ihn mit Tritten in Gesicht und Rippen bearbeiteten. Janice rannte, so schnell sie konnte, aber eine kleine, drahtige Gestalt überholte sie, erreichte, eine menschliche Windmühle aus Armen und Beinen, vor ihr das Ziel und rammte den Kopf gegen eine ungeschützte Nase. Zu ihrer Verblüffung erkannte sie in ihr Brian »Barney« Mich. Was ihm an Eleganz und Treffsicherheit fehlte, kompensierte er durch seine Berserkerwut. Er drosch wie eine Maschine auf die drei ein. Es dauerte höchstens eine Minute, aber schließlich wankten drei Figuren angeschlagen in die zunehmende Dunkelheit, während Barney erschöpft zu Boden sank und sich auf den Rücken legte, das Gesicht dem Mond und den Sternen zugewandt.

Mitch hatte sich halb aufgerichtet und saß mit einer Hand an der Brust, der anderen auf einem Auge da. Beide Hände waren blutverschmiert. Seine Lippe war aufgeplatzt, aus seiner Nase tropfte Blut. Als er ausspuckte, hing an der dicken Speichelschliere ein halber Zahn. Janice stand über Barney Mich gebeugt. So, wie er jetzt dalag, sah er gar nicht mehr so klein aus. Er wirkte … kompakt, aber heldenhaft. Er öffnete die Augen und sah sie, schenkte ihr ein Lächeln.

»Leg dich hier hin«, sagte er. »Da ist was, was du sehen solltest.«

»Was?«

»Im Stehen siehst du es nicht. Du musst dich schon hinlegen.«

Sie glaubte ihm nicht, legte sich aber trotzdem hin. Was machte es schon aus, wenn ihr Kleid schmutzig wurde? Es war hinten sowieso schon aufgerissen. Ihr Gesicht war nur eine Handbreit von seinem entfernt.

»Und, wo soll ich jetzt hingucken?«, fragte sie.

»Da hinauf«, antwortete er und zeigte nach oben.

Und sie guckte. Der Himmel war nicht schwarz, aber dunkel und mit Streifen von weißen Sternen und Wolken überzogen. Und der Mond sah riesig und orange statt gelb aus.

»Ist das nicht Wahnsinn?«, fragte Barney Mich. »Das find ich jedes Mal wieder, wenn ich da hochsehe.«

Sie wandte sich zu ihm. »*Du* bist Wahnsinn«, sagte sie.

Er lächelte über das Kompliment. »Was hast du vor?«

»Du meinst, nach der Schule?« Sie zuckte die Achseln. »Keine Ahnung. Mir Arbeit suchen wahrscheinlich.«

»Du solltest aufs College.«

Sie sah ihn aufmerksamer an. »Warum?«

»Du gäbst eine gute Lehrerin ab.«

Sie lachte. »Wie kommst du darauf?«

»Ich beobachte dich im Unterricht immer. Du wärst gut, das weiß ich. Die Kinder würden dir zuhören.« Jetzt sah er sie an. »*Ich* würd's jedenfalls tun«, meinte er.

Mitch räusperte sich und spuckte blutigen Schleim aus. »Wo ist Johnny?«, fragte er.

Janice zuckte die Achseln. Mitch nahm die Hand vorsichtig von seinem Auge. »Scheiße, ich bin blind«, sagte er. »Und es tut weh.« Er beugte sich vornüber und fing an zu weinen. »Es tut mir im Kopf weh.«

Janice und Barney standen auf, halfen ihm auf die Beine. Sie holten einen Lehrer, damit er ihn ins Krankenhaus fuhr. Als Johnny Rebus wieder zu sich kam, war die Show schon vorbei. Er bekam nicht mal mit, dass Janice mit Barney Mich tanzte. Er wollte bloß eins: ins Krankenhaus.

»Ich muss ihm unbedingt was sagen.«

Schließlich kamen Mitchs Eltern und nahmen Johnny mit nach Kirkcaldy.

»Was um Gottes willen ist passiert?«, fragte Mitchs Mum.

»Ich weiß es nicht, war nicht dabei.«

Sie sah ihn an. »Warst nicht dabei?« Er schüttelte beschämt den Kopf. »Wo hast du dann die Schramme her…?«

Vom Jochbein bis hinunter zum Kinn: eine lange violette Spur. Und er konnte niemandem sagen, wo die herkam.

Im Krankenhaus mussten sie lange warten. Es war von Röntgenbildern die Rede, angebrochenen Rippen.

»Wenn ich rauskriege, wer das getan hat…«, sagte Mitchs Dad und ballte die Fäuste.

Und dann, später, die böse Nachricht: partielle Netzhautablösung, vielleicht sogar Schlimmeres. Mitch würde die Sehfähigkeit eines Auges verlieren.

Und als Johnny endlich zu ihm ins Zimmer durfte – »aber ja nicht zu lang, ihn ja nicht überanstrengen!« –, hatte Mitch bereits davon erfahren und war in Tränen aufgelöst.

»Herrgott, Johnny. Auf einem Auge blind, wie findest du das?«

Das fragliche Auge war mit einem Mullverband bedeckt.

»Ich bin ein gottbeschissener Long John Silver Junior!« Einer der anderen Patienten im Mehrbettzimmer hustete, als er den lästerlichen Ausdruck hörte. »Und du kannst dich ins Knie ficken, du Wichser!«, schrie ihn Mitch an.

»Herrgott, Mitch«, flüsterte Johnny. Mitch packte ihn am Handgelenk, drückte mit aller Kraft.

»Jetzt musst du übernehmen. Für uns beide.«

Johnny leckte sich die Lippen. »Wie meinst du das?«

»Mich nehmen die nicht mehr, nicht mit nur einem Auge. Tut mir Leid, Kumpel. Tut mir echt Leid.«

Johnny zitterte am ganzen Leib, suchte gedanklich verzweifelt nach einem Ausweg.

»Klar«, erwiderte er nickend. Mehr wusste er nicht zu sagen, und so sagte er es immer wieder.

»Aber du lässt dich zwischendurch bei uns blicken, ja?«, redete Mitch auf ihn ein. »Und erzählst mir alles. So stell ich's mir vor… als ob ich mit dabei wär.«

»Klar, klar.«

»Du wirst auch *für mich* dabei sein müssen, Johnny.«

»Sicher, klar.«

Mitch lächelte. »Danke, Kumpel.«

»Das Mindeste, was ich tun kann«, sagte Johnny.

Also war er zum Militär gegangen. Janice schien das nicht allzu viel auszumachen. Mitch hatte ihm auf dem Bahnsteig nachgewinkt. Und das war's. Er schrieb Mitch und Janice Briefe; erhielt von ihnen aber keine Antwort. Als er zum ersten Mal Heimaturlaub bekam, war Mitch unauffindbar und Janice in Urlaub mit ihren Eltern. Später erfuhr er, dass Mitch abgehauen war, kein Mensch schien zu wissen, wohin oder warum. Johnny konnte es sich denken: diese Briefe, die Heimatbesuche – lauter Erinnerungen an das Leben, das Mitch immer verschlossen bleiben würde…

Dann schrieb ihm sein Bruder Mickey, Janice hätte ihn gebeten, ihm auszurichten, dass sie mit Barney Mich ging. Und danach war Johnny eine ganze Weile nicht mehr heimgekommen, hatte andere Orte gefunden, an denen er seinen Urlaub verbringen konnte. Hatte irgendwelche Märchen nach Haus geschrieben, damit sein Vater und sein Bruder keinen Argwohn schöpften, damit sie zu der Überzeugung gelangten, die Army sei mittlerweile seine Heimat geworden, der einzige Ort, an dem man ihn verstand…

…während er sich im Geist immer weiter entfernte, immer weiter von Cardenden und den Freunden, die er einmal gehabt, und den Träumen, von denen er geglaubt hatte, ihre Verwirklichung liege zum Greifen nah…

45

Es war dunkel, Cary Oakes verspürte Hunger, und das Spiel war noch immer nicht zu Ende.

Im Gefängnis hatte er jede Menge gute Ratschläge bekommen, wie man sich nicht erwischen ließ – allesamt von Männern, die erwischt worden waren. Er wusste, dass er sein Aussehen verändern musste; dazu reichte ein Besuch in einem Secondhandladen. Ein vollständiges neues Outfit – Jacke, Hemd, Hose – für weniger als zwanzig Pfund, dazu eine flache Tweedmütze. Schließlich konnte er sich nicht auf Befehl die Haare wachsen lassen. Als er sein Foto in der Zeitung sah, nahm er noch ein paar weitere Korrekturen vor und rasierte sich in einer öffentlichen Bedürfnisanstalt sehr sorgfältig. Er fand ein paar herumliegende Plastiktüten und füllte sie mit irgendwelchen Abfällen. Als er sich in einem Schaufenster begutachtete, blickte ihm ein x-beliebiger Arbeitsloser, leicht verbittert, entgegen, aber immerhin noch so weit bei Kasse, dass es für die Einkäufe reichte.

Er fand die Stellen, an denen die Penner ihre Tage verbrachten: Tagescenter auf dem Grassmarket; die Bank neben den Toiletten bei der Tron Kirk; das untere Ende des Mound. An diesen Orten drohte ihm keine Gefahr. Da leisteten sich die Leute bei einer Dose Bier und einer Zigarette Gesellschaft und stellten keine Fragen, zu denen ihm keine passenden Antworten eingefallen wären.

Er fröstelte und fühlte sich angeschlagen; der Hotelaufenthalt hatte ihn verweichlicht. Die windgepeitschten Nächte in den Hügeln hatten an seinen Kräften gezehrt. Es war nicht so gelaufen, wie er es geplant hatte. Archibald lebte noch. Zwei Geister galt es, aus seinem Leben zu tilgen; mit beiden musste er sich noch befassen.

Und Rebus ... der hatte sich als etwas anderes erwiesen als der »kopflose Vorprescher«, den Jim Stevens ihm geschildert hatte. Nach den Worten des Reporters hatte Oakes erwartet, dass Rebus allein zum Kampf antreten würde. Aber er hatte eine ganze gottverdammte Armee mitgebracht. Dass er entkommen konnte, hatte Oakes lediglich unwahrscheinlichem Glück und dem Wetter zu verdanken. Oder der Tatsache, dass die Götter seine Mission von Erfolg gekrönt sehen wollten.

Er wusste, dass es ab jetzt schwierig werden würde. Im Stadtzentrum konnte er anonym bleiben, aber je weiter er sich davon entfernte, desto größer würde die Gefahr sein, entdeckt zu werden. Die Vororte von Edinburgh waren noch immer Gegenden, in denen Fremde nicht lange unbemerkt blieben. Doch genau ein solcher Vorort war sein Ziel, war es von Anfang an gewesen.

Er hätte den Bus nehmen können, aber dann ging er doch zu Fuß. Er brauchte dafür weit über eine Stunde. Er kam an Alan Archibalds Bungalow vorbei: Dreißigerjahrestil, ein Erkerfenster, die Wände weiß verputzt. Innen war kein Lebenszeichen zu sehen. Archibald lag im Krankenhaus und stand – laut einem Zeitungsbericht – unter Polizeischutz. Vorläufig hatte Oakes ihn aus seinen Plänen gestrichen. Vielleicht verreckte der alte Mistkerl sowieso im Hospital. Nein, er ging weiter bergauf, eine sich schlängelnde Straße entlang, bis er East Craigs erreichte. Er war bislang erst zweimal hier gewesen, da er vermutete, dass die Leute Argwohn schöpfen würden, wenn er plötzlich angefangen hätte, sich da häufiger blicken zu lassen. Zwei Besuche, einmal nachts, einmal bei Tag. Beide Male hatte er am unteren Ende des Leith Walk ein Taxi genommen und sich wohlweislich schon ein paar Straßen vor seinem eigentlichen Ziel absetzen lassen, damit die Fahrer nicht wussten, wohin er wollte. Im Schutz der Nacht hatte er sich an das Gebäude herangeschlichen und mit zitternden Fingern das Mauerwerk berührt, hatte versucht, eine bestimmte Lebenskraft zu erspüren.

Er wusste, dass er da drin war.

Konnte sein Zittern nicht unterdrücken.

Wusste, dass er da drin war, weil er – als angeblicher Sohn eines Freundes – angerufen, nach ihm gefragt und gebeten hatte, nach Möglichkeit nichts von seinem Anruf zu sagen: Er wolle, dass sein Besuch eine Überraschung sei.

Er fragte sich, ob es eine werden würde …

Jetzt befand er sich auf Höhe des Parkplatzes. Er schlurfte daran vorbei, irgendein müder Arbeiter auf dem Weg nach Hause. Aus dem Augenwinkel hielt er nach Streifenwagen Ausschau. Er rechnete zwar nicht damit, dass sie es erraten hatten, aber ein zweites Mal würde er Rebus nicht unterschätzen.

Er sah ein Auto, das ihm irgendwie bekannt vorkam. Blieb stehen und stellte seine Einkaufstüten ab, nahm sie in die jeweils andere Hand, als wären sie schwerer, als sie tatsächlich waren. Und musterte dabei das Auto. Ein Vauxhall Astra. Nummernschild stimmte. Oakes stieß zischend Luft aus. Das ging zu weit, die Mistkerle waren wirklich fest entschlossen, ihm seine Pläne zu vermasseln.

Da gab's nur eine Möglichkeit. Er liebkoste das Messer in seiner Hosentasche und wusste, dass wieder ein wenig Blut fließen musste.

Er hatte die Plastiktüten weggeschmissen und lag unter dem Wagen, als er Schritte hörte. Drehte den Kopf in die Richtung, aus der sie kamen. Er schätzte, dass er gut anderthalb Stunden auf dem Boden gelegen hatte. Sein Rücken war wie ein Eisblock, und der Schüttelfrost ging wieder los. Sobald er hörte, wie die Türschlösser aufschnappten, glitt er aus seinem Versteck hervor und zog die Beifahrertür auf. Als er ihn sah, wollte der Fahrer wieder aussteigen, aber Cary Oakes hatte das Messer in der rechten Hand, während seine Linke sich in Jim Stevens' Ärmel krallte.

»Ich dachte, Sie würden sich freuen, mich wiederzusehen, Jimbo«, sagte Oakes. »Jetzt machen Sie die Tür zu und fahren los.« Er zog seine Jacke aus und warf sie auf den Rücksitz.

»Wo soll's hingehen?«

»Fahren Sie einfach, Mann.« Das Hemd folgte.

»Was treiben Sie da eigentlich?«, fragte Stevens. Aber Oakes achtete nicht auf ihn, knöpfte seine Hose auf und warf sie ebenfalls nach hinten.

»Das kommt mir alles ein bisschen zu plötzlich, Cary.«

»Scherzkeks, hm?« Als sie vom Parkplatz fuhren, wurde Oakes bewusst, dass er auf etwas saß. Zog Notizbuch und Stift des Reporters unter sich hervor.

»Fleißig gewesen, Jim?« Er schlug das Notizbuch auf, musste aber zu seiner Enttäuschung feststellen, dass Stevens Kurzschrift benutzt hatte.

»Was wollten Sie von ihm?«, fragte Oakes, während er anfing, die Seiten des Notizbuchs in kleine Fetzen zu reißen.

»Von wem? Ich hab einen früheren Nachbarn von mir besucht, und –«

Das Messer senkte sich mit bogenförmigem Schwung in Stevens' Flanke. Der Reporter ließ das Lenkrad los, und das Auto machte einen Schlenker in Richtung Bordstein. Oakes riss es wieder herum.

»Nicht vom Gas gehen, Jim! Wenn das Auto stehen bleibt, sind Sie ein toter Mann!«

Stevens betrachtete seine Handfläche. Sie war ganz blutig. »Krankenhaus«, krächzte er mit schmerzverzerrtem Gesicht.

»Ins Krankenhaus kommen Sie, *nachdem* ich meine Antworten bekommen habe! Was wollten Sie von ihm?«

Stevens umklammerte das Lenkrad, krümmte sich darüber. Oakes befürchtete, er würde die Besinnung verlieren, aber es war nur der Schmerz.

»Ich musste ein paar Details abchecken.«

»Das ist alles?«, fragte er, Seite um Seite zerreißend.

»Was hätte ich da sonst tun sollen?«

»Na, danach frag ich doch, Jim-Bob. Und wenn Sie nicht wieder angestochen werden wollen, versuchen Sie, mich zu überzeugen.« Oakes griff nach dem Regler des Heizlüfters, schob ihn auf volle Leistung.

»Das ist für das Buch.«

»Das Buch?« Oakes kniff die Augen zusammen.

»Die Interviews geben für sich noch nicht genug Material ab.«

»Sie hätten mich zuerst fragen sollen.« Oakes schwieg eine Weile.

»Wo fahren wir hin?« Stevens lenkte mit einer Hand, presste sich die andere in die Seite.

»Am Kreisel rechts abbiegen, aus der Stadt raus.«

»Richtung Glasgow? Ich muss ins Krankenhaus.«

Oakes achtete nicht auf ihn. »Was hat er gesagt?«

»Was?«

»Was hat er über mich gesagt?«

»Das können Sie sich doch wohl denken.«

»Dann ist er also klar im Kopf?«

»Weitgehend.«

Oakes kurbelte das Fenster herunter und ließ die Papierfetzen hinausflattern. Als er sich wieder umdrehte, sah er, dass Stevens auf dem Boden herumtastete.

»Was machen Sie da?« Oakes zückte das Messer.

»Papiertücher. Ich dachte, ich hätt da irgendwo eine Packung.«

Oakes begutachtete sein Werk. »Ganz unter uns, Jim. Ich glaube nicht, dass Papiertücher da noch groß helfen werden.«

»Ich mach schlapp. Ich muss anhalten.«

»Weiterfahren!«

Stevens fielen die Augen halb zu. »Gucken Sie, ob die auf dem Rücksitz sind.«

»Was?«

»Die Papiertücher.«

Also drehte sich Oakes nach hinten, wühlte unter seinen abgelegten Sachen. »Da ist nichts.«

Stevens kramte in seinen Taschen. »Da muss doch irgendwas ...« Schließlich fand er ein großes Stofftaschentuch und stopfte es sich behutsam unters Hemd.

»Fahren Sie beim Flughafen raus.«

»Sie verlassen uns, Cary?«

»Ich?« Oakes grinste. »Grad, wenn's anfängt, lustig zu werden?« Er nieste und sprühte die Frontscheibe voll.

»Gesundheit«, sagte Stevens. Einen Augenblick lang herrschte Stille im Wagen, dann lachten beide Männer los.

»Das ist komisch«, sagte Oakes und wischte sich ein Auge. »Dass Sie mir Gesundheit wünschen.«

»Cary, ich verliere viel Blut.«

»Ist schon gut, Jimbo. Ich hab schon Leute verbluten sehen. Sie haben noch genug für mehrere Stunden.« Er lehnte sich in den Sitz zurück. »Sie waren also auf eigene Faust da, um Hintergrundinfos zu sammeln ...? Wer wusste, dass Sie da hinfahren würden?«

»Niemand.«

»Ihr Chefredakteur nicht?«

»Nein.«

»Und John Rebus?«

Stevens schnaubte. »Warum sollte ich *dem* das wohl auf die Nase binden?«

»Weil ich Sie wütend gemacht habe.« Oakes schob die Unterlippe vor. »Sorry deswegen, übrigens.«

»Waren es wirklich alles nur Lügen?«

»Das geht nur mich und mein Gewissen was an, Mann.«

Der Wagen rumpelte über ein Schlagloch, und Stevens verzog das Gesicht.

»Wissen Sie, was man vom Schmerz sagt, Jim? Es heißt, dass er einen zum ersten Mal wirklich Farben *sehen* lässt. Er lässt alles so richtig *grell* erscheinen.«

»Keine Frage, das Blut *sieht* grell aus.«

»Da geht nichts drüber«, sagte Oakes leise, »da geht auf der ganzen Welt nichts drüber.«

Sie näherten sich einem weiteren Kreisel. Links von ihnen lag das Messegelände Ingliston. An diesem Abend, wie während des größten Teils des Jahres, wie ausgestorben.

»Flughafen?«, fragte Stevens.

»Nein, links ab.«

Stevens gehorchte, sah eine Baustelle. Ein weiteres Hotel wurde aus dem Boden gestampft, zur Entlastung des einen an der Flughafenausfahrt. Ringsum Ackerland, mit vereinzelten, weit verstreuten Gehöften. Lichter waren überhaupt keine zu sehen, nicht einmal von den landenden und startenden Flugzeugen.

»Keine Krankenhäuser hier in der Gegend«, sagte Stevens und spürte, wie die Angst ihn übermannte.

»Halten Sie hier.«

Stevens gehorchte.

»Auf dem Flughafen gibt's bestimmt einen Arzt«, erklärte ihm Oakes. »Ich brauch Ihr Auto, aber Sie schaffen das schon zu Fuß.«

»Oder besser, Sie setzen mich da ab.« Jim Stevens leckte sich die trockenen Lippen.

»Oder noch besser …«, sagte Cary Oakes. Und seine

Hand schoss vor, und das Messer fuhr Stevens noch einmal in die Seite.

Und noch einmal und noch einmal, während die Worte des Journalisten zu verzerrten Lauten wurden und ein neues Vokabular des Grauens, der Resignation und des Schmerzes schufen.

Oakes schleifte die Leiche ein Stück weiter und ließ sie hinter einem Erdhaufen liegen. Durchsuchte die Taschen und fand Stevens' Kassettenrekorder. Viel war in der Dunkelheit nicht zu erkennen, aber es gelang ihm, das Ding aufzubekommen und die Kassette heraus- und an sich zu nehmen. Den Rekorder ließ er liegen. In der Brieftasche befand sich nur wenig Geld, und die Kreditkarten wollte er weder benutzen noch sich mit ihnen erwischen lassen. Er beugte sich wieder hinunter und wischte den Rekorder an Stevens' Jackett ab: keine Fingerabdrücke hinterlassen.

Der Wind ging ihm durch und durch. Wenn er versucht hätte, die Leiche zu verstecken, wäre er am Ende an Unterkühlung gestorben. Er rannte zum Wagen zurück, stieg ein und fuhr los. Die Heizung gab einfach nicht mehr Hitze her. Seine Unterhose klebte des Blutes wegen am Sitz fest. Noch durfte er seine Kleider nicht wieder anziehen; die Sachen mussten sauber bleiben. Er konnte ja schlecht mit blutbefleckten Klamotten durch Edinburgh laufen.

Noch so ein Tipp aus dem Gefängnis. Vielleicht waren seine Mithäftlinge ja doch nicht so blöd gewesen.

Auf dem Weg zurück in die Stadt hielt er auf einem verlassenen Supermarktparkplatz und warf die Kassette in einen Mülleimer.

Dann fuhr er los. Wusste, dass ihm wenigstens eine Nacht blieb, bevor man die Leiche finden würde. Eine Nacht, in der er es, dank Jim Stevens' Auto, wenigstens ein bisschen warm haben würde.

46

Alles, was im Westen passierte, war Sache von Torphichen, aber die Nachricht sprach sich schnell herum. Roy Frazer fuhr Rebus zum Tatort. Während der ganzen Fahrt sagte Rebus nur eines zu dem jungen Mann.

»Das mit Eddie Mearn haben Sie verbockt. Das kommt vor. Besser es passiert, solang man jung ist und noch daraus lernen kann. Andernfalls kriegt man leicht Unfehlbarkeitsallüren und wird zu dem, was die Kollegen so treffend als ›Klugscheißer‹ bezeichnen.«

»Ja, Sir«, sagte Frazer und runzelte dabei die Stirn, als wollte er diesen Kurzvortrag memorieren. Dann griff er in seine Tasche. »Mitteilung von DS Clarke.« Er hielt ihm den Zettel hin. Rebus faltete ihn auseinander. Anfangs drangen die Worte nicht bis in sein Bewusstsein durch. Sein Gehirn war ohnehin schon restlos überlastet. Aber schließlich trafen sie ihn mit der Wucht eines elektrischen Schlags.

Ich hab ein bisschen nachgegraben. Joseph Margolies war nicht einfach nur Arzt. Er hat eine Zeit lang für die Stadt gearbeitet, hat sich speziell um Kinderheime gekümmert. Keine Ahnung, ob das was zu bedeuten hat, aber es kam mir so vor, als hätten Sie ihn für einen einfachen Internisten gehalten. Tschüs, S.

Er las die kurze Mitteilung ein halbes Dutzend Mal. Er wusste auch nicht, ob sie etwas zu bedeuten hatte. Aber ihm wurde klar, dass sich eindeutige Verbindungen abzuzeichnen begannen. Und Verbindungen waren dazu da, dass man sie nutzte …

Der DI aus Torphichen war Shug Davidson. Er lächelte flüchtig, als Rebus aus dem Auto stieg.

»Es heißt ja, dass der Täter immer zum Schauplatz des Verbrechens zurückkehrt.«

»Das ist nicht witzig, Shug.«

»Nach dem, was man so hört, waren Sie und der Verschiedene nicht gerade Busenfreunde.«

»Gegen Ende vielleicht schon«, sagte Rebus. »Hat man ihn schon weggebracht?«

Davidson schüttelte den Kopf. Auf der Baustelle ruhte die Arbeit. Gesichter schauten aus den Fenstern der Wohncontainer. Weitere Arbeiter schlenderten, Sicherheitshelm auf dem Kopf, draußen herum und tranken Tee aus ihren Thermosflaschen. Der Polier beschwerte sich, sie lägen schon jetzt zwei Wochen im Rückstand.

»Dann machen ein paar Stunden mehr den Kohl auch nicht fett«, entgegnete Davidson.

Rebus hatte sich unter das Absperrband geduckt. Das Opfer war für tot erklärt worden. Jetzt wurde die Leiche fotografiert. Die Spusi war mit ihrer Arbeit fertig. Uniformierte schwärmten vom Tatort aus und suchten nach weiteren Spuren. Davidson hatte die Situation voll im Griff.

»Irgendeine Idee?«

»Sogar eine ziemlich konkrete.«

»Oakes?« Rebus sah Davidson an, der ihn anlächelte. »Ich les auch Zeitung, John. Der Freund eines Freundes erzählt mir, Oakes hätte Stevens übel mitgespielt. Das Nächste, was passiert: Oakes ist auf der Flucht, nachdem er Alan Archibald angegriffen hat.« Er unterbrach sich. »Wie geht's ihm übrigens?«

»Auf jeden Fall besser als dem armen Kerl hier«, antwortete Rebus und trat näher an die Leiche heran. Professor Gates kauerte neben Stevens' Kopf. Er grüßte Rebus mit einem Nicken, fuhr dann aber gleich mit seiner vorläufigen Untersuchung fort. Eine Beamtin von der Spurensicherung hielt einen Klarsichtbeutel in der Hand, in den nach und nach der Inhalt von Jim Stevens' Taschen wanderte.

»Keine Autoschlüssel?«, fragte Rebus. Die Beamtin schüttelte den Kopf.

»Auch kein Auto«, fügte Davidson hinzu.

»Stevens fährt einen Vauxhall Astra.«

»Ich weiß, John. Die Fahndung läuft schon.«

»Er muss in einem Auto hergebracht worden sein. Und Oakes hat keins.«

»Dürfte unterwegs ziemlich viel Blut verloren haben«, sagte Gates. »Hemd und Hose sind völlig durchtränkt, aber unter ihm ist nicht viel zu sehen.«

»Sie glauben, er wurde woanders erstochen?«

»Das vermute ich.« Gates wandte sich zur Spusi-Beamtin. »Zeigen Sie Inspector Rebus das Gerät.«

Sie fischte ein kleines Metallkästchen aus dem Asservatenbeutel. Rebus sah es sich aufmerksam an, hütete sich aber, es anzufassen.

»Das ist sein Rekorder.«

»Ja«, sagte Gates. »Und er steckte in seiner rechten Tasche, weit entfernt von den Wunden und dem Blut.«

»Trotzdem ist da Blut dran«, sagte Rebus.

Gates nickte. »Und keine Kassette drin.«

»Der Mörder hat die mitgenommen?«

»Oder sie war dem Opfer immerhin so wichtig, dass es sich die Mühe gemacht hat, sie herauszunehmen, obwohl es da bereits verletzt war und wahrscheinlich zunehmend unter Schock stand.«

Rebus wandte sich zu Davidson. »Nirgendwo gefunden?«

»Genau danach suchen die Kollegen.« Davidson deutete auf die Uniformierten. »John, haben Sie eine Ahnung, was Stevens vorhatte?«

»Als ich ihn das letzte Mal gesprochen habe, wollte er Oakes' Vergangenheit unter die Lupe nehmen.«

»Ich frag mich, was er da gefunden hat.«

Rebus zuckte die Achseln. »Oakes' Festnahme *muss* oberste Priorität haben.«

»Das hat sie schon seit seiner Attacke auf Sie.«

Rebus starrte auf Jim Stevens' leblosen Körper. Stevens, der so viele Jahre lang Rebus' Schatten gewesen und erst vor kurzem wieder in sein Leben getreten war.

»Ich hatte gerade angefangen, ihn zu mögen«, sagte Rebus. »Das ist das Komische.« Er sah Davidson an. »Ich werd das Gefühl nicht los, dass das Spiel noch nicht zu Ende ist, Shug. Noch lange nicht.«

Einer von Davidsons Beamten kam auf sie zugerannt. »Man hat das Auto gefunden!«, rief er.

»Wo?«, fragte Rebus als Erster.

Der Beamte blinzelte, schüttelte den Kopf. »Das wird Ihnen nicht schmecken.«

Jim Stevens' Astra stand im Parkverbot auf einer Straße namens St. Leonard's Bank, gerade um die Ecke von der St.-Leonard's-Wache. Die St. Leonard's Bank bestand aus einer einzigen Reihe bunt durcheinander gewürfelter Häuser, während die andere Straßenseite lediglich von einem schmiedeeisernen Zaun begrenzt wurde, hinter dem Holyrood Park und Salisbury Crags emporragten. Der Wagen parkte vor einem grellpink gestrichenen dreigeschossigen Haus mit zweigeteilter Fassade. Der Zündschlüssel steckte. Das war überhaupt der Grund, weswegen ein Anwohner darauf aufmerksam geworden war. Er hatte an mehreren Türen geklingelt und gefragt, ob jemand die Schlüssel in seinem Auto vergessen hätte. Bei näherer Überprüfung stellte er fest, dass die Türen nicht abgeschlossen waren. Als er die Fahrertür öffnete, fiel ihm auf, wie nass und verfärbt der Sitzbezug wirkte. Er tastete den Stoff ab und bemerkte eine klebrige rote Substanz an seinen Fingern...

»Verarscht er uns oder was?«, fragte Roy Frazer. Die halbe St.-Leonard's-Wache hatte sich eingefunden, und das eher aus Neugierde als aus dem Wunsch heraus, behilflich zu sein. Rebus scheuchte die meisten wieder weg. Er hatte drei Beamte von der Spurensicherung mitgebracht; die übrigen würden nachkommen, sobald sie auf der Baustelle fertig wären. Chief Superintendent Watson kam, um ein bisschen zu gaffen und sich zu vergewissern, dass die Lage »unter Kontrolle« war.

»Eigentlich ist es Shug Davidsons Fall, Sir«, informierte ihn Rebus. »Er ist schon auf dem Weg.«

Der Farmer nickte. »Schon klar, John. Aber sehen wir zu, dass der Wagen so schnell wie möglich weggeschafft wird, und wenn auch nur auf unseren Parkplatz. Die Sache war schon im Lowland Radio. Wenn er hier noch länger rumsteht, können wir anfangen, Eintrittskarten zu verkaufen.«

Tatsächlich nahm die Menschenmenge, die sich um das Auto drängte, immer mehr zu. Rebus erkannte ein paar Gesichter aus Greenfield wieder. Die Siedlung war nur einen Katzensprung entfernt.

Roy Frazer wiederholte seine Frage.

»Er verhöhnt uns«, antwortete Rebus. Er ging nachsehen, was die Spusi so trieb.

»Das lag auf dem Boden unter dem Fahrersitz«, sagte einer der Beamten. Im Klarsichtbeutel lag eine unbeschriftete Tonbandkassette. Auf dem Gehäuse war deutlich ein einzelner blutiger Daumenabdruck zu erkennen.

»Die brauch ich«, sagte Rebus.

»Wir müssen den Abdruck abnehmen.«

Rebus schüttelte den Kopf. »Der Abdruck stammt vom

Opfer.« Er brachte ein Lächeln zustande. *Jim, du cleverer Scheißkerl*, dachte er. *Er hat dein Band nicht gekriegt ...*

Wenigstens hoffte er das.

»Noch etwas«, sagte ein anderer Spusi-Beamter und machte Rebus auf eine kleine Wolke winziger Pünktchen auf der Windschutzscheibe aufmerksam. »Die befinden sich auf der Innenseite. Nach dem Streuungsmuster zu schließen ... sieht es so aus, als hätte jemand gehustet oder geniest. Falls es der Mörder war ...«

»Genug für eine DNA-Analyse?«

»Schwer zu sagen, aber man weiß ja nie. Keine Ahnung, ob *das* hier von Bedeutung ist.« Jetzt deutete er auf ein Notizheft, das vor dem Beifahrersitz auf dem Boden lag. Es hatte einen Spiralrücken, an dem die einzelnen gelochten Seiten befestigt waren. In der Spirale hingen noch zerfetzte Papierstreifen, die zeigten, wo Seiten herausgerissen worden waren.

Rebus klopfte dem Mann auf die Schulter. Er verkniff es sich zu sagen: *Macht nichts, ich weiß sowieso, wer ihn getötet hat ... ich weiß vielleicht sogar, warum ...* Als er sich abwandte und mit der Kassette in der kleinen Plastiktüte losging, sah er aus wie ein kleiner, feierlich dreinschauender Junge, der bei der Tombola einen Goldfisch gewonnen hat.

Weil es da ruhiger war, benutzte Rebus einen der Verhörräume. Er hatte die Kassette in einen der Rekorder gesteckt und darauf geachtet, sie nur an den Rändern zu berühren. Musste ja nicht unbedingt Spuren verwischen. Er hatte einen Sennheiser-Kopfhörer auf, und vor ihm ausgebreitet lag der Inhalt von Cary Oakes' Akte sowie Zeitungsausschnitte mit den jüngsten veröffentlichten Interviews. Er hatte Stevens' ehemalige Redaktion angerufen und erhielt jetzt die Teile der Abschrift, die für die Artikel nicht verwertet worden waren, nach und nach zugefaxt, so dass sich auf dem Tisch mehr und mehr Papier stapelte.

Siobhan Clarke kam nur einmal herein, um ihm einen Becher Kaffee und ein Sandwich zu bringen, überließ ihn aber ansonsten sich selbst, was ihm nur recht war. Er konnte sich auf nichts anderes konzentrieren als auf das Interview, das er gerade abhörte.

»Der kleine Mistkerl ist mit seiner Mum zu uns ... die Schwester meiner Frau war das. War so'n richtiger kleiner Giftzwerg.« Die Stimme des Mannes klang alt, asthmatisch.

»Sie sind mit ihm nicht gut ausgekommen?« Jim Stevens' Stimme: Rebus sträubten sich die Haare. Er blickte sich um, aber Stevens' Geist war nirgendwo zu sehen; noch nicht ... Gelegentliche Hintergrundgeräusche: Husten, ein laufendes Fernsehgerät. Ein Studiopublikum ... nein, ein echtes. Offenbar Zuschauer bei einem Fußballspiel. Rebus ging in das CID-Büro und kramte in den Papierkörben, sah sich die Zeitungen an, die zusammengefaltet und vergessen auf Fensterbänken lagen, bis er eine vom Vortag fand. 19.30 Uhr: UEFA-Pokalspiel. Das schien zu passen. Er riss die Seite mit dem Fernsehprogramm heraus, nahm sie mit ins Vernehmungszimmer und schaltete das Bandgerät wieder ein.

»Ich hasste ihn wie die Pest, wenn ich ehrlich sein soll. 'ne gottverdammte Belästigung war das, sonst nichts. Ich meine, wir hatten uns eingerichtet, alles lief glatt, alles, wie es sich gehörte – und dann kommen die beiden angetanzt. Konnt sie schlecht vor die Tür setzen, von wegen Familie und so, aber ich hab schon dafür gesorgt, dass die wussten, was ich von der Sache hielt. *He*, das guck ich grad!«

Jemand hatte weitergeschaltet. Studiogelächter. Rebus sah in der Zeitung nach: eine Sitcom auf BBC.

Zurück zu Fangebrüll und Kommentar.

»Wir hatten richtig ordentlich Zoff, der und ich.«

»Weswegen?«

»Wegen allem: dass er sich dauernd draußen herumtrieb, dass er klaute. Ständig verschwand Geld. Ich hab ihm ein paarmal eine Falle gestellt, hab ihn aber nie erwischt, da war er einfach zu schlau zu.«

»Wurden Ihre Auseinandersetzungen jemals handgreiflich?«

»Das können Sie laut sagen. Zäher kleiner Zwerg, das muss ich ihm lassen. Jetzt sieht man mir das nicht mehr an, aber damals konnte ich richtig zulangen.« Er hustete laut; es hörte sich so an, als stülpte sich seine Lunge nach außen. »Geben Sie mir mal das Wasser da, sind Sie so gut.« Der Alte trank einen Schluck, ließ dann einen fahren. »Wie auch immer«, fuhr er fort, ohne sich mit einer Entschuldigung aufzuhalten, »ich hab dafür gesorgt, dass er wusste, wer das Sagen hatte. Das war schließlich mein Haus, verdammt noch mal!« Als ob Stevens ihm Vorwürfe gemacht hätte.

»Sie waren der Boss«, beschwichtigte ihn Stevens.

»Und ob ich das war. Mein Wort drauf.«

»Und wenn Sie ihn verkloppt haben, dann nur, damit er das endlich kapierte.«

»Ist ja meine Rede. Und der war kein Engel, das können Sie mir glauben. Aber versuchen Sie das mal den Frauen klar zu machen.«

»Seiner Mutter und deren Schwester?«

»Meiner Frau, genau. Die hat nie was Böses gewittert, bei keinem, die Aggie. Aber ich muss Ihnen sagen, schon damals wusste ich, dass Bosheit in ihm steckte. Tief sitzende Schlechtigkeit.«

»Und die haben Sie versucht, ihm aus dem Leib zu prügeln.«

»Da hätte ich einen Vorschlaghammer zu gebraucht,

Jungchen. Einmal bin ich tatsächlich mit 'nem Hammer auf ihn los. Der Mistkerl war inzwischen ganz schön taff, konnte genauso viel austeilen, wie er einsteckte.« Rebus dachte: *Das Gift wird von einer Generation an die nächste weitergereicht. Wie beim Kindesmissbrauch, so auch bei der Gewalt.*

»Gehörte er zu einer Gang?«

»Gang? Keiner wollte ihn dabeihaben, Jungchen. Wie war noch mal Ihr Name?«

»Jim.«

»Und Sie arbeiten bei der Zeitung? Wie die ihn weggesperrt haben, sind ein paar von Ihrer Sorte gekommen und wollten mit mir reden.«

»Was haben Sie denen gesagt?«

»Dass er den elektrischen Stuhl verdient hätte. Und wir selbst könnten weiß Gott Blöderes tun, als den Galgen wieder einzuführen.«

»Sie glauben an die abschreckende Wirkung der Todesstrafe?«

»Wenn die erst mal tot sind, Jungchen, dann tun sie's nicht wieder, stimmt's? Was wollen Sie noch?«

Man hörte, wie jemand Stevens eine Tasse Kaffee oder Tee brachte.

»Ja, die behandeln mich schon anständig, hier drin.«

Pflegeheim … Cary Oakes' Onkel … Wie hieß der noch mal? Rebus fand den Namen in den Notizen: Andrew Castle. Und daneben den Namen des Pflegeheims. Rebus setzte sich ans Telefon, fand die Nummer des Heims, wählte.

»Wohnt bei Ihnen ein gewisser Andrew Castle?«

»Ja?«

»Er hatte gestern Abend Besuch.«

»Richtig.«

»Haben Sie ihn weggehen sehen?«

»Verzeihung, mit wem spreche ich?«

»Mein Name ist Detective Inspector Rebus. Mr. Castles Besucher ist tot aufgefunden worden, und wir versuchen, die letzten Stunden seines Lebens zu rekonstruieren.«

Es klopfte an der Tür. Shug Davidson kam herein. Rebus forderte ihn mit einem Kopfnicken auf, sich zu setzen.

»Grundgütiger«, sagte derweil die Frau vom Pflegeheim. »Sie meinen den Reporter?«

»Ja, den meine ich. Um wie viel Uhr ist er gegangen?«

»Es muss so...« Sie unterbrach sich. »Wie ist er denn ums Leben gekommen?«

»Er wurde erstochen, Madam. Also, um wie viel Uhr ist er gegangen?«

»Kurz vor Schlafenszeit... so gegen neun.«

»War er mit dem Auto da?«

»Ich glaube schon, ja. Er hatte draußen vor dem Haus geparkt.«

»Hat man jemanden gesehen, der sich in der Nähe herumtrieb?«

Sie klang verdutzt. »Nein, nicht dass ich wüsste.«

»Haben Sie irgendetwas Verdächtiges beobachtet während der letzten ein, zwei Tage?«

»Grundgütiger Himmel, Inspector, wovon reden Sie?«

Rebus bedankte sich für ihre Hilfe und sagte, dass jemand vorbeikommen würde, um ihre Aussage aufzunehmen. Dann legte er auf und schlug im Stadtplan die Adresse des Pflegeheims nach.

»Shug«, sagte er, »ich hab Stevens in einem Pflegeheim in der Nähe des Maybury-Kreisels lokalisiert, letzten Abend, wahrscheinlich von halb acht bis neun.«

»Maybury liegt an der Straße zum Flughafen.«

Rebus nickte. »Ich glaube, Oakes war schon da.«

»Wo?«

»Am Pflegeheim.«

»Wen hat Stevens da besucht?«

»Oakes' Onkel. Die Fragen, die Stevens ihm auf dem Band gestellt hat ... ich glaube, er hatte sich schon mal mit dem Onkel unterhalten, sich bereits eine Meinung über ihn gebildet.«

»Wie meinen Sie das?«

»Die Fragen zielten in eine ganz bestimmte Richtung, sie gaben dem Onkel die Möglichkeit, sich als Sadisten zu outen.«

»Wollen Sie mir jetzt erzählen, dass dieser Onkel Cary Oakes erst zu einem Psychopathen gemacht hat?«

Rebus zuckte die Achseln. »Das haben *Sie* gesagt, nicht ich. *Was* ich glaube, ist, dass Oakes sich rächen will.« Er dachte einen Augenblick lang nach. *Ich habe eine Verabredung mit meiner Vergangenheit. Ein Date mit dem Schicksal ... mit jemandem, der nie auf mich hören wollte ...* Oakes' Worte an Stevens am Ende ihres letzten Interviews ... »Alan Archibald wohnt da in der Gegend.« Er schlug den Stadtplan wieder auf, zeigte auf Archibalds Straße, dann auf die Sackgasse, in der sich das Pflegeheim befand. Die lagen höchstens sechs Straßen auseinander. »Ich hatte gedacht, Oakes sei da hingegangen, um Alan Archibald auszuspionieren.«

»Jetzt haben Sie Ihre Meinung geändert?«

»Er ist nach Edinburgh zurückgekommen, um alte Rechnungen zu begleichen. Eine ältere als den Onkel gibt es nicht.« Er sah zu Davidson auf. »Ich glaube, er wird versuchen, ihn zu töten.«

Davidson rieb sich mit der flachen Hand über das Kinn. »Und Jim Stevens?«

»War zur falschen Zeit am falschen Ort. Wenn Oakes annahm, dass Jim seinen Plan durchschaut hatte, musste er ihn beseitigen. Oakes hat die Kassette aus Jims Rekorder genommen, bloß hatte Jim die Kassetten schon vorher ausgetauscht. Dann hat Oakes die beschriebenen Seiten aus Jims Notizbuch herausgerissen. Er wollte verhindern, dass wir von dem Onkel erfuhren.«

»Aber früher oder später *hätten* wir doch herausgefunden, wo Stevens gewesen war.«

»Früher oder später, ja.« Rebus tippte mit dem Finger auf das Bandgerät. »Aber ohne die Kassette hätten wir dazu schon eine Weile gebraucht.«

Davidson stand langsam auf. »Lang genug, um ihm genügend Zeit für die Ausführung seines Plans zu lassen ...?«

»Was bedeutet, dass es schon bald passiert.« Rebus war jetzt ebenfalls aufgestanden.

Als Davidson zum Telefonhörer griff, sprintete Rebus aus dem Zimmer.

47

Sie hatten Undercoverbeamte platziert. Denen fiel es schwer, nicht aufzufallen. Im Heim arbeiteten hauptsächlich Frauen mittleren Alters. Junge, wachsam blickende Männer mit CID-Haarschnitt wirkten ziemlich fehl am Platz. Die Beamten kamen vom Scottish Crime Squad. Andrew Castle hatte Zimmerarrest. Zwei Männer leisteten ihm Gesellschaft; einer spielte mit ihm Karten – zwei Pennys pro Punkt –, während der andere in der Ecke saß, von der aus man Tür und Fenster am besten im Blick behalten konnte. Am Fenster waren die Vorhänge zugezogen. Ein weiterer Mann saß draußen in einem parkenden Wagen.

»Würde er es mit einem Fernschuss versuchen?«, war eine der Fragen während der Vorbesprechung gewesen. Rebus bezweifelte es: Soweit bekannt, verfügte Oakes über keine Schusswaffen, und außerdem war das für ihn eine persönliche Angelegenheit. Bevor er starb, sollte der Onkel schon erfahren müssen, durch wen und warum.

Eine weitere Frage in der Vorbesprechung: »Was, wenn wir ihn dadurch lediglich verscheuchen?«

Rebus' Antwort: »Dann haben wir einem alten Mann das Leben gerettet… jedenfalls fürs Erste.«

Er hatte das Band noch ein zweites Mal in voller Länge abgehört und zweifelte nicht daran, dass Oakes' Onkel trotz seiner Senilität und Gebrechlichkeit durch und durch schlecht war – und das wahrscheinlich seit jeher. Jetzt stellten sich für ihn mehrere Fragen.

Wenn Cary in einer liebevollen Umgebung aufgewachsen wäre, hätte das alles geändert? Waren Menschen von Geburt an dazu bestimmt, Mörder zu werden, oder trugen andere Menschen – und bestimmte Lebensumstände – dazu bei, dass sie zu Mördern *wurden*, indem sie das Potenzial, das in den meisten Menschen steckte, aktualisierten?

Das waren keine neuen Fragen, und ganz gewiss nicht für ihn. Er dachte an Darren Rough, das geschändete Kind, das selbst zum Kinderschänder wurde. Nicht alle Missbrauchsopfer schlugen diesen Weg ein, aber doch eine Menge von ihnen… Und was war mit Damon Mich? Was hatte *ihn* dazu gebracht, von zu Hause wegzulaufen? Die gescheiterte Ehe seiner Eltern? Die Angst vor der eigenen Heirat? Oder hatte man ihn *genötigt*, sein Zuhause zu verlassen, ihn gewaltsam daran gehindert zurückzukehren?

Und warum war Jim Margolies gestorben?

Und würde Cary Oakes in die Falle tappen?

My, my, my, said the spider to the fly…

Oakes war schon viel zu lange die Spinne gewesen.

Rebus fuhr am Krankenhaus vorbei, um nach Alan Archibald zu sehen. Im Pflegeheim konnte er ja doch nichts ausrichten, ganz im Gegenteil, dort stellte er, wie einer der Crime-Squad-Beamten es formulierte, »eine eindeutige Behinderung« dar. In dem Sinn, dass Oakes ihn kannte und Rebus' Anwesenheit die ganze Aktion hätte vereiteln können.

»Sobald sich was tut, rufen wir Sie an.«

Rebus hatte zugesehen, wie sich der Beamte seine Handynummer auf dem Handrücken notierte, gab ihm aber zur Sicherheit noch seine Karte. »Nur für den Fall, dass Sie sich aus Versehen die Hände waschen.«

Archibald lag am hinteren Ende eines Krankensaals, von seinen Bettnachbarn durch eine Stellwand abgeschirmt. Bobby Hogan vom CID Leith hielt Wache und blätterte die *Mass Hibsteria* durch, das Fanblatt der Hibernian-Anhänger.

»Ihre Mannschaft geht den Bach runter, Bobby«, sagte Rebus zu ihm.

Hogan schaute auf. »Gehört nicht mir.« Er schwenkte die Fußballzeitschrift. »Jemand hat die hier liegen lassen.«

Die zwei Männer gaben sich die Hand, und Rebus zog einen zweiten Stuhl ans Bett. Alan Archibald schnarchte leise vor sich hin.

»Wie geht's ihm?«, erkundigte sich Rebus. Archibalds Kopf war bandagiert, und auf einem Ohr klebte eine Mullkompresse.

»Üble Kopfschmerzen.«

»Na, sein Kopf hat ja auch ziemlich was abgekriegt.«

»Die haben ein paar Tests gemacht, meinen, er wird wieder.« Hogan lächelte. »Haben auch versucht, sein Gedächtnis zu testen, aber wie Alan meinte, ist man in seinem Alter froh, wenn man überhaupt noch weiß, was für ein Wochentag heute ist, ›ob mit oder ohne Schlag auf den Dez‹.«

Rebus lächelte ebenfalls. »Sie kennen ihn also?«

»Wir haben vor Jahren zusammengearbeitet. Deswegen hab ich mich zu diesem Auftrag gemeldet.«

»Waren Sie auch mit ihm zusammen, als seine Nichte ermordet wurde?«

Hogan starrte auf die schlafende Gestalt. »Das hat ihm alle Kraft geraubt, als ob seine Batterien danach überhaupt keinen Saft mehr gehabt hätten.«

»Und er wollte unbedingt, dass es Oakes gewesen war.«

Hogan nickte. »Ich glaube, was Alan angeht, hätte es jeder andere auch getan, aber Oakes war der naheliegendste Kandidat.«

»Könnte es immer noch sein.«

Hogan sah ihn an. »Da ist Alan aber anderer Ansicht.«

»Ich würde nicht ein Wort von dem glauben, was Oakes gesagt hat. In seiner Welt ist alles verdreht.«

»Aber er ging davon aus, dass er Alan töten würde... wozu hätte er ihn dann noch vorher anlügen sollen?«

»Aus Spaß.« Rebus schlug die Beine übereinander. »Das scheint sein einziges Motiv gewesen zu sein, seitdem er in der Stadt ist: Geschichten erzählen...« Und jetzt war Rebus überflüssig; andere Beamten würden Cary Oakes festnehmen.

»Sind Sie mit Jims Selbstmord irgendwie weitergekommen?«

»Ich fing gerade an, Fortschritte zu machen. Ich bin abgelenkt worden«, antwortete Rebus.

»Und, was können Sie mir sagen?«

Alan Archibald grunzte und schmatzte dann mit den Lippen, als kostete er irgendetwas. Langsam öffnete er die Augen und richtete sie auf seine Besucher.

»Irgend ’ne Spur von ihm?«, fragte er mit spröder, brüchiger Stimme. Hogan goss ihm etwas Wasser ein.

»Brauchen Sie noch Tabletten, Alan?«

Archibald machte Anstalten, den Kopf zu schütteln, kniff dann plötzlich die Augen vor Schmerz zusammen. »Nein«, sagte er stattdessen. Als Hogan ihm den Plastikbecher an die Lippen hielt, rann das Wasser daneben und sein Kinn hinunter. Hogan tupfte es mit einer Serviette auf.

»Er gäbe eine prächtige Krankenschwester ab.« Archibald zwinkerte Rebus zu. Er schien nicht ganz scharf zu sehen, und Rebus fragte sich, mit welchen Schmerzmitteln die ihn wohl ruhig stellten. »Sie haben ihn nicht gefasst?«

»Noch nicht«, gab Rebus zu.

»Aber er war in der Zwischenzeit nicht faul, stimmt’s?«

Rebus wusste nicht, ob das reine Intuition war oder ob Archibald etwas aus seinem Ton herausgehört hatte. Er nickte, erzählte Archibald von Jim Stevens, vom Pflegeheim und von Oakes’ Onkel.

»Ich erinnere mich an den Onkel«, sagte Archibald. »Ich hab ihn vor einer Weile befragt. Ich glaube, er hasste Oakes noch mehr als ich.«

»Sie haben nicht zufällig Oakes gegenüber von ihm gesprochen, oder?«

Archibald dachte einen Augenblick nach. »Jedenfalls seit längerem nicht mehr. Mag sein, dass ich ihn in einem meiner Briefe erwähnt habe.« Seine Augen wurden größer. »Woher wusste Oakes, wo er lebte? Glauben Sie, ich…?« Sein Gesicht verzog sich schmerzlich. »Ich hätt schalten sollen. Aber ich dachte nicht wie ein Bulle, das ist das ganze Problem. Ich hatte meine eigenen, privaten Motive. War nicht ernsthaft an dem Onkel interessiert, lediglich daran, was er mir über Oakes erzählen konnte. Hatte ständig nur diese eine Frage im Kopf… die einzige Frage, auf die ich eine Antwort wollte.«

»Ja«, pflichtete ihm Rebus bei.

»Alles, was ich je gelernt hatte, war beim Teufel.« Archibalds Augen füllten sich mit Tränen.

»Machen Sie sich keine Vorwürfe«, tröstete ihn Hogan und legte ihm eine Hand auf die Schulter.

Archibald sah an ihm vorbei zu John Rebus. »Ob er sie tatsächlich getötet hat… werde ich nie mit Sicherheit wissen, stimmt's?«

Tränen rannen über Archibalds Wangen und Kinn. Hogan tupfte sie mit dem schon feuchten Tuch auf.

»All die Jahre, die ich es nicht gewusst habe… so ein verdammter Schwachsinn, mir einzubilden, ich könnte es herausfinden…« Er schloss die Augen und weinte leise. In den anderen Betten rührte sich niemand. Vielleicht war nächtliches Weinen hier nichts Ungewöhnliches. Bobby Hogan hielt die Hände des alten Mannes umklammert. Es sah so aus, als drückte Archibald mit ganzer Kraft.

Alan Archibald lag im Krankenhaus, weil eine fixe Idee von ihm Besitz ergriffen hatte. Aus seinem jetzigen Wissen heraus fragte sich Rebus, ob Jim Margolies vielleicht auch besessen gewesen war. Da er sonst nichts zu tun hatte, fuhr er nach St. Leonard's zurück. Er brauchte ein paar Stunden, mehrere Anrufe und jede Menge widerwillig gewährte Hilfe, bis er endlich hatte, was er wollte.

Rebus saß an seinem Schreibtisch und ging die verschiedenen Stichpunkte auf seinem Notizblock durch. Die Leute vom Gesundheits- und Sozialamt, die er gesprochen hatte, fragten alle, ob das nicht bis morgen warten könne. Rebus hatte darauf beharrt, dass es das *nicht* könne.

»Es geht um einen Mordfall«, war sein einziges Argument gewesen. Nach näheren Einzelheiten gefragt, hatte er geantwortet, er könne »zum gegenwärtigen Zeitpunkt« nichts sagen, und gehofft, wie die Sorte Detective zu klingen, den sein jeweiliger Gesprächspartner vermutlich erwartete: ein Bürokrat, ein Beamter, der bei seinen Ermittlungen einem strengen Dienstplan gehorchte, der keine nächtlichen Unterbrechungen gestattete.

Am Ende hatte er die verschiedenen Behörden aufsuchen müssen, um die angeforderten Informationen persönlich in Empfang zu nehmen. Danach blieb ihm nicht viel anderes zu tun, als zum Revier zurückzufahren und das zusammengetragene Material über Dr. Joseph Margolies durchzuackern.

Dr. Margolies war in Selkirk geboren und auf Schulen in den Borders und in Fettes gegangen. Sein Medizinstudium hatte er, nach Praktika in Afrika bei einer kirchlichen karitativen Einrichtung, an der University of Edinburgh abgeschlossen. Hatte zunächst als Internist praktiziert und später, nach einer Spezialisierung in Kinderheilkunde, an der Universität gelehrt. Schließlich war er von der Stadtverwaltung damit beauftragt worden, wie es in Siobhans Memo hieß, sich um die städtischen Kinderheime in Lothian »zu kümmern« – ein Job, der auch die Betreuung städtisch anerkannter, aber privat geführter Heime beinhaltete, wie zum Beispiel solche, die von Kirchen und verschiedenen Wohltätigkeitsorganisationen unterhalten wurden.

Konkret bestand seine Aufgabe darin, Heimkinder zu beobachten, die Anzeichen von Misshandlung oder Missbrauch zeigten, und, sollten entsprechende Klagen vorgebracht werden, sie ärztlich zu untersuchen. Außerdem waren manche der Heiminsassen als »schwierige Fälle« eingestuft, und Dr. Margolies musste regelmäßig ärztliche Gutachten über sie erstellen. Er konnte die Hinzuziehung eines Psychiaters oder aber auch die Verbringung in eine andersgeartete Anstalt empfehlen. Seine Macht war praktisch uneingeschränkt, sein Wort Gesetz.

Als er mit seiner Lektüre etwa zur Hälfte durch war, verspürte Rebus ein mulmiges Gefühl im Bauch. Er hatte einen leeren Magen, aber er glaubte nicht, dass es damit zusammenhing. Trotzdem zwang er sich, ein bisschen an die frische Luft zu gehen, und genehmigte sich bei Brattisani's eine Kleinigkeit zu essen und anschließend Tee. Er war fast eine Stunde lang nicht auf der Wache gewesen, konnte sich aber an nichts von dem erinnern, was während dieser Zeit passiert war. Hatte anderes im Kopf gehabt.

Er musste an einen nicht lang zurückliegenden Fall denken: ein Priester, der Kinder jahrelang missbraucht hatte. Die Kinder waren in der Obhut von Nonnen gewesen, und wenn eines von ihnen sich beklagte, wurde es von den Nonnen vertrimmt, als Lügner beschimpft und zur Beichte geschickt – die ihnen von genau jenem Priester abgenommen wurde, den sie des Missbrauchs bezichtigt hatten.

Rebus wusste, dass Pädophile durchaus imstande waren, ihre Veranlagung, während sie ihre Ausbildung für einen Posten in einem Waisenheim oder einer ähnlichen Institution absolvierten, monate- und jahrelang zu verheimlichen. Sie bestanden alle Prüfungen und psychologischen Tests und ließen erst dann ihre Maske fallen. Ihr Trieb war so stark, dass sie die größten Entbehrungen auf sich nahmen, um ihn zuletzt doch befriedigen zu können. Und manchmal wäre dieser Trieb auch für immer latent geblieben, wenn sie nur nicht an irgendeinem Punkt ihres Lebenswegs einen Gesinnungsgenossen getroffen hätten, der sie dazu anspornte, ihn endlich auszuleben.

Wie Harold Ince und Ramsay Marshall. Rebus konnte sich durchaus vorstellen, dass sie allein vielleicht nie die Kraft aufgebracht hätten, diese Lebensweise des systematischen Kindesmissbrauchs zu verwirklichen. Gemeinsam aber hatten sich ihre Lüste und Begierden gegenseitig hochgeschaukelt und verstärkt, wodurch deren letztendliches Hervorbrechen umso brutaler und erschreckender gewesen war.

Rebus las noch einmal das gesamte Material über Dr. Joseph Margolies durch, bis keine Zweifel mehr bestanden:

An der Tatsache, dass Margolies zur Zeit des Shiellion-Skandals für die verantwortliche Behörde gearbeitet hatte.

Dass er kurz danach »aus Gesundheitsgründen« vorzeitig aus dem Dienst ausgeschieden war.

Dass seine damaligen Kollegen es ihm als Zeichen von Mut und Charakterfestigkeit angerechnet hatten, wie er nach dem Selbstmord seiner Tochter weiter seine Pflichten wahrgenommen hatte.

Über die Tochter selbst gaben die Akten nicht viel her. Sie, ein stilles, verschlossenes Kind, hatte sich mit fünfzehn das Leben genommen, ohne einen Abschiedsbrief zu hinterlassen. Die Pubertät hatte ihr das Leben schwer gemacht. Sie hatte sich vor anstehenden Prüfungen gefürchtet. Für ihren Bruder Jim war ihr Tod ein entsetzlicher Schlag gewesen…

Sie war nicht gesprungen, sondern hatte sich zu Hause, im Badezimmer, die Pulsadern aufgeschnitten. Ihr Vater, der am Morgen als Erster aufstand, hatte die Tür eingetreten und sie gefunden. Man vermutete, dass es während der Nacht passiert war.

Rebus rief Jane Barbour an. Fehlanzeige. Mit ein paar Notlügen und viel Hartnäckigkeit bekam er ihre Handynummer heraus. Als sie sich meldete, hörte er im Hintergrund laute Musik und Gegröle.

»Heiße Party?«

»Wer spricht da?«

»DI Rebus.«

»Moment, ich geh nur grad nach draußen.« Der Lärm verebbte. Barbour atmete geräuschvoll aus. Sie klang betrunken. »Wir sind im Polizeiklub.«

»Was wird gefeiert?«

»Na raten Sie mal.«

»Schuldspruch?«

»Zwei von der Sorte. Nicht *ein* Geschworener hat gegen uns gestimmt.«

Rebus lehnte sich in seinem Stuhl zurück. »Glückwunsch.«

»Danke.«

»Cordover wird vor Wut schäumen.«

»Scheiß auf Cordover. Petrie verkündet morgen das Strafmaß. Der steckt sie bestimmt für ewig und drei Tage ins Loch.«

»Tja, noch mal Glückwunsch. Ist ein Bombenresultat.«

»Warum kommen Sie nicht auch? Wir haben jede Menge zu trinken hier und ...«

»Danke, nein. Aber wie es der Zufall so will, rufe ich wegen Ince und Marshall an.«

»Ach?«

»Indirekt jedenfalls. Dr. Joseph Margolies.«

»Ja?«

»Wissen Sie, wer er ist?«

»Ja.«

»Wurde er in der Verhandlung als Zeuge aufgerufen?«

»Nein. Mann, ist das heute Nacht lau draußen!«

Rebus fragte sich, ob ihre überdrehte Stimmung noch andere Gründe haben mochte. »Warum nicht?«

»Wegen der Beweislage. Es stimmt zwar, dass ein paar Shiellion-Kinder seinerzeit Anschuldigungen vorgebracht hatten, aber man schenkte ihnen keinen Glauben.«

»Aber es wird doch wohl eine ärztliche Untersuchung gegeben haben?«

»Natürlich, Dr. Margolies führte sie selbst durch. Ich habe ihn mehrmals dazu befragt. Aber man wusste, dass die fraglichen Jungs schwul waren: sie arbeiteten als Gelegenheitsstricher am Calton Hill. Wenn sie von Shiellion ausbüchsten, wusste jeder, dass man sie dort finden würde. Also: Hinweise auf Analverkehr waren für sich noch kein Beweis für Missbrauch – ich zitiere jetzt den Staatsanwalt. Wenn Sie *mich* fragen, waren diese Kids minderjährig und in der Obhut der Fürsorge, weswegen sich *jeder*, der sexuell mit ihnen verkehrte, des Kindesmissbrauchs schuldig machte.« Sie schwieg kurz. »Ende der Moralpredigt.«

»Je eher Sie diesen Fall vom Hals haben, desto besser.«

»Warum wühlen Sie dann alles wieder auf?«

»Ich versuche, mir ein Bild von Dr. Margolies zu machen.«

»Warum?«

»Als Sie mit ihm gesprochen haben, war er in der Lage, Ihnen zu helfen?«

»So weit man es von ihm erwarten konnte. Er wies selbst darauf hin, dass die Jungs schon zu früherer Gelegenheit beim Lügen ertappt worden waren – wer hätte ihnen also beim nächsten Mal Glauben geschenkt? Und die Missbrauchsvorwürfe bezogen sich in vielen Fällen auf Oralverkehr und Masturbation... da lässt sich medizinisch nicht viel nachweisen, Inspector.«

»Nein«, sagte Rebus nachdenklich. »Deswegen hat er also nicht ausgesagt?«

»Jedenfalls nicht während der Verhandlung. Der Staatsanwalt meinte, das wäre reine Zeitverschwendung gewesen. Hätte der Anklage sogar schaden können, wenn die Geschworenen dadurch ins Zweifeln gekommen wären.«

»In welchem Fall vielleicht die *Verteidigung* den Doktor als Zeugen aufgerufen hätte.«

»Ja, hat sie aber nicht, und ich wollte Cordover nicht erst

auf die Idee bringen.« Sie verstummte. »Glauben Sie, dass Margolies in irgendeiner Weise an einer Vertuschungsaktion beteiligt war?«

»Wie kommen Sie darauf?«

»Ich hab mich das selbst schon gefragt. Ich meine, wär doch möglich, dass es in Shiellion Leute gab, die durchaus einen Verdacht hatten, was da ablief. Aber keiner hat sich vorgewagt.«

»Aus Angst, dem Ruf des Heims zu schaden?«

»Oder weil die Kirche Druck machte. Hat's in der Vergangenheit durchaus schon gegeben. Natürlich wäre auch ein noch schlimmeres Szenario denkbar.«

Rebus graute vor der Vorstellung, wie dieses Szenario aussehen mochte, aber er fragte trotzdem.

»Ganz einfach«, sagte sie. »Alle wussten Bescheid, aber es war ihnen schlicht egal. So, und wenn Sie mich jetzt entschuldigen, ich möchte wieder rein und mich bis zum Eichstrich voll laufen lassen.«

Rebus bedankte sich und legte auf. Stützte den Kopf in die Hände und starrte auf seinen Schreibtisch.

Alle wussten Bescheid… aber es war ihnen schlicht egal…

48

Wie schon während ihrer Verhandlung saßen Ince und Marshall im Saughton-Gefängnis. Der Unterschied war, dass sie sich jetzt, nach Feststellung ihrer Schuld, nicht mehr in U-Haft befanden. Als Untersuchungshäftlinge hatten sie ihre eigenen Sachen tragen, sich von draußen Essen kommen lassen und ihren Tagesablauf weitgehend selbst bestimmen dürfen. Jetzt würden sie sich an die Sträflingskleidung und all die übrigen Annehmlichkeiten des eigentlichen Gefängnislebens gewöhnen müssen.

Sie waren in getrennten Zellen untergebracht, mit einer leeren dazwischen, so dass eine geringere Gefahr der Kommunikation bestand. Rebus wusste nicht, wozu man sich überhaupt die Mühe machte; wahrscheinlich würde man sie am Ende sowieso in dasselbe Sexualtäterprogramm stecken.

Er musste eine schwierige Wahl treffen: Ince oder Marshall? Sicher, wenn's mit dem einen nicht klappte, hielt ihn niemand davon ab, es mit dem anderen zu versuchen. Aber das hätte bedeutet, die ganze Prozedur noch einmal von vorn durchzuziehen, dieselben Fragen zu stellen, dieselben Spielchen zu spielen. Die richtige Wahl würde ihm den ganzen Ärger ersparen.

Er entschied sich für Ince. Seine Überlegung: Ince war der Ältere von beiden, der mit dem höheren IQ. Und auch wenn er zu Anfang ihrer Beziehung zweifellos der Anführer war, wurde der Zögling schon bald zum Lehrmeister. Im Gerichtssaal war Marshall derjenige gewesen, der finster dreinblickte und sich in Szene setzte; derjenige, der den Eindruck erweckte, als ginge ihn die Verhandlung nicht das Geringste an.

Derjenige, der keinerlei Anzeichen von Scham gezeigt hatte, selbst als seine Opfer ihre Geschichte erzählten.

Derjenige, der auf dem Weg zurück in die Zelle ein paarmal die Treppe hinuntergefallen war.

Ja, Marshall hatte von Harold Ince eine Menge gelernt, aber er hatte dem noch einiges hinzugefügt. Er war der Rücksichtslosere, der Amoralischere, der am wenigsten Reumütige von beiden. Derjenige, der glaubte, die ganze Sache sei nicht sein, sondern das Problem der Gesellschaft. Während der Verhandlung hatte er Aleister Crowley zitiert: einzig *er* habe das Recht, seine Handlungen als »gut« oder »böse« zu bewerten.

Das Gericht hatte sich wenig beeindruckt gezeigt.

Rebus saß im Besuchszimmer und rauchte eine Zigarette. Er hatte Patience angerufen, lediglich ihren AB erreicht und sich von ihm sagen lassen, er möchte es doch mit ihrer Handynummer probieren. Das hatte er getan und erfahren, dass sie bei einer Freundin war. Ebenfalls Ärztin, gegenwärtig in Schwangerschaftsurlaub.

»Kann sein, dass ich über Nacht hier bleibe«, sagte sie. »Ursula hat's mir angeboten.«

»Wie geht's ihr?«

»Ganz mies.«

»O weh.«

»Nicht so: Es geht ihr mies, weil sie nicht trinken darf. Aber keine Sorge, ich trink für sie mit.«

Rebus lächelte. »Ich schlaf dann in der Arden Street«, erklärte er. »Solltest du dann doch nach Haus wollen, ruf mich an.«

»Du meinst, ich sollt's besser sein lassen?«

»Wäre vielleicht keine schlechte Idee.« Solange Cary Oakes noch auf freiem Fuß war, hieß das. Nachdem er aufgelegt hatte, rief er in St. Leonard's an und erfuhr, dass der Streifenwagen jetzt vor der Wohnung von Patience' Freundin parkte.

»Alles unter Kontrolle, John.«

Also saß er jetzt, dem Verbotsschild an der Wand zum Trotz, rauchend im Besucherraum und schnippte die Asche auf den Boden. Der Uniformierte führte Harold Ince herein. Rebus dankte ihm, bat ihn, direkt draußen vor der Tür zu warten. Nicht dass Rebus einen Fluchtversuch oder Gewalt von Ince erwartet hätte. Er schien sich mit seinem Schicksal abgefunden zu haben. Seit Rebus ihn zuletzt im Gerichtssaal gesehen hatte, war sein Gesicht länger und schmaler geworden, die bleiche Haut schlaffer und faltiger. Sein Bauch wölbte sich vor, während seine Brust eingefallen wirkte, als hätte man ihm das Herz entfernt. Rebus wusste, dass mindestens eines von Ince' Opfern Selbstmord begangen hatte. Der Mann roch nach einer Mischung aus Schwefel und antiseptischer Salbe.

Rebus bot ihm eine Zigarette an. Ince ließ sich auf einen Stuhl sacken und schüttelte den Kopf.

»Sie haben als Zeuge ausgesagt, stimmt's?« Er hatte eine dünne, näselnde Stimme.

Rebus nickte, schnippte Asche von der Zigarette. »Und Ihr Anwalt hat versucht, mich zu Hackfleisch zu verarbeiten.«

Ein flüchtiges Lächeln. »Jetzt erinner ich mich. Hat nicht hingehauen, wie?«

»Und jetzt sind Sie verurteilt worden.«

»Sind Sie hier, um's mir unter die Nase zu reiben?«

»Nein, Mr. Ince, ich bin hier, um Sie um Hilfe zu bitten.«

Ince schnaubte, verschränkte die Arme. »Klar, ich bin auch genau in der Stimmung, der Polizei zu helfen.«

»Ich frage mich, ob er schon zu einem Entschluss gekommen ist«, sagte Rebus, als dächte er laut nach.

Ince zog die Stirn in Falten. »Wer?«

»Lord Justice Petrie. Das ist ein verdammt scharfer Hund.«

»Hab ich gehört.«

Aber butterweich zu seinen Kindern, dachte Rebus. *Oder doch nicht …?*

»Jede Wette, dass es für Sie beide auf Peterhead hinauslaufen wird«, meinte Rebus. »Da werden Sie lange sitzen. Da werden Sexualtäter in der Regel hingeschickt.« Er lehnte sich nach vorn. »Da werden auch viele von den richtig schweren Jungs verwahrt, von denen, in deren Augen Kinderficker auf der Evolutionsleiter noch ein, zwei Sprossen unterhalb der Amöbe rangieren.«

»Aah …« Ince lehnte sich zurück, nickte. »Das ist es also:

Sie sind hier, um mir Angst einzujagen. Ich kann Ihnen die Mühe ersparen. Die Wärter haben mir während des Prozesses schon erzählt, womit ich rechnen müsste, egal, in welchem Gefängnis ich lande. Ein paar von denen haben mir sogar gesagt, sie würden mir selbst einen Besuch abstatten.« Ein weiterer Blick in Rebus' Richtung. »Ist das nicht nett von ihnen?«

Rebus sah, dass Ince hinter seiner gespielten Großspurigkeit vor Angst schlotterte. Es war die Angst vor dem Unbekannten. Die gleiche Angst, die die Kinder verspürt haben mussten, immer wenn sie ihn hatten kommen hören ...

»Ich will Ihnen keine Angst machen, Mr. Ince. Ich will, dass Sie mir helfen. Aber ich bin nicht dumm, ich weiß, dass ich Ihnen dafür etwas anbieten muss.«

»Und was könnte das wohl sein, Inspector?«

Rebus stand auf, ging hinüber zur Ecke, von der aus die Videokamera den ganzen Raum überblickte.

»Es wird Ihnen aufgefallen sein, dass ich unser Gespräch nicht aufzeichne«, erklärte er. »Das hat einen guten Grund. Das hier ist streng vertraulich, Mr. Ince. Was immer Sie mir erzählen, dient lediglich der Befriedigung meiner Neugier. Keine Rede davon, dass ich einen Fall daraus konstruiere. Sollte ich es jemals versuchen, stünde meine Aussage gegen Ihre: gerichtlich nicht verwertbar.«

»Ich kenne das Gesetz, Inspector.«

Rebus wandte sich zu ihm. »Ich auch. Ich sage damit lediglich, dass das ganz unter uns bleibt. Ich könnte mir allein schon dadurch Ärger einhandeln, dass ich Ihnen ein Angebot mache.«

»Was für ein Angebot?« Jetzt klang er interessiert.

»Peterhead. Ich kenne ein paar von den Jungs, die dort einsitzen. Ich hab bei dem einen oder anderen noch was gut.«

Stille, während Ince diese Information verdaute. »Sie würden ein Wort für mich einlegen?«

»Genau.«

»Ist aber nicht gesagt, dass die darauf hören würden.«

Rebus zuckte die Achseln, setzte sich wieder hin, die Arme auf die Tischkante gestützt. »Mehr kann ich nicht tun.«

»Und *ich* kann mich nur auf Ihr Wort verlassen, dass Sie es *überhaupt* tun würden.«

Rebus nickte langsam. »Ja, so ist es.«

Ince musterte seine Handrücken, seine Finger, die sich um die Tischkante krampften.

»Na, ich muss schon sagen, das ist ein sehr großzügiges Angebot.« Eine Spur von Belustigung in der Stimme.

»Es könnte Ihnen das Leben retten, Harold.«

»Oder auch keinen Pfifferling wert sein.« Er schwieg einen Moment. »Was wollen Sie mich fragen?«

»Ich muss wissen, wer der dritte Mann war.«

»War das nicht Orson Welles?«

Rebus rang sich ein Lächeln ab. »Ich meine damals in der Nacht, als Ramsay Marshall Darren Rough nach Shiellion brachte.«

»Lange her. Damals habe ich noch getrunken.«

»Sie haben Darren die Augen verbunden.«

»Ach ja?«

»Wegen dieses anderen Mannes. Vielleicht war es überhaupt dessen Idee. Weil er nicht wollte, dass Darren ihn erkannte.« Rebus steckte sich eine weitere Zigarette an. »Sie haben damals getrunken. Vielleicht zusammen mit diesem Mann. Haben über dieses und jenes geplaudert. Und haben ihm am Ende Ihr Geheimnis verraten.« Rebus musterte Ince. »Weil Sie meinten, etwas zu erkennen …«

Ince leckte sich die Lippen. »Was?« So leise, dass es

kaum mehr als ein Flüstern war. Rebus senkte ebenfalls die Stimme.

»Sie glaubten, er sei wie Sie. Sie sahen in ihm ein *Potenzial.* Je länger Sie miteinander redeten, desto deutlicher erkannten Sie es. Sie erzählten ihm, dass Marshall einen Jungen vorbeibringen würde. Vielleicht haben Sie ihn gefragt, ob er nicht bleiben wolle.«

»Das saugen Sie sich alles aus den Fingern, stimmt's?«

Rebus nickte. »Insofern als ich nichts davon beweisen kann, ja, sauge ich es mir aus den Fingern.«

»Dieses Potenzial, von dem Sie sprechen… Ich behaupte, dass es in jedem von uns steckt.« Jetzt sah Ince Rebus an, und seine Augen wirkten härter. Er wich Rebus' Blick nicht aus, erwiderte ihn. »Haben Sie selbst Kinder, Inspector?«

»Ja, eine Tochter«, räumte Rebus ein, obwohl er wusste, wie gefährlich es war, Ince Zutritt in sein Privatleben, in seinen Kopf zu gewähren. Aber Ince war kein Cary Oakes. »Sie ist inzwischen erwachsen.«

»Ich wette, irgendwann im Lauf Ihrer Beziehung haben Sie sich ausgemalt, wie es wohl wäre, sie zu beschlafen, mit ihr ins Bett zu steigen. Habe ich Recht?«

Rebus spürte den Druck hinter seinen Augen: Wut und Abscheu. So stark, dass er den Rauch wegblinzelte.

»Ich glaube nicht.«

Ince grinste. »Das ist das, was Sie sich einreden. Aber ich glaube, Sie lügen, selbst wenn es Ihnen gar nicht bewusst ist. Das ist ein menschlicher *Instinkt*, nichts, wofür man sich schämen müsste. Sie war da vielleicht fünfzehn oder zwölf oder zehn.«

Rebus stand auf. Musste sich bewegen, andernfalls hätte er Ince' Kopf auf den Tisch geknallt. Er hätte sich am liebsten eine neue Zigarette angesteckt, war aber noch mit der alten zugange.

»Es geht hier nicht um mich«, sagte er. Das klang selbst in seinen eigenen Ohren ziemlich schwach.

»Nein? Na, vielleicht ...«

»Es geht um Darren Rough.«

»Ah ...« Ince lehnte sich zurück. »Der arme Darren. Der stand auf der Zeugenliste, ist aber dann nicht aufgerufen worden. Ich hätte ihn gern wiedergesehen.«

»Wär nicht gegangen. Jemand hat ihn ermordet.«

»*Was?* Vor dem Prozess?«

Rebus schüttelte den Kopf. »Während. Ich habe versucht, ein Motiv zu finden, aber jetzt glaube ich, dass ich die ganze Zeit an den falschen Stellen gesucht habe.« Er stützte sich mit einer Hand auf den Tisch, beugte sich über Ince. »Ich habe mir die polizeilichen Anklageblätter angesehen, die Zeugenaussagen. Überall nur Sie und Marshall; kein anderes Opfer erwähnt einen dritten Täter. War es nur in dieser einen Nacht? Jemand, der es nur das eine Mal ausprobiert hat ...?« Rebus setzte sich wieder hin. Endlich war er mit seiner Zigarette fertig und steckte sich am Stummel die nächste an. »Ich hab Darren zufällig im Zoo gesehen und herausgefunden, wo er wohnte. Die Presse hat irgendwie davon Wind bekommen. Dieser dritte Mann ... er wusste, dass *Sie* ihn während der Verhandlung nicht erwähnen würden. Ich weiß nicht warum, aber ich kann es mir denken. Wer ihm gefährlich werden konnte, war Darren. Aber da konnte er ruhig schlafen – soweit er wusste, war Darren Rough weitab vom Schuss. Dann liest er plötzlich, dass Darren in der Stadt ist, und er kann sich denken, warum: Darren soll im Shiellion-Prozess aussagen. Es ist nicht ganz auszuschließen, dass er damals etwas gesehen oder gehört hat, vielleicht sogar ohne sich dessen bewusst zu sein. Es ist nicht auszuschließen, dass nach der Verhandlung das Foto unseres dritten Mannes in der Zeitung erscheint und Darren ihn darauf wiedererkennt.

Plötzlich droht Gefahr. Also muss er zuschlagen.« Rebus blies Rauch in Ince' Richtung. »Wir wissen beide, von wem ich rede. Aber mir wäre wohler, wenn ich einen Namen von Ihnen hörte.«

»Deswegen ist Darren gestorben?«

Rebus nickte. »Ich glaube, ja.«

»Aber Sie haben keine Beweise?«

Rebus schüttelte den Kopf. »Und ich werde auch wohl kaum welche finden. Weder mit noch ohne Ihre Hilfe.«

»Ich hätte gern einen Kaffee«, sagte Harold Ince. »Milch, zwei Stück Zucker. Wenn *Sie* ihn bestellen, besteht die Möglichkeit, dass er ohne Speicheleinlage kommt.«

Rebus sah ihn an. »Was zu essen?«

»Ich hätte nichts gegen Hähnchenkorma. Mit Nan, ohne Reis. Und als Beilage *Sag aloo*.«

»Kann ich kommen lassen.«

»Und auch das wär mir ohne Fremdzutaten lieber.« Jetzt klang Ince' Stimme zuversichtlich. Er hatte eine Entscheidung getroffen.

»Und bis das Essen kommt, unterhalten wir uns?«, fragte Rebus.

»Für Ihren Seelenfrieden, Inspector… ja, wir unterhalten uns.«

49

Rebus saß in der Dunkelheit seines Wohnzimmers und trank Whisky mit Wasser. Die nächtliche Stille draußen wurde nur gelegentlich von vorbeifahrenden Autos unterbrochen. Er wusste nicht, wie lange er schon so da saß, vielleicht seit ein paar Stunden. Er hatte eine CD aufgelegt, sich aber dann nicht die Mühe gemacht, sie zu wechseln. Sie lief jetzt schon zum dritten oder vierten Mal. »Stray

Cat Blues« hatte sich noch nie so dreckig angehört. Das Stück nahm ihn weit mehr mit als das kultivierte »Sympathy for the Devil« mit seinem Unterton von Verzweiflung. Aus »Stray Cat Blues« war keinerlei Verzweiflung herauszuhören, nur die Tatsache von Sex mit Minderjährigen...

Als das Telefon klingelte, reagierte er verzögert. Es war Siobhan, die ihm etwas auszurichten hatte. In Patience' Wohnung war eingebrochen worden.

»Jemand festgenommen?«

»Nein. Zwei Uniformierte sind noch vor Ort. Sie warten auf jemanden, der die Alarmanlage zum Schweigen bringen kann.«

Rebus rief in St. Leonard's an, und ein Streifenwagen holte ihn ab und fuhr ihn in die Oxford Terrace. Der Fahrer roch, dass Rebus eine Whiskyfahne hatte.

»Na, ein bisschen feiern gewesen, Sir?«

»Ich habe den Spitznamen ›Partylöwe‹.« Rebus' Ton stellte sicher, dass sich der Mann weitere Fragen verkniff.

Die Alarmglocke schrillte noch immer. Rebus stieg die Treppe hinunter und öffnete die Wohnungstür. Die zwei Uniformierten hielten sich in der Küche auf, möglichst weit weg vom Lärm, hatten sich Tee aufgebrüht und waren gerade auf der Suche nach Keksen.

»Milch, keinen Zucker«, sagte Rebus. Dann ging er zurück in den Flur und schaltete die Alarmanlage mit seinem Schlüssel aus. Einer der Beamten reichte ihm einen Becher.

»Gelobt sei der Himmel. Das Ding trieb uns allmählich zum Wahnsinn.«

Rebus stand vor der Eingangstür und untersuchte das Schloss.

»Saubere Arbeit«, meinte der Beamte. »Offenbar hatte der Einbrecher einen Schlüssel.«

»Wahrscheinlich eher einen Dietrich.« Rebus ging zurück in den Flur. »Aber bei der Alarmanlage scheint der ihm nichts genutzt zu haben…« Er sah nacheinander in alle Zimmer.

»Fehlt irgendetwas, Sir?«

»Ja, Junge: heißes Wasser aus dem Kocher, zwei Teebeutel und ein bisschen Milch.«

»Vielleicht hat ihn die Alarmanlage verscheucht.«

»Wenn er mit dem einen Schloss fertig geworden ist, warum dann nicht auch mit dem anderen?« Rebus glaubte, die Antwort zu kennen: weil die bloße Tatsache, dass die Alarmanlage aktiviert war, dem Eindringling etwas verraten hatte.

Sie hatte ihm verraten, dass niemand zu Haus war.

Und er hatte *irgendjemanden* zu Hause vorfinden wollen – Rebus oder Patience –, das war der ganze Zweck der Übung gewesen. Cary Oakes war nicht eingebrochen, um etwas zu stehlen. Er hatte ganz andere Pläne gehabt…

Als sie die Wohnung verließen, schaltete Rebus die Alarmanlage wieder ein und vergewisserte sich, dass Steck- und Schnappschloss eingerastet waren.

In der Branche nannte man das »die Stalltür schließen«.

Auf dem Weg zurück ließ er den Streifenwagen einen Umweg durch Sammys Straße machen. Er ging nicht hinein, wollte nur sicher sein, dass alles in Ordnung war. Sie befand sich ja nicht allein im Haus; Ned schlief bestimmt neben ihr. Nicht, dass Ned für Oakes ein ernst zu nehmendes Problem dargestellt hätte…

»Tun Sie mir einen Gefallen, ja?«, bat Rebus den Fahrer. »Sorgen Sie dafür, dass bis morgen früh ein Wagen hier einmal die Stunde vorbeifährt.«

»Wird gemacht, Sir. Glauben Sie, er versucht's noch mal?«

Rebus wusste nicht mal, ob Oakes Sammys Adresse

kannte. Er wusste nicht, ob Stevens sie gekannt hatte. Er rief über Funk das Pflegeheim an.

»Hier ist es ruhig wie im Grab«, teilte man ihm mit.

Er versuchte es dann im Krankenhaus, bekam die Nachtschwester ans Telefon, die ihm versicherte, bei Mr. Archibald sei jemand, und ja, er sei wach. Nach ihrer Beschreibung schien es immer noch Bobby Hogan zu sein.

Alle waren in Sicherheit. Alle waren geschützt.

Der Streifenwagen brachte ihn zu seiner Wohnung. Als er die Tür aufschloss, meinte er, ein Geräusch weiter unten im Treppenhaus zu hören. Er spähte über das Geländer, konnte aber nichts sehen. Wahrscheinlich Mrs. Cochranes Mieze, die durch ihr Katzentürchen hinein- oder hinausgegangen war.

Er schloss die Tür hinter sich, ohne im Flur das Licht einzuschalten. Er kannte den Weg auch im Dunkeln. Machte in der Küche Licht und stellte den Wasserkocher an. Er war vom Whisky benommen. Er brühte sich einen Tee auf und ging damit ins Wohnzimmer. Für Musik war's jetzt zu spät. Er stellte sich ans Fenster, pustete auf den Tee.

Sah eine Gestalt sich bewegen. Auf dem Bürgersteig gegenüber. Die Silhouette eines Mannes. Er hielt sich die Hände seitlich ans Gesicht, um seine Augen so gut wie möglich vom Licht der Straßenlaterne abzuschirmen, und spähte.

Es war Cary Oakes. Er wiegte sich leicht hin und her, als hörte er Musik. Und er grinste wie ein Honigkuchenpferd. Rebus wandte sich vom Fenster ab, sah sich nach seinem Telefon um. Konnte es nirgendwo entdecken. Er kickte herumliegende Bücher beiseite. Wo, zum Teufel, war das Ding?

Na, dann das Handy: Wo war *das*? Er hatte vorhin vergessen, es mitzunehmen; das Ding steckte wahrscheinlich in irgendeiner Manteltasche. Er ging zum Flurschrank, nirgendwo aufzufinden. Küche? Nein. Schlafzimmer? Da auch nicht.

Fluchend lief er wieder zum Fenster, um nachzusehen, ob Oakes verschwunden war. Nein, er stand noch da, nur dass er jetzt die Hände hoch hielt, als ob er sich ergebe. Dann sah Rebus, dass er zwei kleine dunkle Gegenstände in den Händen hielt. Und wusste, was es war.

Sein Schnurlostelefon und sein Handy.

»Scheißkerl!«, brüllte Rebus. Oakes war in der Wohnung gewesen; hatte Haus- und Wohnungstür mit dem Dietrich aufgeschlossen.

»Scheißkerl«, zischte Rebus. Er rannte zur Tür, riss sie auf. Er war schon halb die Treppe runter, als er unten die Haustür knarren hörte. War sie abgeschlossen gewesen? Falls ja, war Oakes schnell damit fertig geworden.

Plötzlich stand Oakes am Fuß der Treppe, von hinten durch eine einzelne Birne an der Wand beleuchtet. Alle Wände waren blasscremefarben gestrichen, wodurch sein Gesicht irgendwie gelbstichig aussah. Seine Zähne waren entblößt, seine Zunge ragte halb aus dem aufgerissenen Mund. Er ließ die Telefone auf den Steinfußboden fallen, griff in seinen Hosenbund.

»Kennen Sie das noch?«

Er hielt das Messer in der Hand. Entschlossen, den Blick auf Rebus geheftet, begann er, mit einem Geräusch wie von Sandpapier auf Holz, die Stufen hinaufzusteigen.

Rebus machte kehrt und rannte los.

»Wo wollen Sie denn hin, Rebus?« Er lachte, gab sich keine Mühe, leise zu sein. Außer Rebus wohnten im Haus nur Studenten und uralte Rentner; wahrscheinlich glaubte er, notfalls mit ihnen allen fertig zu werden.

Mrs. Cochrane hatte ein Telefon. Rebus hämmerte im Vorbeigehen an ihre Tür, wusste aber, dass es vergeblich war. Sie war stocktaub. Die Studenten auf seiner Etage: Ob die wohl ein Telefon hatten? Ob die überhaupt zu Hause waren? Er rannte in seine Wohnung, schlug die Tür hinter sich zu. Das Schnappschloss rastete ein, aber er wusste, dass es schon mehr brauchte, Oakes auszusperren. Er legte die Kette vor im Bewusstsein, dass ein ordentlicher Tritt wahrscheinlich ausreichen würde, um Kette und Schnappschloss den Rest zu geben. Wo war der Schlüssel für das Einsteckschloss? Normalerweise steckte er im Schlüsselloch. Er sah auf den Fußboden, begriff dann, dass Oakes ihn mitgenommen haben musste. Er hatte sich die Schlösser angesehen und erkannt, dass er das Einsteckschloss nicht aufbekommen hätte... Rebus legte das Auge an den Spion. Plötzlich tauchte Oakes' Gesicht aus dem Nichts auf. Rebus konnte hören, was er sagte.

»Kleines Schwein, kleines Schwein, lass mich bitte rein.«

Aus Kubricks *Shining*.

Rebus ging in die Küche, öffnete die Besteckschublade. Er fand ein dreißig Zentimeter langes Sabatier mit genietetem schwarzem Griff. Er konnte sich nicht erinnern, es jemals benutzt zu haben. Er fuhr mit dem Daumen über die Klinge und schnitt sich.

Das würde gehen.

Rebus war schon zu anderen Gelegenheiten mit einem Messer angegriffen worden. Aber mit den meisten Angreifern hatte er reden können. Und mit den anderen war er fertig geworden... Aber das war früher und das hier eine völlig andere Situation. Er ging zurück in die Diele und beschloss, Oakes nicht die Initiative zu überlassen. Das Tranchiermesser in der Hand, zog er die Sicherheitskette ab und riss die Tür auf. Er hatte mit einem sofortigen Angriff gerechnet, aber der blieb aus. Er reckte den Kopf vor, konnte Oakes auf dem Absatz nicht sehen.

»Schweinchen geht Gassi.«

Oakes' Stimme auf halber Treppe nach unten. Rebus trat aus seiner Wohnung, ohne Eile, bemüht, Ruhe zu bewahren. Er starrte Oakes in die Augen, behielt dabei dessen Messer fest im Blick.

»Huuh, *Sie* haben aber ein großes«, spottete Oakes. Er stieg rückwärts die Treppe hinunter, völlig selbstsicher. »Tragen wir's draußen aus, Rebus. An der frischen Luft.«

Er drehte sich um und lief aus dem Haus. Rebus überlegte kurz. Seine zwei Telefone lagen da auf dem Boden. Er hätte das Handy aufheben und die Wache anrufen sollen, schleunigst Verstärkung anfordern. Dann dachte er an Alan Archibald und Patience und Janice... und an das Grab seiner Eltern. An Jim Stevens. Zeit, der Sache ein Ende zu machen. Er durfte Oakes nicht aus den Augen verlieren, ihn nicht wieder entwischen lassen.

Er hob sein Handy auf, steckte es in die Tasche und eilte zur Tür.

Oakes stand auf dem Bürgersteig, nickte.

»So ist's recht. Nur wir beide.«

Er setzte sich in Bewegung. Rebus folgte ihm. Sie gingen beide mit raschem Schritt, ohne dass dabei einer von beiden ins Laufen verfallen wäre. Oakes sah die ganze Zeit über die Schulter, behielt seinen Verfolger im Auge. Er schien sich darüber zu freuen, wie die Dinge sich entwickelten. Rebus begriff zwar nicht, warum, aber er blieb wachsam. Bislang hatte Oakes nichts ohne einen triftigen Grund getan. In Rebus' Kopf hallten die Worte: *Mach ein Ende! Das ist die letzte Runde...*

»Gut für den Kreislauf, so ein Spaziergang am frühen Morgen. Guter Ausgleich für die schottische Diät. Ich hab in Ihren Kühlschrank geguckt, Mann. Da hatte ich ja in meiner Scheißzelle in Walla Walla mehr Fressalien. Aber dafür im Wohnzimmer Whisky neben dem Sessel: So ist's recht!« Er lachte. »Was sind Sie, Sam Spade oder was?«

Rebus sagte nichts. Oakes war ein ganzes Stück jünger und fitter als er. Das Letzte, was Rebus wollte, war, sich außer Atem zu quasseln.

Sie überquerten die Marchmond Road, gingen die Sciennes entlang und am Kinderkrankenhaus vorbei. Rebus verfluchte sich dafür, dass er in so einer ruhigen Gegend wohnte. Die Pubs waren längst ausgestorben; die Fish-&-Chips-Shops hatten geschlossen. Nachtklubs gab es weit und breit keine, nicht mal einen mickrigen Massagesalon. Dann auf der anderen Straßenseite zwei junge Männer auf dem Heimweg; die Beine spielten so eben noch mit – das Ende einer durchsoffenen Nacht. Einer von ihnen vertilgte gerade einen Kebab. Sie sahen sich nach der seltsamen Verfolgungsjagd um. Oakes hatte sein Messer in der Tasche, aber Rebus hielt seins gut sichtbar in der Hand.

»Rufen Sie die Polizei!«, schrie er.

Oakes lachte bloß, als ob sein Kumpel betrunken sei und zum Spaß mit einem Gummidolch herumfuchtelte.

Einer der Männer grinste; der andere, der mit der Kebabsauce am Kinn, gaffte, ohne mit dem Kauen aufzuhören.

»Das ist kein Witz!«, rief Rebus, ohne sich darum zu scheren, wen er alles wecken mochte. »Ruft die Bullen!«

Er konnte nicht stehen bleiben, um ihnen seine Dienstmarke zu zeigen, konnte nicht riskieren, Oakes aus den Augen zu verlieren; es gab zu viele potenzielle Opfer auf den Straßen. Und er durfte den Blick nicht einen Moment von Oakes wenden.

Also gingen sie weiter und ließen die zwei jungen Männer hinter sich zurück.

»Bis die zu Haus sind«, meinte Oakes, »haben sie die ganze Sache vergessen. Dann heißt es Drinks aus dem Kühlschrank und Jerry Springer in der Glotze. So ist das heutzutage, Rebus. Keiner schert sich einen Dreck.«

»Keiner außer mir.«

»Keiner außer Ihnen. Haben Sie sich schon mal gefragt, woran das liegen könnte?«

Rebus schüttelte den Kopf. Er hatte nichts dagegen, dass Oakes redete: Wenn er redete, verbrauchte er Energie und Puste.

»Denken Sie nie darüber nach? Das liegt daran, dass Sie ein verdammtes Fossil sind, Mann. Alle wissen das – Sie, Ihre Vorgesetzten, Ihre Kollegen. Wahrscheinlich sogar Ihre Freundin Doktor. Was ist bloß mit der Frau los? Steht sie darauf, sich von Sauriern nageln zu lassen?« Oakes lachte wieder. »Falls es Sie interessiert, ich hab im Knast trainiert. Ich kann Ihren Arsch wie nix stemmen. Ich halt dieses Tempo bis übermorgen durch. Wie steht's mit Ihnen? Sie sehen ungefähr so fit aus wie eine ausgestorbene Spezies.«

»Manchmal kommt's bloß auf die innere Einstellung an.«

Sie liefen jetzt durch enge überwölbte Gassen, kamen auf der Causewayside raus.

»Wo gehen wir hin?«

»Sind schon fast da, Rebus. Ich möchte Sie ja nicht ermüden...« Er lachte. Auf der Causewayside waren noch Autos unterwegs. Rebus achtete darauf, dass man ihn mit dem Messer in der Hand sah. Vielleicht würde jemand an einer Telefonzelle stoppen oder einen Streifenwagen anhalten. Aber er wusste, dass die Chancen nicht besonders gut standen – nicht viele Streifenwagen in der Gegend. Wahrscheinlich auch keine Streifen zu Fuß. Die Leute würden nach Hause fahren und dann *vielleicht* die Polizei anrufen.

Und *vielleicht* würde jemand von St. Leonard's vorbeikommen und nachschauen.

Und dann würde es zu spät sein. Was immer gespielt

wurde – er spürte, dass es genau jetzt zu seinem Abschluss kam. Aus irgendeinem Grund hatte es mit... nein, er wusste, wo sie waren. Am hinteren Ende des Salisbury Place: an der Kreuzung Salisbury und Minto Street.

»Hier war's doch, oder?«, fragte Oakes und blieb stehen, da auch Rebus stehen geblieben war. »Sie überquerte gerade die Straße...?«

Sammy... überquerte gerade die Straße, als sie angefahren wurde. Zwanzig Meter die Minto Street runter.

Rebus starrte Oakes an. »Warum?«

Oakes zuckte bloß die Achseln. Rebus versuchte, sich wieder auf den jetzigen Augenblick zu konzentrieren. Nur der zählte jetzt; an Sammy konnte er später denken. Er durfte Oakes nicht länger gestatten, mit ihm zu *spielen*.

»Hat ihr einen ordentlichen Bums verpasst, hm?«, sagte Oakes. Er hatte die Hände in den Taschen, als wären sie bloß auf ein paar Worte stehen geblieben. Rebus konnte sich nicht erinnern, in welcher Tasche das Messer steckte. Seines hielt er, vorerst nutzlos, in der rechten Hand. Hatte die Straße überquert und... nicht die geringste Chance gehabt.

Ihm wurde bewusst, dass er seit dem Tag nach dem Unfall nicht mehr hier gewesen war. Er hatte den Ort gemieden.

Und irgendwie hatte Oakes gewusst, welche Wirkung der Ort auf ihn haben würde. Rebus blinzelte ein paar Mal, versuchte, einen klaren Kopf zu bekommen.

»Sie sind bei ihr vorbeigefahren, stimmt's?«, fragte Oakes.

»Was?« Rebus kniff die Augen zusammen.

»Sie sind zur Wohnung Ihrer Freundin, wussten sofort, dass ich da gewesen war. Als Nächstes sind Sie zu Ihrer Tochter. Aber zu ihr rein sind Sie nicht, stimmt's?«

Es war so, als starrte er dem Teufel in die Augen. »Woher wissen Sie das?«

»Sie wären sonst nicht hier.«

»Warum nicht?«

»Weil *ich* da gewesen bin, Rebus. Vorher, heute Abend.«

»Sie lügen.« Rebus' Stimme war spröde, seine Kehle war rau. *Versucht dich bloß abzulenken, dich zu überrumpeln, gleicher Trick wie bei Archibald…*

Oakes zuckte lediglich die Schultern. Sie standen an der Ecke. Schräg gegenüber warteten zwei Autos nebeneinander vor einer roten Ampel. Auf der inneren Spur ein Taxi; daneben ein junger Raser, den Fuß auf dem Gaspedal. Der Taxifahrer beobachtete die Szene auf der anderen Straßenseite – eine Schlägerei kurz vor dem Ausbruch; nichts, was er nicht schon zigmal gesehen hätte.

»Sie lügen«, wiederholte Rebus. Er steckte seine freie Hand in die Tasche und zog das Handy heraus. Tastete die Nummer mit dem Daumen, hielt sich das Gerät dabei vors Gesicht, so dass er gleichzeitig Oakes im Blick hatte.

»Sie brauchte ihre Beine sowieso nicht«, sagte Oakes. Das Telefon klingelte. »Nimmt keiner ab, stimmt's?«

Schweiß rann Rebus in die Augen. Aber wenn er den Kopf geschüttelt hätte, um die Tropfen wegzubekommen, hätte Oakes geglaubt, er antwortete auf seine Frage.

Das Rufzeichen verstummte.

»Hallo?« Ned Farlowes Stimme.

»Ned? Ist Sammy da? Ist mit ihr alles in Ordnung?«

»Was? Sind Sie das, John?«

»*Ist mit ihr alles in Ordnung?*« Wusste die Antwort schon, musste sie trotzdem hören.

»Natürlich ist sie –«

Oakes riss das Messer aus seiner rechten Tasche und warf sich auf Rebus. Verfehlte seine Brust nur um wenige Zentimeter. Rebus sprang zurück, ließ das Handy fallen. Er hatte die längere Reichweite. Der Taxifahrer hatte das Fenster heruntergekurbelt.

»Schluss damit, ihr beiden!«

»Sofort«, zischte Oakes. »Schluss und aus!« Er stieß ein zweites Mal mit dem Messer zu. Rebus versuchte, es mit dem Fuß abzuwehren, verlor fast das Gleichgewicht. Oakes lachte ihn aus. »Ein Nurejew sind Sie nicht, Kumpel.« Ein blitzschneller Stoß, und das Messer fuhr Rebus in den Arm. Rebus spürte, wie die Nerven taub wurden: Präludium zum Schmerz. *Mach endlich Schluss.*

Rebus sprang einen Schritt vor, täuschte mit dem Messer einen Angriff vor, zwang Oakes auszuweichen. Jetzt an der Bordsteinkante sah Rebus, dass die Ampel hinter Oakes wechselte. Oakes beugte sich vor, stach nach seiner Brust. Haarfeines Zischen, als die Klinge Rebus' Hemd aufschlitzte. Warmes Blut auf seinem Arm, weiteres Blut aus seiner frischen Wunde. Rot wechselte zu Rot-und-Gelb.

Zu Grün.

Rebus sprang mit erhobenem Fuß vor und traf Oakes mit der Sohle an der Brust. Oakes konnte noch einmal zustechen, bevor er rücklings auf die Fahrbahn gestoßen wurde, wo der junge Raser, der nichts von der Auseinandersetzung mitbekommen hatte – Radio auf volle Dröhnung und Freundin halb um den Hals gewickelt –, gerade vorführte, was seine Karre für eine Beschleunigung aus dem Stand brachte. Er erwischte Oakes voll, schleuderte ihn in die Luft und zertrümmerte ihm dabei eine Hüfte nebst, wie Rebus hoffte, ein paar weiteren Knochen. Der Wagen kam kreischend zum Stehen. Der junge Mann streckte den Kopf aus dem Fenster, sah Messerklingen, nahm den Fuß von der Kupplung und raste davon.

Rebus machte sich nicht die Mühe, nach dem Nummernschild zu sehen. Er stand auf Oakes' Messerhand, zwang die Finger auseinander, hob dann die Waffe auf und steckte sie ein. Der Taxifahrer verharrte noch immer an der Ampel.

»Rufen Sie die Polizei!«, rief ihm Rebus zu. Er hielt den verletzten Arm an die Brust.

Oakes wälzte sich auf dem Boden, die Hand an Oberschenkel und Seite gepresst, das Gesicht vor Schmerz verzogen.

Rebus richtete sich wieder auf, nahm einen kleinen Anlauf und trat ihm in den Unterleib. Während Oakes stöhnte und würgte, verpasste ihm Rebus einen weiteren Tritt. Dann ging er wieder in die Hocke.

»Ich würde ja gern sagen, dass das für Stevens war«, sagte er. »Aber wenn ich wirklich ehrlich sein soll, war das ganz allein für mich.«

Rebus verbrachte eine Stunde in der Notaufnahme – vier Stiche für den Arm, acht für die Brust. Die Armwunde war die tiefere, aber beide waren sauber. Oakes befand sich irgendwo in der Nähe und wurde wegen allerlei Frakturen behandelt. Sechs Leute vom Crime Squad bewachten ihn.

Rebus ließ sich von einem Streifenwagen nach Hause fahren, wo er sein Schnurlostelefon wieder einsammelte und sich einen Schluck Whisky und anschließend noch einen genehmigte.

Den Rest der Nacht verbrachte er in St. Leonard's. Erst tippte er einhändig seinen Bericht, dann gab er Chief Superintendent Watson, den man inzwischen aus dem Bett geholt hatte und dessen angeklatschtes Stirnhaar bei jeder Kopfbewegung auf und ab wippte, noch ein paar mündliche Zusatzinformationen.

Es war zweifelhaft, ob man Oakes den Mord an Jim Stevens würde nachweisen können. Wenn, dann nur aufgrund von kriminaltechnischen Indizien: Fingerabdrücken, Gewebefasern, Speichelspuren. Stevens' Kassette war sorgsam eingetütet und an die Weißkittelbrigade weitergereicht worden.

»Aber wegen des Angriffs auf mich und Alan Archibald kriegen wir ihn doch wohl dran, oder?«, fragte Rebus seinen Vorgesetzten.

Farmer Watson nickte. »Für die Sache in den Pentlands ja.«

»Und wie steht's mit dem Mordversuch von vor drei Stunden?«

Der Farmer schob Papierkram auf seinem Schreibtisch herum. »Sie haben es ja selbst gesagt, die meisten Zeugen werden *Sie* mit einem Messer gesehen haben, nicht ihn.«

»Aber der Taxifahrer ...«

Der Farmer nickte. »Er wird der entscheidende Zeuge sein. Hoffen wir bloß, er kriegt seine Geschichte auf die Reihe.«

Rebus merkte, worauf sein Chef hinauswollte. »Sir, glauben *Sie*, dass ich in Notwehr gehandelt habe?«

»Natürlich, John. Versteht sich von selbst.« Aber der Farmer wich seinem Blick aus.

Rebus versuchte, sich eine passende Erwiderung auszudenken; entschied dann, dass es die Mühe nicht lohnte.

»Die Kollegen vom Crime Squad sind ziemlich stinkig«, fügte der Farmer mit einem Lächeln hinzu. »Eine solche Antiklimax ist nicht gerade nach ihrem Geschmack.«

»Vielleicht sieht man es mir von außen nicht an, Sir, aber mir blutet das Herz.« Er wandte sich zur Tür.

»Sie fahren *nicht* ins Krankenhaus, John«, sagte der Farmer in warnendem Ton. »Ich möchte nicht, dass er aus dem Bett fällt und behauptet, jemand hätte ihn geschubst.«

Rebus schnaubte, stieg die Treppe hinunter und ging hinaus auf den Parkplatz. Er würgte noch ein paar Schmerztabletten trocken hinunter, steckte sich eine Zigarette an und starrte in die Richtung von Holyrood Park. Sie waren da – Arthur's Seat, Salisbury Crags –, man konnte sie bloß nicht immer sehen. Aber das bedeutete nicht, dass sie nicht da gewesen wären.

Leicht, da im Dunkeln einen Fehltritt zu machen... Leicht, nicht zu merken, wie sich von hinten jemand anschlich...

Rebus verließ den Parkplatz und schlenderte die St. Leonard's Bank entlang. Stevens' Wagen war zur kriminaltechnischen Untersuchung nach Howdenhall geschafft worden. Am Ende der Straße gab es eine Lücke im Zaun, durch die man in den Park gelangte. Rebus kletterte hinunter zum Queen's Drive. Nachdem er die Straße überquert hatte, begann er den Aufstieg. Jetzt, wo er die Straßenlaternen hinter sich gelassen hatte, schritt er zögernder aus. Er *spürte* eher den Anfang der Radical Road unter den Füßen, als dass er ihn gesehen hätte; darüber ragte die unregelmäßige Felswand der Crags auf. Rebus ließ den Pfad links liegen und kletterte weiter querfeldein, bis er den Gipfel der Crags erreicht hatte und die Stadt unter sich als ein Raster von natriumorangefarbenen und halogenweißen Lichtbändern sah. Der Moloch war am Aufwachen – immer mehr Autos krochen stadteinwärts. Als er sich umdrehte, sah er, dass der Himmel einen Stich weniger schwarz war als die Felsmasse darunter. Manche Leute meinten, der Arthur's Seat sehe aus wie ein sprungbereit kauernder Löwe. Springen tat er allerdings nie. Ein Löwe prangte auch auf der schottischen Fahne – nicht kauernd, sondern aufgerichtet...

War Jim Margolies mit der ausdrücklichen Absicht hier heraufgekommen, sich hinunterzustürzen? Rebus glaubte, jetzt die Antwort zu kennen. Und er wusste es des Abendessens wegen, zu dem die Margolies an dem Abend eingeladen gewesen waren, auf der anderen Seite des Parks.

Deswegen, und einer gewissen weißen Limousine wegen...

50

Dr. Joseph Margolies wohnte mit seiner Frau in einem Einzelhaus in Gullane, mit unverbautem Blick auf den Golfplatz von Muirfield. Rebus spielte kein Golf. Als Junge hatte er es ein paarmal versucht, hatte einen halben Satz Schläger über den örtlichen Platz geschleppt und ein halbes Dutzend Bälle im Jamphlars Pond versenkt. Er wusste, dass ein paar seiner Kollegen mit dem Spielen angefangen hatten, weil sie sich davon berufliche Vorteile versprachen – solange sie nur ihre Vorgesetzten immer gewinnen ließen.

Rebus fand nicht, dass das ein Sport nach seinem Geschmack war.

Siobhan Clarke parkte und schaltete die Radionachrichten aus. Es war zehn Uhr morgens. Rebus hatte es geschafft, in seiner Wohnung ein paar Stunden lang zu schlafen, und dann Patience angerufen und ihr mitgeteilt, dass Cary Oakes hinter Gittern saß.

»Bleiben Sie im Auto«, sagte er zu Clarke, während er sich durch die Tür manövrierte. Was keine Kleinigkeit war, wenn ein Arm in der Schlinge steckte und die Brust einem Kummer bereitete, wenn man sich ein bisschen reckte.

Mrs. Margolies öffnete die Tür. Von nahem sah sie ihrem Sohn ähnlich. Das gleiche kantige Kinn, die gleichen schmalen Augen. Sie hatte sogar das gleiche Lächeln.

Rebus stellte sich vor und fragte, ob er ihren Mann sprechen könne.

»Er ist im Gewächshaus. Gibt es Probleme, Inspector?«

Er lächelte. »Keine Probleme, Madam. Nur ein paar Fragen, das ist alles.«

»Wenn Sie mir bitte folgen wollen«, sagte sie und trat

beiseite, um ihn hereinzulassen. Sie hatte einen Blick auf seinen Arm geworfen, aber offenbar nicht vor, sich dazu zu äußern. Manche Leute stellten eben nicht gern Fragen… Während er ihr den Korridor entlang folgte, schaute er im Vorbeigehen durch offene Türen und sah überall penibelste Ordnung: eine Strickarbeit auf einem Sessel; Zeitschriften in einem Gestell; staubfreie Nippes; blitzende Fenster. Das Haus stammte aus den Dreißigerjahren. Von außen schien es ganz aus Giebeln und Traufen zu bestehen. Rebus fragte, wie lange sie schon da wohnten.

»Seit über vierzig Jahren«, erwiderte Mrs. Margolies mit unverkennbarem Stolz.

Das war also das Haus, in dem Jim Margolies aufgewachsen war. Und ebenso seine Schwester. Aus den Akten wusste Rebus, dass sie im Badezimmer Selbstmord begangen hatte. Oft entschieden sich die Hinterbliebenen in einer solchen Situation dafür, das Haus zu verkaufen und woanders hinzuziehen. Aber es gab auch Familien, die *gerade* deshalb nicht wegzogen, weil etwas von dem geliebten Menschen in dem Haus zurückblieb und für immer verloren gewesen wäre, wenn sie es aufgegeben hätten.

Die Küche sah ebenfalls mustergültig aufgeräumt aus; es stand nicht einmal eine Tasse oder Untertasse auf dem Trockengestell. An der Kühlschranktür war mit Hilfe eines Magneten in Form einer Teekanne ein Merkzettel befestigt, auf dem jedoch nichts stand. Mrs. Margolies fragte Rebus, ob sie ihm eine Tasse Tee anbieten könne. Er schüttelte den Kopf.

»Trotzdem danke.« Er lächelte, beobachtete sie und dachte: *Die Ehefrau weiß oft Bescheid…* Und: *Manche Leute stellen einfach keine Fragen…*

Hinter der Küche kam ein kurzer Flur mit zwei begehbaren Schränken – beide offen und mit Gartengeräten gefüllt – sowie die Hintertür, die ebenfalls offen stand. Sie traten ins Freie und gelangten in einen ummauerten, sehr gepflegten Garten. Rebus entdeckte einen Steingarten und daneben mehrere Blumenbeete. Ein kurz geschorener Rasen trennte diese von einem langen, schmalen Gemüsebeet. Am hinteren Ende des Gartens Bäume und Sträucher und, halb in einer Ecke versteckt, ein Gewächshaus, in dem sich jemand gerade zu schaffen machte.

Rebus wandte sich zu seiner Begleiterin. »Danke, jetzt finde ich mich schon zurecht.«

Und er überquerte den Rasen. Es war ein Gefühl, als ginge man über einen teuren Teppich. Er drehte sich einmal kurz um, bemerkte, wie Mrs. Margolies ihn von der Tür aus beobachtete. In einem der Nachbargärten brannte offenbar ein offenes Feuer. Rauch wallte über die Mauer. Rebus ging durch die Schwaden auf das Glashaus zu. Ein schwarzer Labrador spitzte die Ohren, als er seine Schritte hörte, richtete sich etwas auf und stieß ein halbherziges Bellen aus. Seine Schnauzhaare waren weiß, und er machte einen verwöhnten Eindruck: überfressen und, nicht mehr der Jüngste, durch zu wenig Bewegung verweichlicht. Die Tür des Gewächshauses glitt auf, und ein älterer Mann sah durch halbmondförmige Brillengläser seinem Besucher entgegen. Groß, grauhaarig, schwarzer Schnurrbart – genau wie Jamie ihn beschrieben hatte: der Mann, der nach Greenfield gekommen war, um Darren Rough zu sprechen.

»Ja? Kann ich Ihnen helfen?«

»Dr. Margolies, ich bin Detective Inspector John Rebus.«

Margolies hielt die Hände hoch. »Sie werden verzeihen, wenn ich Ihnen nicht die Hand gebe.« Die Hände waren schwarz von Blumenerde.

»Ich muss ebenfalls passen«, sagte Rebus und deutete auf seinen Arm.

»Sieht böse aus. Was ist passiert?« Nicht so zurückhaltend wie die Frau Gemahlin. Aber vielleicht hatte sie auch ein halbes Leben lang geübt, sich Fragen zu verkneifen. Rebus beugte sich hinunter und kraulte dem Labrador den Kopf. Zum Dank klopfte sein dichter Schwanz auf den Boden.

»Meinungsverschiedenheit gehabt«, erklärte Rebus.

»In Erfüllung Ihrer Dienstpflichten, hm? Ich glaube, wir sind uns schon begegnet.«

»Bei Hannahs Auftritt.«

»Ach ja.« Er nickte langsam. »Sie wollten Ama sprechen.«

»Damals, ja.«

»Geht es jetzt auch um sie?« Margolies zog sich wieder ins Gewächshaus zurück. Rebus folgte ihm und sah, dass der alte Mann gerade dabei gewesen war, Keimlinge einzutopfen. Trotz des trüben Wetters war es warm im Gewächshaus. Margolies bat Rebus, die Tür zu schließen.

»Damit die Wärme drinbleibt«, erklärte er.

Rebus schob die Tür zu. Den größten Teil des verfügbaren Raums nahmen lange Arbeitstische ein, auf denen Reihen von Anzuchtschalen standen. Auf dem Boden stand ein Sack Blumenerde, aus dem Dr. Margolies einen schwarzen Plastikblumentopf füllte.

»Was ist es für ein Gefühl, mit einem Mord davonzukommen?«, fragte Rebus.

»Wie bitte?« Margolies nahm einen Keimling und steckte ihn in seinen neuen Topf.

»Sie haben Darren Rough ermordet.«

»Wen?«

Rebus nahm Margolies den Topf aus der Hand. »Wird verdammt schwer sein, Ihnen das nachzuweisen. Ja, ich glaube nicht mal, dass es jemals gelingt. Ich glaube wirklich, Sie sind damit durchgekommen.«

Margolies starrte ihn an, nahm ihm den Blumentopf wieder ab.

»Tut mir Leid«, sagte er. »Ich habe nicht die leiseste Ahnung, wovon Sie reden.«

»Man hat Sie in Greenfield gesehen. Sie haben sich nach Darren Rough erkundigt. Dann sind Sie mit Ihrem weißen Mercedes weggefahren. Jemand hatte etwas um dieselbe Zeit, als Darren getötet wurde, eine weiße Limousine im Holyrood Park gesehen. Ich glaube, er suchte dort Zuflucht, aber Sie fanden, das sei ein idealer Ort für einen Mord.«

»Sie sprechen in Rätseln, Inspector ... Wissen Sie eigentlich, wer ich bin?«

»Ich weiß genau, wer Sie sind. Ich weiß, dass Ihre beiden Kinder sich das Leben genommen haben. Ich weiß, dass Sie in die Shiellion-Geschichte verwickelt waren.«

»Wie bitte?« Jetzt war ein leichtes Zittern in seiner Stimme zu hören. Ein Keimling entglitt seinen wächsernen Fingern.

»Keine Sorge, Harold Ince wird seinen Teil der Abmachung einhalten. Er hat mit mir geredet, aber das wäre gerichtlich nicht verwertbar, und er wird niemandem sonst etwas sagen. Er hat mir gesagt, dass Sie in der betreffenden Nacht in Shiellion waren. Ince hatte sich schon oft mit Ihnen unterhalten, sich ein Bild von Ihnen gemacht. Er hatte Ihnen erzählt, was er mit den Jungs anstellte, die sich in seiner Obhut befanden. Er *wusste*, dass Sie nichts sagen würden, weil Sie beide Seelenverwandte waren. Er wusste, wie nützlich es gewesen wäre, wenn ein Arzt, und noch dazu derjenige, der für die amtsärztliche Untersuchung der Kinder zuständig war, mit von der Partie gewesen wäre.« Rebus brachte seinen Mund ganz dicht an Margolies' Ohr. »Er hat mir *alles* erzählt, Dr. Margolies.«

Die regelmäßigen Drinks nach Feierabend, die den Arzt

aufgelockert hatten. Dann Ramsay Marshall, der eines Abends mit einem neuen Jungen, Darren Rough, angekommen war. Dem Jungen die Augen verbunden hatte, so dass er Margolies nicht wiedererkennen würde – letztere Vorsichtsmaßnahme auf Beharren des Arztes. Das Schwitzen und Zittern… das Wissen darum, dass diese Nacht alles ändern würde…

Und anschließend: vielleicht Selbstverachtung, vielleicht aber auch nur Angst vor der Entlarvung. Er war damit nicht fertig geworden, hatte Gesundheitsprobleme vorgeschützt und sich in den vorzeitigen Ruhestand versetzen lassen.

»Aber von Ince haben Sie sich nie befreien können. Er hat Sie erpresst – er und Marshall.« Rebus' Stimme war wenig mehr als ein Flüstern, seine Lippen berührten fast das Ohr des alten Mannes. »Wissen Sie was? Ich bin gottverdammt *froh*, dass er Sie all die Jahre lang geschröpft hat.« Rebus trat einen Schritt zurück.

»Sie wissen gar nichts.« Margolies' Gesicht war tiefrot. Seine Brust hob und senkte sich unter dem karierten Hemd.

»Ich kann nichts *beweisen*, aber das ist nicht ganz dasselbe. Ich *weiß* es, und das ist das Einzige, was zählt. Ich glaube, Ihre Tochter hat es irgendwie herausgefunden. Die Scham darüber hat sie umgebracht. Sie sind am Morgen immer als Erster aufgestanden, sie wusste, dass *Sie* sie finden würden. Und dann hat Jim das irgendwie erfahren, und er konnte damit ebenfalls nicht leben. Wie können *Sie* damit leben, Dr. Margolies? Wie können Sie mit dem Tod Ihrer beiden Kinder und dem Mord an Darren Rough leben?«

Margolies packte eine Gartenforke und hielt sie Rebus an die Kehle. Sein Gesicht war zu einer Maske aus Wut und Frustration verzerrt. Schweißperlen tropften ihm von der Stirn.

Margolies sagte nichts, knirschte lediglich mit den Zähnen. Rebus stand da, die Hand in der Tasche.

»Was?«, sagte er. »Mich wollen Sie auch töten?« Er schüttelte den Kopf. »Denken Sie einmal nach. Ihre Frau hat mich gesehen. Draußen auf der Straße wartet eine Kollegin auf mich. Wie wollen Sie sich da jemals herausreden? Nein, Dr. Margolies, Sie werden mich nicht töten. Wie gesagt, ich kann nichts von dem beweisen, was ich gerade gesagt habe. Das bleibt unter uns beiden.« Rebus zog die Hand aus der Tasche, schob die Forke beiseite. Der schwarze Labrador sah durch die Tür herein, schien zu spüren, dass etwas nicht stimmte.

»Was wollen Sie?«, stieß Margolies hervor und klammerte sich mit beiden Händen an den Arbeitstisch.

»Ich will, dass Sie den Rest Ihres Lebens in dem Bewusstsein zubringen, dass ich Bescheid weiß. Das ist alles.«

»Sie wollen, dass ich mir das Leben nehme?«

Rebus lachte. »Ich glaube nicht, dass Sie das Zeug dazu haben. Sie sind ein alter Mann, Sie machen es sowieso nicht mehr lang. Und wenn Sie erst mal tot sind, werden Ince und Marshall es sich vielleicht noch einmal überlegen und *doch* anfangen zu plaudern. Von Ihrem guten Ruf wird nichts mehr übrig bleiben.«

Margolies starrte ihn an, und jetzt lag glasklarer, konzentrierter Hass in seinem Blick.

»Natürlich«, sagte Rebus, »sollten *doch* irgendwelche Beweise auftauchen, können Sie versichert sein, dass ich im Laufschritt hier wieder aufkreuze. Vielleicht feiern Sie dann gerade das Millennium, vielleicht trifft gerade die Karte von der Queen ein, und dann werden Sie mich durch die Tür hereinspazieren sehen.« Er lächelte. »Ich werde nie sehr weit weg sein, Dr. Margolies.«

Er schob die Tür des Gewächshauses auf, machte einen kleinen Bogen um den Hund und ging.

Es fühlte sich ganz und gar nicht wie ein Sieg an. Sofern sich nichts Neues ergab, würde es keine Gerechtigkeit für Darren Rough geben, keine öffentliche Verhandlung. Aber Rebus wusste, dass er sein Möglichstes getan hatte. Mrs. Margolies befand sich in der Küche und gab sich keine Mühe, so zu tun, als würde sie nicht auf ihn warten.

»Alles in Ordnung?«, fragte sie.

»Bestens, Mrs. Margolies.« Er ging den Korridor entlang zur Haustür. Mrs. Margolies blieb ihm auf den Fersen.

»Na ja, ich fragte mich einfach...«

Rebus öffnete die Tür, wandte sich noch einmal um. »Warum fragen Sie nicht einfach Ihren Mann, Mrs. Margolies?«

Die Ehefrau weiß oft Bescheid, bringt es nie fertig zu fragen.

»Nur noch eins, Mrs. Margolies...«

»Ja?«

Ihr Mann ist ein kaltblütiger Mörder. Sein Mund öffnete und schloss sich wieder, aber es kam nichts heraus. Er schüttelte den Kopf, ging den Gartenweg entlang zurück zur Straße.

Clarke fuhr ihn nach Grange, zu Katherine Margolies' Haus. Es war eine dreigeschossige georgianische Doppelhaushälfte in einer Straße, deren Häuser zur Hälfte in Pensionen umgewandelt worden waren. Der weiße Benz stand vor dem Gartentor. Rebus sah Clarke an.

»Ich weiß«, sagte sie. »›Bleiben Sie im Auto‹.«

Katherine Margolies wirkte nicht gerade begeistert, ihn zu sehen.

»Was wollen Sie?« Sie schien ihn an der Haustür abfertigen zu wollen.

»Es geht um den Selbstmord Ihres Mannes.«

»Was ist damit?« Ihr Gesicht war schmal und hart, ihre Hände lang und dünn wie Schlachtermesser.

»Ich glaube, ich weiß, warum er es getan hat.«

»Und wie kommen Sie darauf, dass *ich* es wissen möchte?«

»Sie wissen es doch schon, Mrs. Margolies.« Rebus holte tief Luft. Nun, wenn sie nichts dagegen hatte, solche Dinge zwischen Tür und Angel zu besprechen ... »Wann hat er herausgefunden, dass sein Vater ein Pädophiler war?«

Sie riss die Augen auf. Eine Frau trat in dem Moment aus dem Nachbarhaus und schickte sich an, ihren Jack-Russell-Terrier Gassi zu führen. »Sie kommen besser herein«, sagte Katherine Margolies scharf, während sie hastig ihren Blick über die Straße schweifen ließ. Sobald er eingetreten war, schloss sie die Tür und lehnte sich mit verschränkten Armen dagegen.

»Nun?«, sagte sie.

Rebus sah sich um. Die Eingangshalle hatte einen grauen, schwarz geäderten Marmorfußboden. Eine geschwungene Steintreppe führte nach oben. An den Wänden hingen Gemälde. Rebus hatte den Verdacht, dass es keine Reproduktionen waren. Sie schien seinen verletzten Arm nicht bemerkt zu haben – so weit reichte ihr Interesse für ihn nicht.

»Ist Hannah nicht zu Haus?«, fragte er.

»Sie ist in der Schule. Hören Sie, ich weiß wirklich nicht, was das –«

»Dann werde ich es Ihnen erzählen. Jims Tod lässt mir keine Ruhe. Und ich werde Ihnen sagen, warum. Ich weiß, wie das ist, an einem Abgrund zu stehen und sich zu fragen, ob man den Mut aufbringen wird zu springen.«

Ihr Gesichtsausdruck wurde etwas milder.

»Gewöhnlich lag es am Suff«, fuhr er fort. »Den habe ich mittlerweile, glaube ich, im Griff. Aber mir sind zwei Dinge klar geworden. Erstens gehört ein ungeheurer Mut dazu, es durchzuziehen. Zweitens muss man schon einen verflucht guten Grund haben, nicht weiterleben zu wollen. Sehen Sie, wenn's hart auf hart kommt, ist weiterleben immer die einfachere Option. Ich konnte mir keinen Grund vorstellen, warum *Jim* sich das Leben nehmen sollte, nicht den geringsten. Aber es musste einen geben. Das machte mir so zu schaffen. Es *musste* einen geben.«

»Und jetzt glauben Sie, ihn herausgefunden zu haben?« Ihre Augen glänzten im Halbdunkel der Eingangshalle.

»Ja.«

»Und Sie meinen, er sei es wert, dass Sie ihn mir mitteilen?«

Er schüttelte den Kopf. »Ich brauche lediglich Ihre Bestätigung, damit ich weiß, dass ich Recht habe.«

»Und dann haben Sie Ihren Seelenfrieden?« Sie wartete, bis er genickt hatte. »Und was für ein Recht haben Sie darauf, Inspector Rebus? Was gibt Ihnen das Recht, ruhig zu schlafen?«

»Mein Schlaf hat nie allzu viel mit Ruhe zu tun, Mrs. Margolies.« In dem Moment schien es ihm – und vielleicht spielte ihm nur das Zwielicht einen Streich –, als sähe er sie am Ende eines langen Tunnels, so dass nur sie sich deutlich abzeichnete, während alles, was zwischen ihnen und um sie herum war, nur eine verschwommene Masse undeutlicher Schatten bildete. Und am Rand des Gesichtsfelds sammelten und bewegten sich Gestalten: die Gespenster. Sie waren alle da, sein ganz privates Publikum. Jack Morton, Jim Stevens, Darren Rough … ja selbst Jim Margolies. So lebendig, wie sie auf ihn wirkten, konnte er kaum glauben, dass Katherine Margolies sie nicht wahrnahm.

»Am Abend bevor Jim starb«, fuhr Rebus fort, »waren Sie bei Freunden in der Royal Park Terrace zum Essen eingeladen. Das hat mir zu denken gegeben … von der Royal Park Terrace zum Grange.«

»Was ist damit?« Jetzt mit einer gelangweilten Miene, die Rebus vollkommen aufgesetzt erschien.

»Die kürzeste Route führt durch den Holyrood Park. Sind Sie damals so gefahren?«

»Ich glaube schon.«

»In Ihrem weißen Mercedes?«

»Ja.«

»Und dann hat Jim gehalten, ist ausgestiegen...«

»Nein.«

»Jemand hat den Wagen gesehen.«

»Nein.«

»Denn irgendetwas machte sein Leben zur Hölle, etwas, das er über seinen Vater erfahren hatte, vielleicht gerade erst kurz zuvor...«

»Nein.«

Rebus machte einen Schritt auf sie zu. »In dieser Nacht goss es wie aus Kübeln. Er kann unmöglich spazieren gegangen sein. Das ist Ihre Version, Mrs. Margolies: Mitten in der Nacht ist er aufgestanden, hat sich angezogen und ist spazieren gegangen. Er ist den ganzen Weg bis zu den Salisbury Crags durch den Regen gelaufen, bloß um sich da in den Tod zu stürzen.« Rebus schüttelte den Kopf. »Meine Version ist da glaubwürdiger.«

»Finden *Sie* vielleicht.«

»Ich habe nicht vor, das in alle Welt hinauszuposaunen, Mrs. Margolies. Ich brauche nur die Gewissheit, dass es wirklich so gewesen ist. Er hatte mit einem der Shiellion-Opfer gesprochen. Er fand heraus, dass sein Vater in den Shiellion-Fall verwickelt war, und er hatte Angst, dass es herauskommen, Angst, dass die Schande auf *ihn* zurückfallen würde.«

Sie explodierte. »Herrgott, so schief *kann* man doch überhaupt nicht liegen! Was hat das Ganze mit Shiellion zu tun?«

Rebus sammelte sich. »Sagen *Sie* es mir.«

»Begreifen Sie denn nicht?« Sie weinte jetzt. »Es ging um Hannah ...«

Rebus runzelte die Stirn. »Hannah?«

»Hannah hieß seine Schwester. Unsere Hannah wurde nach ihr getauft. Jim wollte sich damit an seinem Vater rächen.«

»Weil Dr. Margolies mit Hannah ...« Rebus brachte es nicht fertig, das Wort auszusprechen.

Sie rieb sich mit dem Handrücken über die Augen, verschmierte Mascara. »Er verging sich an seiner eigenen Tochter. Gott weiß, ob es nur das eine Mal passierte. Es könnte auch schon Jahre lang so gegangen sein. Als sie sich das Leben nahm ...«

»Sie tat es im Wissen darum, wer sie als Erster finden würde?«

Sie nickte. »Jim wusste, was passiert war ... wusste, warum sie es getan hatte. Aber natürlich lässt niemand je ein Wort darüber fallen.« Sie sah ihn an. »Über so etwas *spricht* man doch nicht, oder? Jedenfalls nicht in unseren Kreisen. Stattdessen versuchte er, es aus seinem Bewusstsein zu verdrängen, zu akzeptieren, dass es keine Abhilfe gab.«

»Ich weiß nicht genau, ob ich Sie richtig verstehe.« Aber *etwas* verstand er – er wusste jetzt, warum Jim Darren Rough zusammengeschlagen hatte. Projizierter Zorn: Er hatte nicht Rough geschlagen, sondern seinen Vater.

Sie rutschte mit dem Rücken an der Tür entlang nach unten, bis sie am Boden kauerte, die Arme um die Knie geschlungen. Rebus ließ sich auf der untersten Stufe der Treppe nieder, versuchte, das alles zu begreifen: Joseph Margolies hatte seine eigene Tochter missbraucht ... was hatte ihn dazu gebracht, sich auch noch einem Jungen wie Darren Rough zuzuwenden? Vielleicht Ince' Beharrlichkeit; oder einfach Begierde und Neugier, die Aussicht auf eine weitere verbotene Frucht …

Katherine Margolies' Stimme klang jetzt wieder gefasst. »Ich glaube, dass Jim Polizist wurde, war für ihn ein Weg, seinem Vater etwas zu *sagen* – ihm zu sagen, dass er niemals vergessen, niemals vergeben würde.«

»Aber wenn er das von seinem Vater schon die ganze Zeit wusste, warum hat er sich dann getötet?«

»Ich hab's Ihnen doch gesagt! Wegen Hannah.«

»Seiner Schwester?«

Sie stieß ein freudloses Lachen aus. »Natürlich nicht.« Schwieg einen Augenblick. »Unsere Tochter, Inspector. Ich meine unsere Tochter Hannah. Jim hatte … er machte sich schon seit einiger Zeit Sorgen.« Sie atmete tief durch. »Mir war aufgefallen, dass er nicht schlief. Ich wachte nachts auf, und da lag er mit offenen Augen im Dunkeln und starrte an die Decke. Eines Nachts sagte er es mir. Er meinte, ich solle es wissen.«

»Worüber machte er sich denn Sorgen?«

»Dass er dabei war, sich in seinen Vater zu verwandeln. Dass es eine genetische Veranlagung war, etwas, worüber er keinerlei Kontrolle hatte.«

»Sie meinen, Hannah?«

Sie nickte. »Er sagte, er versuche, diese Gedanken aus seinem Kopf zu verbannen, aber sie kämen trotzdem. Er schaute sie an und sah nicht mehr seine Tochter.« Ihre Augen waren auf das Muster des Fußbodens gerichtet. »Er sah etwas anderes, etwas *Begehrenswertes* …«

Endlich war Rebus alles klar – alle Ängste Jim Margolies', die Vergangenheit, die ihn verfolgt hatte, und die Sorge, dass sie sich wiederholen würde. Er begriff, warum der Mann sich auf jung aussehende Prostituierte verlegt hatte. Begriff das Grauen der ewigen Wiederkehr des Gleichen. *Nicht in unseren Kreisen.* Wenn Familien wie die Margolies und die Petries diese »besseren Kreise« darstellten, dann wollte er mit ihnen nichts zu tun haben.

»Er war den ganzen Abend sehr still gewesen«, fuhr Katherine Margolies fort. »Ein-, zweimal hatte ich ihn dabei beobachtet, wie er Hannah betrachtete, und gesehen, was für eine Angst in ihm war.« Sie rieb sich die Augen, sah mit einem verzeifelten Blick empor zur Decke. Das Geräusch, das aus ihrer Kehle drang, war der Laut eines gefangenen Tiers.

»Auf dem Heimweg hielt er den Wagen an, stieg aus und rannte weg. Ich bin ihm gefolgt, und als ich ihn eingeholt hatte, blieb er einfach stehen. Anfangs war mir nicht klar, dass er sich ganz am Rand der Crags befand. Er muss mich gehört haben. Und dann war er plötzlich weg. Wie weggezaubert, wie von einem Magier weggezaubert. Dann begriff ich, was passiert war. Er war gesprungen. Ich fühlte mich… tja, ich weiß nicht, wie ich mich fühlte. Benommen, verraten, schockiert.« Sie schüttelte den Kopf, selbst jetzt noch unsicher, was für Gefühle sie dem Mann entgegenbrachte, der sich eher das Leben genommen hatte, als seinem schändlichen Verlangen nachzugeben. »Ich bin zum Auto zurück. Hannah wollte wissen, wo ihr Daddy sei. Ich sagte, er würde einen Spaziergang machen. Ich habe mich ans Steuer gesetzt und bin heimgefahren. Ich bin nicht den Hang hinuntergestiegen, hab nicht versucht, ihm zu helfen. Ich hab gar nichts getan. Gott weiß, warum.« Jetzt fuhr sie sich mit beiden Händen durch das Haar.

Rebus stand auf, öffnete eine Tür. Sie führte in ein förmlich eingerichtetes Speisezimmer. Kristallkaraffen auf einem blank polierten Sideboard. Er schnüffelte an einer, schenkte ein großes Glas Whisky ein. Ging damit in die Eingangshalle und reichte es Katherine Margolies. Lief wieder zurück und holte sich ebenfalls eines. Jetzt war ihm die Abfolge der Ereignisse klar: Jane Barbour erzählt Jim, dass Rough wieder in die Stadt kommt; Jim sieht sich den Fall noch einmal an, bleibt bei dem dritten Mann hängen. Weiß, dass sein Vater früher in Kinderheimen gearbeitet hatte. Will es wissen, nimmt Darren Rough ins Verhör, seine Welt bricht wie ein Kartenhaus in sich zusammen…

»Wissen Sie«, sagte seine Witwe jetzt, »Jim hatte keine Angst zu sterben. Er sagte, dass es da so einen Kutscher gebe.«

»Einen Kutscher?«

»Der einen da hinfuhr, wo man nach dem Tod eben hinsollte.«

Rebus nickte. »Eine alte Edinburgher Gespenstergeschichte, das ist alles.«

»Sie glauben also nicht an Gespenster?«

»Das würde ich nicht unbedingt sagen.« Er hob sein Glas. »Auf Jim«, sagte er. Als er sich umsah, war weit und breit kein Gespenst zu sehen.

51

Eine Woche später erhielt Rebus einen Anruf von Brian Mich.

»Was gibt's, Brian?« Aber er hatte es schon an seinem Ton erraten.

»Ach, Scheiße, John, sie hat mich verlassen.«

»Tut mir Leid, das zu hören, Brian.«

»Wirklich?« In Brians Lachen schwang ein leicht ungläubiger Unterton.

»Wirklich. Es tut mir ehrlich Leid.«

»Aber sie hat's dir gesagt, oder?«

»Irgendwie indirekt, ja.« Rebus schwieg kurz. »Und, weißt du, wo sie ist?«

»Lass die Scheiße, John. Sie ist bei dir zu Haus.«

»Was?«

»Du hast mich verstanden. Sie wohnt bei dir.«

»Das ist mir neu.«

»Sie kennt sonst niemanden dort.«

»Es gibt Pensionen, möblierte Zimmer …«

»Du hast sie nicht bei dir aufgenommen?«

»Mein Wort darauf.«

Es folgte ein langes Schweigen. »Herrgott, John, es tut mir Leid. Ich bin ganz krank vor Sorge.«

»Völlig verständlich, Brian.«

»Meinst du, es würd sich lohnen, dass ich rüberkomme und nach ihr suche?«

Rebus atmete aus. »Was glaubst *du*?«

»Ich glaube, dass sie mich früher geliebt hat.«

»Und jetzt nicht mehr?«

»Sonst wäre sie wohl nicht gegangen.«

»Wohl wahr.«

»Selbst wenn sie Damon finden sollte, glaub ich nicht, dass sie noch zurückkommt.«

»Lass ihr ein bisschen Zeit, Brian.«

»Ja, klar.« Brian Mich schniefte. »Weißt du was? Das hat mir früher gefallen, dass die Leute mich Barney nannten. Ich weiß, wie ich zu dem Namen gekommen bin.«

»Ich dachte, du hättest gesagt, dass du's nicht weißt?«

»Ja, sicher, aber ich weiß es. Barney Geröllheimer, aus *Familie Feuerstein*. Weil alle meinten, ich wär auch so ein zurückgebliebener Neandertaler. Einer hat mich auch mal ausdrücklich so genannt: nicht bloß ›Barney‹, sondern ›Barney Rubble‹.«

Rebus lächelte. »Aber trotzdem hat dir der Name gefallen?«

»Das hab ich nicht gesagt. Ich hab gesagt, dass es mir gefiel, einen Spitznamen zu haben. Das war so was wie eine Identität, nicht? Und das ist immer noch besser als gar nichts.«

Rebus musste lächeln. Er sah jetzt Barney Mich vor sich, den zähen kleinen Kämpfer, der sich ins Getümmel stürzte, um Mitch zu retten. All die Jahre, die die Gegenwart von diesem längst vergangenen Ereignis trennten, schienen mit einem Mal zu verschwinden. Es war so, als könnten die beiden einträchtig nebeneinander leben, die Vergangenheit eine geisterhafte Gefährtin des Hier und Jetzt. Nichts verloren, nichts vergessen, die Erlösung eine stets präsente Möglichkeit.

Aber wenn das stimmte, wie konnte er erklären, dass Dr. Margolies nie einen Gerichtssaal von innen sehen würde, dass nur einige wenige Menschen von seinen Verbrechen wussten? Und wie sollte man erklären, dass der Staatsanwalt Cary Oakes offenbar nur des versuchten Mordes an Alan Archibald anklagen konnte? Sämtliche Beweismittel, durch die ihn die Kriminaltechnik mit Jim Stevens in Verbindung brachte – Fingerabdrücke und Gewebefasern in Stevens' Wagen – ließen sich irgendwie wegerklären: Oakes hatte schon früher in diesem Auto gesessen. Verdammt, drei Polizeibeamte hatten beobachtet, wie er in ihm vom Flughafen weggefahren war. Man würde die Stevens-Akte zwar nicht schließen, aber niemand würde noch weitere Untersuchungen durchführen. Jeder wusste, wer der Täter war, aber wenn sie kein Geständnis bekamen, konnten sie nichts tun.

»Spielen wir unsere höchsten Karten«, hatte der stellvertretende Staatsanwalt gesagt. Das bedeutete, den tätlichen Angriff auf Rebus ebenfalls fallen zu lassen, obwohl der Taxifahrer sich bereit erklärt hatte, vor Gericht auszusagen.

»Zu viele mögliche Angriffspunkte für die Verteidigung«, meinte der stellvertretende Staatsanwalt. Rebus bemühte sich, es nicht persönlich zu nehmen. Er wusste, dass die Strafverfolgung eine Sache für sich war, bei der der beste Spieler verlieren und der Schummler gewinnen konnte. Dass es Sache der Polizei war zu ermitteln und die Fakten vorzulegen und anschließend die Sache von Anwälten wie Richie Cordover, alles so lange zu verdrehen, bis Geschworene und Zeugen ihnen abnahmen, dass Celtic-Fans die Protestantenhymne »The Sash« sangen und Cowdenbeath ein Traumurlaubsziel war.

»Hey, John?«, sagte Brian Mich.

»Ja, Barney?«

Brian lachte über die Anrede. »Was hältst du davon, bei Gelegenheit übers Wochenende vorbeizukommen – nur du und ich, he? Wir könnten beim Karaoke ein Duett singen und mal wieder ein paar alte Anbaggersprüche ausprobieren.«

»Klingt gut, Barney. Ich ruf dich bei Gelegenheit an.« Und beide wussten, dass er es nicht tun würde.

»Gut dann, ich nehm dich beim Wort.«

»Mach's gut, Barney.«

»Tschüs, John. War schön, mal wieder von dir zu hören…«

Ein weiterer Pädophiler wurde aus dem Gefängnis entlassen, diesmal in Glasgow. Das GGP hatte einen Bus organisiert und war nach Renfrew gefahren, wo der Mann sich Gerüchten zufolge verkrochen hatte. Einige der jüngeren männlichen Teilnehmer an der Exkursion hatten eine Sauftour durch die Stadt gemacht, die in einer regelrechten Straßenschlacht ausgeklungen war.

Man hoffte, zumindest mancherorts, dass die daraus resultierende negative Publicity das Ende der Organisation bedeuten würde. Aber Van Brady gab weiterhin Interviews und sorgte dafür, dass ihr Bild in den Zeitungen erschien, bemühte sich weiterhin um finanzielle Unterstützung durch die staatliche Lotterie. Den Journalisten gefiel, dass sie fast ausschließlich druckreife Sprüche von sich gab, auch wenn die Hälfte davon zur Veröffentlichung entsprechend entschärft werden musste.

Es wurde eine Gedenkfeier für Jim Stevens veranstaltet. Rebus ging hin. Er hatte den Verdacht, dass Stevens sich zu seinen Lebzeiten mit wenigstens drei Viertel der Besucher zerstritten hatte. Aber es gab allerlei Lobreden und bedrückte Gesichter, und Rebus konnte sich des Gefühls nicht erwehren, dass Jim sich etwas anderes gewünscht hätte. Anschließend zelebrierte er zusammen mit ein paar der lautesten und frechsten Zeitungsschreiber, die die Stadt zu bieten hatte, eine eigene kleine Totenwache im Nebenzimmer der Oxford Bar. Sie tranken bis weit nach Mitternacht, und ihr Gelächter übertönte beinahe die Musik der *ceilidh*-Gruppe in der Ecke.

Rebus torkelte die Straße entlang zur Oxford Terrace, stopfte seine Sachen in den Waschkorb und duschte.

»Du stinkst noch immer«, sagte Patience, als er ins Bett kroch.

»Ich halte die Tradition aufrecht«, sagte Rebus. »Edinburgh heißt nicht umsonst ›die olle Stinkerin‹.«

Er fand es merkwürdig, dass Cal Brady ihn sprechen wollte. Cal war auf Kaution draußen, in Erwartung seines Prozesses wegen verschiedener »Verbrechen am Menschen«, die er angeblich in der Nacht der Keilerei in Renfrew verübt hatte. Der Anruf war so unerwartet gekommen, dass Rebus das Revier verließ, ohne jemandem zu sagen, wo er hinging. Sie verabredeten sich auf der Radical Road. Cal hatte auf einem Treff in der Nähe von Greenfield bestanden, es durfte aber kein Bullenhaus sein – etwas, wo sie sich ohne Zeugen unterhalten könnten.

Es wehte ein scharfer Wind, der Rebus an den Ohren schmerzte. Gelegentlich brach die Sonne durch, wenn die dahinjagenden Wolken aufrissen, nur um schon Augenblicke später wieder zu verschwinden. Cal Brady hatte zwei violettblaue Augen und eine aufgeplatzte Lippe. Seine linke Hand war bandagiert, und beim Gehen schien er ein wenig zu hinken.

»War ziemlich übel, hm?«, fragte Rebus.

»Diese Glasgower…« Cal schüttelte den Kopf.

»Ich dachte, das wär in Renfrew gewesen?«

»Renfrew, Glasgow… is doch alles eins, Mann. Durchgeknallte Irre, einer wie der andere. Deren Vorstellung von einem fairen Kampf ist, einem mit den Zähnen die Haut vom Gesicht zu fetzen.« Er fröstelte, raffte die Jeansjacke enger um sich.

»Zuknöpfen wär auch 'ne Möglichkeit«, sagte Rebus.

»Hä?«

»Die Jacke… wenn dir kalt ist.«

»Klar, aber das sieht dann dämlich aus. Levi's-Jacken sind nur cool, wenn man sie offen trägt.« Rebus wusste darauf nichts zu entgegnen. »Sie sollen ja auch ein bisschen angekratzt sein.«

Rebus sah auf seinen Arm. Er trug jetzt keine Schlinge mehr, sondern nur eine mit Heftpflaster befestigte Kompresse. In einer knappen Woche würden sich die Nähte von selbst auflösen. »Warum wolltest du mich sprechen, Cal?«

»Diese Scheißanklage.«

»Was ist damit?«

»Bei meinen Vorstrafen wandere ich damit wohl in den Bau.«

»Und?«

»Und ich könnte herzlich gern darauf verzichten.« Er zuckte mit einer Schulter. »Helfen Sie mir da raus?«

»Du meinst, ein gutes Wort einlegen?«

»Genau.«

Rebus steckte die Hände in die Taschen, als entspannte er sich. In Wirklichkeit war er, seitdem er – fünf Minuten vor Brady – am verabredeten Treffpunkt angekommen war, auf dem Quivive gewesen: auf der Hut gegen Fallen oder einen möglichen Hinterhalt. Die Lektion hatte er von Cary Oakes gelernt. »Warum sollte ich das tun?«

»Hören Sie, ich bin kein verdammter Spitzel, richtig?«

Rebus nickte bestätigend, wie das offenbar von ihm erwartet wurde.

»Aber ich krieg gelegentlich was mit.« Er schwieg kurz. »Versuch, nicht hinzuhören, aber manchmal geht's nicht anders.«

»Zum Beispiel?«

»Sie würden also ein Wort für mich einlegen?«

Rebus blieb stehen. Er schien die Aussicht zu bewundern. »Ich könnte behaupten, du bist einer von meinen Leuten. Könnte dafür sorgen, dass es so klingt, als wärst du jemand Wichtiges.«

»Aber in Wirklichkeit *wär* ich nicht Ihr Spitzel, klar? Darauf kommt's an.«

Rebus nickte. »Aber du hast was anzubieten?«

Cal sah sich um, als könnte ihn sogar dort jemand belauschen. Als er weiterredete, sprach er so leise, dass Rebus sich ganz dicht neben ihn stellen musste, um ihn zu verstehen.

»Sie wissen, dass ich für Mackenzie arbeite?«

»Du bist sein Schuldeneintreiber.«

Brady stellte sich bei dem Wort auf die Hinterfüße. »Manchmal hat er Außenstände. Kommt in vielen Branchen vor.«

»Klar.«

»Ich sorg dafür, dass seine Gläubiger wissen, auf welches Risiko sie sich da einlassen.«

Rebus lächelte. »Hübsch formuliert.«

Brady schaute sich wieder um. »Petrie«, erklärte er, als sei damit alles gesagt.

»Ich weiß«, erwiderte Rebus. »Nicky Petrie schuldete Charmer Geld, hat anstelle einer letzten Zahlungserinnerung Prügel bezogen.«

Aber Brady schüttelte den Kopf. »Das war die Schwester, die ihm Geld schuldete.«

»Ama?« Brady nickte. »Warum dann Nicky verkloppen?«

Brady schnaubte. »Die ist ein eiskaltes, taffes Biest. Vielleicht ist es Ihnen nicht aufgefallen. Aber sie mag ihren kleinen Bruder. Sie *liebt* den kleinen Nicky...«

»Also war die Botschaft in Wirklichkeit an *sie* gerichtet?« Rebus ließ sich das durch den Kopf gehen, erinnerte sich an etwas, das Ama auf dem Schönheitswettbewerb zu ihm gesagt hatte: *Wem bin ich Geld schuldig?* »Warum hat sie sich das Geld nicht von ihrem Vater geben lassen?«

»Die Sache ist, die würde ihn nicht mal um Hilfe bitten, wenn ihr das Wasser bis zu den Nasenlöchern stünde, und er würde ihr nicht mal helfen, wenn er einen Rettungsring-Großhandel hätte.«

»Ich versteh immer noch nicht, was das mit mir zu tun haben soll.«

»Diese Wohnung der beiden.«

»Was ist damit?«

»*Sie* wohnt da. Die Blondine, nach der Sie gefragt haben.«

Rebus starrte Brady an. »Sie wohnt dort?« Brady nickte. »Wie heißt sie?«

»Nicola, glaub ich.«

»Woher weißt du das alles?«

Brady zuckte die Achseln. »Die können einfach die Klappe nicht halten, diese Typen.«

Rebus dachte an die Szene auf dem Clipper... an den

Betrunkenen, der um ein Haar etwas gesagt hätte, wenn Ama Petrie ihm nicht über den Mund gefahren wäre...

»Die wissen über diese Nicola Bescheid?«

»Die wissen *alle* Bescheid.«

Was bedeutete, dass sie alle Rebus angelogen hatten... einschließlich Brüderchen und Schwesterchen, Nicky und Ama.

»Ist sie Nickys Freundin?«

Brady zuckte wieder die Schultern.

»Oder vielleicht Amas?«

»Ich halt mich da raus«, sagte Brady und machte eine entsprechende Geste mit der Hand: Ende der Diskussion.

»Und was ist mit dir, Cal? Noch immer mit Joanna zusammen?«

»Geht Sie gar nix an.«

»Wie geht's Billy Boy? Meinst du nicht, dass er bei seinem Dad besser aufgehoben wäre?«

»Das will Joanna aber nicht.«

»Hat irgendjemand auch mal Billy gefragt, was *er* will?«

Bradys Stimme wurde lauter. »Der ist noch 'n Kind. Wie soll er wohl wissen, was für ihn das Beste ist?«

»Jede Wette: In seinem Alter wusstest *du* ganz genau, was du wolltest.«

»Kann sein«, räumte Brady nach kurzem Nachdenken ein. »Aber Sie können Gift darauf nehmen, dass ich's nicht gekriegt hab.« Er lachte. »Vielleicht krieg ich's *immer* noch nicht. Wissen Sie, was ich von der ganzen Sache halte?«

»Was?«

»Na, da gucken Sie mal.«

Und Rebus guckte und sah, wie Cal Brady seinen Hosenschlitz öffnete, seinen Penis herausholte und über die Kante der Radical Road zu urinieren begann. Aus seinem sicheren Abstand heraus hatte Rebus den Eindruck, dass er auf

Holyrood, Greenfield und St. Leonard's, in einem riesigen Bogen auf die ganze Stadt pisste.

Und wenn er in dem Moment dazu imstande gewesen wäre, hätte Rebus möglicherweise mitgepisst.

52

Als er und Siobhan Clarke nach einem Einsatz wieder auf dem Weg zur St.-Leonard's-Wache waren, machte Rebus einen Umweg über die Neustadt. Clarke hütete sich, nach dem Grund zu fragen. Er würde es ihr sagen, wenn er es für richtig hielt, und keinen Augenblick eher.

Es war später Nachmittag, und er stand mit eingeschalteter Warnblinkanlage am Bordstein und dachte über Nicky Petrie nach. Ihm einen Besuch abstatten oder nicht? Würde seine Freundin da sein? Würde Petrie ihm wieder eine bunte Mischung aus Lügen und Halbwahrheiten auftischen? Clarke wollte gerade den Mund aufmachen, um etwas zu sagen, als sie bemerkte, wie sich seine Hände um das Lenkrad krampften.

Eine Frau kam gerade die Außentreppe von Petries Haus herunter. Rebus sah erst jetzt, dass ein Taxi am Straßenrand wartete. Sie stieg ein. Er hatte sie nur flüchtig gesehen: groß, gertenschlank. Ein blonder Pagenkopf. Schwarzes Kleid und schwarze Strumpfhose unter einem weiten schwarzen Wollmantel. Rebus schaltete die Blinker aus, fädelte sich hinter dem Taxi ein, fing an, Clarke die Situation zu erklären.

»Was glauben Sie, wo sie hinwill?«

»Gibt nur eine Möglichkeit, das herauszufinden.«

Das Taxi fuhr in Richtung Princes Street, überquerte sie und kroch dann The Mound hinauf. Am oberen Ende über die Ampel und dann rechts in die Victoria Street hinein. Auf dem Grassmarket war Endstation. Nicola bezahlte den Fahrer und stieg aus. Sie sah sich etwas unsicher um. Ihr Gesicht wirkte wie eine Maske.

»Bisschen stark geschminkt«, kommentierte Clarke. Rebus sah sich nach einer Parklücke um. Als er keine fand, ließ er den Wagen im Parkverbot stehen. Wenn er ein Knöllchen bekam, konnte es den übrigen im Handschuhfach Gesellschaft leisten.

»Wo ist sie lang?«, fragte er, während er ausstieg.

»Die Cowgate runter, glaube ich«, sagte Clarke.

»Was, zum Teufel, will sie da?«

Während der Grassmarket mittlerweile zu einer teuren Adresse geworden war, bildeten die sich unmittelbar östlich daran anschließenden Straßen noch immer »Hostel City«: ein Viertel, das die Besitzlosen der Stadt vorerst noch als ihr Revier betrachten durften. Sobald sich die Politiker auch hier breit gemacht hätten, würde die Sache natürlich anders aussehen.

Sie standen an Straßenecken oder saßen auf den Stufen geschlossener Kirchen – mit ausgebeulten Hosen und wilden Bärten, mit Zahnlücken und krummem Rücken. Als Rebus und Clarke um die Ecke bogen, sahen sie, dass die Frau übertrieben langsam durch ein Spalier von Bewunderern schritt, von denen sich nur eine Hand voll die Mühe machten, sie um etwas Kleingeld oder eine Zigarette anzubetteln.

»Setzt sich gern in Szene«, sagte Clarke.

»Und ist nicht wählerisch, was ihr Publikum anbelangt.«

»Nur eins gibt mir zu denken, Sir –«

Aber Nicola hatte sich umgedreht, um für einen anerkennenden Pfiff zu danken, und entdeckte die zwei Beamten. Sie wandte sich rasch wieder um und beschleunigte ihren Schritt, während sie ihre Umhängetasche aus Zebrafell fest an sich drückte.

»Nicht gerade die geschickteste Beschattung«, meinte Clarke.

»Sie kennt uns«, zischte Rebus. Sie eilten den Bürgersteig unter der George IV. Bridge entlang. Die Frau trug flache Schuhe, lief trotz ihres hinderlichen langen Mantels gut. Sie erwischte eine Lücke im Verkehr und flitzte über die Straße. Die Cowgate war ein Albtraum: eine enge Schlucht zwischen hohen Gebäudefronten. Zu den Hauptverkehrszeiten konnte das Kohlenmonoxid nirgendwo entweichen. Die Verletzung an der Brust zwang Rebus, etwas langsamer zu gehen.

»Guthrie Street«, sagte Clarke. Darauf hielt Nicola zu. Die Guthrie würde sie hinauf zur Chambers Street führen, wo es für sie leichter sein würde, ihre Verfolger abzuschütteln. Aber als sie links in die steile Straße einbog, prallte sie mit einem Passanten zusammen, und das brachte sie aus dem Gleichgewicht. Etwas fiel zu Boden, aber sie rannte weiter. Rebus hielt kurz an, um das Ding aufzuheben. Eine blonde Perücke.

»Was, zum Teufel ...?«

»Das versuchte ich Ihnen ja gerade zu sagen, Sir«, sagte Clarke. Weiter oben verließen Nicola allmählich die Kräfte, sie stützte sich an der Wand ab, schleppte sich förmlich die steile Straße hinauf. Hinken tat sie auch noch, hatte sich bei der Kollision offenbar einen Knöchel verstaucht. Als sie gerade die Chambers Street erreicht hatte, gab sie schließlich auf und blieb, jetzt mit kurzen, nicht mehr blonden, sondern sandfarbenen Haaren, mit dem Rücken an der Wand und laut keuchend stehen. Schweiß löste ihr Make-up auf. Und hinter der Maske entdeckte Rebus jetzt jemanden, den er nur allzu gut kannte.

Nicht Nicola – Nicky, Nicky Petrie.

Petries Worte: *Eine puritanische alte Stadt – wo sonst sollten wir unsere Kicks herbekommen …?*

Als Rebus vor ihm stehen blieb, schmerzte sein Herz. Er bekam die Worte kaum raus.

»Plauderzeit, Mr. Petrie.« Er klatschte Nicky Petrie die Perücke auf den Kopf. Petrie nahm sie mit angewiderter Miene wieder ab und hielt sie sich vor das Gesicht. Schweiß und Tränen vermischten sich.

»O Gott, o Gott, o Gott«, sagte er in einem fort.

»Wo ist Damon Mich?«

»O Gott, o Gott, o Gott.«

»Ich glaube nicht, dass Er Ihnen momentan groß helfen kann, Nicky.«

Rebus begutachtete Nickys Kleider. Sie konnten ohne weiteres Ama Petrie gehören: Bruder und Schwester waren ähnlich gebaut, Nicky war nur geringfügig größer und breiter. Das schwarze Kleid saß recht stramm an ihm.

»Das macht Ihnen also Spaß, Nicky? Sich als Frau zu verkleiden?«

»Ist gar nichts dabei«, fügte Clarke rasch hinzu. »Leute sind verschieden.«

Nicky sah sie an und blinzelte die Tränen aus den Augen.

»Ihnen würde eine kleine Generalüberholung nicht schaden, Schätzchen«, sagte er.

Sie lächelte. »Da haben Sie wahrscheinlich Recht.«

»Wer schminkt Sie, Nicky?«, fragte Rebus. »Ama?«

»Mache ich alles selbst.«

»Und dann ziehen Sie los in die Unterstadt? Flanieren auf und ab und lassen sich bewundern?«

»Ich erwarte von Ihnen nicht, dass Sie das –«

»Kein Mensch hat Sie gefragt, was Sie erwarten, Mr. Petrie.« Er wandte sich zu Clarke. »Gehen Sie den Wagen holen.« Reichte ihr die Schlüssel. »Wir müssen Mr. Petrie mit auf die Wache nehmen.«

Petries Augen weiteten sich vor Angst. »Warum?«

»Damit Sie uns ein paar Fragen betreffend Damon Mich beantworten. Und erklären, warum Sie uns die ganze Zeit belogen haben.«

Petrie wollte etwas sagen, biss sich dann auf die Lippe.

»Ganz wie Sie möchten«, meinte Rebus. Dann zu Clarke. »Gehen Sie den Wagen holen.«

Rebus nahm Nicky Petrie eine halbe Stunde lang in die Mangel. Er sorgte dafür, dass jeder, der Lust zu gaffen hatte, auch die Chance dazu bekam. Petrie saß, den Kopf in den Händen, im Verhörraum und hob die Augen nicht von der Tischplatte, während eine Prozession von CID-Beamten und Uniformierten an ihm vorbeiflanierte und sich über seine Schuhe, seine Strumpfhose und sein Kleid ausließ.

»Ich kann Ihnen eine Hose und ein Hemd besorgen«, bot Rebus an.

»Ich weiß genau, was Sie vorhaben«, sagte Petrie, als sie wieder allein waren. »Demütigen Sie mich nur, so viel Sie wollen, diese Lady ist *nicht* zu brechen.« Er brachte ein kleines herausforderndes Lächeln zustande.

»Ihr Herr Papa wird sowieso jeden Augenblick zu Ihrer Rettung angaloppiert kommen«, kommentierte Rebus und stellte mit Vergnügen fest, dass die Wangen des jungen Mannes um Nuancen bleicher wurden.

»Ich brauche meinen Vater nicht.«

»Das mag sein, aber wir werden ihn schon benachrichtigen müssen. Besser *wir* tun es als die Zeitungen.«

»Zeitungen?«

Rebus lachte rau. »Bilden Sie sich etwa ein, die lassen sich *so* was entgehen? Nein, Sir, einen Tag lang werden Sie *der* Coverboy sein, Nicky. Glückwunsch. Bisschen Schminke und eine Perücke, vielleicht lassen die dafür sogar etwas springen.«

»Sie bräuchten ja nichts zu erfahren«, sagte Petrie leise.

Rebus zuckte die Achseln. »Polizeiwachen sind die reinsten Siebe, Nicky. Die Leute, die Sie hier gesehen haben ... ich kann nicht garantieren, dass sie alle den Mund halten werden.«

»Dreckskerl.«

»Ganz wie Sie möchten, Nicky.« Rebus beugte sich vor. »Ich will von Ihnen lediglich wissen, wo Damon Mich zu finden ist.«

»Dann kann ich Ihnen nicht helfen«, entgegnete Nicky Petrie mit dem ganzen Trotz, den er aufbieten konnte.

Also Plan B: Ama Petrie.

Sie fuhr in die Wache wie eine Windsbraut. Cal Brady hatte Recht gehabt: Sie *hatte* eine Schwäche für ihren kleinen Bruder.

»Wo ist er? Was haben Sie mit ihm angestellt?«

Rebus sah sie mit gleichmütigem Blick an. »Sollte das nicht *mein* Text sein?«

Sie schien nicht zu verstehen.

»Damon Mich«, erklärte Rebus. »Nicky hat ihn im Gaitano's kennen gelernt und mit zum Kahn genommen, auf dem Sie gerade eine Ihrer Partys feierten. Das war das letzte Mal, dass er lebend gesehen wurde, Ms. Petrie.«

»Mit Nicky hat das gar nichts zu tun.«

Sie saßen im selben Vernehmungszimmer. Nicky hatte man in der Zwischenzeit nach unten in den Zellentrakt geführt. Es war auch dasselbe Vernehmungszimmer, in dem Harold Ince zum ersten Mal verhört worden war. Ince war zu zwölf Jahren verurteilt worden, Marshall zu acht, wovon sie jeweils den größten Teil in Peterhead würden absitzen müssen. Hätte Rebus dort jemanden gekannt, hätte er vielleicht ein Wort für Ince einlegen können. Aber er kannte dort nicht *eine* verdammte Menschenseele …

»Was hat gar nichts mit Nicky zu tun?«, fragte er.

»Es ist meine Schuld, er kann nichts dafür.«

Rebus verstand: Sie glaubte, Nicky habe geredet, sich irgendwie belastet. Sie unterschätzte ihn. Das war der Riss, den Cal Brady in ihrer Rüstung erkannt hatte; sie liebte ihren Bruder zu sehr.

Rebus lehnte sich zurück, wusste jetzt, wie er das Spiel aufziehen musste. Er fragte sie, ob sie etwas zu trinken wolle. Sie schüttelte heftig den Kopf.

»Ich will eine Aussage machen«, platzte sie heraus.

»Dann brauchen Sie wahrscheinlich einen Rechtsbeistand, Ms. Petrie.«

»Scheiß drauf.« Sie unterbrach sich plötzlich. »Ist Nicky hier? Auf dieser Wache?«

»Sitzt gemütlich in seiner Zelle.«

»Gemütlich?« Ihre Stimme zitterte. »Armer Nicky …« Sie weinte nicht, aber ihr Gesicht wirkte angespannt.

»Wusste Damon Mich, dass Nicky in Wirklichkeit keine Frau war?«

»Wie hätte er es nicht wissen sollen?«

Rebus zuckte die Achseln. »Ihr Bruder ist ziemlich überzeugend.«

Sie gestattete sich ein flüchtiges Lächeln. »Er sagte früher immer, *er* hätte das Mädchen und *ich* der Junge werden sollen.«

Rebus wusste, dass Nicky mit zwölf von zu Hause weggelaufen war. Er war seitdem nicht mehr stehen geblieben …

»Also, was ist auf dem Boot passiert?«

»Wir hatten alle getrunken.« Sie sah ihn an. »Sie wissen ja, wie es auf Partys zugeht.«

Sie versuchte, ihn auf ihre Seite zu ziehen. Zu spät dafür, aber er nickte trotzdem.

»Dann brachte Nicky diesen Proll unter Deck.«

»Proll?«

»Im Sinn von schlicht und geradeheraus. Ich bin kein Snob, Inspector.«

»Natürlich nicht. Ich gehe davon aus, dass Sie alle von Nicks … Vorlieben wussten?«

»Die ganze Clique, ja. Ein paar Pärchen tanzten, Nicky und Damon haben dann auch angefangen.« Ihr Blick schweifte ab: Sie rief sich die Szene vor Augen. »Nicky hatte den Kopf auf Damons Schulter gelegt, und für einen Augenblick sind sich unsere Blicke begegnet … und er sah *glücklich* aus.« Sie kniff die Augen zu.

»Was ist dann passiert?«

Sie schlug die Augen wieder auf und starrte auf den Tisch. »Alfie und Cherie waren eines der anderen Paare. Alfie war so betrunken, wie ich ihn noch nie gesehen hatte. Aus Jux hat er sich rübergebeugt und Nicky die Perücke vom Kopf gerissen. Nicky hat ihn durch den ganzen Raum gejagt. Und Damon stand einfach so da, wie vom Donner gerührt. Er sah aus … in dem Moment sah das wirklich zum Lachen aus. Dann rannte er zur Treppe und hoch. Nicky bekam mit, was passierte, und lief ihm nach …«

»Und dann haben sie sich geprügelt?«

»*Das* hat er Ihnen erzählt?« Sie lächelte. »Der liebe Nicky … Sie haben ihn gesehen, Inspector. Er könnte keiner Fliege was zuleide tun. Nein, als ich oben auf dem Deck war, hatte dieser Damon Nicky zu Boden geschlagen. Er würgte ihn und schlug gleichzeitig seinen Kopf immer wieder auf die Deckplanken. Zerrte ihn hoch … knallte ihn wieder runter. Ich habe eine leere Weinflasche aufgehoben und ihm gegen die Schläfe gehauen. Der ist davon nicht ohnmächtig geworden oder so. Die Flasche ist nicht mal kaputtgegangen, wie man das immer in den Filmen sieht. Aber er hat Nicky losgelassen und ist aufgestanden.«

»Und?«

»Und dann torkelte er, schien das Gleichgewicht zu verlieren und fiel über die Reling und ins Wasser. Es ist komisch… das Deck ist gar nicht so hoch über der Wasserlinie… als er fiel, hat es kaum geklatscht.«

»Was haben Sie dann gemacht?«

»Ich musste mich vergewissern, dass mit Nicky alles in Ordnung war. Ich habe ihn wieder mit nach unten genommen. Die Kehle tat ihm weh, aber ich habe ihm einen Brandy eingeflößt.«

»Ich meine, was haben Sie in Sachen Damon unternommen?«

»Ach so…« Sie dachte darüber nach. »Na ja, bis ich wieder nach oben gegangen bin, war von ihm nichts mehr zu sehen. Ich habe angenommen, er sei ans Ufer geschwommen.«

Rebus starrte sie an. »Sind Sie ganz sicher, dass Sie *das* angenommen haben?«

»Um ehrlich zu sein… ich würde nicht beschwören, dass ich überhaupt irgendwas gedacht habe. Er war weg, und er konnte Nicky nicht mehr weh tun, das war alles, was für mich zählte. Das ist immer alles, was für mich je gezählt hat. Sie sehen also – was immer Nicky Ihnen berichtet haben mag, es hatte nur den Zweck, mich zu beschützen. Ich, nicht Nicky, gehöre in die Zelle.«

»Danke für den Ratschlag.«

»Sie lassen ihn doch laufen, oder?«

Er stand auf, beugte sich über den Tisch zu ihr hinunter. »Ich kenne Damons Familie. Ich habe gesehen, wie sie gelitten haben. Ihr Herzensbrüderlein hat nicht die leiseste Vorstellung davon.«

Sie funkelte ihn an. »Und warum *sollte* er?«

Ihm fielen tausend Antworten ein, Antworten, die sie eine wie die andere einfach vom Tisch gefegt hätte. Also sagte er stattdessen, dass er eine schriftliche Aussage von ihr bräuchte. Er würde jemanden vorbeischicken, der sie aufnehmen würde. Er wandte sich zur Tür.

»Und dann lassen Sie Nicky raus, Inspector, ja?«

Sein bescheidener Sieg: Er ging, ohne ein Wort zu sagen.

Epilog

An dem Abend war er wieder auf der Cowgate, weiter östlich diesmal, hinter der ausrangierten Leichenhalle, und ging auf die Baustelle an der Holyrood Street zu. Jenseits davon konnte er ein paar Hochhäuser von Greenfield ausmachen und dahinter die Salisbury Crags. Die Sonne war untergegangen, aber zu dieser Zeit des Jahres konnte sich die Dämmerung endlos hinziehen. Die Abbrucharbeiten waren für heute eingestellt worden. Er konnte nicht beschwören, wo genau alles hinkommen sollte, aber er wusste, dass da ein Zeitungsgebäude, ein Themenpark und das Parlamentsgebäude entstehen würden. Und das alles, gemäß den Voraussagen, bis zum Ende des zwanzigsten Jahrhunderts. Um Schottland in das neue Millennium zu führen. Rebus versuchte, wenigstens einen schwachen Hoffnungsschimmer in sich zu entdecken, musste aber feststellen, dass er gegen seinen alten Zynismus nicht ankam.

Inzwischen war es dunkel geworden. Schatten schienen sich rings um ihn zu erheben, während in der Ferne eine Glocke läutete. Das Blut, das in den Stein eingesickert war, die Knochen, die nicht zur Ruhe kamen, die Geschichten und Schrecken von Edinburghs Vergangenheit und Gegenwart… er wusste, dass die stählernen Kiefer der Bagger sie alle zutage fördern würden, während die Stadt sich mühsam dafür rüstete, endlich wieder die Hauptstadt einer Nation zu werden.

Vergiss es, John, sagte er zu sich. Das hier ist einfach die Altstadt, nichts weiter.

Cary Oakes saß im Besuchszimmer des Saughton-Gefängnisses. Man hatte ihm keine Handschellen angelegt, und es war bloß ein Wärter anwesend – schon fast eine Beleidigung. Dann öffnete sich die Tür, und sein Rechtsbeistand trat ein. So wurden die hierzulande genannt: Rechtsbeistand. Cary lächelte, neigte den Kopf zum Gruß. Der Anwalt war jung, sah eifrig, aber auch nervös aus. Wahrscheinlich sein erster Auftrag, aber das war schon okay. Junge Spunde, die sich abrackerten, um nach oben zu kommen… die machten für einen unbezahlte Überstunden, legten immer noch eins drauf. Cary hatte nichts gegen frisches Blut.

Er wartete, bis der Typ auf seinem Stuhl saß, Notizblock aufgeklappt, Stift gezückt. Dann legte er mit seinem Verkaufsgespräch los.

»Ich bin unschuldig, Mann, so wahr mir Gott helfe. Und das müssen *Sie* tun: mir helfen. Gemeinsam können wir nachweisen, dass ich unschuldig bin.« Er beugte sich vor, stützte die Ellbogen auf den Tisch. »Ich bin die Startrampe für Ihre Laufbahn. Sie sind mein Mann. Das spüre ich.«

Und bedachte ihn mit einem strahlenden, offenen Lächeln.

IAN RANKIN

»Rankin ist nach wie vor der unübertroffene Meister aller zeitgenössischen britischen Krimiautoren.«
The Times

DIE INSPECTOR-REBUS-ROMANE
In chronologischer Reihenfolge:

Verborgene Muster
224 Seiten · Taschenbuch · 3-442-44607-4

Das zweite Zeichen
320 Seiten · Taschenbuch · 3-442-44608-2

Wolfsmale
320 Seiten · Taschenbuch · 3-442-44609-0

Ehrensache
384 Seiten · Taschenbuch · 3-442-45014-4

Verschlüsselte Wahrheit
384 Seiten · Taschenbuch · 3-442-45015-2

Blutschuld
384 Seiten · Taschenbuch · 3-442-45016-0

Ein eisiger Tod
416 Seiten · Taschenbuch · 3-442-45428-X

Das Souvenir des Mörders
608 Seiten · Taschenbuch · 3-442-44604-X

Der kalte Hauch der Nacht
544 Seiten · Taschenbuch · 3-442-45387-9

Puppenspiel
640 Seiten · Taschenbuch · 3-442-45636-3

Die Tore der Finsternis
544 Seiten · Taschenbuch· 3-442-45833-1

Die Kinder des Todes
544 Seiten · gebundene Ausgabe · 3-442-54550-1

So soll er sterben
576 Seiten · gebundene Ausgabe · 3-442-54605-2

GOLDMANN VERLAG